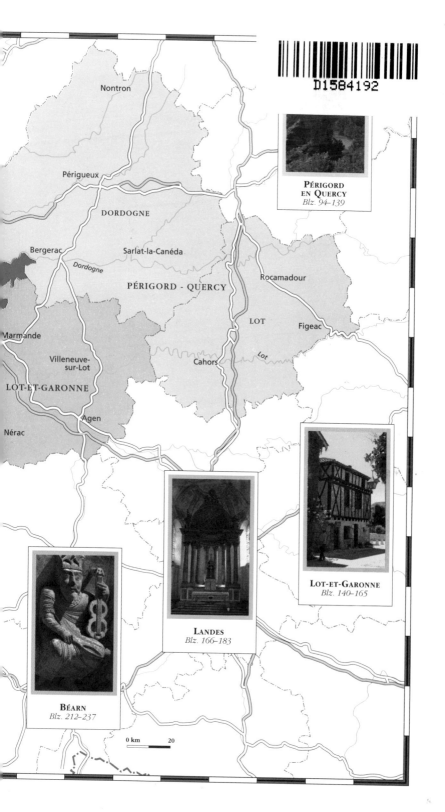

Nontron

Périgueux

DORDOGNE

Bergerac

Dordogne

Sarlat-la-Canéda

PÉRIGORD - QUERCY

Rocamadour

LOT

Figeac

Marmande

Villeneuve-
sur-Lot

Cahors

Lot

LOT-ET-GARONNE

Agen

Nérac

**PÉRIGORD
EN QUERCY**
Blz. 94–139

LOT-ET-GARONNE
Blz. 140–165

LANDES
Blz. 166–183

BÉARN
Blz. 212–237

0 km   20

D1584192

CAPITOOL REISGIDSEN

DORDOGNE, BORDEAUX EN DE ZUIDWESTKUST

CAPITOOL REISGIDSEN

DORDOGNE, BORDEAUX EN DE ZUIDWESTKUST

afgeschreven

VAN REEMST
UITGEVERIJ

HOUTEN

A Dorling Kindersley Book
www.dk.com

Oorspronkelijke titel: Eyewitness Travel Guides – Dordogne,
Bordeaux & the Southwest Coast
© 2006 Oorspronkelijke uitgave:
Dorling Kindersley Limited, Londen
© 2007 Nederlandstalige uitgave:
Van Reemst Uitgeverij/Unieboek bv
Postbus 97
3990 DB Houten
www.capitoolgids.nl

Boekverzorging: *de Redactie,* Amsterdam
Vertaling: Jaap Deinema, Michiel Gussen, Ron de Heer, Liesbeth
Hensbroek, Dominique van der Lingen, Catherine Smit
Bewerking: Paul Krijnen

Omslag: Teo van Gerwen-design, Waalre

Druk: Toppan Printing Co., Hong Kong

Alles is in het werk gesteld om ervoor te zorgen dat de
informatie in dit boek bij het ter perse gaan zo veel mogelijk
is bijgewerkt. Gegevens zoals telefoonnummers,
openingstijden, prijzen, exposities en reisinformatie zijn echter
aan verandering onderhevig. De uitgever is niet
aansprakelijk voor consequenties die voortvloeien uit
het gebruik van dit boek.

ISBN-10: 90-410-3397-1
ISBN-13: 978-90-410-3397-0
NUR 512

Noot: De Franse naam Aquitaine wordt gebruikt als aanduiding
voor het gebied dat in deze reisgids wordt behandeld

INHOUD

Decoratief paneel, Roze Zaal,
Château de Roquetaillade, Gironde

INLEIDING OP AQUITAINE

Trossen rijpe druiven in een
wijngaard in Bordeaux

De haven van Hendaye, Pays Basque

Duiventil in Lot-et-Garonne

Château de Puyguilhem in de Dordogne

Decoratief detail: het interieur van het Grand-Théâtre de Bordeaux

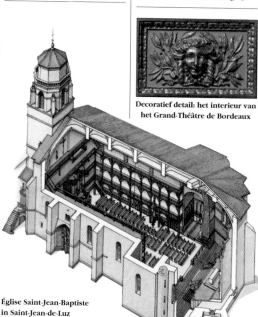
Église Saint-Jean-Baptiste in Saint-Jean-de-Luz

INLEIDING OP AQUITAINE

Aquitaine in kaart gebracht

V an de monding van de Gironde in het noorden tot de grens met Spanje in het zuiden beslaat de zuidwesthoek van Frankrijk, de regio bekend als Aquitaine (Aquitanië), een oppervlakte van 41.300 km², de kustlijn strekt zich uit over 270 km langs de Atlantische Oceaan. Het gebied telt ongeveer 2,9 miljoen inwoners, zo'n 5 procent van de populatie van Frankrijk, een gemiddelde van 70 inwoners per km². Van de vijf departementen – Dordogne, Gironde, Landes, Lot-et-Garonne en Pyrénées-Atlantiques – is Gironde verreweg het dichtst bevolkt.

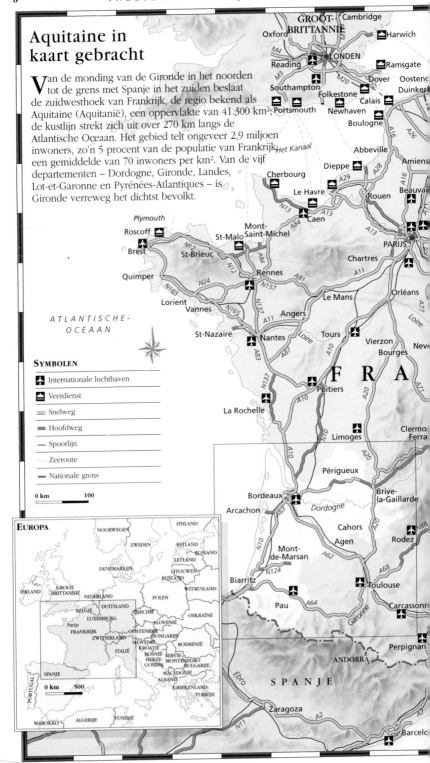

SYMBOLEN

✈ Internationale luchthaven

⛴ Veerdienst

═ Snelweg

━ Hoofdweg

— Spoorlijn

-- Zeeroute

— Nationale grens

0 km   100

EUROPA

0 km   500

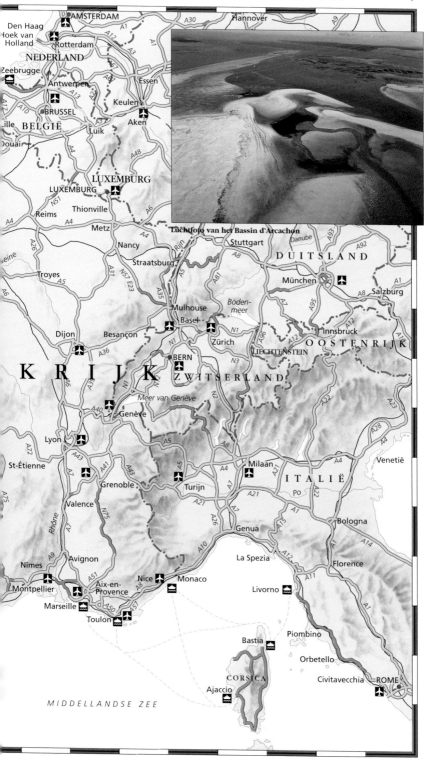

Luchtfoto van het Bassin d'Arcachon

Een schets van Aquitaine

De cultureel diverse regio Aquitaine (Aquitanië), een mozaïek van diverse landstreken, wordt begrensd door de Atlantische Oceaan in het westen en het Iberisch Schiereiland in het zuiden. De regio heeft in de loop der eeuwen veel invloeden ondergaan. Elk van de verschillende streken bezit een unieke cultuur; sommige hebben zelfs hun eigen taal. Bordeaux, beroemd om zijn wijnen, is de belangrijkste stad en het economische centrum.

Aquitaine kan verdeeld worden in zes landstreken: Périgord-Quercy (dat de departementen Dordogne en Lot omvat) en Gironde in het noorden, Landes en Lot-et-Garonne in het midden, en Pays Basque (Frans Baskenland) en Béarn (samen het departement Pyrénées-Atlantiques) in het zuiden. Behalve hun gezamenlijke geschiedenis (met name in het geval van de Dordogne en de Quercy) hebben deze gebieden nog veel andere overeenkomsten. Het zijn allemaal wijnstreken die bekendstaan om hun culturele erfenis, sportieve prestaties en lokale architectuur.

Klederdracht uit de Béarn

De Romeinen noemden de streek *Aquitania*, 'land van water'. De overvloedige regenval zorgde niet alleen voor een uitbundige vegetatie, maar ook voor het ontstaan van een van de rijkste landbouwgebieden in Frankrijk. Het gebied, dat zich uitstrekt van de Spaanse grens in het zuiden tot de Gironde in het noorden, beslaat 41.300 km². Zijn 270 km lange Atlantische kust, die zich uitstrekt van Pointe de Grave tot Hendaye aan de voet van de Pyreneeën, maakt de streek ook tot een van de belangrijkste vakantiegebieden van Frankrijk, met als middelpunt het Bassin d'Arcachon.

Surfers genieten van de hoge golven aan de Atlantische kust

◁ **Het dorp Carennac in het dal van de Dordogne**

Een *borie*, een stenen hut met een kegelvormig dak, karakteristiek voor het landschap van het Vézèredal

In het binnenland, achter de kustduinen, liggen veel ongerepte gebieden, waar het gebruik van land aan strenge regels onderworpen is. Een ander kenmerk zijn, behalve de vele meren en moerassen, de groene dalen, uitgesleten door de drie grootste rivieren, die met hun afzettingen de grond verrijken. In het noorden meandert de Garonne door de Agenais om samen te vloeien met de Dordogne, afkomstig uit de Périgord, en uit te monden in het estuarium van de Gironde. In het zuiden baant de Adour zich kronkelend een weg van de Pyreneeën naar de zee. De overvloed aan water heeft sinds de prehistorie mensen naar Aquitaine gelokt. De Grotten van Lascaux in de Dordogne en vondsten als de Venus van Brassempouy in de Landes vormen hiervoor overtuigend bewijs.

NATUURLIJKE RIJKDOMMEN

Afgezien van de vele kenmerken die gelden voor de regio als geheel, is de opvallendste karakteristiek de grote diversiteit. Die blijkt het duidelijkst uit de onevenwichtige verdeling van de populatie. Bijna 44 procent van de bevolking woont in de verstedelijkte Girondestreek. Buiten de grote steden, zoals Bordeaux, Libourne, Mont-de-Marsan, Pau, Agen en Bayonne, is de bevolking geconcentreerd in kleine plaatsen en geïsoleerde dorpen, met name in de Landes.

De uitgestrekte vruchtbare landerijen vormen de basis van een bloeiende landbouweconomie. Deze zorgt voor 5,3 procent van de regionale inkomsten – iets meer dan die uit de bouwsector (4,9 procent); 83 procent van het land is landbouwbouwgrond. Naast graan, waaronder maïs, worden tal van andere gewassen verbouwd, zoals kiwi's aan de oevers van de Adour, tabak rond Bergerac en Marmande, walnoten in de Périgord, en pruimen (de beroemde *prunes d'Agen*) in de Agenais. Veeteelt is ook belangrijk: lamsvlees uit het Pays Basque (ook bekend om zijn kaas), *foie gras* en *confits* uit de Dordogne,

Pottoks, de wilde bergpony's van het Pays Basque

Biarritz, een vakantieoord sinds de 19de eeuw

is opgericht in Biscarrosse (Landes), bezet de regio nog altijd een vooraanstaande plaats in de luchtvaart- en ruimtevaartindustrie. Grote industriële consortiums of een van de 600 gespecialiseerde onderaannemers bouwen hier burger- en militaire vliegtuigen, helikopters en technische systemen – met name voor de Arianeraket. Deze sector werkt nauw samen met wetenschappelijke onderzoekers aan de universiteit. De regio telt verschillende belangrijke wetenschappelijke centra, waarvan sommige van Europees niveau. Chemie, elektronica, lichte industrieën (schoenindustrie), metallurgie en lokale nijverheid, zoals het traditionele Baskische textiel, zijn andere aspecten van het brede industriële erfgoed.

De belangrijkste bron van welvaart in Aquitaine is echter de dienstensector, die verantwoordelijk is voor 72,9 procent van de economie. Deze is vooral afhankelijk van het snel groeiende toerisme. Elk jaar komen 6 miljoen bezoekers, waarvan 1 miljoen uit het buitenland, af op de mooie natuur, de bijzondere architectuur en de vele festivals. Ondanks de enorme toestroom is de dynamiek en het onafhankelijke karakter van Aquitaine's rijke culturele erfenis nooit in het gedrang gekomen.

gevogelte uit Saint-Sever en de Landes en rundvlees uit Chalosse en Bazas zijn enkele van de beste producten. Daarbovenop komt de wijnindustrie, waarvan ongeveer driekwart is geconcentreerd in de Gironde. Aquitaine is een van de belangrijkste producenten van kwaliteitswijnen in Frankrijk.

De ingang van Cos d'Estournel

Hout is ook een belangrijke grondstof. De regio telt een van de grootste bosgebieden van Europa, van zo'n 1,8 miljoen ha. Hier wordt vurenhout gewonnen, ten behoeve van de bouw en de papierindustrie, naast eiken-, kastanje- en beukenhout. En met vier grote havens, de Golf van Biskaje en de vele rivieren en estuaria, is de visvangst, naast de vis- en oesterkwekerijen, ook een belangrijke bron van inkomsten.

DE ROL VAN DE INDUSTRIE

De industrie zorgt voor 17 procent van de regionale inkomsten. Met de vliegtuigfabriek van Latécoère, die in 1930

Pelgrims op weg naar Santiago de Compostela

Baskische supporters van het rugbyteam van Biarritz

EEN CULTUREEL MOZAÏEK

Volgens een theorie van de 18de-eeuwse filosoof baron De Montesquieu – een van de beroemdste zonen van Aquitaine – worden het politieke systeem en het karakter van een regio bepaald door lokale, nauurlijke en menselijke factoren, zoals hoogte, topografie, geografische breedte, afstand tot de zee, en taal.

Aquitaine kan gezien worden als een perfecte illustratie van deze theorie. Weinig gebieden in Frankrijk kunnen bogen op zoveel verschillende, diepgewortelde culturen en talen.

Zelfs de onafgebroken stroom van pelgrims, vanaf de 11de eeuw, op weg naar het graf van de H. Jacobus in Compostela, heeft weinig afbreuk gedaan aan de lokale tradities. Talrijke kerken en onderkomens werden gebouwd in de regio, die op een kruispunt ligt van vier ver-schillende pelgrimsroutes (vanaf Parijs, Vézelay, Le Puy-en-Velay en Arles). Daar zijn nog veel mooie exemplaren van over, zoals de kathedraal Saint-André in Bordeaux en de kathedraal Saint-Étienne in Périgueux, die ook op de Werelderfgoedlijst staan. Ondanks de romaanse en gotische bouwstijl waarin ze zijn uitgevoerd, hebben deze grootse gebouwen een karakteristiek lokaal karakter.

Met name het Pays Basque (Frans Baskenland) in het zuiden kent een sterk gevoel van identiteit. Dit uit zich in het gebruik van een eigen taal, Euskara (onderwezen op alle scholen), de unieke huizen in houtskeletbouw of *etxe* (*blz. 20*) en de nationalistische beweging. In Béarn, aan de voet van de Pyreneeën, wordt Gascons gesproken, met name in Oloron-Sainte-Marie, waar de Baskische baret vandaan komt. In de Landes – een afwisselend landschap van rivierdalen, bossen en uitgestrekte stranden, begrensd door meren en rivieren – leven lokale tradities voort in de stierenrenfestivals die hier al sinds 1850 plaatsvinden. Ook de Agenais heeft, ondanks zijn relatief geringe oppervlakte, zijn lokale identiteit kunnen behouden. De streek

Standbeeld in het Parc Théodore-Denis, in Dax

De Stèle de Roland, op de Col d'Ibañeta, opgericht voor de neef van Karel de Grote

Klassiek en modern naast elkaar in Bordeaux

staat bekend om zijn gastronomische specialiteiten, zoals de beroemde *prunes d'Agen*. De Périgord kan bogen op statige chateaus en prehistorische grotten die het unieke karakter van de streek weerspiegelen. Op de rivier de Dordogne varen nog de traditionele boten, bekend als *gabares*.

Tot ver in de 15de eeuw was Gascogns de voornaamste taal van de Gironde, en in grote delen van Aquitaine worden nu nog lokale talen gesproken. U kunt mensen tegenkomen die Occitaans spreken en in Bordeaux heeft men zijn eigen patois, het Bordeluche, hoewel dat aan het uitsterven is.

EEN 'EUROPESE' REGIO

De sterke binding met hun historische wortels betekent niet dat de inwoners van Aquitaine zich hebben afgekeerd van de rest van de wereld of van de toekomst. In 2003 heeft de Franse overheid plannen bekendgemaakt om in het zuiden een nieuwe weg en spoorwegverbinding aan te leggen, van west naar oost, die de hele regio moet verbinden met

Oost- en Zuidoost-Europa. De streek ligt al op een kruispunt van belangrijke handelsroutes tussen Noord-Frankrijk en het Iberisch Schiereiland, en het Middellandse Zeegebied en Noord-Afrika in het zuiden. Eeuwenlang fungeerde de streek als doorvoerplaats voor mensen en goederen, en dit verkeer blijft de regio economisch en cultureel verrijken. Dit plaatst Aquitaine stevig in het hart van het moderne Europa. Maatgevend voor het onderscheidende karakter van de streek is dat het altijd in staat is geweest om nieuwe invloeden te absorberen en ze succesvol te vermengen met de unieke tradities van het verleden.

In het Château de la Brède is baron De Montesquieu geboren

Planten en dieren van Aquitaine

Het zuidwesten van Frankrijk ligt op de vliegroute van vele duizenden trekvogels. Onder deze tijdelijke gasten bevinden zich de brandgans, grauwe gans, smient, kluut, bontbekplevier, zilverplevier, kanoet en wulp.

Als u hoog in de bergen komt, kunt u de **Steenarend** steenarend, lammergier, vale gier en aasgier zien, naast dieren als gemzen en marmotten (geïntroduceerd rond 1950). Hier vindt u ook enkele van de mooiste bloemen in de streek: gentianen, klaprozen, kievietsbloemen, lelies en irissen. In de duinen langs de kust treft u de blauwe zeedistel en de zandlelie verspreid aan tussen de anjer (*Dianthus gallicus*) en winde, terwijl vlasleeuwenbek, geel walstro, havikskruid en hokjespeul bijna overal voorkomen.

Houtduiven komen tijdens hun jaarlijkse trek naar het zuiden over de Pyreneeën om de winter door te brengen in Spanje. Ze zijn gewild als voedsel en vallen vaak ten prooi aan jagers.

ZANDIGE KUST
Vanaf Pointe de Grave, de zuidpunt van de monding van de Garonne, liggen over een afstand van 230 km zandduinen. Bij Le Pyla bereiken ze een hoogte van 100 m. In deze duinen komt typische zandvegetatie voor, zoals blauwe zeedistel, zandlelie, guldenroede, luzerne, zeewolfsmelk en soms zeedruif (*Ephedra equisetina*).

ESTUARIA EN KUSTMOERASSEN
Van november tot maart komen duizenden trekvogels naar de estuaria van de Gironde en de Bidassoa, de moeraslanden van de Blayais en de noordelijke Médoc, het Bassin d'Arcachon, de Banc d'Arguin en de Baie de Fontarrabie. Terwijl de meeste vogels verder naar het zuiden trekken, brengen sommige hier de winter door.

Astralagus bayonnensis groeit in de duinen. Deze zeldzame hokjespeul is beschermd.

Grauwe ganzen verblijven iedere herfst enige tijd in de regio tijdens hun jaarlijkse trek naar het zuiden.

De scholekster scharrelt over het strand op zoek naar kokkels, mossels, alikruiken en kleine krabben, waarmee hij zich dagelijks voedt.

De kluut gebruikt zijn kromme snavel om in het ondiepe water van de kustmoerassen te zoeken naar kleine schaaldieren.

Vissen van Aquitaine

Goudbrasem, zeekarper, zeebrasem, zeebaars, zeepaling, bonito, koolvis, tong, tarbot en schar komen in overvloed voor in de wateren voor de 300 km lange kust van de regio. Elft, lamprei en paling worden gevangen in de mondingen van de Gironde en de Adour. Tonijn en ansjovis vormen een groot deel van de vangst in de Golf van Biskaje, waar vandaag de dag ongeveer 2000 vissers op meer dan 400 vissersboten werkzaam zijn.

Steur zwemt tussen maart en juni de Dordogne en de Garonne op om zich in de paaigebieden voort te planten. Een deel van de eieren wordt geoogst en verwerkt tot kaviaar.

Elft is enorm in aantal toegenomen sinds de paaigronden van deze vis in de Dordogne bij Bergerac beschermd zijn en bij de Tuillèresdam nieuwe paaiplaatsen zijn gekomen. De jaarlijkse vangst bedraagt ongeveer 200–400 ton.

Forêt Landaise

Dit gebied van meer dan 1 miljoen ha is voor het overgrote deel begroeid met zeedennen. Het is het grootste bos in Europa. De bomen werden in de 19de eeuw aan de kust geplant om te voorkomen dat duinzand landinwaarts zou verstuiven. Tot 1990 was het tappen van dennenhars een belangrijke bron van inkomsten in de Landes.

Pyreneeën

In de rotsige uitlopers ongeveer halverwege het Massif des Arbailles en het Forêts d'Iraty leven auerhoenders, spechten, steenarenden en diverse soorten gieren. Korhoenders en marmotten komen voor in de rotsige gebieden. In de hoge valleien van de Aspe en de Ossau leven nog bruine beren, hoewel ze steeds zeldzamer worden.

De kraanvogel is een regelmatige bezoeker van het gebied rond het estuarium van de Bidassoa. Enkele honderden overwinteren van november tot maart in de Landes, met name op de schietterreinen bij Le Poteau.

De lammergier bewoont de Haute Soule en het hoge Aspedal.

Zeedennen hebben mannelijke kegels, die aan het begin van de zomer goed te zien zijn.

De vale gier nestelt meestal in het Massif de la Pierre-St-Martin, in het Nivedal (blz. 198–199), in het Aldudesdal (blz. 202–203) en in het Forêt des Arbailles (blz. 208).

Religieuze architectuur

De vier oude pelgrimsroutes naar Santiago de Compostela in Spanje voeren door het zuidwesten van Frankrijk *(blz. 206–207)*. Dit zorgde voor een opmerkelijke bloei van de religieuze architectuur. Niet minder dan 19 historische gebouwen in deze streek zijn door de UNESCO uitgeroepen tot Werelderfgoed. Herbergen, versterkte kerken en indrukwekkende kloosters werden vanaf de 7de eeuw gebouwd voor de vele pelgrims die op weg waren naar Compostela. Op deze plekken verschenen later majestueuze kathedralen en grote koepelkerken, ontworpen in gotische en renaissancistische stijl.

Voorgevel van de kerk in
Dax, Landes

ROMAANS (7DE–11DE EEUW)

De romaanse gebouwen in de streek behoorden tot verschillende typen. De versterkte kerken in de Périgord hadden uiteraard een verdedigende rol. Andere, zoals l'Hôpital-Saint-Blaise in het Pays Basque, dienden als herberg voor de pelgrims. Kenmerkend voor de romaanse architectuur van het zuidwesten zijn ook de grote kloosters, zoals die in Cadouin, Moirax, La Sauve-Majeure en Saint-Sever.

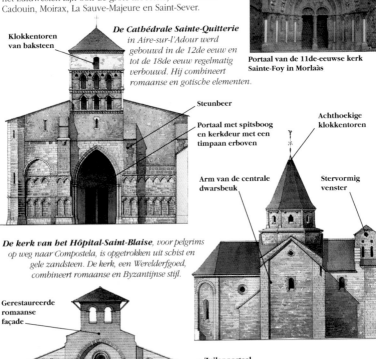

De Cathédrale Sainte-Quitterie
in Aire-sur-l'Adour werd gebouwd in de 12de eeuw en tot de 18de eeuw regelmatig verbouwd. Hij combineert romaanse en gotische elementen.

Klokkentoren
van baksteen

Portaal van de 11de-eeuwse kerk
Sainte-Foy in Morlaàs

Steunbeer

Portaal met spitsboog
en kerkdeur met een
timpaan erboven

Achthoekige
klokkentoren

Arm van de centrale
dwarsbeuk

Stervormig
venster

De kerk van het Hôpital-Saint-Blaise, *voor pelgrims op weg naar Compostela, is opgetrokken uit schist en gele zandsteen. De kerk, een Werelderfgoed, combineert romaanse en Byzantijnse stijl.*

Gerestaureerde
romaanse
façade

Zuilenportaal

De kerk van Moirax, *in Lot-et-Garonne, maakte deel uit van een cluniacenzer priorij. De kerk is een goed voorbeeld van de romaanse architectuur van de 11de en 12de eeuw. Op het centrale, uitstekende deel van de gevel staat een open klokkenstoel, die op zijn beurt bekroond wordt door een puntdak.*

KOEPELKERKEN (11DE–12DE EEUW)

Vanaf de 11de eeuw werden veel kerken in Zuidwest-Frankrijk, met name in de streek Ribérac, uitgevoerd met koepels in Byzantijnse stijl, hoewel het grondplan nog steeds romaans was. Met zijn vijf koepels in de vorm van een Grieks kruis is de Cathédrale Saint-Front in Périgueux een goed voorbeeld, ondanks latere veranderingen. Andere voorbeelden zijn de Église Sainte-Marie in Aubiac en de Église Sainte-Croix in Oloron-Sainte-Marie, met zijn koepel in Moorse stijl.

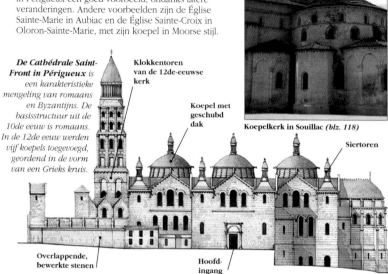

De Cathédrale Saint-Front in Périgueux is een karakteristieke mengeling van romaans en Byzantijns. De basisstructuur uit de 10de eeuw is romaans. In de 12de eeuw werden vijf koepels toegevoegd, geordend in de vorm van een Grieks kruis.

Klokkentoren van de 12de-eeuwse kerk

Koepel met geschubd dak

Koepelkerk in Souillac *(blz. 118)*

Siertoren

Overlappende, bewerkte stenen

Hoofd-ingang

GOTIEK NAAR RENAISSANCE (13DE–16DE EEUW)

In Aquitaine verliep de overgang van de romaanse stijl naar de gotiek geleidelijk. Dit is te zien aan kathedralen in de regio die verbouwd werden, zoals de Cathédrale Saint-André in Bordeaux. De Cathédrale de Bazas uit 1233 was de eerste die in gotische stijl werd uitgevoerd.

Gotische ingang van de Cathédral de Bazas (15de eeuw)

De Cathédrale Saint-André in Bordeaux, gewijd in 1096, heeft een romaans schip met gotische spitsen en torens. Renaissancistische elementen zijn de steunberen en het voormalige koorhek.

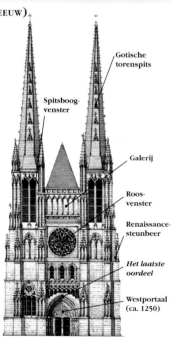

Gotische torenspits

Spitsboog-venster

Galerij

Roos-venster

Renaissance-steunbeer

Het laatste oordeel

Westportaal (ca. 1250)

Wereldse architectuur

Maskermotief, Bordeaux

Omdat Aquitaine uit diverse, vaak heel verschillende regio's bestaat, is de lokale architectuur aangepast aan uiteenlopende levenstijlen en geografische omstandigheden. Karakteristiek voor Aquitaine zijn de vakwerkhuizen uit de Landes, maar ook de Baskische *etxes* en de boerderijen en duiventillen van de Perigord. Hoewel een reeks traditionele stijlen het landschap bepalen, weerspiegelen stadshuizen zoals de *échoppe bordelaise* en de villa's uit Arcachon de sociale en economische ontwikkeling van bepaalde plaatsen.

De erker, een kenmerk van sommige villa's in Arcachon

Platte dakpannen

Afdak

Kalkstenen muren

De boerderijen van de Perigord zijn bijzonder praktisch van opzet. Het ontwerp kan per plaats iets verschillen, maar deze robuust gebouwde huizen bestaan meestal uit woonvertrekken, stallen en opslagruimten, zodat wonen en werken onder één dak verenigd zijn.

*De **etxe** is de meest voorkomende woning in het Pays Basque. Er zijn enkele varianten, waaronder huizen die typisch zijn voor Soule en Basse-Navarre. Het meest karakteristiek is echter het Labourdtype (rechts), vaak wit met gekleurd houtskelet.*

Romeinse dakpannen

Uitbouw

Blauwachtig-groen of dieprood houtskelet

Emban (afdak)

Oostingang

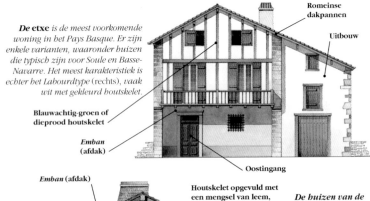

Emban (afdak)

Voorgevel met vensters

Houtskelet opgevuld met een mengsel van leem, grind en stro of baksteen.

*De **huizen van de Landes** hebben een kenmerkend uiterlijk met hun lage schuine daken en vakwerk. Ze staan meestal op een open plek omgeven door dennenbomen en zijn met hun voorkant naar het oosten gericht als bescherming tegen Atlantische stormen.*

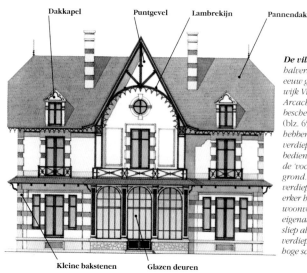

Dakkapel Puntgevel Lambrekijn Pannendak

Kleine bakstenen Glazen deuren

De villa's *werden vanaf halverwege de 19de eeuw gebouwd in de wijk Ville d'Hiver in Arcachon, nu een beschermd gebied (blz. 65). Deze huizen hebben twee of drie verdiepingen. De bedienden woonden op de 'vochtige' begane grond. Op de eerste verdieping, die soms een erker heeft, lagen de woonvertrekken. De eigenaar van het huis sliep altijd op de tweede verdieping, onder het hoge schuine dak.*

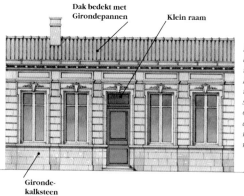

Dak bedekt met Girondepannen Klein raam

Gironde-kalksteen

De échoppe bordelaise *is een huis van één verdieping, soms met achter een kleine tuin. In Bordeaux en omgeving staan nog meer dan 10.000 van dit soort huizen. Échoppes waren oorspronkelijk tamelijk eenvoudige huizen in arbeidersbuurten, maar werden later comfortabele middenklassenwoningen.*

DUIVENTILLEN

Duiventillen vormen een opvallend element in de landelijke architectuur van Zuidwest-Frankrijk. Vooral in Lot-et-Garonne komen ze veel voor. Ze dienden als onderkomen voor de vogels waarvan de uitwerpselen, bekend als *colombine* (van *colombe*, wat 'duif' betekent), verzameld werden en gebruikt als mest. Omdat de houder van duiven over veel land moest beschikken, waren duiventillen een teken van rijkdom. Ze werden gebouwd in verschillende vormen en formaten, in baksteen of natuursteen, soms in vakwerk en meestal met een dak. Ze stonden midden in het open veld, zodat de geur en het geluid van de vogels geen overlast zou geven. Duiventillen werden ook wel geïntegreerd in andere gebouwen, in de vorm van grote inhammen of torens, en sommige werden midden in een stad gebouwd, in een *bastide* als Monflanquin, waar de vogels waarschijnlijk dienden ter consumptie.

Een duiventil op palen, als bescherming tegen roofdieren

Bastides

Afbeelding uit *Statuts et Coutumes d'Agen*

Tussen 1220 en 1370 gaven de graven van Toulouse en Edward I van Engeland opdracht tot de bouw van bijna 300 *bastides* (vestingsteden) in Zuidwest-Frankrijk. Ze werden aangelegd volgens een nauw omschreven plan en hadden niet alleen een militaire functie, maar ook een politieke en economische. Doordat de bevolking dichter bij elkaar kwam te wonen, kon het land efficiënter bewerkt worden. Een overeenkomst tussen de stichter van de bastide en de eigenaar van het omringende land waarborgde de rechten van beiden. De bastide werd bestuurd door een baljuw.

Ingang van de bastide van Penne-d'Agenais

Charretières, brede doorgangen speciaal gebouwd voor paard-en-wagen, dienden als hoofdroute naar het centrale plein.

De kerk *was een integraal element van de bastide. Hij diende als schuilplaats in tijden van gevaar en was de plek waar heiligenrelieken werden bewaard. Met hun klokkenstoel, kleine bogen, machicoulis en hoektorens waren sommige kerken ware burchten.*

Huizen *waren van oorsprong slechts twee verdiepingen hoog. Op de bovenverdieping lagen de woonvertrekken. Op de begane grond was een winkel of een werkplaats.*

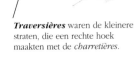

Traversières waren de kleinere straten, die een rechte hoek maakten met de *charretières*.

De markthal, *een vierkante houten constructie, stond altijd op het hoofdplein. Op de bovenverdieping vergaderde soms het stadsbestuur.*

Het centrale plein was het middelpunt van het dagelijks leven in de bastide. Alle administratieve zaken werden hier afgehandeld en er werden ook jaarmarkten en andere feesten gehouden.

Het stratenplan *omvatte niet alleen brede* charretières *en smallere* traversières, *maar ook* carreyrous, *steegjes die aan de achterkant van huizen liepen, en* androns, *smalle ruimtes tussen huizen, die bedoeld waren om de verspreiding van branden tegen te gaan.*

Couverts, *galerijen met woonhuizen erboven, vormden een koele, overdekte wandelgang rond het centrale plein.*

EEN TYPISCHE BASTIDE

In tegenstelling tot veel andere middeleeuwse plaatsen met hun smalle, bochtige straatjes werden bastides aangelegd volgens een strakke formule. Het ontwerp volgt een rechthoekig of vierkant plan, afhankelijk van de omstandigheden. De straten zijn recht en kruisen elkaar in een rechte hoek, zodat er een schaakbordpatroon ontstaat. De huizen, gebouwd op kavels van grofweg gelijke grootte, zijn lang en smal en hebben een binnenplaats of een kleine tuin aan de voor- of achterkant.

Het houtskelet *was opgevuld met baksteen of een mengsel van leem, grind en stro.*

Stierenvechten en stierenrennen

Eeuwenlang zijn stierenvechten en stierenrennen populaire sporten geweest in Zuidwest-Frankrijk, vooral in de Landes. Deze activiteiten maakten vaak deel uit van religieuze festivals, zoals het feest van Saint-Jean in Saint-Sever en dat van Sainte-Madeleine in Mont-de-Marsan. Hoewel al in een document uit 1289 melding wordt gemaakt van stierenrennen in de straten van Bayonne, waren de regels nog niet gestandaardiseerd; zowel stierenrenners als toeschouwers namen er aan deel. Pas in de 19de eeuw kreeg het stierenrennen zoals wij dat kennen formeel gestalte. Stierenvechten als sport werd in dezelfde tijd vanuit Spanje geïntroduceerd. Het eerste Franse stierengevecht vond plaats op 21 augustus 1853 in de wijk Saint-Esprit in Bayonne.

De paseo *is de openingsceremonie van een stierengevecht. De matadors paraderen in de arena, gevolgd door hun assistenten en de picadors.*

Poster voor een stieren-gevecht in Bayonne in 1897

De montera wordt gedragen tijdens de eerste twee *tercios.*

Het rijk met borduurwerk versierde pak van de stieren-vechter kan wel 10 kg wegen.

Het insteken van de banderillo's *wordt gedaan door de maestro (de matador) zelf, of door een van de* banderillero's, *een lid van de* cuadrilla, *het team van de matador.*

STIERENVECHTEN

Een stierengevecht *(lidia)* bestaat uit drie fases *(tercios)*. In de eerste fase, de *tercio des piques*, wordt de stier uitgedaagd met een cape *(boven)*. Hierna steken de picadors het dier met hun lansen om zijn vechtlust op te wekken. Dan komt de *tercio des banderilles* en ten slotte de *faena*, waarbij de matador elegante bewegingen maakt met de *muleta*, een rode lap die dient als lokmiddel. Uiteindelijk doodt de matador de stier met een zwaard.

De fase met de rode cape *is de opwindendste van het stierengevecht. De technieken van de stierenvechter brengen het publiek in extase.*

De stier wordt gedood *door een techniek bekend als al volapié, waarbij de matador op de stier toespringt.*

*De **sprong*** *is een van de twee voornaamste gymnastische bewegingen van de stierenrenner. Hier voert hij een gewaagde achterwaartse schroef uit, een van de meest recente innovaties.*

*De **écart*** *is een andere belangrijke beweging van de stierenrenner. Hij ontwijkt daarbij de stier door snel zijwaarts te springen.*

STIERENRENNEN

Dit kleurige spektakel vereist moed en lenigheid bij de deelnemers. De *écarteur* (stierenrenner) ontwijkt de aanstormende stier, de *coursière*, door het uitvoeren van sierlijke bewegingen van uiteenlopende complexiteit; elegantie en risico worden zeer op prijs gesteld. Tegenwoordig is de stier verbonden met een touw om hem beter te kunnen controleren. De horens van de stier worden afgezaagd en de uitvoering eindigt niet meer met de dood van de stier.

*De **écarteur*** *draagt een witte broek en een met goud- of zilverdraad versierde bolero.*

Een *coursière* wordt gebruikt voor ongeveer 20 stierenrennen in een jaar en dat voor een periode van ten minste 10 jaar.

*De **saut périlleux*** *(salto mortale), gewaardeerd om zijn technische en artistieke kwaliteiten, wekt de agressie van de stier.*

Het touw wordt vastgehouden door de *courdayre*, die de aanstormende stier onder controle houdt.

*De **saut de l'ange*** *(zweefduik) over de stier, is een van de meest gebruikte technieken.*

STIERENVECHTEN EN STIERENRENNEN ZIEN

De meeste stierengevechten en stierenrennen vinden plaats van maart tot oktober. Terwijl stierenrennen in veel steden en dorpen in de Landes bijgewoond kunnen worden, zijn er betrekkelijk weinig stierenarena's. Enkele van de beroemdste vindt u in de volgende steden:

Bayonne
Avenue des Fleurs.
Kaart A4. [*05-59466100.*

Dax
Bd Paul-Lasaosa.
Kaart B4. [*05-58909909.*

Mont-de-Marsan
Bd de la République.
Kaart C4. [*05-58753908.*

Saint-Sever
Butte de Morlanne.
Kaart C4. [*05-58763464.*

Baskische tradities

Baskisch kruis

Het Baskische volk is trots op zijn culturele erfenis en oude taal, het Euskara, waarvan de oorsprong in nevelen gehuld is. De kracht van dit nationale zelfgevoel is duidelijk te zien op de vele lokale festivals, zoals in Bayonne. Tijdens de parades en de dans-, zang- en muziekuitvoeringen worden de traditionele rood-witte Baskische kostuums gedragen. Ook vinden er steektoernooien en andere sportwedstrijden plaats, zoals krachtmetingen, boot-races – in boten die lijken op de oude walvisvaarders – en het veel snelheid en techniek vereisende *pelota*, het bekende Baskische balspel *(blz. 30)*.

IKURRIÑA

De Baskische vlag – de *ikurriña* – werd eind 19de eeuw ontworpen in Euskadi, de Baskische naam voor Biskaje. De rode achtergrond symboliseert het Baskische volk. Hierop staat een wit kruis (als symbool voor het christendom) over het groene Andreaskruis (als symbool voor de wet). Naast de Baskische taal is de vlag een van de krachtigste symbolen van de Baskische nationale trots.

De gewichten die Baskische krachtpatsers heffen kunnen de 200 kg te boven gaan.

Baskische sterke mannen meten hun krachten tijdens zeven verschillende wedstrijden. Een daarvan is het steenliften. Deze wedstrijden vinden plaats in het Pays Basque (Frans Baskenland), en in Euskadi, in Spanje.

Dijbeenbeschermers voorkomen verwondingen als de gewichtheffers de zware stenen op hun dijbeen laten rusten.

Groepjes Baskische muzikanten *zorgen voor sfeer tijdens het festival van Bayonne en tijdens het stierenrennen.*

De txistu, *een soort fluit met drie gaten, wordt met één hand bespeeld. Txistu-muziek wordt tijdens veel religieuze ceremonies gespeeld.*

Soka-tira *(touwtrekken) is een wedstrijd tussen twee teams van acht tot tien mannen.*

BASKISCHE LITERATUUR

Met 790.000 Baskisch-taligen, waarvan er 40.000 in Frankrijk wonen, maakt de Baskische literatuur een revival door. Zo'n 100 uitgevers en bijna 300 schrijvers hebben sinds 1975 ongeveer 1500 titels gepubliceerd. Schrijvers zoals Bernardo Atxaga willen de Baskische literatuur levend houden en over de hele wereld verspreiden. Zijn roman *Obabakoak* is vertaald in 25 talen.

Baskische editie van *Obabakoak*

De alarde *is een parade van honderden jonge mensen in traditionele Baskische kleding op de klanken van fluitmuziek.*

De zamalzain *(paardenman) is een karakter in de jaarlijkse maskerade die plaatsvindt in de Baskische regio Soule. Dit carnaval in Baskische klederdracht, dat elk jaar in een ander dorp wordt georganiseerd, begint en eindigt met schitterend uitgevoerde dansen.*

BEGRAVENISRITEN

De ronde kruisen die de graven markeren op Baskische begraafplaatsen gaan terug tot de middeleeuwen. Men denkt echter dat ze ouder zijn dan het christendom. Deze schijfvormige grafstenen zijn versierd met een vierkant en een cirkel, die samen de overgang symboliseren van het leven op aarde naar het leven in het hiernamaals. Ze zijn versierd met religieuze motieven, inscripties in het Latijn of Baskisch en afbeeldingen die verwijzen naar het beroep van de overledene.

Grafstenen met ronde top op een Baskische begraafplaats

Liederen *maken deel uit van elk Baskisch feest, van pastorale festivals tot* bertxulari-*wedstrijden, waarbij zangers improviseren op een thema.*

Wijngaarden in Aquitaine

Bordeaux wordt algemeen beschouwd als de wijnhoofdstad van de wereld. De vruchtbare grond, het zachte klimaat, de eeuwenoude productiemethoden en de zee- en rivierhandel hebben elk bijgedragen aan deze bijzondere status. Pauillac, Pessac-Léognan, Pomerol, Saint-Émilion en Sauternes zijn internationaal vermaarde wijnen. Maar de wijngaarden van Aquitaine produceren nog andere goede wijnen, zoals Bergerac, Buzet, Monbazillac, Jurançon en Irouléguy. Ook is er armagnac, de beroemde brandewijn, en het aperitief Floc de Gascogne.

18de-eeuws wijnvat

Château Lafite Rothschild in Pauillac, producent van de mooiste Médocwijnen

WIJNGAARDEN

De wijngaarden van Aquitaine vullen de brede rivierdalen van het gebied. De Garonne stroomt door de wijngaarden van Bordeaux en Agen, de Dordogne doorsnijdt die van Bergerac. Bij de Pyreneeën worden de wijngaarden van Tursan, Pacherenc en Madiran geïrrigeerd door de Adour, en die van Jurançon door de Gave de Pau.

De wijngaarden van Irouléguy liggen ten zuiden van Bayonne, rond Saint-Étienne-de-Baïgorry en Saint-Jean-Pied de-Port. Ze produceren fruitige witte, rode en rosé-wijnen.

Druivenoogst bij Château Latour in de Médoc

FEITEN OVER WIJN

Locatie en klimaat
De wijngaarden van Bordeaux hebben twee belangrijke voordelen: goed doorlatende grond en een gematigd klimaat, met veel regen in de winter en volop zon in de zomer en herfst. De ondergrond, die bestaat uit klei en kalksteen, is bijzonder geschikt voor de wijnbouw.

Druiven
Rond Bordeaux zijn de voornaamste druiven cabernet sauvignon, merlot en cabernet franc voor rode wijn en sémillon en sauvignon voor witte.

Goede wijnjaren
In de 20ste eeuw leverden de jaren 1945, 1947, 1949, 1953, 1959, 1970, 1988, 1989 en 1990 uitzonderlijke goede wijnen op in de hele regio. Recent zijn voor Saint-Émilion en Pomerol de oogsten van 1995, 1998, 2000 en 2001 uitstekend, net als die van Médoc en Graves in 1995, 1996, 1999, 2000 en 2003. Zoete witte wijnen zoals Loupiac, Sauternes en Cérons waren heel goed in 1996, 1998, 2001, 2002 en 2003. Witte wijnen zoals Graves en Pessac-Léognan van 1996, 1997, 2000, 2001 en 2002 zijn ook gedenkwaardig.

Arcachon

A 63   N 124
Dax
Peyrehorade   N 117
Bayonne   Adour
Salies-de-Béarn
St-Étienne-de-Baïgorry   Irouléguy
0   40 km

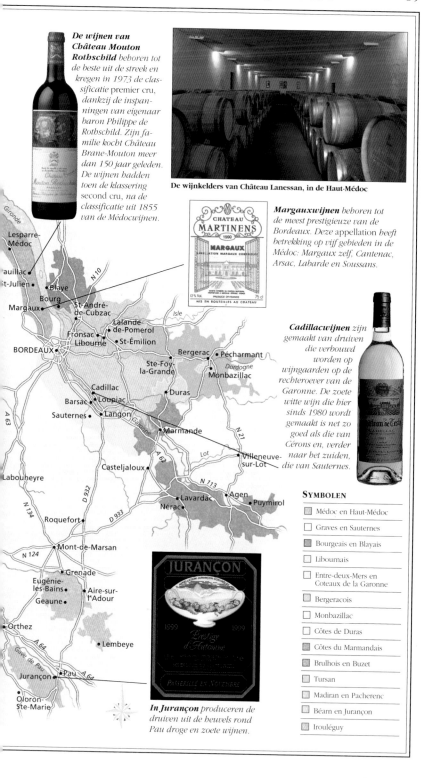

De wijnen van Château Mouton Rothschild *behoren tot de beste uit de streek en kregen in 1973 de classificatie* premier cru, *dankzij de inspanningen van eigenaar baron Philippe de Rothschild. Zijn familie kocht Château Brane-Mouton meer dan 150 jaar geleden. De wijnen hadden toen de klassering* second cru, *na de classificatie uit 1855 van de Médocwijnen.*

De wijnkelders van Château Lanessan, in de Haut-Médoc

Margauxwijnen *behoren tot de meest prestigieuze van de Bordeaux. Deze* appellation *heeft betrekking op vijf gebieden in de Médoc: Margaux zelf, Cantenac, Arsac, Labarde en Soussans.*

Cadillacwijnen *zijn gemaakt van druiven die verbouwd worden op wijngaarden op de rechteroever van de Garonne. De zoete witte wijn die hier sinds 1980 wordt gemaakt is net zo goed als die van Cérons en, verder naar het zuiden, die van Sauternes.*

In **Jurançon** *produceren de druiven uit de heuvels rond Pau droge en zoete wijnen.*

SYMBOLEN

	Médoc en Haut-Médoc
	Graves en Sauternes
	Bourgeais en Blayais
	Libournais
	Entre-deux-Mers en Coteaux de la Garonne
	Bergeracois
	Monbazillac
	Côtes de Duras
	Côtes du Marmandais
	Brulhois en Buzet
	Tursan
	Madiran en Pacherenc
	Béarn en Jurançon
	Irouléguy

Traditionele sporten

Sport heeft een grote rol gespeeld bij de vorming van de culturele identiteit van Aquitaine. Diverse sporten hebben een grote aanhang in de hele regio. Sommige sporten, zoals basketbal en voetbal, hebben door de patriottische geest waarvan ze zijn doortrokken, geholpen bij het inspireren van een gevoel van trots, niet alleen in de Franse nationaliteit, maar ook in de teams en spelers uit de streek. Met name rugby heeft een trouwe aanhang en in Larrivière, in de Landes, is een kerk aan de sport gewijd, de Église Notre-Dame-du-Rugby. Voor Basken is pelota al eeuwenlang een onderdeel van het dagelijks leven. Elk dorpje in het Pays Basque (en sommige in de Béarn) heeft een pelotabaan, waar tijdens traditionele festivals vaak toernooien worden gehouden.

Pasaka wordt gespeeld op een overdekte baan. Twee teams staan tegenover elkaar met een net ertussen, zoals te zien op deze 19de-eeuwse afbeelding in het Musée Basque in Bayonne.

HISTORISCHE WEDSTRIJD

In juni 1963 was de finale van het Franse rugby-kampioenschap tussen Dax en Mont-de-Marsan, twee clubs uit de Landes. Deze legendarische wedstrijd won Mont-de-Marsan met 9–6.

Pelota-
handschoen

PELOTA

Er zijn diverse vormen van dit Baskische balspel. Het wordt vaak gespeeld in een *fronton*, een buitenbaan met drie wanden, met blote handen, een racket of een pelotahandschoen die aan de pols gebonden is. Pelota kan ook gespeeld worden in een *trinquet*, een binnenbaan, of tegen een muur, zoals bij *cesta punta*, waarbij altijd een pelotahandschoen *(cistera)* wordt gebruikt.

Cesta punta-speler

Traditionele pelotaballen worden gemaakt van geitenhuid. Het formaat en gewicht hangen af voor welke type pelota ze gebruikt worden.

Een pelotahand-schoen is gemaakt van hout en ge-vlochten riet. Ze zijn er in diverse formaten. Zowel grote als kleine worden gebruikt voor het spelen op een buitenbaan, maar voor cesta punta worden alleen de grootste gebruikt.

De fronton verschilt van dorp tot dorp. De baan op deze foto heeft 1 m boven de grond een ijzeren band. Hierboven moeten de spelers de bal kaatsen. In een andere variant van het spel is er nog een andere muur, aan de linkerkant van de baan.

De broers Boniface

Pierre Albaladejo had de bijnaam 'Monsieur drop'.

LEGENDARISCHE SPELERS

Rugby is al ruim 100 jaar een populaire sport in Aquitaine. In de jaren tien en twintig van de 20ste eeuw, tijdens de gloriedagen van de Stade Bordelais, koesterde de streek kampioenen als de gebroeders Boniface, sterren van de Mont-de-Marsan en van het Franse team, en Pierre Albaladejo, uit Dax, een van de allergrootste halfbacks van de jaren vijftig en zestig van de vorige eeuw.

Harinordoquy, een Baskische verdediger in het nationale team, is een van de sterren van het Franse rugby.

Serge Blanco, Franse rugbyvedette van 1980 tot 1991, speelde uitsluitend voor Biarritz.

BASKETBAL- EN VOETBALTEAMS

In Aquitaine wordt het basketbal gedomineerd door het legendarische team Élan Béarnais Pau-Orthez, dat gesticht werd in 1908. Deze club uit Pyrénées-Atlantiques heeft een trouwe schare aanhangers en heeft grote spelers gekend als de internationals Laurent Foirest en Didier Gadou. Voetbal kent ook een groot aantal enthousiaste liefhebbers en wordt op het hoogste niveau beoefent door eerstedivisieclubs als Bordeaux. Tijdens wedstrijden tussen lokale clubs lopen de emoties vaak hoog op.

Laurent Foirest speelt in het basketbalteam van Pau-Orthez uit de Béarn

De rugbyfinale van 2002 werd gespeeld tussen Biarritz en Agen.

AGENDA VAN AQUITAINE

In Aquitaine heeft elk seizoen zijn bekoring. In het voorjaar ontwaakt het landschap en vinden er veel openluchtfestivals plaats. Deze festivals vieren de cultuur en de geschiedenis van de regio met traditionele en moderne zang en dans. De zomer markeert het begin van het stierenvecht- en stierenrenseizoen in

Baskische pelotaspeler

de Landes, en er vindt een groot aantal andere sportevenementen plaats. Herfst en winter worden opgeluisterd met festivals waarbij lokale specialiteiten en de druivenoogst in het middelpunt staan. In deze tijd is ook het carnaval in het Pays Basque.

LENTE

In de lente, en met name tijdens de schoolvakanties, komen de kustplaatsen tot leven. Veel van de traditionele festivals vinden ook in deze tijd van het jaar plaats.

MAART

Bi Harriz Lau Xori (*half maart*), Biarritz. Concerten, dans en film, ter ere van het Euskara, de Baskische taal.
Le Chaînon Manquant (*eind maart–begin april*), Figeac. O.a. dans, theater en muziek. Dit evenement, met professionele kunstenaars, is ook een podium voor nieuw talent.

APRIL

Fête des Soufflaculs (*begin april*), Nontron. Middeleeuws festival waarbij de inwoners, gekleed in pyjama, elkaar door de straten achterna zitten om de kwade geesten te verdrijven.

Festival Art et Courage (*half april*), Pomarez. Groot evenement in het stierenrenmekka van de Landes (*blz. 25*).
Bayonne Ham Festival (*week voor Pasen*), Bayonne. Honderden hammen zijn uitgestald. De muziek wordt verzorgd door Baskische groepen.

MEI

Festival des Vallées et des Bergers (*begin mei*), Oloron-Sainte-Marie. Tweedaags festival waarbij groepjes optreden die in het Béarnais zingen.
Terre d'Images (*begin mei*), Biarritz. Internationaal evenement met tentoonstellingen en workshops gewijd aan reizen en fotografie.
Wijn- en kaasfestival (*8 mei*), Monflanquin. Producenten uit Zuidwest-Frankrijk tonen hun specialiteiten (*blz. 256–257*).
Herri Urrats (*half mei*). Dans, zang en andere activiteiten rond het meer in Saint-Pée-sur-Nivelle.

Poster voor het fiësta van Bayonne

ZOMER

In de zomer komen grote aantallen bezoekers naar de kust. In het binnenland zijn veel dorpen en steden het toneel van festivals. Sommige van deze, zoals de evenementen in Bayonne, Dax en Mont-de-Marsan, trekken enorme aantallen mensen.

Festival d'Art Flamenco, in Mont-de-Marsan

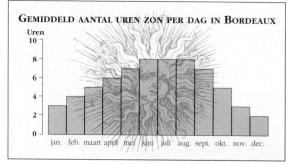

GEMIDDELD AANTAL UREN ZON PER DAG IN BORDEAUX

Uren: 10, 8, 6, 4, 2, 0

jan. feb. maart april mei juni juli aug. sept. okt. nov. dec.

Zonnige dagen
De Gironde kan bogen op meer dan 2000 uren zon per jaar. De zonnigste dagen zijn geconcentreerd in de zomer, maar een noordwestenwind afkomstig van de Atlantische Oceaan brengt dan verkoeling. Van oktober tot februari zijn delen van de regio vaak gehuld in mist.

JUNI

Jurade *(derde zo in juni)*, Saint-Émilion. Middeleeuwse ceremonie, in 1948 nieuw leven ingeblazen, als de wijn van het seizoen wordt geproefd en het officiële Saint-Émilionstempel krijgt.
Festival d'Art Flamenco *(eind juni–begin juli)*, Mont-de-Marsan. Zesdaags flamencofestival met dans en muziek.
Festival de Théâtre de Pau *(eind juni–half juli)*. Theater, dans en muziek in het kasteel en paleis *(blz. 220–221)*.
Internationaux de Cesta Punta Professionel *(juni–aug.)*, Saint-Jean-de-Luz. Profs spelen op buitenbanen tegen elkaar *(blz. 30)*.

JULI

Fête du Vin *(eind juni)* en **Fête du Fleuve** *(begin juli)*, Bordeaux. Twee festivals, die om het jaar worden gehouden, met sport, wijn proeven en tentoonstellingen.
Fête de la Transhumance *(begin juli)*, Ossaudal. Traditionele zang en dans, met proeverijen van kaas en *garbure* (soort soep).
La Félibrée *(begin juli)*, Dordogne. Feest van de Occitaan-

Transhumance, een festival in het Ossaudal

se taal en cultuur, elk jaar op een andere plaats gehouden.
Fêtes de la Madeleine *(half juli)*, Mont-de-Marsan. Een festival met een Spaans tintje, ter ere van de plaatselijke patroonheilige.
Festival des Jeux du Théâtre *(half juli–begin aug.)*, Sarlat. Theaterfestival in de open lucht.
Bataille de Castillon *(half juli–half aug.)*. Gedetailleerde reconstructie van deze slag uit 1453 *(blz. 41)*.
Fête aux Fromages Fermiers *(eind juli)*, Aspe-vallei. Schapenkaas in het plaatsje Etsaut *(blz. 209)*.
Nuits Atypiques de Langon *(eind juli)*. Festival van wereldmuziek met instrumenten als *peuhl*-fluiten en balalaika's.
Fête de l'Huître *(juli–aug.)*, Bassin d'Arcachon. Gelegenheid om de beroemde oesters uit de regio te proeven en de oesterkwekers in hun traditionele kleding te zien.

Enthousiaste menigte in de Féria de Dax

AUGUSTUS

Fêtes de Bayonne *(begin aug.)*. Non-stop vijfdaagse fiësta met stierenrennen, Baskische orkesten en tafelen in de bodega's. De donderdag is voor de kinderen en op zondag is er een groot stierengevecht.
Féria de Dax *(half aug.)*. Een van de beroemdste streekfestivals, met traditionele festviteiten en stierengevechten.
Journées Médiévales *(half aug.)*, Monflanquin. Middeleeuwse muziek en dans.
Festival de Force Basque *(half aug.)*, Saint-Palais. Sterke mannen uit het Pays Basque testen elkaars kracht *(blz. 26)*.
Rip Curl Pro *(half. aug.)*, Hossegor. Internationaal surfkampioenschap *(blz. 279)*.
Lacanau Pro Surf *(half aug.)*. Wereldkampioenschap surfen.
Festival du Périgord Noir *(aug.)*. Oude en klassieke muziek uitgevoerd in historische gebouwen en op andere ongebruikelijke plaatsen.

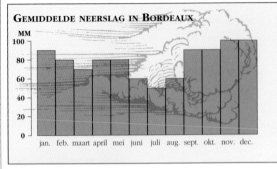

GEMIDDELDE NEERSLAG IN BORDEAUX

MM
100
80
60
40
20
0

jan. feb. maart april mei juni juli aug. sept. okt. nov. dec.

Neerslag
Aquitaine is een tamelijk natte streek, waar het bijna het hele jaar regent, hoewel meer in de winter dan in de zomer. Lichte regen overheerst; echt zwaar regenen doet het zelden. De gemiddelde jaarlijkse neerslag in de Girondestreek is tussen de 70 cm en 100 cm.

Jurats (wijnproevers) van Saint-Émilion op de Tour du Roy

HERFST

Aan het begin van de herfst is het weer meestal nog warm genoeg voor buitenactiviteiten. In heel Zuidwest-Frankrijk nadert de tijd van de druivenoogst en er zijn allerlei kleurrijke evenementen ter ere van de lokale wijnen. Kunst, dans en regionale specialiteiten hebben allemaal hun eigen festivals.

SEPTEMBER

Le Temps d'Aimer *(sept.)*, Biarritz. Feest ter ere van de danskunst, van klassiek ballet tot hiphop.
Académie Internationale de Musique Maurice Ravel *(half sept.)*, Saint-Jean-de-Luz en Ciboure. Jonge musici voeren stukken uit van klassieke en moderne Franse componisten.
Fête du Sel *(half sept.)*, Salies-de-Béarn. Onder andere race tussen dragers van pekel-

vaten, georganiseerd door de Jurade du Sel *(blz. 217)*.
Jurade *(eind sept.)*, Saint-Émilion. Dit deel van de Jurade, dat verbonden is met de proeverijen in juni *(blz. 33)*, omvat het beoordelen van de jaarlijkse druivenoogst.

OKTOBER

Foire aux Fromages en Marché à l'Ancienne *(eerste weekeinde in oktober)*, Laruns. Met straatoptredens, zang, dans en historische kostuums doet het dorp de tijden van Hendrik IV *(blz. 43)* herleven.
Championnat de France de Course Landaise *(begin okt.)*. Dit evenement, dat elk jaar plaatsvindt in een andere arena, markeert het einde van het stierenrenseizoen.
Fête du Piment *(eind okt.)*, Espelette *(blz. 199)*. Slingers met de beroemde zoete rode

Pepermotief, Fête du Piment, Espelette

pepers uit de streek worden gezegend en aan de gevels van de huizen gehangen. Baskische sterkemannenwedstrijden en inwijding in de lokale broederschap maken ook deel uit van de vieringen.

NOVEMBER

Festival du Film *(begin nov.)*, Sarlat. Voorstellingen, prijsuitreikingen, seminars en trainingen voor aankomende producenten en regisseurs onder leiding van professionele filmmakers.
Festival Novart Bordeaux *(nov.)*. Een belangrijke markt voor alle vormen van hedendaagse kunst.
Festivolailles *(eind nov.)*, Saint-Sever. Jaarmarkt voor gevogelte en *foie gras*, bedoeld voor gourmets en kenners. Tijdens de show worden prijzen uitgereikt voor het mooiste gevogelte en de beste patés.

Voorstelling tijdens de Temps d'Aimer, een dansfestival in Biarritz

GEMIDDELDE TEMPERATUUR IN BORDEAUX

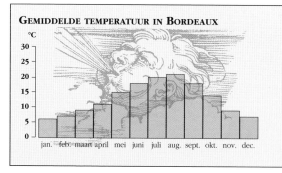

°C

30
25
20
15
10
5
0

jan. feb. maart april mei juni juli aug. sept. okt. nov. dec.

Temperatuur
*Vanwege het zee-
klimaat heeft de
Gironde relatief
zachte winters en
aangenaam warme
zomers. De gemiddel-
de temperatuur in
januari is 5–7 °C
en in juli–augustus
19–21 °C. Ongeveer
3 weken per jaar kan
de temperatuur
boven de 30 °C
komen.*

WINTER

Met Kerstmis komen
de festiviteiten pas
goed op gang. Lokale
kunstnijverheid en
delicatessen worden
uitgestald op de vele
kerstmarkten. Dit is
ook het sei-
zoen voor het
maken van
foie gras, dat op
tal van festiviteiten in
het middelpunt staat.

DECEMBER

**Fête des Vendanges en
Jurançon** *(half dec.)* Jazz-
en rockavonden, een
markt van lokale deli-
catessen, een maaltijd
bereid door de Toqués
du Terroir (lokale gourmet-
vereniging) en wijn proeven.
Olentzero *(half dec.).* Dit
festival komt voort uit de
heidense gewoonte om de
winterzonnewende te vieren.
Het Baskische volkskarakter
Olentzero kreeg rond 1960 de
status van kerstman. Volgens
de legende komt Olentzero
de bergen afgedaald en
brengt brandhout naar de
steden en dorpen, zodat
niemand kou hoeft te lijden.

JANUARI

Maskerades *(eerste zo in
jan. tot eerste do in de
vasten),* La Soule. Dit geritua-
liseerde danscarnaval vindt
plaats op een reeks opeen-
volgende zondagen, ieder
keer in een ander dorp. De
hoofddans, de *Godalet*

*Maskerade
danser, La Soule*

Dantza (Glasdans), wordt
uitgevoerd rond een glas
wijn. Het festival eindigt
in Tardets.
Nuit de la Sorcière
(eind jan.), Ciboure. Een
speciale 'heksennacht'
voorafgaand aan het
lokale carnaval.
Foire aux Pottoks
*(laatste di en wo in
jan.),* Espelette.
Paardenmarkt waar
pottoks (kleine
Baskische paar-
den) worden
verhandeld *(blz. 198).*
Tweemaal per jaar.
Carnaval *(Maria-Licht-
mis tot het begin van de
vasten of Pasen),* in
heel het Pays Basque.
Tijdens kleurige
optochten wordt een
beer rondgedragen,
wiens rituele ontwaken het
begin van de lente aankondigt.

FEBRUARI

Jumping International
(begin feb.) Bordeaux. Alles
staat in het teken van het

**In de Pyrénées-Atlantiques liggen
verschillende wintersportplaatsen**

paard. Vindt plaats in het
Parc des Expositions, in
dezelfde tijd als de tentoonstelling Chevalexpo. Het is
een belangrijk evenement in
het internationale springcir-
cuit. Trekt vele grote namen
en omvat ook een wedstrijd
voor gehandicapte rijders.
Fête des Bœufs Gras *(half-
feb.),* Bazas. Dateert van de
13de eeuw, toen Edward I,
koning van Engeland, over
Aquitaine heerste. Dit festival
vindt plaats op de donderdag
voor vastenavond en mar-
keert het einde van het carna-
valsseizoen en de komst van
de vasten. Onberispelijk
verzorgde ossen, hun horens
versierd met linten en bloemen, worden gewogen en
vervolgens gekeurd voor de
kathedraal. Als de prijzen
zijn toegekend, is er een
presentatie van de winaars,
gevolgd door een groot ban-
ket waarbij rundvlees wordt
geserveerd. Alle dieren die
gepresenteerd worden zijn
van een lokale soort die
oorspronkelijk waarschijnlijk
uit Spanje komt.

FEESTDAGEN

Nieuwjaarsdag (1 jan.)
Pasen
Hemelvaartsdag
Dag van de Arbeid (1 mei)
Overwinningsdag
(8 mei)
Bastille-dag (14 juli)
Maria-Hemelvaart
(15 aug.)
Allerheiligen (1 nov.)
Wapenstilstandsdag
(11 nov.)
Eerste kerstdag (25 dec.)

DE GESCHIEDENIS VAN AQUITAINE

De Romeinen gaven de zuidwesthoek van Frankrijk de naam Aquitania, wat 'land van water' of 'waterrijk' betekent. De grenzen van het gebied zijn in de loop van de eeuwen steeds veranderd. Het was altijd een ontmoetingsplaats van mensen uit allerlei streken, waardoor er een regio ontstond die zich kenmerkt door zijn grote contrasten en diversiteit. Het hele gebied deelt echter een omvattend karakteristiek: een rijke culturele erfenis die teruggaat tot de komst van de eerste mens.

DE PREHISTORIE

Van alle regio's in Frankrijk heeft Aquitaine de meeste prehistorische vindplaatsen, en dan vooral in de Périgord, een gebied met een bijna unieke verzameling belangrijke prehistorische locaties.

Rond 400.000 v.C. arriveerden de eerste jagers in het Vézèredal, in de Dordogne. Zij woonden hier in kalksteengrotten en maakten gereedschap van vuursteen. Sporen van hun activiteiten zijn gevonden op meer dan 150 plaatsen en in zo'n 50 grotten. Dankzij de ontdekking van de rots-

Venus van Laussel

woning in Le Moustier hebben we nu inzicht in het leven en de religieuze rituelen van de prehistorische jagers van ongeveer 80.000–30.000 v.C. Uit de voorwerpen die gevonden zijn bij Cro-Magnon, vlakbij Les Eyzies, blijkt de enorme ontwikkelingen die de mens rond 10.000 v.C. al had doorgemaakt. Een gevoel van verwondering ontstaat ook bij het bekijken van de rotsschilderingen bij Lascaux, waarop mammoeten, paarden en rendieren staan afgebeeld, of bij het zien van de vrouwenbeeldjes die gevonden zijn bij Laussel in de Dordogne en bij Brassempouy in de Landes.

Tijdens het neolithicum groeide de bevolking. De mensen vestigden zich in dorpen, gingen gewassen verbouwen en dieren houden. Hun vaardigheden namen ook toe. Ze weefden wollen kleding, werkten met hout en leer en maakten metalen voorwerpen en wapens. In de Médoc werden rond 1500 v.C. grote bronzen bijlen gemaakt.

Rotsschildering van een bison bij Lascaux

TIJDBALK

400.000 v.C. Eerste mensen vestigen zich in het Vézèredal	**120.000 v.C.** Gereedschappen worden steeds complexer en regelmatiger van vorm	**35.000–10.000 v.C.** De cro-magnonmens maakt verfijndere instrumenten en wapens

400.000 v.C.	200.000 v.C.	100.000 v.C.	50.000 v.C.	10.000 v.C.

	Ongeveer 200.000 v.C. Werktuigen worden gemaakt voor een speciaal doel, zoals krabbers en priemen	*Venus van Brassempouy*	**18.000–15.000 v.C.** Rotsschilderingen in de Grotten van Lascaux

◁ **Huwelijk van Lodewijk XIV en Maria-Theresia van Oostenrijk op 9 juni 1660 in Saint-Jean-de-Luz, door Laumosnier**

ROMEINS GALLIË

Rond 300 v.C. begonnen de Galliërs (een Keltisch volk) zich te vestigen in Zuidwest-Frankrijk, dat in die tijd dun bevolkt was. Ze mengden zich al snel met de bestaande bevolking en vestigden zich rond steden als Burdigala (Bordeaux) en Aginum (Agen). Ze onderhielden handelsrelaties met Narbonensis, een Romeinse provincie in het zuiden van Gallië, en importeerden goederen uit Italië, waaronder wijn. Maar in 52 v.C. versloegen de Romeinen de Galliërs tijdens de Slag bij Alesia. Dit markeerde het begin van de Romeinse overheersing in heel Frankrijk. Er verrezen villa's met grote landerijen aan de oevers van de rivieren, en in de steden bouwden de Romeinen amfitheaters, aquaducten en tempels (een overblijfsel daarvan is de Tour de Vésone in Périgueux).

Marmerbeeld van Diana, Gallo-Romeinse periode

De Gallo-Romeinse beschaving was geboren. Aan het eind van de 3de eeuw begonnen echter de vele invasies van Germaanse stammen uit het oosten. De bevolking verschanste zich achter haastig opgeworpen wallen – een nieuwe turbulente periode in de geschiedenis van Aquitaine was begonnen.

DONKERE EEUWEN

Na een reeks invasies aan het begin van de 5de eeuw werd Aquitaine in 481 onderdeel van het rijk van de Visigoten. Zij werden op hun beurt verdreven door de Franken. Omstreeks deze tijd begon ook het christendom voet aan de grond te krijgen in de steden en dorpen, hoewel het nog tot de 11de eeuw duurde voordat de nieuwe religie zich door de hele regio had verspreid.

In deze periode ontstonden wel de eerste grote kloosters en kerken van Aquitaine. Na de dood van hun koning, Clovis, in 511 was de controle van de Franken (Merovingers) verzwakt door het opdelen van hun regio in afzonderlijke administratieve gebieden. De Vascons, een volk uit de Pyreneeën dat soms gelijkgesteld wordt met de Basken, profiteerden hiervan door in 580 binnen te vallen. Zijn vestigden zich in het gebied tussen de Garonne

---

ROMEINSE VILLA IN PLASSAC

Vanaf de 1ste eeuw v.C. vestigden de Romeinen door heel het zuidwesten van Frankrijk grote landbouwbedrijven. Het middelpunt hiervan was een villacomplex. Dit bestond uit het huis van de eigenaar, accommodatie voor de arbeiders en verschillende bijgebouwen. Hieromheen lagen de akkers, waar graan en, vanaf de 1ste eeuw n.C., wijnstokken werden verbouwd. Tussen 1963 en 1978 vonden er opgravingen plaats op de plek van een Gallo-Romeinse villa bij Plassac, bij de monding van de Gironde. Daarbij kwamen de funderingen van een huis aan de oppervlakte dat gebouwd was door een rijke landeigenaar uit Italië in 14–20 n.C. Het huis was rijk gedecoreerd met materialen zoals marmer, geïmporteerd uit Noord-Afrika.

Romeins mozaïek in het Musée d'Aquitaine, Bordeaux

TIJDBALK

Rond 300 v.C. De eerste Keltische stammen vestigen zich in Aquitaine

Romeins borstbeeld

14–20 n.C. Bouw van de Romeinse villa bij Plassac. In het zuidwesten van Frankrijk wordt de wijnbouw geïntroduceerd

300 v.C.	200 v.C.	100 v.C.	0	100	200

56 v.C. Crassus, de luitenant van Julius Caesar, verovert Aquitaine

284–305 Om Bordeaux en Périgueux worden verdedigingswallen gelegd

Beeld van Hercules (3de eeuw)

en de Pyreneeën, dat in de 7de eeuw bekend werd als Gascogne. Honderd jaar later arriveerden de Arabieren, maar zij werden in 732 teruggeslagen bij Poitiers door Karel Martel. Toen namen de Karolingers bezit van het gebied. Hun bewind duurde echter maar betrekkelijk kort. In de 9de eeuw voeren de Noormannen de Adour, de Dordogne en de Garonne op, onderweg vele plaatsen, kerken en kloosters plunderend en platbrandend. Bordeaux ging in 848 in vlammen op. De Gallo-Romeinse beschaving was gebroken en verdween langzaam.

Merovingische gesp

tijns-romaanse stijl. De meeste kerken werden ook overvloedig versierd met kleurige mozaïeken en fresco's. Vanaf de 13de eeuw vond er echter een algemene achteruitgang in de religieuze architectuur plaats, wat niet wegneemt dat de grote gotische kathedralen van Bordeaux, Bazas en Bayonne in de 14de eeuw werden herbouwd, volgend op de enorme verwoestingen ten tijde van de Honderdjarige Oorlog.

Dankzij Filips de Schone, een krachtig heerser en begenadigd diplomaat, werd Bertrand de Got, aartsbisschop van Bordeaux, in 1305 tot paus gekozen, waarna hij de naam Clemens V aannam. Deze positie stelde hem in staat om de geestelijkheid in Gascogne de nodige gunsten te verlenen. Hij initieerde ook de bouw van de grote kastelen bij Roquetaillade, Fargues, Budos en Villandraut, in de Gironde, waar hij een regelmatige gast was.

VERSPREIDING VAN HET CHRISTENDOM
Tijdens de 11de en 12de eeuw keerde de politieke stabiliteit terug en groeide de bevolking. Overal in het zuidwesten verrezen kerken en kloosters. De Abbaye de la Sauve-Majeure, in 1079 gesticht door Gérard de Corbie, telde bij zijn overlijden rond 1095 meer dan 300 monniken en het klooster stond aan het hoofd van zo'n 20 priorijen. Naarmate de religieuze gemeenschappen in de regio bleven toenemen, was er steeds meer land nodig om abdijen en kloosters op te bouwen. Dit was vooral het geval langs de pelgrimsroute die in zuidelijke richting door Frankrijk liep en via de Col de Roncevaux over de Pyreneeën naar Santiago de Compostela in Spanje voerde. Sommige kerken, zoals de Cathédrale Saint-Front in Périgueux, werden nu ontworpen in Byzan-

Bertrand de Got, die in 1305 paus Clemens V werd

407–408 Grote invasies van Vandalen, Suevi en Alani	518–587 Vijandigheden tussen Gascogners en Franken	*Oorring uit de 6de eeuw*	844 De Noormannen varen plunderend de Garonne op	950 Eerste pelgrimstochten naar Santiago de Compostela
500	600	700	800	900	1000
481 Aquitaine wordt een Visigotisch koninkrijk	778 Karel de Grote sticht het koninkrijk Aquitaine		848 Bordeaux wordt platgebrand door de Noormannen	1079 Gérard de Corbie sticht de Abbaye de la Sauve-Majeure

Engels bestuur in Frankrijk

Eleonora en Lodewijk VII

In 1137 trouwde Eleonora van Aquitaine, dochter van Willem X, hertog van Aquitaine, met Lodewijk VII, de latere koning van Frankrijk. Omdat Eleonora er niet in slaagde om een troonopvolger te produceren, en ook een leven leidde dat haar echtgenoot niet beviel, werd het huwelijk in 1152 ontbonden. Een paar maanden later trouwde zij met Hendrik II Plantagenet, die in 1154 koning van Engeland werd. Op de Franse enclaves Armagnac en Béarn na, stond het hertogdom Aquitaine nu onder Engels bestuur. Vijandelijkheden tussen de Fransen en de Engelsen in de regio begonnen in 1328 en duurden voort tot 1453, toen de Engelsen verslagen werden in de Slag bij Castillon.

ENGELS AQUITAINE (1362)

Armagnac en Béarn

EDWARD I VAN ENGELAND DOET LEENHULDE AAN FILIPS DE SCHONE

Filips de Schone werd in 1285 koning van Frankrijk, en Edward I, koning van Engeland legt, zoals gebruik was, als hertog van Aquitaine de eed van trouw af aan de Franse koning.

Koning van Frankrijk

Koning van Engeland

Wapen van Bordeaux

De Grosse Cloche, de klokkentoren van het 13de-eeuwse raadhuis van Bordeaux, met de drie luipaarden van Engeland erboven. Aan de voet van de Grosse Cloche stroomt het water van de Garonne. De halvemaanvorm in het water is een verwijzing naar de haven van Bordeaux.

Eleonora van Aquitaine
Eleonora had twee dochters bij Lodewijk VII en zeven kinderen, onder wie Richard Leeuwenhart en Jan zonder Land, bij haar tweede echtgenoot, Hendrik II van Engeland. Ze verliet Hendrik uiteindelijk en keerde terug naar Aquitaine, waar ze zich opwierp als patrones van de kunsten en troubadours steunde die liederen schreven over de hoofse liefde. Ze werd begraven in de Abbaye de Fontevraud bij Angers, in 1204.

De Zwarte Prins

In 1337 eiste de koning van Frankrijk Aquitaine op omdat Edward III van Engeland weigerde de eed van trouw af te leggen. De zoon van Edward, Edward van Woodstock, ook bekend als de Zwarte Prins, verdedigde de Engelse positie. In Bordeaux genoot hij zelfs lokale steun, omdat hij eerder de bijzondere privileges van de stad had bevestigd. Onder hem wonnen de Engelsen in 1346 de Slag bij Crécy en in 1356 de Slag bij Poitiers, waar de Franse koning, Jan II de Goede, gevangen werd genomen. Aquitaine kreeg de status van een vorstendom met autonome bevoegdheden.

Beleg van Duras

Het Franse beleg van Duras werd symbool voor de vele aanvallen die Bertrand du Guesclin uitvoerde op de Engelsen in Aquitaine. Bij de dood van Du Guesclin in 1380 hadden de Engelsen alleen Bordeaux en Bayonne nog onder controle.

Fleur-de-lis of Franse lelie, symbool van het Franse koningshuis

Slag bij Castillon

Aan het begin van de 15de eeuw heroverden de Engelsen weer een deel van Aquitaine en vanaf 1438 vonden er weer grote slagen plaats. Deze eindigden in juni 1451 toen de Fransen Bordeaux innamen, en in 1453, na de Slag bij Castillon, toen onder Karel VII de Engelsen uiteindelijk uit Aquitaine werden verdrongen. Dit betekende het einde van de Honderdjarige Oorlog.

Hovelingen

TIJDBALK

1100	1200	1300
1137 Eleonora van Aquitaine trouwt met Lodewijk VII van Frankrijk	**1356** Slag bij Poitiers. Jan II de Goede wordt gevangengenomen door de Zwarte Prins	**1360** Verdrag van Brétigny. Aquitaine wordt Engels bezit
	1328 Begin van de Honderdjarige Oorlog	
1152 Eleonora van Aquitaine trouwt met Hendrik Plantagenet	**Eind 13de– begin 14de eeuw** Bouw van *bastide-* steden	**1380** Na slagen die werden uitgevochten door Bertrand du Guesclin waren Bordeaux en Bayonne nog de enige Engelse enclaves

Wapen van Engeland

HEREN, BOEREN EN BURGERS

Een groot deel van de middeleeuwen stond Aquitaine onder Engelse bestuur. De Franse pogingen het gebied terug te veroveren, leidden tot een bijna onophoudelijke reeks conflicten. Er verrees een groot aantal kastelen, met name in de Périgord, waaronder Beynac en Castelnaud. Elk van deze burchten behoorden toe aan een landheer, die onder de bescherming van de koning van Frankrijk of van de koning van Engeland stond. Bertran de Born (geboren in 1140), de beroemde troubadour en heer van Hautefort, riep in zijn liederen een beeld op van deze vijandige, 12de-eeuwse maatschappij: mannen leefden voor de jacht en de strijd, voor mooie kleding en de liefde van een edelvrouw. Als kasteeleigenaar moest Bertran met lede ogen de uitbreiding van het boerenland aanzien: niet alleen ging dit ten koste van de bossen, er konden zo ook nieuwe dorpen ontstaan en een rijke klasse van kooplieden en burgers die de macht van de landheer aantastte. Oorlogvoeren was de belangrijkste tijdsbesteding van de edelen, die steeds opnieuw zochten naar manieren om hun ridderlijke levensstijl te kunnen handhaven.

Troubadour van Aquitaine

Op hetzelfde moment zorgde de snelle bevolkingsgroei die optrad in de 13de en 14de eeuw voor een verdubbeling van de omvang van de steden. Grote plaatsen als Bayonne, Périgueux en Sarlat, maar ook kleinere als Mussidan

en Ribérac, kregen bepaalde privileges. Burgers die waren vrijgesteld van verplichtingen tegenover een landheer, konden nu op eigen kracht deelnemen aan het openbare leven. In de 11de en 12de eeuw ging het kappen van bossen door, met de steun van de Kerk en ondernemende landheren. Boeren werden gestimuleerd om het land geschikt te maken voor de landbouw, zogenaamde *sauvetés* (zoals in Sauveterre-de-Guyenne, in de Gironde). Als beloning voor dit werk, kregen ze bepaalde gunsten.

OPLEVING VAN HET INTELLECTUELE LEVEN IN DE 16DE EEUW

In de 16de eeuw droegen schrijvers als Michel de Montaigne (1533–1592), Étienne de La Boétie (1530–1563), Pierre de Bourdeilles, heer van Brantôme (1538–1614), Blaise de Lasseran de Massencome, heer van Monluc

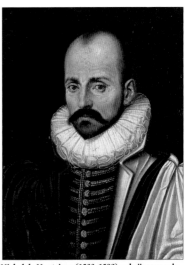

Michel de Montaigne (1533–1592), schrijver van de *Essays* en lid van het Parlement de Bordeaux

TIJDBALK

1441 Stichting van de Universiteit van Bordeaux

1462 Stichting van het Parlement de Bordeaux

1523 Stichting van de Généralité de Guyenne

Wapen van Guyenne

1450 | **1500**

1453 Slag bij Castillon

1498 Oprichting van de eerste drukkerij in Périgueux

(1500–1577) en Joseph Juste Scaliger (1540–1609) bij aan een opleving van het intellectuele leven in Zuidwest-Frankrijk. De vestiging van boekdrukkerijen in Périgueux in 1498 en de stichting van het Collège de Guyenne in 1533 zorgden voor een verdere verspreiding van de nieuwe ideeën. Agen, Nérac en Bordeaux werden intellectuele centra, waar het humanisme de kern van het filosofische denken vormde. Terwijl Margaretha van Navarra aan haar *Heptameron* schreef, bracht Montaigne dagen door in de bibliotheek van zijn chateau, werkend aan zijn *Essays*.

Jeanne d'Albret, moeder van Hendrik IV

KATHOLIEKEN VERSUS PROTESTANTEN

Vanaf 1532 begon het calvinisme zich te verspreiden in Aquitaine. Margaretha van Navarra, haar dochter Jeanne d'Albret, en andere aristocraten, zoals de families Duras, La Force en Gramont, droegen hieraan bij. De plaatsen Nérac, Oloron, Sainte-Foy, Agen en Bergerac werden bastions van het protestantisme. De koning van Frankrijk verketterde dit zogenaamde gereformeerde geloof en vanaf 1562 braken er in heel Frankrijk, maar met name in het zuidwesten, vijandelijkheden uit tussen katholieken en protestanten. De crisis werd erger met de dood van Jeanne d'Albret. Haar zoon Hendrik van Navarra (1559–1610), de latere koning van Frankrijk, werd toen pleitbezorger van de protestantse zaak.

AQUITAINE EN DE KONINGEN VAN FRANKRIJK

Na de Honderdjarige Oorlog kreeg de koning van Frankrijk langzaam controle over het zuidwesten door het instellen van een reeks instituties, zoals het Parlement de Bordeaux in 1462 en de Généralité de Guyenne in 1523. Militaire gouverneurs en intendanten traden op in naam van de koning en zagen toe op de naleving van koninklijke besluiten. Aan het eind van de regeerperiode van Lodewijk XIII brak

HENDRIK VAN NAVARRA

In een poging protestanten en katholieken te verzoenen vond op 18 augustus 1572 in Parijs het huwelijk plaats tussen Hendrik van Navarra en Margaretha van Valois. Maar de verbintenis viel niet in goede aarde en op 24 augustus 1572 werden duizenden protestanten vermoord tijdens de zogenaamde. Bartholomeüsnacht. Hendrik van Navarra redde zijn leven door zijn geloof af te zweren. Drie jaar later keerde hij terug naar zijn geboorteplaats in Zuidwest-Frankrijk, waar hij het protestantse leger voorging in talloze slagen, waaronder de Slag bij Coutras. Na de dood van Hendrik III werd Hendrik van Navarra koning van Frankrijk. Om de eenheid in het land te bewaren vaardigde hij in 1598 het Edict van Nantes uit, waarmee de protestanten vrijheid van godsdienst kregen.

Hendrik van Navarra

1560 Jeanne d'Albret introduceert het calvinisme in Pau	**1598** Edict van Nantes	**1610** Hendrik IV vermoord. Lodewijk XIII wordt koning met Maria de' Médici als regentes	*Joseph Juste Scaliger*

1600

1559 Geboorte van Hendrik van Navarra in Pau	**1580** Publicatie van de *Essays* van Montaigne	**1620** Béarn wordt deel van Frankrijk	

Pierre de Bourdeilles

Château Trompette, voor de poorten van Bordeaux

stelen. Ze verspreidden zogenaamde *mazarinades*, pamfletten tegen kardinaal Mazarin, die feitelijk over Frankrijk regeerde toen Lodewijk XIV nog minderjarig was. Deze oppostitie, in Bordeaux bekend als *l'Ormée*, werd grondig onderdrukt, waarna de burgers van Bordeaux te maken kregen met strenger koninklijk gezag. Om zijn wil te kunnen opleggen werd bij de ingang van de stad het Château Trompette gebouwd, op de fundamenten van een oud fort van Karel VII. Opstanden tegen verhoging van de belasting werden de kop ingedrukt.

er echter onrust uit op het platteland. In de Périgord in 1637 kwamen boeren *(croquants)* in opstand tegen belastingverhogingen. De *croquants* vochten tegen troepen van de hertog van Épernon, gouverneur van Guyenne, maar hun inspanningen werden grotendeels overschaduwd door de activiteiten van de Fronde (1649–1653), een rebellenbeweging geleid door aristocraten en parlementsleden die zich aan de greep van de koning probeerden te ontwor-

DE SUIKEREILANDEN, HET ELDORADO VAN HET ZUIDWESTEN

Tussen het begin van de 18de eeuw en de Franse Revolutie nam de handel met West-Indië spectaculair toe. Indigo, anatto, cacao, koffie, katoen en vooral suiker kwamen in Bordeaux per boot aan en werden vandaar door heel Europa verspreid. Deze activiteit nam de vorm aan van tweeweghandel of, vanaf 1750, van drieweghandel: sche-

De haven van Bordeaux en buitenlandse betrekkingen door Frédéric de Buzon (1925)

TIJDBALK

1610 Moord op Hendrik IV	**1685** Herroeping van het Edict van Nantes. Protestanten in de Béarn, de Agenais en de Périgord worden vervolgd	**1729–1755** Aanleg van de Place Louis XV in Bordeaux	**1730–17** Renovatie van de ka van Bayo
1600	1660	1700	1725
1649–1653 De Fronde in Bordeaux		**1713** Stichting van de Académie de Bordeaux	**1732** Oprichting van de eerste vrijmetselaarsloge in Bordeaux

Les mazarinades, een karikatuur

pen pikten op de kusten van Afrika slaven op, die dan in West-Indië werden verhandeld voor exotische goederen, die naar Bordeaux werden gebracht. Veel handelaren, rijk geworden van de slavenhandel, bouwden fraaie huizen in de stad of lieten landhuizen neerzetten in een modieuze stijl. Een voorbeeld daarvan is Château de Nairac in Barsac.

Bordeaux in de 18de eeuw, de belangrijkste haven van Frankrijk

Bordeaux en zijn achterland werden welvarend door de handel met West-Indië en de uitbreiding van de handelsroutes naar Noord-Europa. Sommige handelaren kochten plantages in Santo Domingo, die ze lieten exploiteren door een zetbaas of door een jongere zoon. De bloei van de handel in de 18de eeuw maakte van Bordeaux de belangrijkste haven van Frankrijk.

DE EEUW VAN
DE VERLICHTING

Het intellectuele leven in Zuidwest-Frankrijk in de 18de eeuw beperkte zich voornamelijk tot de academies, geleerde genootschappen van wetenschappers, kunstenaars en letterkundigen. Er waren academies in Bordeaux, Pau en Agen, en een informeler verband in Périgueux. In deze kringen, gevormd door de intellectuele elite van de adel en de bourgoisie, ontwikkelden zich nieuwe ideeën, met name de filosofie van Montesquieu. Sommige edelen, zoals Sarraut de

Montesquieu, schrijver en politicus, werd geboren in Bordeaux

Boynet en Journu in Bordeaux, Charles de Borda in Dax en de Chevalier de Vivens in Clairac, waren niet alleen geïnteresseerd in wetenschap en geneeskunde, maar ook in kunst en muziek. Nieuwe ideeën schoten ook wortel in de vrijmetselaarsloges, waar sociale verschillen geen rol speelden. Ondertussen werden de steden en grotere plaatsen in Zuidwest-Frankrijk aangepakt. In de tweede helft van de 18de eeuw kreeg Bayonne straatverlichting en de oude stadsmuren van Bordeaux werden afgebroken om plaats te maken voor ornamentele poorten en pleinen, zoals Place Louis XV (beter bekend als Place de la Bourse). Ook werden er voetpaden en parken aangelegd.

Bordeaux, de hoofdstad van Guyenne, werd een baken voor stedelijke vernieuwing in het zuidwesten. In 1780 opende het Grand-Théâtre, ontworpen door Victor Louis in opdracht van de gouverneur van Guyenne, maarschalk-hertog De

Decoratief masker, Bordeaux (18de eeuw)

1743–1757 Markies de Tourny, intendant van Bordeaux, ontwerpt de elegante pleinen en boulevards van de stad

1748 De eerste editie van Montesquieu's *De l'esprit des lois* verschijnt

1745

1771 Hoogtepunt van Bordeaux als handelshaven

1775

1780 Inwijding van het Grand-Théâtre in Bordeaux

1785

Koopvaardijschip in Bordeaux

Het Grand-Théâtre in Bordeaux, gebouwd door Victor Louis en ingewijd in 1780

Richelieu. In de hele regio, maar met name in Bordeaux, bezaten veel aristocraten en kooplieden nu twee huizen. Ze brachten de winter door in de stad en de zomer in een chateau of een landhuis. Veel van hen reisden regelmatig naar Parijs en brachten daarvandaan nieuwe ideeën mee over landbeheer, over het geven van feesten, over mode, over hygiëne en over geneeskunde. In de tweede helft van de 18de eeuw nam de graaf De Lur Saluces bijvoorbeeld behang mee naar

Uza en hij besloot zijn landgoed te verbeteren door er een ijzerfabriek neer te zetten.

VAN DE GIRONDIJNEN TOT NAPOLEON

De economie van het zuidwesten, die gebaseerd was op de handel met West-Indië, stortte tijdens de Franse Revolutie helemaal in. De val van het Ancien Régime, betreurd door de oude aristocratie, werd echter verwelkomd door een nieuw gevormde adel en bour-

---

DE GOUDEN EEUW VAN WIJNPRODUCTIE IN AQUITAINE

Graaf de Lur Saluces

Aan het eind van de 17de eeuw en het begin van de 18de eeuw begon de adel wijngoederen te kopen. Niet alleen in de Médoc, Sauternes en Graves, maar ook buiten de Bordeauxstreek, waaronder Clairac, in Lot-et-Garonne, en in Monbazillac (Dordogne). Ze maakten van de productie van wijn een belangrijke industrie, lieten grote kelders aanleggen en produceerden, met de hulp van vakkundige wijnmeesters, topkwaliteitswijnen voor de export naar West-Indië, Engeland en West-Europa. Vooraanstaand in deze handel waren Monsieur de Pontac in de 17de eeuw en markies De Ségur, de graaf De Lur Saluces en zijn vrouw gravin De Sauvage d'Yquem in de 18de eeuw.

Gravin De Sauvage d'Yquem

TIJDBALK

Stemkaart uit de tijd van de Franse Revolutie

Keizer Napoleon

1788–1789 Het Parlement de Bordeaux wijkt uit naar Libourne	**1793** Girondijnen worden verslagen	**1802** Vrede van Amiens. De handel overzee wordt weer hervat	**1808** Napoleon bezoekt Bordeaux
1785	1795	1805	
1790 Constitution civile du clergé		**1806** Continentaal Stelsel	

geoisie, die openstond voor nieuwe ideeën. Leden van het Parlement de Bordeaux waren de eersten geweest die aan de koninklijke macht tornden door zich tegen het besluit te keren dat de oprichting van provinciale assemblees toestond. In augustus 1787 gaf Lodewijk XVI het bevel om ze te verbannen naar Libourne. In Bordeaux markeerde deze beslissing het begin van de Franse Revolutie, doordat het een kortlevende solidariteit tussen de aristocratie en de gewone man tot stand bracht. Al gauw viel deze uiteen als een gevolg van de *Constitution civile du clergé* (nationalisatie van de Kerk, juli 1790) en de misoogst die het zuidwesten in 1791 trof. De afgevaardigden van de Gironde, onder wie juristen die vermaard waren om hun welbespraaktheid, hadden het oor van de Assemblée Nationale. Tijdens de opstelling van de grondwet traden Girondijnen als Vergniaud, Guadet en Ducos op de voorgrond met hun ideeën voor economisch liberalisme en decentralisatie.

Op 2 juni 1792 waren de Girondijnen echter in de minderheid en hun tegenstanders grepen de macht. Enkele Girondijnen werden gearresteerd, terwijl anderen ontsnapten en er zelfs in slaagden een rebellie te organiseren. In oktober 1793 werd Vergniaud, samen met andere afgevaar-

Pierre-Victurnien Vergniaud, die tijdens de Terreur onder de guillotine kwam

digden van de Gironde, geguillotineerd. Guadet dook onder in zijn geboorteplaats Saint-Émilion, maar werd ten slotte gearresteerd en belandde in juni 1794 onder de guillotine. De Terreur was een pijnlijke episode voor Bordeaux, waar velen de dood vonden.

In andere plaatsen in het zuidwesten waren de leiders van de gemeenteraden vaak succesvoller in het maskeren van hun verschillen met de centrale autoriteiten. Na de val van Robespierre werden voormalige federalisten die aan de Terreur waren ontsnapt in hun macht hersteld en de politieke situatie stabiliseerde onder de Directoire, het Consulaat en het Keizerrijk.

De hogere klassen bleven echter vijandig tegenover Napoleon staan, aangezien het Continentale Stelsel de handel vanaf Bordeaux verder bemoeilijkte. Doordat het scheepvaartverkeer aan banden was gelegd (dit trof vooral

Bordeaux in de 19de eeuw (de Pont de Pierre werd in 1821 voltooid)

De hertog en hertoging van Angoulême arriveren in Bordeaux, 1815

gaan. Het lage geboortecijfer (behalve in de Pyreneeën) zorgde ook voor een tekort aan arbeidskrachten in de streek. Veel inwoners vertrokken om hun geluk elders te proberen: grote aantallen Basken en inwoners van de Béarn emigreerden naar de Verenigde Staten; inwoners van de dalen van de Dordogne en de Garonne gingen naar het noorden, naar de regio Parijs.

de export van wijn), was de handel met Engeland en andere landen vanuit Bordeaux ernstig verstoord. In maart 1814 kregen Engelse troepen afkomstig uit Spanje een enthousiast ontvangst van de inwoners van Bordeaux, die zich bevrijd voelden van het keizerlijke juk, en het einde van de Napoleontische Oorlogen verwelkomden.

NEERGANG IN DE VROEGE 19DE EEUW

Na de Franse Revolutie en het Keizerrijk bevrijdde Aquitaine zich langzaam uit zijn apathie. De bevolking omarmde de monarchie weer, gesymboliseerd door de triomfantelijke aankomst in Bordeaux van de hertog en hertogin van Angoulême in maart 1815. Maar de economische vooruitzichten bleven onzeker. Een gebrek aan energiebronnen en grondstoffen belemmerde de industriële ontwikkeling van de streek. Het vervoer was nog steeds onderontwikkeld, met name in de Landes, waar de Industriële Revolutie aan voorbij leek te zijn ge-

UITBREIDING TIJDENS HET TWEEDE KEIZERRIJK

Dankzij de gebroeders Pereire, twee ondernemende financiers, bloeide Aquitaine uiteindelijk toch nog economisch op. Hun inspanningen hadden grote consequenties: de dennenbossen van de Landes werden flink uitgebreid, in de Garonnevallei werd de fruit-, groente- en tabaksteelt geïntroduceerd en in 1855 kregen de Bordeauxwijnen hun eerste officiële kwaliteitsaanduiding. Als gevolg van de enorme toename van de wijnexport groeiden de havens van Bordeaux en Bayonne en met de ontwikkeling van de kustplaatsen Arcachon en Biarritz nam ook het toerisme toe. Gelijk met de economische groei verliep ook de toename van de verschillende transportnetwerken, met name de spoorwegen. Kostte het aan het begin van de 19de eeuw ruim 14 uur om met paard-en-wagen van Bordeaux naar het Bassin d'Arcachon te komen, na de aanleg van

De econoom en parlementariër Isaac Pereire, door Léon Bonnat

TIJDBALK

1857 Stichting van de plaats Arcachon

1852–1870 Keizerin Eugénie bezoekt de Baskische kust en de kuuroorden van de Pyreneeën

Keizerin Eug*in Biarritz*

1840	1850	1860
1841 Opening van de eerste spoorweg in de regio, van Bordeaux naar La Teste	**1852** Lodewijk-Napoleon geeft een lezing in Bordeaux	**1855** Bordeauxwijnen krijgen een officiële classificatie	**1869** De wijngaarde van Bordeaux worde geplaagd door de druif *Phylloxe*

de spoorweg was dit nog maar twee uur. Overal werd ondertussen de stadsplanning ter hand genomen. In Bordeaux, Périgueux, Agen en Pau werden boulevards aangelegd en elke 19de-eeuwse stad kreeg een spoorwegstation Aquitaine was ook een trekpleister geworden voor een elite die in het voetspoor wilde treden van de keizer en keizerin: Eugénie was een paar keer in Biarritz geweest, en had verschillende malen de kuuroorden in de Pyreneeën bezocht. Het keizerlijke paar had ook tijd doorgebracht in Arcachon. In 1857 voerde Napoleon III een wet door die de aanplant van zeedennen op grote schaal mogelijk maakte. Hij stichtte zelfs een experimentele plantage in Solférino. In een tijdsbestek van 50 jaar verdrievoudigde het oppervlak aan bos in Aquitaine. De grote open vlakten van de Landes, die tot dan toe het domein waren geweest van de schapenteelt, verdwenen samen met de symbolische schaapherder op stelten.

Poster voor de Exposition Maritime Internationale de Bordeaux, gehouden in 1907

DE DERDE REPUBLIEK

Bordeaux werd op drie momenten de hoofdstad van Frankrijk: in 1871, in 1914 en 1940, steeds als de regering op de vlucht ging voor de Duitse invasie. In deze gevallen werd het Grand-Théâtre in gebruik genomen als tijde-

lijk parlement. In de jaren tussen de oorlogen verspreidden zich radicale ideeën door de Gironde, met name in de Dordogne en Lot-et-Garonne. In Bordeaux was de socialistische burgemeester van de stad, Adrien Marquet, heel populair, maar hij vergooide zijn reputatie door zich in 1940 in te laten met het Vichyregime. Bordeaux was ook de locatie van grote tentoonstel-

Schaapherders op traditionele stelten in de Landes, voordat het gebied werd bebost

Poster van de Franse spoorwegen uit het begin van de 20ste eeuw

Duitse troepen voor het Grand-Théâtre van Bordeaux, juli 1940

samen met een groot aantal Franse en Belgische vluchtelingen, zijn intrek in Bordeaux en andere plaatsen in het zuidwesten. Deze toestroom leidde tot grote spanningen. Na het bestand van juni 1940 werd er een demarcatielijn door het gebied getrokken en tot 1942 was Bordeaux en de hele Atlantische kust bezet door de vijand. Het Franse verzet werd zwaar onderdrukt door de Gestapo en de Franse militia. Uit angst voor een geallieerde landing bouwden de Duitsers een keten van bunkers aan de kust, bekend als de Atlantic Wall. Nadat generaal De Gaulle in 1944 was teruggekeerd in Frankrijk, bezocht hij in september Bordeaux, waar hij allen bedankten die zich hadden ingespannen voor de bevrijding van het land.

lingen, zoals de befaamde Exposition Maritime Internationale van 1907. Verder profiteerde de stad van de economische opleving die de bloeiende voedingsindustrie en de scheepsbouw teweeg brachten. Elders in het zuidwesten verrezen industriële centra, zoals ijzergieterijen in Le Boucau, aan de rivier de Adour, en metaalfabrieken in Fumel. Eén bedrijf, de Compagnie du Midi, bracht moderne faciliteiten naar de streek door het bouwen van dammen in de Pyreneeën. Hier kwam echter een eind aan met de economische crisis van de jaren dertig en de spanningen die voorafgingen aan de Tweede Wereldoorlog.

Generaal de Gaulle in Bordeaux in 1944

DE DONKERE JAREN
Na de Spaanse Burgeroorlog staken veel Spanjaarden de grens over naar Zuidwest-Frankrijk, op de vlucht voor de dictatuur van Franco. Nadat de Duitsers in mei 1940 Noord-Frankrijk hadden bezet, nam de Franse regering,

EIND 20STE EEUW
Na de oorlog, tot het midden van de jaren zeventig, werd het zuidwesten van Frankrijk geplaagd door grote onrust. Het politieke leven werd gedomineerd door Jacques Chaban-Delmas, een gaullistische 'baron' met de bijnaam Duc d'Aquitaine. In de jaren vijftig kreeg het platteland te maken met een massale ontvolking. In de Périgord en de Landes ging men echter over tot het fokken van eenden en het verbouwen van maïs. Italiaanse immi-

Jacques Chaban-Delmas

TIJDBALK

1945–1995 Jacques Chaban-Delmas afgevaardigde en burgemeester van Bordeaux	**1954** Olie wordt met pijplijdingen uit Parentis vervoerd	**1962** Franse kolonisten uit Algerije vestigen zich in Gascogne	**1967** Opening van de Pont d'Aquitaine in Bordeaux
1940	**1945**	**1955**	**1965**
1942 Duitse troepen betreden de onbezette zone	**1948** Oprichting van het Conseil Interprofessionnel du Vin de Bordeaux (CIVB)	**1951** Aardgas ontdekt in Lacq	**1970** Het Parc Naturel Régional des Landes de Gascogne wordt geopend

Logo van het Parc des Landes de Gascogne

granten speelden daarbij een grote rol met hun kennis en ervaring. Een soortgelijk proces vond plaats na 1962 toen kolonisten, die terugkwamen uit Algerije, fruit- en groentekwekerijen begonnen in het zuidwesten. In de Bordeauxstreek was in 1948 het Conseil Interprofessional du Vin de Bordeaux (CIVB) opgericht, van belang bij het openen van buitenlandse markten voor de regionale wijnen. Andere, traditionele industrieën werden aan het eind van de jaren zestig juist getroffen door een zware neergang, zoals de schoen- en metaalindustrie.

Door de ontdekking, aan het begin van de jaren vijftig, van aardgas in Lacq en olie in Parentis leefde de economie in het zuiden weer op en werd Pau een belangrijk industriecentrum. De vliegtuigfabrikanten Dassault en Sogerma en de autofabrikant Ford bouwden ook fabrieken rond Bordeaux.

De oliecrisis aan het begin van de jaren zeventig betekende het einde van veel fabrieken. Het proces van modernisering ging echter door in de steden en grotere plaatsen: sommige wijken, zoals Mériadeck in Bordeaux, werden belangrijke zakencentra, terwijl Agen

Alain Juppé in het stadhuis van Bordeaux

zich ontwikkelde tot een landbouwcentrum. De TGV Atlantique ontsloot de regio verder, waarmee het stevig op de economische kaart van Europa kwam te staan.

Vanaf de jaren zeventig groeide ook het toerisme naar het Bassin d'Arcachon en het Pays Basque, waar het nu de belangrijkste bron van inkomsten is. De opening van het Parc Naturel Régional des Landes de Gascogne en het Parc National des Pyrénées heeft ook voor duizenden bezoekers extra gezorgd. En er is een toestroom geweest van mensen die vakantiehuizen kochten, met name in de Périgord, aangetrokken door het mooie landschap en het zachte klimaat.

Een tram, symbool van het moderne Bordeaux, op de Pont de Pierre

Begin van de economische crisis, waar Aquitaine · door wordt getroffen

Rotsschildering in Lascaux II

2003 Ingebruikname van de tram van Bordeaux

| 1985 | 1995 | 2005 |

1979 CAPC opgericht in Bordeaux

1984 Lascaux II wordt officieel geopend door Jack Lang

1999 Een zware storm vernietigt bossen in de Landes en de Médoc

AQUITAINE VAN STREEK TOT STREEK

Aquitaine in het kort

De zandstranden van Aquitaine, die zich uitstrekken langs de Atlantische Oceaan en het Bassin d'Arcachon, trekken iedere zomer veel bezoekers. De Pyreneeën, verder naar het zuiden, vormen met hun prachtige vergezichten een mooie bestemming voor bergwandelaars. Dat deze streek een rijke geschiedenis heeft, merkt u aan de mooie versterkte steden, vestingen, chateaus en majestueuze abdijen. Bordeaux, de hoofdstad, dankt zijn rijkdom aan de uitmuntende streekwijnen, die van de stad het middelpunt hebben gemaakt van de bloeiende Franse wijnhandel.

Château Margaux *brengt een van de beste wijnen van de wereld voort. Het wijngoed omvat naast wijngaarden ook een neoclassicistisch chateau en wijnkelders met een fraai gewelf.*

Blaye

Bordeaux

ATLANTISCHE OCEAAN

Arcachon

GIRON

De kust van de Landes *is een lange, min of meer rechte lijn, met zandstranden die in trek zijn bij vakantiegangers. Naaldbomen gedijen goed op deze bodem. Het gebied herbergt het grootste bos van Europa (oppervlakte circa 1 miljoen ha).*

GOLF VAN BISKAJE

Mont-de-Marsan

LANDES

Dax

Bayonne

Saint-Jean-de-Luz

PYRÉNÉES-ATLANTIQUES

Pau

Oloron-Sainte-Marie

PAYS BASQUE   BÉA

Baskische folklore *is een belangrijk onderdeel van de culturele identiteit van Aquitaine. De witte broek en b. en de rode sjerp, sjaal en baret worden meestal alleen nog op feestdagen gedrag*

◁ Het Fort de Socoa in Saint-Jean-de-Luz

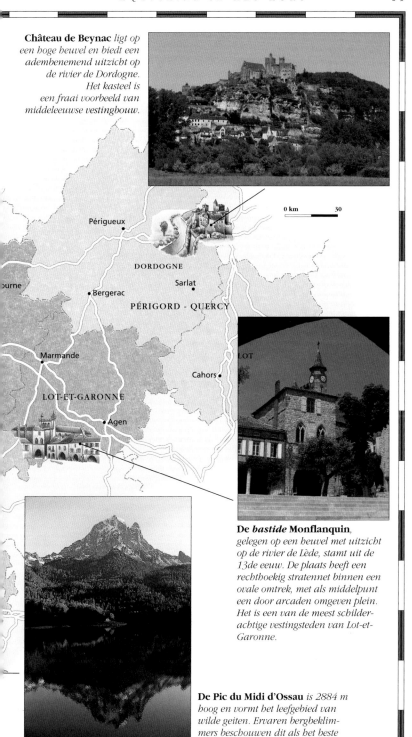

Château de Beynac *ligt op een hoge heuvel en biedt een adembenemend uitzicht op de rivier de Dordogne. Het kasteel is een fraai voorbeeld van middeleeuwse vestingbouw.*

0 km   30

Périgueux

DORDOGNE

Sarlat

ourne

Bergerac

PÉRIGORD - QUERCY

Marmande

LOT

Cahors

LOT-ET-GARONNE

Agen

De *bastide* Monflanquin, *gelegen op een heuvel met uitzicht op de rivier de Lède, stamt uit de 13de eeuw. De plaats heeft een rechthoekig stratennet binnen een ovale omtrek, met als middelpunt een door arcaden omgeven plein. Het is een van de meest schilderachtige vestingsteden van Lot-et-Garonne.*

De Pic du Midi d'Ossau *is 2884 m hoog en vormt het leefgebied van wilde geiten. Ervaren bergbeklimmers beschouwen dit als het beste klimgebied van de Pyreneeën.*

GIRONDE

D e prestigieuze wijngaarden van de Gironde beslaan een groot deel van het gebied dat wordt begrensd door de oevers van de Garonne en de Dordogne, de haven van de hoofdstad Bordeaux, en door Libourne in het noorden en Bazas in het zuiden. De Gironde heeft een rijk cultureel erfgoed en een lange kuststrook met stranden die zich uitstekend lenen voor allerlei watersporten.

De golven die uiteenspatten op de zandstranden van de Atlantische kust van de Gironde zorgen voor ideale omstandigheden voor surfers en andere watersporters. De oevers van de monding van de Gironde zijn in trek bij vissers en bieden plaats aan prestigieuze wijnchateaus en enkele van de mooiste romaanse en gotische bouwwerken ter wereld. Bordeaux, in de 18de eeuw de grootste haven van de streek, biedt met zijn mooie gebouwen nog altijd een majestueuze aanblik.

De Romeinen wisten de mogelijkheden van de Gironde als eersten uit te buiten. Ze legden wijngaarden aan op de heuvels en bouwden er weelderige villa's. Veel van de bordeauxwijnen behoren tot gerenommeerde appellations, van Médoc tot Saint-Émilion, en van Graves tot Sauternes. Pionierende middeleeuwse monniken bouwden imposante abdijen, zoals de Abbaye de Saint-Ferme en de Abbaye de Sauve-Majeure. De streek kreeg meer aanzien toen paus Clemens V aanspraak maakte op een gebied in Uzeste en Villandraut. De Engelsen op hun beurt bouwden *bastides* als Monségur en Sauveterre-de-Guyenne.

Aan het einde van de 19de eeuw ontdekte men de heilzame werking van de zeelucht bij Arcachon en Soulac, en de opkomst van de trein maakte het gebied beter bereikbaar. Hoewel het Bassin d'Arcachon veel vakantiegangers trekt, zijn traditionele bedrijfstakken als de oesterteelt nog altijd van belang voor de economie.

De Gironde heeft illustere Fransen voortgebracht, onder wie de filosoof Montesquieu, de schrijver Montaigne, de schilder Albert Marquet en de romancier François Mauriac.

De smak, een vissersboot met een platte bodem, is typerend voor het Bassin d'Arcachon

◁ *De Triomf van Concordia*, een allegorisch beeld op het Monument aux Girondins in Bordeaux

De Gironde verkennen

De Gironde heeft een oppervlakte van 10.700 km². Het gebied is genoemd naar het estuarium waarin de rivieren Dordogne en Garonne uitmonden. De streek staat voornamelijk bekend om zijn hoofdstad, Bordeaux, en om het Bassin d'Arcachon, maar herbergt ook wijngaarden, die enkele van de bekendste wijnen ter wereld voortbrengen. In de Gironde vindt u vele chateaus in uiteenlopende bouwstijlen, maar ook sierlijke kathedralen, kerken en *bastides*. De Atlantische kust van de Gironde en de meren in het gebied lenen zich uitstekend voor fietsen, zwemmen en het beoefenen van watersporten.

BEZIENSWAARDIGHEDEN

Abbaye de Saint-Ferme **27**
Arcachon **7**
*Bassin d'Arcachon
   blz. 62–63* **6**
Barsac **35**
Bazas **41**
Blasimon **24**
Blaye **15**
Bordeaux blz. 66–73 **9**
Bourg **16**
Cadillac **32**
Castillon-la-Bataille **22**
Cazeneuve blz. 92–93 **39**
Dune du Pyla **8**
Entre-deux-Mers **20**
Fort-Médoc **13**
Graves **34**
Lacanau **5**
La Brède **33**
Lac d'Hourtin **4**
La Réole **29**
La Sauve-Majeure **21**
Libourne **17**

Malle **36**
Margaux **11**
Monségur **28**
Moulis-en-Médoc **12**
Pauillac **14**
Phare de Cordouan **1**
Pointe de Grave **2**
Rauzan **23**
Roquetaillade blz. 86–87 **30**
Sainte-Foy-la-Grande **25**
Saint-Émilion blz. 78 **18**
Saint-Macaire **31**
Sauternais **37**
Sauveterre-de-Guyenne **26**
Soulac-sur-Mer **3**
Uzeste **40**
Villandraut **38**

Rondritten
De Médoc **10**
Wijngaarden van
   Saint-Émilion **19**

Pittoreske vissershuisjes op palen in het Bassin d'Arcachon

ZIE OOK

• *Accommodatie* blz. 244–245

• *Restaurants* blz. 260–261

Het door wijngaarden omringde Château Rayne-Vigneau is een van de vele fraaie landgoederen in de Sauternais

Bordeaux, de hoofdstad van de Gironde, beschikt over een internationale luchthaven in Mérignac. De TGV (hogesnelheidstrein) rijdt in drie uur van Parijs naar Bordeaux. Hij stopt onderweg in Libourne en in het hoogseizoen rijdt hij door naar Arcachon (vier uur). Over de snelweg A10 rijdt u via de Gironde van Parijs naar Bordeaux. De A660, en de N250 zoals deze weg verderop heet, verbindt Bordeaux met het Bassin d'Arcachon verder naar het westen. Vanuit Bordeaux voert de N89 naar Libourne (hier is een snelweg gepland). Neem de D936 om uw weg naar het oosten te vervolgen.

SYMBOLEN

▬▬	Snelweg
▬▬	Hoofdweg
═══	Secundaire weg
▬▬	Toeristische route
☆	Uitzichtpunt

0 kilometer   15

Phare de Cordouan ❶

Detail van de kapel

Deze sierlijke vuurtoren staat 7 km ten westen van de Pointe de Grave. Met de bouw is begonnen in 1584, naar een ontwerp van Louis de Foix, maar Hendrik IV liet de originele tekeningen wijzigen. In 1611 werd de toren in renaissancistische stijl afgebouwd en in 1789 bracht ingenieur Teulère de hoogte op 67,5 m. De vuurtoren kreeg in 1862 het predikaat historisch monument en werd, vanwege zijn ingetogen en klassieke stijl al snel bekend als het 'Versailles van de zee'.

TIPS VOOR DE TOERIST

Wegenkaart B1. Pointe de Grave. 05-56096293. apr.– okt.: dag. vr en bij wisseling van vuurtorenwachter. Tijden afhankelijk van tij.

Lantaarn
De lamp (6000 watt) geeft een lichtstraal die van een afstand van 40 km zichtbaar is.

Trappen-huis

Chapelle Notre-Dame-de-Cordouan
De gebrandschilderde ramen stammen uit de 19de eeuw.

De vuurtoren bezoeken
Bij eb is de 260 m lange dijk begaanbaar. Bezoekers worden per boot bij de dijk afgezet.

SOLIDE CONSTRUCTIE

Rond de vuurtoren is een 8,3 m hoge borstwering opgericht met een diameter van 43 m. Het geheel rust op 2000 heipalen die in de oceaanbodem zijn gedreven.

Ingang

Koninklijke vertrekken
in renaissancestijl liggen op de eerste verdieping.

Dorische zuilen flankeren de monumentale entree.

Borstwering

Buitenste trap

Een stijlvolle kustvilla in Soulac-sur-Mer

Pointe de Grave ❷

Wegenkaart B1. 🚍 ⛴ *Le Verdon-sur-Mer.* 🛈 *Pointe de Grave, 05-56096178.* 🌐 *www.littoral33.com*

In de vuurtoren, de **Phare de Grave**, is het Musée du Phare de Cordouan et des Phares et Balises gevestigd. U krijgt er een beeld van het leven van een vuurtoren-wachter. De 107 treden van de 28 m hoge vuurtoren, voeren naar een platform dat uitzicht biedt op de in zee gelegen Phare de Cordouan, de stranden langs de kust en de haven bij **Le Verdon**. Deze plaats telt drie stranden en er is een 7 km lang fietspad dat voert naar Soulac.

Gallisch beeldje van een wild zwijn

Phare de Grave
📞 *05-56096178.* 🕐 *juli–aug.*

OMGEVING: Op zo'n 15 km ten zuidoosten van het Pointe de Grave ligt de **Phare de Richard**, een vuurtoren met een aan oesterkweek en vuurtorens gewijd museum.

Phare de Richard
📞 *05-56095239.* 🕐 *wo–ma.*

Soulac-sur-Mer ❸

Wegenkaart B1. 🏠 *2819.* 🚉 🚍 🛈 *68 rue de la Plage, 05-56098661.* 🗓 *dag.* 🌐 *www.soulac.com*

Soulac, ingeklemd tussen de zee en een bos, kwam tot bloei tijdens het Second Empire (1852–1870), toen er in het kielzog van de spoorlijn een badplaats verrees. Rond het begin van de 20ste eeuw zijn er veel fraaie villa's gebouwd. Soulac heeft twee mooie zandstranden, het Plage Amélie en het Plage la Négade. Dit laatste is een nudistenstrand (net als dat in Vendays-Montalivet 18 km verderop), met een centrum voor zon- en zeewatertherapie waar sinds de opening in 1950 duizenden bezoekers zijn behandeld.

De **Basilique Notre-Dame-de-la-Fin-des-Terres**, die op de Werelderfgoedlijst van de Unesco staat, ligt op de pelgrimsroute van Groot-Brittannië naar Santiago de Compostela. Deze romaanse kerk (12de eeuw) bevat moderne, gebrandschilderde ramen en bewerkte kapitelen.

In het **Musée d'Art et d'Archéologie** ziet u prehistorische, Gallische en Gallo-Romeinse artefacten.

🛈 **Basilique Notre-Dame-de-la-Fin-des-Terres**
🕐 *dag.*
🏛 **Musée d'Art et d'Archéologie**
1, avenue El-Burgo-de-Osma.
📞 *05-56098399.* 🕐 *juni–sept.*
⬤ *wo in juni en sept.*

Lac d'Hourtin-Carcans ❹

Wegenkaart B1. 🛈 *Place du Port, Hourtin-Port, 05-56091900.* 🌐 *www.hourtin-medoc.com*

Dit meer, 17 km lang en met een oppervlakte van meer dan 7500 ha, is een van de grootste van Frankrijk. Langs de oevers leven tal van diersoorten, zoals reigers, vossen, konijnen en hazen. Langs het meer groeien naast de waterlobelia ook vleesetende planten als zonnedauw en bekerplanten.

OMGEVING: De nabijgelegen plaats **Carcans-Maubuisson** biedt gelegenheid tot tennissen, fietsen, paardrijden en watersporten. Het interessante Musée des Arts et Traditions Populaires geeft inzicht in de locale cultuur.

Lacanau ❺

Wegenkaart B2. 🏠 *3182.* 🚍 🛈 *Place de l'Europe, Lacanau-Océan, 05-56032101.* 🗓 *dag.; in laagseizoen: di–wo, za–zo.* 🌐 *www.lacanau.com*

Het Lac de Lacanau is 2000 ha groot en is daardoor een ideale plek voor zeilers en surfers. Lacanau-Océan organiseert al 20 jaar het wereldkampioenschap windsurfen. Er staat in deze plaats een groot aantal villa's uit de vroege 20ste eeuw.

OMGEVING: De **Étang de Cousseau**, 5 km ten noordoosten van Lacanau, is een meer met een natuurreservaat.

Badgasten op het langgerekte zandstrand van Lacanau-Océan

Bassin d'Arcachon ❻

De ingang van het Bassin d'Arcachon ligt tussen het Dune du Pyla en het puntje van de landtong met Le Cap-Ferret. Het vormt een reusachtige driehoek met een omtrek van bijna 60 km. Doordat het bijna geheel van zee is afgesloten lijkt het sterk op de binnenzee van de Gironde. Bij vloed bevat het bassin 370 miljoen m³ water en heeft het een oppervlakte van 156 km². Bij eb blijft hier maar een kwart van over; in plaats van water ziet u dan zandbanken en slijkplaten. Het gebied herbergt veel vogelsoorten, waaronder de scholekster, de wulp en de aalscholver, maar ook trekvogels, zoals strandlopers, kluten en grauwe ganzen, die op doortocht natuurreservaten aandoen als de Banc d'Arguin en het Parc Ornithologique du Teich. Rond het Bassin zijn er veel mensen werkzaam in de oesterkwekerij.

Huisje voor kaartverkoop

Zeilen in het Bassin d'Arcachon

Paalwoningen
Deze houten huizen op palen worden in de streektaal maisons tchanquées *genoemd (tchanque betekent paal). Dergelijke woningen staan rond het gehele Bassin d'Arcachon.*

Tijdens laagwater worden er veel zandbanken zichtbaar

0 km   1

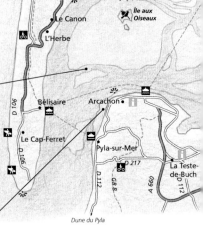

De stranden van Arcachon
De kilometerslange zandstranden Plage Péreire en Plage du Moulleau, twee van de stranden bij Arcachon, trekken grote aantallen bezoekers. Dit deel van de kust is veilig en kindvriendelijk en nodigt uit tot zwemmen.

SYMBOLEN

▬	Hoofdweg
═	Secundaire weg
⛴	Veerdienst
ℹ	Toeristische informatie
⚲	Natuurreservaat
❀	Uitzichtpunt

Een *pinasse*
De snelle en stabiele pinasses *zijn zo ontworpen dat ze
veilig gebruikt kunnen worden in het ondiepe water van
het Bassin d'Arcachon, dat vol zandbanken zit.*

**Scheepvaart in
het Bassin**
*Vissersboten, zeil-
jachten, pinasses
en motorschepen
die regelmatig heen
en weer varen tus-
sen Arcachon en Le
Cap-Ferret zorgen
voor een constante
drukte op het Bas-
sin d'Arcachon.*

**Parc
Ornithologique
du Teich**
*Dit vogelreservaat
is in 1971 gesticht
om een uniek
natuurgebied en
verschillende
vogelsoorten te
beschermen.*

**Arbeider op een oesterkwekerij
in de vroege 20ste eeuw**

OESTERKWEKERIJEN ROND HET BASSIN

Rond het jaar 1860 richtte de natuurkenner J-M Coste in het
Bassin d'Arcachon de eerste experimentele oesterbanken in.
Het duurt enkele jaren voordat oesters volwassen zijn. Op met
kalk bedekte tegels worden oesterlarven opgekweekt. In de
lente worden de jonge oesters van de tegels afgestoken en
uitgezet op oesterbanken op 4 à 5 km uit de kust. Daar krijgen
ze de tijd om te groeien. De oesters zijn volgroeid na een
periode van 18 maanden tot drie jaar. Volgroeide oesters
worden gewassen, in kratten gelegd en verkocht. Het Bassin
d'Arcachon produceert 8 tot 10.000 ton oesters per jaar.

Het Bassin d'Arcachon verkennen

Deze ondiepe lagune wordt omringd door verschillende soorten landschappen.

Gujan-Mestras

🛈 19 avenue de Lattre-de-Tassigny, 05-56661265. 🔲 wo. 🦪 Foire aux Huîtres (eerste twee weken aug.).

Dit plaatsje telt maar liefst zeven havens. Het is het plaatselijke centrum van de oesterteelt en brengt zo'n 55 procent van de in het Bassin gekweekte oesters voort. Het informatiecentrum **Maison de l'Huître** is gevestigd aan de haven van Larros. In de kanalen liggen *pinasses* (lange, ranke boten, gemaakt van naaldhout uit de Landes) voor anker.

🏛 Maison de l'Huître

📞 05-56662371. 🕐 juni–aug.: dag.; sept.–mei: ma–za. 🖼 🎫

🎋 Schiereiland Lège-Cap-Ferret

🛈 1 avenue du Général-de-Gaulle, 05-56039449.

De westkant van dit bosrijke schiereiland bestaat uit een 22 km lang zandstrand. Aan de oostzijde, die grenst aan het Bassin, vindt u beschutte stranden bij Claouey, Grand-Piquey, Petit-Piquey en Piraillan. De authentieke oesterplaatsjes **Canon** en **L'Herbe**, zijn te voet te verkennen. Het merendeel van de huisjes hier is nu in gebruik als vakantiewoning. De kapel in Moorse stijl in L'Herbe is het enige overblijfsel van de Villa Algérienne, een fraai landhuis tussen La Vigne en L'Herbe, dat in 1965 werd gesloopt.

Vissershut met een groot vierkant schepnet

De chicste plaats aan het Bassin is **Phare du Cap-Ferret**. De 52 m hoge vuurtoren hier, die is uitgerust met een bijzondere rode lichtopstand, biedt een weids uitzicht op het Bassin.

🔦 Phare du Cap-Ferret

📞 05-56039449. 🕐 juli–aug.: dag.; sept.–juni: wo–zo. 🖼 🎫

🦢 Île aux Oiseaux

Dit eiland, 3 km ten noorden van Arcachon, dankt zijn naam aan de vele zeevogels die er leven. Het eiland is ook een centrum van oesterteelt en het is in trek bij jagers, die hun prooi in schuilhutten opwachten. Deze houten hutten worden *cabanes tchanquées* genoemd, naar het Gasconse woord *tchanque*, dat paal betekent.

🦢 Parc Ornithologique du Teich

🛈 Place Pierre-Dubernet, Le Teich, 05-56228046. 🦢 Fête du Delta (3de weekeinde van juli). 🎫 via Maison de la Nature 05-56228093.

Dit 120 ha grote natuurreservaat, langs de meest ongerepte oevers van het Bassin bij de Eyredelta, is ontstaan uit het brakke water in dit gebied. Hier worden het hele jaar door circa 260 soorten trekvogels in hun natuurlijke omgeving waargenomen, zoals reigers, eenden, zilverreigers, ooievaars, zwanen en blauwborsten. De flora omvat zoutminnende planten als *Baccharis angustifolia* en tamarisk.

🦢 Domaine de Certes

🛈 Audenge, 05-56269597. 🎫 natuurrondleidingen (gratis).

De ondiepe viswateren bij Certes bestaan uit grote bassins met zoet én zout water, met een totale oppervlakte van circa 400 ha. Het water wordt hier en daar afgewisseld met drooggevallen land. Hier kweekt men zeebaars, harder en zeebrasem. Het landgoed is in 1984 aangekocht door het Conservatoire du Littoral. Vogelkenners kunnen tijdens een wandeling over het pad langs de kust talrijke vogelsoorten waarnemen, waaronder reigers, aalscholvers en eenden.

Zilvermeeuw

Andernos-les-Bains

🛈 Esplanade du Broustic, 05-56820295. 🚌

Deze op gezinnen gerichte badplaats ligt aan de noord-oostelijke oever van het Bassin. Hoewel het water bij eb volledig wegtrekt, is het in Andernos in het hoogseizoen zeer druk. Bij vloed lenen zijn vele strandjes zich uitstekend voor zonnen en zwemmen. Ook hier is een oesterkwekerij gevestigd. De jachthaven bij Le Bétey beschikt over de langste aanlegsteiger van Europa (232 m). Aan de oever ziet u de ruïne van een vroegchristelijke basiliek en de Église Saint-Éloi, een fraaie kerk met een 12de-eeuwse apsis.

Kleurige huisjes in Audenge, een kustplaats waar men oesters kweekt

Arcachon ❼

Wegenkaart B2. 🚶 *11854.* 🚉 🚌
🚢 *(naar Cap-Ferret).* ℹ️ *Esplanade
Georges-Pompidou, 05-57529797.*
📅 *dag.* 🎭 *Fête d'Arcachon
(22–25 maart); 18 Heures à la Voile et
Tchanquetas (3–6 juli); Fêtes de la Mer
(14–15 aug.).*

Dat Arcachon zich begon te
ontwikkelen tot badplaats
is te danken aan Napoleon III,
die er graag verbleef. Dit
proces werd voltooid met de
komst van een station in 1857.
Arcachon is met zijn 20.000 ha
een van de grootste gemeen-
ten van Frankrijk en is bijna
versmolten met de naburige
plaats La Teste-de-Buch. In de
jaren zestig van de vorige eeuw
is er een jachthaven aangelegd
en de lange pier aan de
drukke kust fungeert als het
centrale ontmoetingspunt.
In Parc Pereire zien moderne
villa's, omringd door keurig
onderhouden tuinen, uit op de
lager gelegen kustweg. In het
Musée-Aquarium, aan het

Het Dune du Pyla verandert onophoudelijk en is momenteel 117 m hoog

strand en niet ver van het
casino, kunnen bezoekers
zien welke zeedieren er in dit
gebied voorkomen.

🏛 **Musée-Aquarium**
2 rue du Professeur-Jolyet.
📞 *05-56833332.* 🕐 *dag.*

Château Deganne herbergt nu het casino van Arcachon

Dune du Pyla ❽

Wegenkaart B2. ℹ️ *Rond-Point du
Figuier, Pyla-sur-Mer, 05-56540222.*

Dit is letterlijk de beweeg-
lijkste bezienswaardigheid
van Frankrijk. Het Dune du
Pyla is ongeveer 3 km lang,
500 m breed en 117 m hoog
en is daarmee het hoogste
zandduin van Europa. Het
biedt uitzicht op de Banc d'Arguin en is begroeid met helm-
gras, blauwe zeedistel, anjers
(Dianthus gallicus) en winde.
Het duin ontstond deels door
de westenwind, die zand
meevoert van zandbanken en
uit dalen. In 1855 was het
Dune du Pyla nog maar 35 m
hoog, maar er komt jaarlijks
circa 1 tot 4 m bij. De duintop
biedt een schitterend uitzicht
op het Forêt de la Test en de
Atlantische Oceaan.

KOSTBAAR ARCHITECTONISCH ERFGOED

De Ville d'Hiver (Winterstad) in Arcachon is een schepping van de
gebroeders Pereire, twee bankiers die zich in de regio hadden gevestigd. In 1862 kochten ze een stuk bebost duin van 400 ha boven Arcachon, dat ze in percelen opdeelden. Ze gaven architect Régnaud en
planoloog Alphand opdracht er fraaie villa's neer te zetten die geschikt
waren voor de mensen die Arcachon bezochten om er te kuren – de
harsachtige lucht stond bekend om zijn geneeskrachtige kwaliteit. De
300 villa's van de Ville d'Hiver liggen beschut en worden omringd
door naaldbomen. Geen twee villa's zijn hetzelfde: rond de Place des
Palmiers liggen Moorse villa's, woningen in koloniale stijl en neogotische landhuizen. Kroonlijsten, draagstenen, rijkbewerkte puntgevels,
balkons met balustrades van opengewerkt hout, halfronde ramen en
dakkapellen sieren deze elegante gebouwen. In de 19de eeuw
verbleef de Italiaanse schrijver Gabriele D'Annunzio in Villa Saint-
Dominique en bezocht componist Charles Gounod vaak Villa Faust.

Villa in Arcachon

Onder de loep: Bordeaux ❾

Bordeaux, gelegen aan de oevers van de Garonne, was al voor de Romeinse tijd een belangrijke havenplaats, maar daar is nu niet veel meer van te zien. Men heeft hier altijd vooruit willen kijken en de stad is in de 18de eeuw ingrijpend vernieuwd. Industriële en maritieme elementen vindt u verspreid over de hele stad, afgewisseld door boulevards en elegante pleinen in neoklassieke stijl. De Place de la Bourse grenst aan de rivier en wordt geflankeerd door een aantal fraaie woningen van wijnhandelaren. Deze waren daar gebouwd om de middeleeuwse krottenwijk die er vroeger achter lag aan het zicht te onttrekken. De schitterende Esplanade des Quinconces voert naar de rivier en biedt vanaf de kade uitzicht op het Monument aux Girondins. De Place des Grands-Hommes, bij de Église Notre-Dame, is een van de weinige voorbeelen van stadsplanning ten tijde van de Franse Revolutie.

Église Notre-Dame. De bouw begon in 1684 en is voltooid in 1707.

Het Maison du Vin geeft informatie ove wijnexcursies.

RUE CONDILLAC

COURS DE L'INTENDANCE

RUE MAUREC

ALLÉES DE TOURN

★ Grand-Théâtre
De gevel van dit gebouw (1773–1780) wordt gesierd door beelden van de negen muzen en de godinnen Juno, Minerva en Venus.

★ Place de la Bourse
Dit plein biedt een harmonieuze aanblik. Het wordt geflankeerd door de Bourse (het oude beursgebouw) en het Hôtel des Fermes (nu het Musée des Douanes), twee majestueuze 18de-eeuwse gebouwen.

SYMBOOL

- - - Aanbevolen route

Monument aux Girondins

Dit monument (1894–1902) wordt geflankeerd door fonteinen in de vorm van beelden die de Triomf van de Eendracht en de Republiek voorstellen. Helemaal bovenin ontworstelt de Vrijheid zich aan haar ketenen.

COURS DE TOURNON

COURS DE GOURGUES

TIPS VOOR DE TOERIST

Wegenkaart C2. 👥 218.948. ✈ 10 km ten westen van Bordeaux. 🚆 Gare Saint-Jean. 🚌 Esplanade des Quinconces. ℹ 12 cours du 30-Juillet, 05-56006600. 🎉 *Fête Le Fleuve*, nadruk op wijn en etenswaren (juni); *Mystères du Vieux Bordeaux* (zomer); *Fête du Vin Nouveau* (eind okt.). Ⓦ www.bordeaux-tourisme.com.

CAPC (Centre d'Art Plastique Contemporain)

Een portpakhuis uit de vroege 19de eeuw herbergt het museum voor moderne kunst.

Les Chartrons

Deze wijk, waar ooit rijke wijnhandelaren woonden, is gerenoveerd. De fraaie panden zijn zeer gewild.

Esplanade des Quinconces

Dit door bomen omringde plein, met beelden van Montaigne en Montesquieu, aangelegd in 1827–1858.

0 meter 100

STERATTRACTIES

★ **Esplanade des Quinconces**

★ **Grand-Théâtre**

★ **Place de la Bourse**

Bordeaux verkennen

Sinds een restauratie, uitgevoerd tussen 2000 en 2004, schittert Bordeaux als nooit tevoren. Bezoekers genieten van de gedecoreerde gevels van zijn majestueuze gebouwen en van de imposante gotische kerken die tonen hoe belangrijk deze stad was in het middeleeuwse Europa. Hele wijken zijn autovrij geworden en de kades nodigen uit tot lange wandelingen langs de rivier. Vooral indrukwekkend is de neoklassieke architectuur uit de 18de eeuw, een periode van groei en toenemende welvaart. De grote pleinen, brede avenues en fraaie herenhuizen stammen alle uit deze tijd.

Het westelijke portaal van de Cathédrale Saint-André

⊞ Quartier Saint-Pierre

Deze wijk, gelegen tussen de Garonne en het centrum, was omringd door muren, die in de 18de eeuw zijn afgebroken. Het is een leuk gebied voor een stadswandeling. De huidige **Place de la Bourse** is tussen 1729 en 1755 aangelegd door de architecten Gabriels (vader en zoon), toen het plein nog Place Royale heette. Aan de noordzijde ligt de Bourse en aan de zuidzijde Hôtel des Fermes, met op de bovenste verdieping zuilen op gedecoreerde sokkels. Decoratief beeldhouwwerk siert de statige gevels hier, met maskers en smeedwerk op de balkons. Midden op het plein staat de Fontaine des Trois-Grâces, die sinds 1864 een beeld van Lodewijk XV vervangt. De door restaurants en cafés omzoomde **Place du Parlement,** die officieel Place du Marché-Royal heet, werd in 1754 aangelegd in opdracht van Tourny. Het is een toonbeeld van architectonische eenheid. Herenhuizen uit de tijd van Lodewijk XV liggen rond een binnenplaats met een fontein in neorococostijl uit 1867. Op de **Place Saint-Pierre**, waar op donderdag een biologische markt gehouden

wordt, staat de Église Saint-Pierre. Deze verrees in de 14de en 15de eeuw en is in de 19de eeuw verbouwd.

🏛 Musée National des Douanes

1 place de la Bourse. ☎ 05-56488282. ◻ di.-zo. ● 1 jan., 25 dec.
Dit unieke museum is gevestigd in een deel van het Hôtel des Fermes, dat vroeger dienstdeed als douanekantoor. Men schetst er een beeld van het werk van Franse douanebeambten, vroeger en nu. Onderdeel van de collectie is *La cabane du douanier, effet d'après-midi* (1882) van Monet.

⊞ Porte Cailhau

Place du Palais.
Deze poort biedt uitzicht op de Pont de Pierre en de noordelijke oever van de rivier. Hij werd gebouwd in 1495 bij gelegenheid van een overwinning van de Franse koning Karel VIII. De poort bevat decoratieve elementen (raampjes en een kegelvormig leien dak), maar ook defensieve (valhek, machicoulis en een omloop met kantelen).

Fontein op de Place du Parlement

🔒 Cathédrale Saint-André

Place Pey-Berland. ◻ dag.
Deze kerk, de mooiste van Bordeaux, staat op de Werelderfgoedlijst van de Unesco. Hij werd in 1096 ingewijd door paus Urbanus II, die naar de stad was gereisd om te bidden voor de eerste kruistocht. Het schip, dat stamt uit de 11de en 12de eeuw, is in de 15de eeuw verbouwd. Afbeeldingen van apostelen, bisschoppen, martelaren en van het laatste oordeel sieren de westelijke en noordelijke portalen en de ingang van de zuidvleugel van het transept (gebouwd in de 13de–14de eeuw). De kathedraal, waar tijdens de Franse Revolutie veevoeder werd opgeslagen, is in de 19de eeuw gerestaureerd.

🏛 Musée d'Aquitaine

20 cours Pasteur. ☎ 05-56015100. ◻ di.-zo. ● feestdagen.
Dit gebouw, in 1886 verrezen als de faculteit voor Literatuur en Wetenschap, is in 1987 verbouwd tot museum. De grote archeologische collectie is te zien op vier verdiepingen. Een van de prehistorische artefacten is de Venus van Laussel (*blz. 36*). Er zijn ook Gallische (een fraaie goudschat uit Tayac) en Romeinse voorwerpen te

Rijkelijk bewerkte fries op de gevel van het Musée d'Aquitaine

zien (een bronzen beeld van Hercules, *blz. 38*). Verder toont men uiteenlopende stukken van de middeleeuwen tot de 19de eeuw, waaronder meubels en gebruiksvoorwerpen uit de streek. Ook de afdelingen Afrika en Oceanië bevatten veel bezienswaardigs.

♛ Tour Pey-Berland

📞 *05-56812625.* 🕐 *juni–sept.: dag.; okt.–mei: di–zo.* 🔴 *1 jan., 1 mei, 25 dec.*
De klokkentoren van de kathedraal is gebouwd in de stijl van de flamboyante gotiek (1440–1446). Boven op de toren staat een 19de-eeuws verguld beeld van Notre-Damed'Aquitaine. De toren biedt een fraai uitzicht over de stad.

🏛 Centre National Jean-Moulin

48 rue Vital-Carles. 📞 *05-56796600.* 🕐 *di–zo.* 🔴 *feestdagen.*
Dit centrum, opgericht in 1967, besteedt aandacht aan het

De Grosse Cloche, deel van de Porte Saint-Éloi

Franse verzet, de deportatie van de Joden en de rol van de Vrije Fransen tijdens de oorlog.

♛ Grosse Cloche

Rue Saint-James.
Deze toren is het enige dat nog rest van de Porte Saint-Éloi, de poort die in de 13de eeuw in de stadsmuur verrees. De klokkentoren was onderdeel van het voormalige stadhuis.

♛ Palais Rohan

Place Pey-Berland. 📆 *wo.*
Dit was de residentie van aartsbisschop Mériadec de Rohan. Het werd gebouwd in de jaren 1771–1783. Sinds 1937 is het stadhuis erin gevestigd. Het bestaat uit ruime woonvertrekken, geflankeerd door lage vleugels, die een vierkante binnenplaats vormen. Vooral de weelderig gedecoreerde eetzaal en het grootse trappenhuis bekoren.

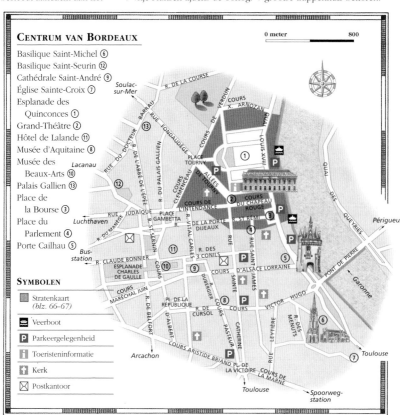

CENTRUM VAN BORDEAUX

Basilique Saint-Michel ⑥
Basilique Saint-Seurin ⑫
Cathédrale Saint-André ⑨
Église Sainte-Croix ⑦
Esplanade des Quinconces ①
Grand-Théâtre ②
Hôtel de Lalande ⑪
Musée d'Aquitaine ⑧
Musée des Beaux-Arts ⑩
Palais Gallien ⑬
Place de la Bourse ③
Place du Parlement ④
Porte Cailhau ⑤

SYMBOLEN

▢ Stratenkaart *(blz. 66–67)*
⛴ Veerboot
🅿 Parkeergelegenheid
ℹ Toeristeninformatie
✝ Kerk
✉ Postkantoor

0 meter   800

Grand-Théâtre

**Victor Louis,
architect van het
Grand-Théâtre**

Maarschalk-hertog de Richelieu, die gouverneur van Guyenne was, liet het Grand-Théâtre ontwerpen en bouwen door Victor Louis (1731–1811). Dit juweel in neoclassicistische stijl verrees tussen 1773 en 1780 op de plek van een Gallo-Romeinse tempel (Piliers de Tutelle). Het gebouw, met een grondplan van 88 bij 47 m, wordt omringd door gewelfde galerijen. Aan de voorzijde zijn twaalf Korinthische zuilen te zien met daarop stenen beelden van de negen muzen en de godinnen Juno, Venus en Minerva. Vooral het door zuilen omgeven atrium, het monumentale trappenhuis en het auditorium zijn bezienswaardig. Het auditorium is vermaard om zijn goede akoestiek. Sinds een renovatie in 1991 zijn hier weer de originele kleuren te zien (blauw, wit en goud). De Grand Foyer, omgedoopt tot Salon Gérard Boireau, is een fraai voorbeeld van Second Empirestijl (1852–1870).

**Victor Louis,
architect van het
Grand-Théâtre**

★ **Grote trap**
De fraaie trap is later door Garnier nagemaakt voor de Opéra in Parijs.

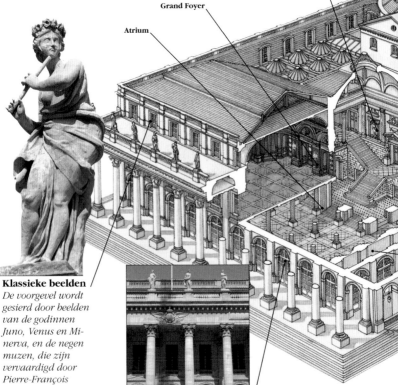

Grand Foyer

Atrium

Klassieke beelden
De voorgevel wordt gesierd door beelden van de godinnen Juno, Venus en Minerva, en de negen muzen, die zijn vervaardigd door Pierre-François Berruer (1733–1797).

★ **Voorgevel**
Voor het gebouw staan twaalf Korithische zuilen. De gewelfde galerijen aan beide zijden herbergden vroeger winkeltjes.

Het podium
Het podium was voor die tijd bijzonder groot en beslaat meer dan een derde van het interieur.

TIPS VOOR DE TOERIST

Place de la Comédie.
☎ 05-56008595. 🚃 Lijnen B en C. 🚌 10, 15, 29, 31, 53, 54, 55, 56, 58, pendelbus. ♿ ⬛
🍸 🍴 ⚪ tijdens voorstellingen; informatie over rondleidingen bij het toeristenbureau.
W www.opera-bordeaux.com

Koepel
Een schilderij van François Roganeau (1883–1974), vervaardigd in 1917, is te zien in de koepel. Het detail toont de Allegorie van de Garonne.

Kristallen kroonluchter
met 400 lampen

Kassa

STERATTRACTIES

★ **Auditorium**

★ **Voorgevel**

★ **Grote trap**

★ Auditorium
Het hoefijzervormige auditorium biedt plaats aan 1114 bezoekers. De sierlijk vormgegeven verdiepingen worden onderbroken door 12 bewerkte klassieke zuilen. In 1871 kwam hier de Assemblée Nationale bijeen.

*La Grèce sur les ruines de Misso-
longhi van Eugène Delacroix*

🏛 Musée des Beaux-Arts
20 cours d'Albret. 📞 05-56102056.
🚫 *ma, wo–zo.* ⚫ *feestdagen.*
In de noord- en zuidvleugel
van het stadhuis, die in
1878–1881 zijn toegevoegd
door Charles Burguet, is nu dit
museum gevestigd. Tijdens
een rondgang komt vrijwel de
complete geschiedenis van de
westerse kunst aan bod, van
de renaissance tot het einde
van de 20ste eeuw. Er is
aandacht voor de Italiaanse
School, met werken van
Perugino en Titiaan; voor de
Vlaamse School, met doeken
van Breughel, Van Dyck en
Rubens; voor de romantiek,
met werk van Delacroix en
Corot; voor impressionisten
als Boudin en voor moderne
schilderkunst, vertegenwoor-
digd door Matisse en Kokosch-
ka. Ook kunstenaars uit
Bordeaux, onder wie Redon
en Marquet, komen aan bod.

🏛 Musée des Arts Décoratifs
39 rue Bouffard. 📞 05-56007253.
🚫 *ma, wo–zo.* ⚫ *feestdagen.*
Dit museum is gevestigd in
het **Hôtel de Lalande,** een
stijlvol herenhuis gebouwd
door Étienne Laclotte in
1775–1779. De herenhuizen
van het Bordeaux van de 18de
eeuw waren ingericht met
fraaie meubels, schilderijen,
miniaturen, sculpturen, etsen,
en met metaal- en glaswerk.

Ten noorden van het
centrum
Hoewel het Quartier des Chartrons en het Quartier Saint-
Michel nu nogal geïndustriali-

seerd aandoen, zijn hier toch
enkele van de mooiste godshuizen van de stad te vinden.
De stijl loopt uiteen van Merovingisch, zoals de crypte van
de Basilique Saint-Seurin, en
romaans, zoals de Église Sainte-Croix, tot gotisch, te zien in
de Basilique Saint-Michel en
de Église Sainte-Eulalie. Voorbeelden van 18de-eeuwse
architectuur vindt u in de
herenhuizen langs de Cours
Xavier-Arnozan en in het
bescheiden Hôtel Labottière.

🏛 Quartier
des Chartrons
In dit deel van Bordeaux werd
al in de Romeinse tijd gehandeld in wijn. Hier vergaarde
men enorme rijkdom en
er ontstonden ware
dynastieën van
wijnhandelaren.
Het **Musée des
Chartrons** is
gevestigd in een ge-
bouw met een mooi
18de-eeuws trappen-
huis met een smeed-
ijzeren balustrade. Bezoekers
kunnen in de wijnkelders zien
hoe tussen 1750 en 1950 de
wijn in vaten rijpte. Het museum schetst aan de hand van
handgemaakte etiketten, wijn-
flessen, zegels en sjablonen
een beeld van de wijnhandel
in de stad. De **Temple des
Chartrons**, een protestantse
kerk, is een prachtig voorbeeld van Franse neo-
classicistische architectuur. De
Halle des Chartrons (markthal), gebouwd in 1869, is een
geslaagde mengeling van gietijzer, glas en steen. De chique
Cours Xavier-Arnozan, ook
bekend als Pavé des Chartrons,

**Schaal van De
Caranza**

wordt geflankeerd door herenhuizen, gebouwd voor rijke wijnhandelaren. De gevels
in Lodewijk XVI-stijl hebben
uitstekende balkons, die
worden ondersteund door
stenen zuilen. Sinds 1984 is
het **CAPC (Centre d'Art
Plastique Contemporain)**
gevestigd in een pakhuis dat
vroeger werd gebruikt voor
geïmporteerde waren uit de
koloniën. U ziet hier werk van
Daniel Buren, Simon Hantaï
en Sol LeWitt, en van andere
hedendaagse kunstenaars,
onder wie Peter Halley en
Robert Combas.
De **Jardin Public**, vroeger
Jardin Royal, is een openbaar
park, naar een ontwerp van
Gabriel. Het werd in 1756
voltooid, maar is een
eeuw later her-
ingericht omdat het
zwaar te lijden had
gehad tijdens de
Franse Revolutie en
onder Napoleon. Er is
toen een botanische
tuin met 2500 planten-
soorten toegevoegd. Het
**Muséum d'Histoire Naturel-
le** is te vinden in het Hôtel de
Lisleferme, in 1770 gebouwd
door Bonfin.

🏛 Musée des Chartrons
41 rue Borie. 📞 05-57875060.
🚫 *ma–vr.*
🏛 Temple des Chartrons
Rue Notre-Dame.
🏛 CAPC (Centre d'Art
Plastique Contemporain)
Entrepôt Lainé, 7 rue Ferrère.
📞 05-56008150. 🚫 *di–zo.*
🏛 Muséum d'Histoire
Naturelle
5 place Bardineau. 🚫 *ma, wo–zo.*
⚫ *feestdagen.* 📞 05-56482637.

Deze passage in Bordeaux (circa 1830) ademt de sfeer van vroeger

Ten westen van het centrum

Het **Petit Hôtel Labottière** (1783–1788) is een neoklassiek herenhuis met tuin en binnenplaats. Aan de zijde die grenst aan de tuin wordt het dak gedragen door balusters. Het laat 2de-eeuwse **Palais Gallien** is het enige bouwwerk uit het antieke Burdigala, zoals Bordeaux in de Gallo-Romeinse tijd heette, dat nog intact is. Dit circa 130 m lange en 110 m brede amfitheater, bood plaats aan 15.000 bezoekers. Tijdens een inval van barbaren in 276 brandde het uit en tijdens de Franse Revolutie werd het deels verwoest.

De **Basilique Saint-Seurin** staat op de Place des Martyrs-de-la-Résistance. De kapitelen in het westelijke portaal zijn 12de-eeuws en de 11de-eeuwse crypte bevat verschillende Merovingische graven. Ertegenover bevindt zich de **Archeologische Crypte** met een groot aantal graven uit de 4de tot de 18de eeuw, die werden ontdekt bij opgravingen in 1910. Het gaat om Gallo-Romeinse en Merovingische amforen en sarcofagen waarin overleden kinderen zijn bijgezet.

🏛 **Petit Hôtel Labottière**
13 rue Saint-Laurent.
📞 05-56484410.
🕐 za–zo 's middags.
🏛 **Palais Gallien**
Rue du Docteur-Albert-Barraud.
🕐 dag.
⛪ **Basilique Saint-Seurin**
Rue Jean-Burguet. 🕐 di–zo.
🏛 **Archeologische Crypte**
🕐 dag.

Ten zuiden van het centrum

De gotische **Église Sainte-Eulalie** is gebouwd in de 14de en verbouwd in de 19de eeuw. Hij herbergt artefacten uit verscheidene kerken en kloosters in Bordeaux. Ertegenover staat het **Hôpital Saint-André**, gebouwd tussen 1824 en 1830 door Jean Burguet. De kruisgang wordt omringd door galerijen met twee verdiepingen.

De **Porte d'Aquitaine**, in de vorm van een triomfboog, is een van acht vergelijkbare

stadspoorten. In de 18de eeuw kwamen deze in de plaats van de middeleeuwse poorten. De Porte d'Aquitaine staat aan het begin van de Rue Sainte-Catherine, een autovrije winkelstraat, die aan de noordzijde uitkomt op de Place de la Comédie, tegenover het Grand-Théâtre *(blz. 70–71)*.

De romaanse **Église Sainte-Croix** is te vinden in de gerestaureerde wijk bij de École des Beaux-Arts en het Théâtre du Port-de-la-Lune (in een voormalige suikerraffinaderij). De rijkbewerkte gevel stamt uit de 12de eeuw, maar werd in de 19de eeuw aangepast. De zeshoekige koepels zijn in de

De Basilique Saint-Seurin is tussen de 12de en de 18de eeuw ingrijpend verbouwd

Een boog van het Palais Gallien

13de eeuw toegevoegd. De noordelijke klokkentoren is romaans, en de zuidelijke is in 1860 toegevoegd door Paul Abadie.

De **Basilique Saint-Michel,** op de Place Cantaloup, staat in een leuke wijk met veel antiekwinkels, en met een drukke markt op maandag en zaterdag, en een vlooienmarkt op zondag. De kerk, waarvan de bouw begon in de 14de eeuw, werd 200 jaar later voltooid in

laatgotische stijl. De Chapelle Saint-Jacques in het interieur is gebouwd voor de broederschap van pelgrims van Bordeaux. De 114 m hoge klokkentoren wordt **La Flèche** genoemd. Deze 15de-eeuwse toren is in de 19de eeuw gerestaureerd door Abadie en kwam los te staan van de basiliek. De 15de-eeuwse crypte onder de toren is gebouwd boven op een begraafplaats van een kartuizerklooster.

⛪ **Église Sainte-Croix**
🕐 do, za, zo.
⛪ **Basilique Saint-Michel**
🕐 dag. 's middags.

GEBEELDHOUWDE MASKERS

Op veel gevels in Bordeaux zijn gebeeldhouwde maskers (*mascarons*) te zien. De oudste stammen uit de 16de eeuw, maar de meeste uit de 18de eeuw. Op de Place de la Bourse overziet Mercurius, de god van de handel, de bedrijvigheid in de haven, terwijl de bebaarde riviergoden het samenvloeien van de Dordogne en de Garonne gadeslaan. Ceres en Bacchus symboliseren de rijkdom die de wijn de stad brengt, en de Zephyrs blazen uit alle macht. De gelaatsuitdrukking van de goden, nymfen, satyrs en monsters loopt uiteen van boos tot peinzend of spottend. Sommige maskers zijn grappig bedoeld. Op de Quai Richelieu doen sommige grotesk aan, en vanaf de gevel van Maison Francia in de Rue du Mirail kijkt een brutale piraat op ons neer.

Maskers in Bordeaux

Rondrit door de Médoc ⑩

De wijngaarden in de Médoc brengen enkele van de beste wijnen ter wereld voort. Het gebied ligt bij 45° NB. Het wordt ten oosten begrensd door de Gironde en een groot bos, en ten westen door de Atlantische Oceaan. Deze ligging draagt zorg voor een mild en vochtig klimaat – ideaal voor wijnstokken. De bodem bestaat uit een geschikte mengeling van kiezels, zand en klei. De kundige lokale wijntelers weten met traditionele druivensoorten, zoals cabernet-sauvignon, cabernet-franc, merlot en petit-berdot, subtiele wijnen te produceren.

Château Mouton Rothschild ⑥
Château Mouton, in 1973 bestempeld tot *premier grand cru classé*, is sinds 1853 van de Rothschilds. De wijnkelder en het museum zijn voor het publiek geopend.

Château Cos d'Estournel ⑧
Dit opvallende, exotisch aandoende gebouw domineert dit wijngoed. Het chateau produceert de appellation Saint-Estèphe, een gerenommeerde *deuxième cru classé.*

Château Pichon-Longueville ④
In de 19de eeuw zijn de wijngaarden hier, een *deuxième grand cru classé*, verdeeld over twee wijnhuizen. Het gaat om Château Pichon-Longueville-Baron en Château Pichon-Longueville-Comtesse-de-Lalande.

Château Beychevelle ③
De naam betekent 'strijk de zeilen'. Passerende schippers waren verplicht dit te doen bij wijze van eerbetoon aan de hertog d'Épernon, de eigenaar van dit landgoed.

Château Maucaillou ②
Dit vrolijk getinte chateau in Moulis-en-Médoc herbergt een interessant museum, gewijd aan de druiventeelt en de productie van wijn.

SYMBOLEN

▬▬ Aanbevolen route

= Andere wegen

⚹ Uitzichtpunt

Kaartlabels: Saint-Estèphe · SOULAC-SUR-MER · D 2 · Gironde · D 204 · D 205 · Pauillac · D 104E · D 206 · St-Julien-Beychevelle · ST-LAURENT-MÉDOC · D 101E · D 101 · Cussac · Fort-Médoc · Lamarque · D 5 · D 2 · Bl... · D 105

0 km   3

Château Lafite-Rothschild ⑦
Dit chateau, dat zijn oorsprong vindt in de middeleeuwen, is in de 18de eeuw herbouwd. De wijnkelders zijn gebouwd door Ricardo Bofill.

Château Latour ⑤
Dit chateau verrees in de 19de eeuw. De ronde toren met uitzicht op de wijngaarden is een restant van het versterkte gebouw dat hier vroeger stond.

Château Margaux ①
Dit elegante chateau in neoclassieke stijl is tussen 1810 en 1816 gebouwd door Combes. Hij was een leerling van Victor Louis, de architect van het Grand-Théâtre in Bordeaux.

RDEAUX

De gevel van Château Margaux is een toonbeeld van neoclassicisme

Margaux ⓫

Wegenkaart C2. 🏠 1358.
Wijnkelders 📞 05-57888383.
🗓 ma–vr. ⬤ feestdagen en tijdens de druivenpluk. 🗓 twee weken van tevoren reserveren.

De heuvelachtige wijngaarden rond de dorpen Arsac, Cantenac, Labarde, Margaux en Soussans produceren wijnen die als margauxwijn verkocht mogen worden. De wijnstokken groeien in dit 1200 ha grote gebied op een kiezelhoudende bodem. Château Margaux, een *premier grand cru classé*, brengt verfijnde wijnen voort met een fruitig aroma. De mooie kelders met eiken balkenzolderingen zijn voor het publiek geopend. Het **Maison du Vin et du Tourisme**, aan de rand van het plaatsje Margaux, is een informatief bezoekerscentrum.

🏛 Maison du Vin et du Tourisme

7 place la Trémoille. 📞 05-57887082. 🗓 ma–za.

OMGEVING: Circa 25 km ten noorden van Bordeaux ligt het 17de-eeuwse **Château d'Issan**. In het weekeinde serveert men in de cafés in het haventje van Macau plaatselijk gevangen vis, waaronder elft, harder, schol, paling, lamprei en garnalen.

Moulis-en-Médoc ⓬

Wegenkaart C2. 🏠 1383. 🚩 La Verrerie, Pauillac, 05-56590308.

In dit dorp staat een romaanse kerk (12de eeuw) met een gotische klokkentoren. Op de kapitelen in het interieur zijn afbeeldingen van wilde dieren, monsters en scènes uit het Oude Testament aangebracht. Het **Maison du Vin de Moulis** verzorgt rondleidingen in de chateaus in het gebied van de appellation Médoc. Wie de D5 in noordelijke richting volgt, komt uit bij **Port de Lamarque**, aan de Gironde. Hier kunt u een veerboot nemen naar Blaye *(blz. 76)*, aan de oostelijke oever.

🏛 Maison du Vin de Moulis
📞 05-56583274. 🗓 ma–vr.
🚢 Port de Lamarque
📞 05-57420449.

Versterkte romaanse kerk met gotische klokkentoren in Moulis-en-Médoc

Fronton van de Porte Royale in Fort-Médoc

Fort-Médoc ⓭

Wegenkaart C2. ⓘ *16 avenue du Haut-Médoc, Fort-Cussac-Fort-Médoc, 05-56589840.* ◐ *mei–okt.: dag.; nov.–april: di–zo.* 🖼

Dit fort is tegen het einde van de 17de eeuw gebouwd door Vauban. Met de citadel in Blaye en Fort-Paté moest het indringers weghouden uit de Gironde. De Porte Royale, met op het fronton een reliëf van de zon dat verwijst naar Lodewijk XIV, geeft toegang tot een binnenplaats. Daarachter ziet u wat er nog rest van het fort, zoals het wachthuis en een geschutsplatform. Op elke hoek van het gebouw, met een rechthoekig grondplan, bevindt zich een bastion. Een hiervan biedt uitzicht op de Gironde, op de riviermonding en de tegenoverliggende oever.

OMGEVING: Bij **Château Lanessan**, 2 km verderop, worden bezoekers toegelaten in de wijnkelders waar de haut-médocwijnen rijpen. Verder vindt u hier het aan paarden gewijde Musée du Cheval.

♞ Château Lanessan
Cussac-Fort-Médoc. ⓘ *05-56589480.* ◐ *op afspraak.*

Pauillac ⓮

Wegenkaart B1. 🏠 *5404.* 🚌 ⓘ *La Verrerie, 05-56590308.* 🚢 *za.* 🖼 *Fête du Nautisme (mei), Fête de l'Agneau de Pauillac (mei), Fête du Vin et du Terroir (juli), Marathon des Châteaux du Médoc (sept.).* ⓦ *www.pauillac-medoc.com*

De jachthaven hier is een halteplaats op het Canal du Midi en in de zomer zeer in trek bij gezinnen. Pauillac, de belangrijkste stad in de wijnstreek Médoc, staat bekend om zijn lamsvlees, dat in heel Frankrijk gegeten wordt. Het **Maison du Tourisme et du Vin** verkoopt lokale *grands crus* en organiseert rondleidingen in de lokale chateaux, waarbij er soms gelegenheid is om de eigenaar te ontmoeten.

🏛 Maison du Tourisme et du Vin
La Verrerie. ⓘ *05-56590308.* ⓦ *www.pauillac-medoc.com* ◐ *dag.* ● *zo in juni.*

OMGEVING: Vertheuil ligt circa 8 km ten noordwesten van Pauillac. De Abbaye des Prémontrés werd in de 11de eeuw gesticht, maar het huidige gebouw dateert van de 18de eeuw. De 11de-eeuwse **Église Saint-Pierre** is een romaanse kerk met een door zijbeuken geflankeerd schip. Een van de twee klokkentorens dateert van de 12de eeuw. De archivolt rond het gerestaureerde portaal aan de noordzijde bevat scènes uit het leven van Christus.

⛪ Église Saint-Pierre
Vertheuil. ◐ *juni–sept.*

Blaye ⓯

Wegenkaart C1. 🏠 *4924.* 🚌 🚢 *(naar Lamarque).* ⓘ *Allées Marine, 05-57421209.* 🚢 *wo en za.* 🖼 *Musique en Citadelle (aug.) ; Chantiers de Blaye (aug.).* ⓦ *www.blaye.net*

Het dicht bij de grens met de Charente gelegen Blaye is een bezoek waard wegens de stervormige citadel met bastions die in 1689 werd gebouwd door Vauban. Bij de vesting aan de Gironde is vaak een schitterende zonsondergang te zien, vooral vanaf de Tour de l'Aiguillette. Na een bezoek aan Blaye begrijpt u waarom de Gironde bekendstaat om zijn mooie lichtval. Voetgangers betreden het plaatsje Blaye, een dorp met lage bebouwing, via de Porte Dauphine. Auto's gaan via de Porte Royale. 's Zomers treft u hier veel lokale ambachtslieden aan. Ten noorden van de citadel ligt de ruïne van het middeleeuwse Château des Rudel. De Manutention, een pakhuis bij de Place d'Armes, herbergt het **Musée de la Boulangerie** en ruimten met twee andere exposities (**Estuaire Vivant** en **Blaye, 7000 Ans d'Histoire**).

🏛 Musée de la Boulangerie
Manutention. ⓘ *05-57428096 (informatie van het Conservatoire de l'Estuaire, Place d'Armes).* ◐ *half apr.–okt.: dag.*
🏛 Estuaire Vivant
Manutention. ◐ *dag.*
🏛 Blaye, 7000 Ans d'Histoire
Manutention. ◐ *dag.*

De citadel bij Blaye, een fort aan de Gironde

Château du Bouilh is ontworpen door Victor Louis, de architect van het Grand-Théâtre in Bordeaux

Bourg-sur-Gironde ⓰

Wegenkaart C2. 🚶 2168. 🚌
🅷 *Hôtel de la Jurade, place de la Libération, 05-57683176.*
🅰 *zo.* 🎪 *Foire du Troque-Sel (zoutfeest), eerste zo van sept.*

H et uit lokale kalksteen opgetrokken Bourg was in de middeleeuwen een versterkte stad. Er werd gehandeld in wijn, zout uit de Charente en steen uit groeven in de omgeving. Het plaatsje, dat alleen te voet bezocht kan worden, ligt op een steile helling en biedt mooi zicht op de rivier. Bourg ligt, anders dan de naam suggereert, niet in de Gironde maar in het departement Dordogne.
In de bovenstad ligt het **Château de la Citadelle**. Deze stijlvolle folly, gebouwd in een langgerekte vorm en omringd door een formele tuin, was vroeger de residentie van de aartsbisschoppen van Bordeaux. Nu vindt u er het **Musée Hippomobile**, gewijd aan de koets. Op de grens van de boven- en de benedenstad staat de Porte Batailleyre, een 13de-eeuwse, uit de rotsen gehouwen poort. In Bourg kwam François Daleau (1845–1927) ter wereld, de historicus die de Grotte de Pair-non-Pair ontdekte.

♣ **Château de la Citadelle**
Parc du Château 🅞 *maart–okt.: za–zo; juli–aug.: dag.* 🎫 📷
🏛 **Musée Hippomobile**
🅲 *05-57682357.* 🅞 *juli–half sept.: dag.; half sept.–mei: ma–vr.*
🔵 *juni, maart en feestdagen.*

OMGEVING: De prehistorische **Grotte de Pair-non-Pair** ligt 4,5 km ten oosten van Bourg aan de D669. In deze grot, ontdekt in 1881, zijn rotstekeningen te zien. Het is de enige grot in de Gironde die is geopend voor het publiek. Circa 10 km ten zuidoosten van Bourg ligt het **Château du Bouilh**.

🕳 **Grotte de Pair-non-Pair**
Prignac-et-Marcamps. 🅲 *05-57683340.* 🅞 *dag.* 🔵 *feestdagen.* 🎫
♣ **Château du Bouilh**
Saint-André-de-Cubzac. 🅲 *05-57430659.* 🅞 *half juni–sept.: do en za–zo 's middags; half juli–half aug.: 's middags.* 📷 🎫

Libourne ⓱

Wegenkaart C2. 🚶 22.457. 🚉 🚌
🅷 *40 place Abel Surchamp, 05-57511504.* 🅰 *di, vr, zo.*
🎪 *Carnival (maart), Fest'Arts (aug.).*
🌐 *www.libourne-tourisme.com*

D eze vestingplaats, gelegen op de plek waar de Isle en de Dordogne samenvloeien, werd rijk door de handel op de rivier. Delen van de stadswal en van de Porte du Grand-Port zijn nog intact. In het 15de-eeuwse stadhuis is het **Musée des Beaux-Arts et d'Archéologie** gevestigd.

🏛 **Musée des Beaux-Arts et d'Archéologie**
Place Abel-Surchamp. 🅲 *05-57553344.* 🅞 *ma–vr.*

OMGEVING: In het **Maison du Pays Fronsadais**, op circa 10 km ten noordwesten van Libourne, komt u veel te weten over de wijngaarden van Fronsac, die de stevige, volle rode wijnen voortbrengen. Circa 15 km ten oosten van Libourne ligt het gerestaureerde 14de-eeuwse kasteel **Branda** te midden van de wijngaarden. Hier ziet u een expositie over de 'ziel van de wijn'.
Even naar het noorden liggen de **Pomerol**-wijngaarden. Deze uitmuntende wijnen danken hun soepele afdronk aan de ijzeroxiden in de bodem. Dit geldt vooral voor de zeer hooggewaardeerde wijn Château Pétrus.
In **Guîtres**, 15 km naar het noorden, staat een grote romaanse abdij, die dateert van de 11de tot de 15de eeuw. In het **Musée Ferroviaire** (met spoorlijntje) waant u zich in de tijd van de stoom- en dieseltreinen.

🅷 **Maison du Pays Fronsadais**
1 barrail-de-Tourenne, Saint-Germain-de-la-Rivière. 🅲 *05-57844018.* 🅞 *dag.*
♣ **Château de Branda**
Cadillac-en-Fronsadais. 🅲 *05-57940937.* 🅞 *Pasen–okt.: dag.; nov.–Pasen: za–zo.*
🅷 **Abbatiale de Guîtres**
Guîtres. 🅲 *05-57554430.* 🅞 *dag.*
🏛 **Musée Ferroviaire**
Guîtres. 🅲 *05-57245878.* 🅞 *mei–okt.*

Bacchus (1855), Musée de Libourne

Onder de loep: Saint-Émilion ⑱

In de 8ste eeuw stichtte Émilian, een monnik uit Vannes in Bretagne, een hermitage op de noordelijke hellingen van het dal van de Dordogne. In de 12de eeuw werd een begin gemaakt met de bouw van versterkingen en in de middeleeuwen verrezen er ook huizen, kapellen en kloosters. De okerkleurige steen die werd gebruikt voor de muren en het roze-rood van de dakpannen maken van St-Emilion een fotogeniek geheel. Het architectonische erfgoed van deze plaats is uniek. Saint-Émilion stond tijdens de Honderdjarige Oorlog nu eens aan deze, dan weer aan de andere zijde, maar koos uiteindelijk voor Frankrijk. Karel VII verleende de plaats bijzondere rechten.

★ Kruisgang en abdijkerk
De kruisgang meet 30 bij 30 m. Het romaanse origineel is in gotische stijl herbouwd.

Place de l'Église-Monolithe
De voormalige Place du Marché wordt omringd door restaurants. De Vrijheidsboom, geplant tijdens de Franse Revolutie, ging dood en is vervangen door een nieuwe.

★ Klokkentoren
Een mooie bezienswaardigheid in Saint-Émilion is de klokkentoren van de Église Monolithe. Het is, na die van de Église Saint-Michel in Bordeaux, de hoogste toren van de Gironde.

Stadhuis

AVENUE DE VERDUN

RUE DE L'ABBÉ BERGEY

PLACE MARCADIEU

PLACE POINCARÉ

PLACE PIOCEAU

RUE MME BOUQUEY

RUE DES GIRON

PLACE P. MEYRAT

RUE DU CLOCHER

R. DES ANCIENNES ÉCOLES

PL. DU MARCHÉ AU BOIS

RUE DE LA CADENE

PLACE DU MARCHÉ

RUE DU MARCHÉ

RUE DE LA GRANDE FONTAINE

RUE DE LA PETITE FONTAINE

RUE DU TINAL

STERATTRACTIES

★ Klokkentoren

★ Kruisgang en abdijkerk

0 meter   20

Wal-gracht

Gotisch huis

SYMBOOL

– – – Aanbevolen route

De daken van Saint-Émilion en de klokkentoren van de Église Monolithe

Saint-Émilion verkennen

Deze plaats kan uitsluitend te voet worden verkend. U volgt daarbij steile **geplaveide straatjes** die *tertres* worden genoemd en **trappetjes** *(escalettes)*, waarvan enkele een prachtig uitzicht bieden. Als u vanuit het noorden via de D243 op de plaats toe rijdt, ziet u de imposante **borstweringen** – overblijfselen van het eerste dominicanenklooster dat hier werd gebouwd.

🔓 Église Monolithe
Place du Marché. 🎫 *via het toeristenbureau, 's middags.*
Deze kerk vormt het hart van de plaats. Hij staat op de **Place de l'Église-Monolithe**, met zijn oude, overdekte markt en vele restaurants. De kerk is tussen de 9de en 13de eeuw uit de omringende kalkstenen rotsen gehouwen en is uniek in Europa. Het 20 m hoge schip is gedecoreerd met reliëfs en het 14de-eeuwse gotische portaal bevat een timpaan met afbeeldingen van het laatste oordeel en de opstanding. In 2001 zijn er draineerbuizen opgegraven die de monniken hadden geplaatst voor het afvoeren van regenwater.

🔓 Klokkentoren van de Église Monolithe
Tegenover het toeristenbureau. 🕐 *dag.*
De klokkentoren rijst maar liefst 133 m hoog op boven de Place du Marché. Wie naar boven klimt, heeft een adembenemend uitzicht over Saint-Émilion en de wijngaarden die deze plaats omringen.

🕳 Catacomben
Place du Marché. 🎫 *via het toeristenbureau, 's middags.*
Even voorbij de ingang van de Église Monolithe bevindt zich een ondergrondse passage die toegang geeft tot een ruimte waar verscheidene grafnissen in de rotsen zijn uitgehouwen. De koepel die het geheel overspant vormt de basis voor een waterput met een wenteltrap erin. Archeologen hebben onlangs aannemelijk gemaakt dat de catacomben dienstdeden als grafkapel.

🔓 Chapelle de la Trinité
Place du Marché. 🎫 *via het toeristenbureau, 's middags.*
De Chapelle de la Trinité, een gotische kapel uit de 13de eeuw, heeft een apsis met fresco's en ribgewelven met vier bogen.

Johannes de Doper

🏛 Ermitage de Saint-Émilion
Place du Marché. 🎫 *via het toeristenbureau, 's middags.*
De Ermitage de Saint-Émilion was naar verluidt de cel waarin de monnik Émilian zijn dagen sleet. Het bronwater dat langs de nabijgelegen rots sijpelt zou helende krachten bezitten.

🕳 Rue de la Cadène
De Rue de la Cadène leidt vanaf de Place du Marché naar de **Porte de la Cadène**, dat vroeger de schakel vormde tussen de boven- en benedenstad. Op de poort is in de 15de eeuw een houten huis gebouwd.

De Tour du Roy in Saint-Émilion, waar de Jurade wordt gehouden

⛪ Abdijkerk en kruisgang

Toegang tot de kerk via de Avenue de Verdun. Toegang tot de kruisgang via het toeristenbureau. ◯ *dag.*

Het authentieke, 12de-eeuwse schip van de kerk is uitgevoerd in romaanse stijl met Byzantijns aandoende koepels die worden ondersteund door stenen zuilen. Er zijn resten van fresco's te zien, met afbeeldingen van Maria en het martelaarschap van de H. Catharina. Het koor is in de 14de eeuw toegevoegd. Vlak bij de sacristiedeur staat een beeld van St.-Valéry, die de plaatselijke wijnboeren beschouwen als hun beschermheilige. De kruisgang stamt uit de 14de eeuw.

♟ Château du Roi

◯ *dag.*

Dit fort, een symbool van de koninklijke macht in Saint-Émilion, stamt uit de 13de eeuw. In de donjon, de **Tour du Roy** *(blz. 34),* vinden de Fêtes de la Jurade plaats (een comité van wijnproevers bepaalt dan welke wijn uit Saint-Émilion wordt geëxporteerd).

▦ Wal

Een wal, omringd door een droge gracht, omringt de bovenstad. Van de zes poorten zijn de romaanse **Porte Brunet** aan de zuidoostkant, de **Tour du Guetteur** aan de zuidkant, en **L'Éperon,** een uitkijktoren bij de **Porte Bouqueyre,** nog intact.

De wijngaarden van Saint-Émilion ⓒ

De wijngaarden van Saint-Émilion profiteren van het uitermate gunstige klimaat in het gebied en van een grondsoort die zeer geschikt is voor de wijnbouw. Sinds 1289 valt dit gebied onder de jurisdictie van Saint-Émilion en in 1999 is het uitgeroepen tot Werelderfgoed. De heuvelachtige streek, met een oppervlakte van 7800 ha, wordt doorsneden door smalle wegen die langs de wijngaarden voeren. Het landschap vertoont ieder seizoen weer andere fraaie tinten. De appellation Saint-Émilion omvat 74 *grands crus classés*, waaronder enkele zeer bekende, zoals Ausone (naar Ausonius, de Gallo-Romeinse consul en dichter uit de 4de eeuw) en Cheval Blanc.

Saint-Laurent-des-Combes ⑦
Dit dorp ligt te midden van de bosrijke valleien waaraan het zijn naam ontleent. De romaanse kerk hier ligt aan de rand van de vlakte.

Saint-Sulpice-de-Faleyrens ⑥
In Pierrefitte, vlak bij het dorp, kunt u een prehistorische menhir bekijken. Het 5 m hoge gevaarte bestaat uit kalksteen, dat veel voorkomt op de hoogvlakte van Saint-Émilion.

LIBOURNE

St-Martin

D 243

D 670

D 19

D 19E

D 122

D 19

D 122

D 936

BORDEAUX

Dordogne

Vignonet ⑤
De lokale economie richt zich volledig op de wijnbouw. De wijngaarden strekken zich uit tot aan de oever van de Dordogne. De romaanse dorpskerk is in de 18de eeuw verbouwd.

Saint-Christophe-des-Bardes ①

In Saint-Christophe-des-Bardes staat een romaanse kerk met een 12de-eeuws portaal. Boven op de heuvel ziet u Château Laroque staan *(links)*, een *grand cru classé.*

Saint-Hippolyte ②

Vanuit het dal van de Dordogne voert een slingerweg naar Saint-Hippolyte. In dit dorp staat een chateau uit de 16de–18de eeuw en een romaanse kerk. Saint-Hippolyte wordt omgeven door wijngaarden en biedt prachtige vergezichten.

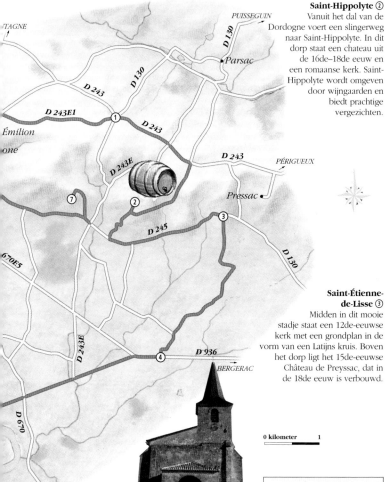

Saint-Étienne-de-Lisse ③

Midden in dit mooie stadje staat een 12de-eeuwse kerk met een grondplan in de vorm van een Latijns kruis. Boven het dorp ligt het 15de-eeuwse Château de Preyssac, dat in de 18de eeuw is verbouwd.

0 kilometer 1

Saint-Pey-d'Armens ④

Dit stadje, aan weerszijden van de weg van Libourne naar Castillon, is genoemd naar de H. Petrus *(Sent Pey* in het Gascons), aan wie deze kerk is gewijd.

SYMBOLEN

▬ Aanbevolen route

═ Overige wegen

☆ Uitzichtpunt

VOOR DE AUTOMOBILIST

Afstand: 26 km
Rustplaatsen: bij het toeristen-bureau in Saint-Émilion (blz. 78).
zijn folders verkrijgbaar die infor-matie geven over accommodatie,
voor het publiek geopende
chateaus en wijnproeverijen.

Entre-deux-Mers, gelegen tussen de Dordogne en de Garonne, is een ideaal gebied voor watersport

Entre-deux-Mers ⑳

Wegenkaart C2. ⚫ *4 Rue Issartier, Monségur, 05-56618273.* ⚫ *zo-ochtend.* ⓦ *www.entredeuxmers.com*

Het gebied Entre-deux-Mers ('tussen twee zeeën') ligt, anders dan de naam doet vermoeden, ingeklemd tussen twee rivieren, te weten de Dordogne en de Garonne. Het is een grote vlakte, doorsneden door valleitjes met weiden, akkers en bossen. De streek was al vroeg in de prehistorie bewoond. In Entre-deux-Mers treft u veel vestingsteden, romaanse kerken en versterkte molens aan. **Vayres,** dat hoog boven de Dordogne ligt, fungeert als toegangspoort voor de regio. **Château de Vayres,** dat stamt uit de 13de tot de 17de eeuw, behoorde toe aan Hendrik IV. De wijngaarden van Entre-deux-Mers beslaan zo'n 1500 ha, waarop 240 wijnboeren fruitige, droge witte wijnen produceren. Wijnproeven is mogelijk bij **Maison des Vins de l'Entre-deux-Mers**.

Een kapiteel van La Sauve-Majeure

🗿 **Maison des Vins de l'Entre-deux-Mers**
4 rue de l'Abbaye, La Sauve.
⚫ *05-57343212.*
ⓦ *www.vins-entre-deux-mers.com*
♣ **Château de Vayres**
⚫ *05-57849658.* ⚪ *juli–half sept.: dag. 's middags.* ⚫ *Pasen–okt.: zo en feestdagen.* ▨

La Sauve-Majeure ㉑

Wegenkaart C2. ⚫ *La Gare, Boulevard Victor-Hugo, Créon, 05-56232300.*

De **benedictijnenabdij** La Sauve-Majeure werd in 1079 gesticht door Gérard de Corbie in een gebied dat in de loop der jaren door de monniken is ontbost. De abdij ligt op de pelgrimsroute naar Santiago de Compostela, en groeide uit tot een levendig centrum voor handel en religie. De invloed van de abdij strekte zich uit over 70 priorijen. De abdij, die door oorlogen en de Franse Revolutie tot ruïne vervallen was, is sinds 1952 in fasen gerestaureerd en staat sinds 1988 op de Werelderfgoedlijst. Zijn majestueuze romaanse en gotische resten worden omringd door een open landschap. Op de romaanse kapitelen in het koor zijn episoden uit de Bijbel afgebeeld. Naast de kerk ziet u de resten van de 13de-eeuwse kruisgang, het kapittelhuis en de refter. In een museum toont men de vondsten die gedaan zijn tijdens opgravingen bij de abdij. De Église Saint-Pierre, gelegen in het dorp, bevat bezienswaardige fresco's.

🏛 **Abdij**
⚫ *05-56230155.* ⚪ *juni–sept.: dag.; okt.–mei: di–zo.* ▨

OMGEVING: In **Sadirac**, 10 km ten westen van La Sauve, bevindt zich **Oh! Légumes Oubliés** (vergeten groenten), een boerderijattractie waar men lekkernijen als brandnetel, pompoen, aardpeer en Japanse andoorn voor het nageslacht probeert te bewaren. Bij **Maison de la Poterie** toont men het traditionele aardewerk dat al sinds de oudheid in Sadirac wordt vervaardigd.

♠ **Oh! Légumes Oubliés**
Château de Belloc, Sadirac.
⚫ *05-56306200.* ⚪ *half april–half okt.: dag. 's middags.* ▨ ⓦ *www. ohlegumesoublies.com*
🏛 **Maison de la Poterie**
⚫ *05-56306003.*
⚪ *di–zo 's middags.* ▨

La Sauve-Majeure is vervallen tot ruïne

Stadsmuur van Castillon-la-Bataille

Castillon-la-Bataille ②

Wegenkaart C2. ⚑ 3162. ℹ Place Marcel-Paul, 05-57402758. 🚌 🚪 ma. 🎪 Bataille de Castillon (half juli–half aug.: vr–za).

Castillon-la-Bataille dankt zijn naam aan de strijd tussen de Fransen en de Engelsen op de Plaine de Colly in juli 1453. De Engelse generaal Talbot werd gedood door de troepen van Karel VII, onder leiding van de gebroeders Bureau, en zijn 8000 man sterke leger werd gedecimeerd. De Engelse nederlaag vormde het einde van de Honderdjarige Oorlog en had tot gevolg dat Aquitaine en het zuidwesten weer onder de Franse kroon vielen.

De Porte de Fer (11de–12de eeuw), een barokke kerk uit de 17de–18de eeuw, en de Église Saint-Symphorien verwijzen naar het rijke verleden van de plaats. Het raadhuis, een voormalige herberg in de vorm van een rotonde, is in 1779 gebouwd met geld van maarschalk De Turenne.

De appellation Côtes-de-Castillon (sinds 1989) omvat 3000 ha wijngaarden met 366 wijnhuizen. Het heeft zijn eigen **Maison du Vin.**

🏛 **Maison du Vin des Côtes-de-Castillon**
6 allées de la République. 📞 05-57400088.

OMGEVING: In **Petit-Palais-et-Cornemps**, 17 km ten noorden van Castillon, staat, vlak achter de begraafplaats, de Église Saint-Pierre. De gevel is een van de fraaiste voorbeelden van romaanse architectuur in zuidwestelijk Frankrijk. Er zijn drie arcaturen, gedragen door vier rijen dubbele zuilen. Het portaal wordt gesierd door leeuwen en menselijke figuren, onder wie een *spinario* (een jongen die een doorn uit zijn voet haalt), geïnspireerd op het bekende Romeinse beeld.

Rauzan ②

Wegenkaart C2. ⚑ 1055. 🚌 ℹ 12 rue Chapelle, 05-57840388. 🚪 za.

Het huidige kasteel is in de 14de eeuw gebouwd door de Plantagenets. Na de Honderdjarige Oorlog is het in gotische stijl gerestaureerd, waarna het overging op de familie Durfort de Duras. In 1900 is het kasteel aangekocht door de gemeente Rauzan. Van het op een kalksteenplateau gelegen bouwwerk zijn nog enkele imposante delen intact, zoals de donjon, de belangrijkste woonvertrekken en de centrale toren. U bereikt het kasteel via een zware poort. De top van de donjon, die 30 m hoog is, biedt een mooi uitzicht op het omringende landschap.

De **Grotte Célestine,** een onderaardse rivier die rond 1845 werd ontdekt, is voor het publiek geopend. Laarzen, beschermende kleding en een helm met lampje (ter plaatse aanwezig) zijn verplicht.

⚜ **Kasteel**
🔘 dag. ● okt.–juni: ma. 🎫
🏛 **Grotte Célestine**
📞 05-57840869. 🔘 dag. ● okt.–juni: ma. 🎫

Blasimon ②

Wegenkaart C2. ⚑ 725. ℹ Mairie, 05-56715212.

Het in 1273 gestichte stadje Blasimon viel in de 14de eeuw onder Edward II van Engeland, die in 1322 opdracht gaf er een vestingplaats van te maken.

De statige **benedictijnenabdij** van Blasimon is gelegen in een besloten en bosrijke vallei bij de rivier de Gamage. Het gebouw (12de–13de eeuw) behoorde tot de abdij La Sauve-Majeure. De gevel, die twee verdiepingen telt, is vooral mooi in het zachte licht van de avondschemering. De poort en de bogen die hem omsluiten, bevatten de mooiste romaanse decoraties die er in deze streek te vinden zijn. Enkele nabijgelegen kloostergebouwen zijn vervallen. Het laatste weekeinde van mei wordt er markt gehouden. U koopt er naast fruit en groente ook lokaal handwerk.

🏛 **Benedictijnenabdij**
Quai Pascal Elissalt. 🔘 binnenplaats: het gehele jaar.

De abdij van Blasimon ligt in een vallei aan de oever van de Gamage

In dit middeleeuwse pand zit het toeristenbureau van Sainte-Foy

Sainte-Foy-la-Grande ㉕

Wegenkaart D2. 🏙 2893. 🚗
🚉 Saint-Jean-de-Luz. 🅰 102 rue de
la République; 05-57460300. 🅰 za.
ⓦ www.paysfoyen.com

Dit 13de-eeuwse vesting-stadje aan de oever van de Dordogne werd gesticht door Alfons van Poitiers, broer van Lodewijk IX. Na 1271 stond het op Engels grond-gebied, maar het werd in 1453 door de Fransen heroverd. In de 16de eeuw was Sainte-Foix uitgegroeid tot handelscentrum en een van de meest dynami-sche steden van de hugenoten. Van het middeleeuwse plaats-je resten nog slechts vier torens, die tot woningen zijn verbouwd. Uit de 15de tot de 17de eeuw zijn er enkele vak-werkwoningen met torentjes of bewerkte raamlijsten over-geleverd, en uit de 18de eeuw enkele fraaie herenhuizen. In het toeristenbureau is het bescheiden **Musée Charles-Nardin** gevestigd, dat is gewijd aan prehistorie en archeologie.
Sainte-Foy-la-Grande is de ge-boorteplaats van Élisée Reclus (1830–1905), grondlegger van de moderne geografie en schrijver van de 19-delige *Géographie universelle*, en van de kunsthistoricus Élie Faure (1873–1937).
In Port-Sainte-Foy, aan de overzijde van de rivier, is in het Maison du Fleuve het **Musée de la Batellerie** gevestigd. Hier zijn modellen te zien van *gabares* (brede platbodems waarmee men de rivier kon afzakken tot aan de Atlantische Oceaan). Er worden ook films vertoond.

🏛 **Musée Charles-Nardin**
Toeristenbureau. ◯ juli–aug.: ma–za.
🏛 **Musée de la Batellerie**
Maison du Fleuve. 🄲 05-53613050.
◯ di–zo 's middags op afspraak 🈯

Sauveterre-de-Guyenne ㉖

Wegenkaart C2. 🏙 1821. 🚌
🄷 2 rue Saint-Romain, 05-56715345. 🅰 di (sinds 1530)
🎊 Fête de la Vigne et de la Gastronomie (laatste weekeinde juli).

In 1283 stichtte Edward VII, koning van Engeland, de vestingstad Selva-Terra, een naam die zou verbasteren tot Sauveterre. In de 9de eeuw lag op deze plaats het dorp Athala. Wegens zijn strategische ligging op een kruispunt van wegen tussen Libourne en La Réole, en tussen Bordeaux en Duras, vormde Sauveterre lange tijd de inzet van twisten tussen de Fransen en de Engelsen. In 1451 kwam het definitief in handen van de Fransen. De borstweringen van deze plaats, gelegen in het hart van Entre-deux-Mers *(blz. 82)*, zijn aan het begin van de 19de eeuw verwoest. Alleen de vier stadspoorten zijn nog intact. De aan de westzijde gelegen Tour Saubotte met zijn kante-len en schietgaten herinnert aan de tijd dat Sauveterre zich moest beschermen tegen indringers.

Omgeving: In **Castelviel**, 4 km ten zuidwesten van Sauveterre, staat een kerk met een fraai romaans portaal. Het tongewelf is versierd met allegorische weergaven van de hoofdzonden en -deugden. Ongeveer 7 km naar het zuidwesten ligt **Castelmoron-d'Albret**. Dit gehucht is met 62 inwoners het allerkleinste plaatsje van

Een van de vier middeleeuwse poorten in Sauveterre-de-Guyenne

Frankrijk. Deze plaats, vroeger het domein van het Huis Albret, is gebouwd op een 80 m hoge rotspartij. Deze ligging heeft uitbreiding van het dorp onmogelijk gemaakt.

Abbaye de Saint-Ferme ㉗

Wegenkaart C2. 🐾 364. **ℹ** Place de l'Abbaye, 05-56616992.

De imposante Abbaye de Saint-Ferme, die haast te groot lijkt voor de plaats waarin ze staat, is gesticht in de 11de eeuw. Gezien de ligging bij de Dropt, de rivier die de grens vormde tussen Engels en Frans grondgebied, werd het gebouw versterkt. In deze rijke abdij zwaaiden ondernemende monniken de scepter, die pelgrims opvingen die op weg waren naar Santiago de Compostela. Het gebouw werd geplunderd tijdens de Honderdjarige Oorlog (1337–1453) en tijdens de Godsdienstoorlogen (1562–1598).

De 12de-eeuwse **abdijkerk** wordt bekroond door de oudste gotische koepel in de Gironde. De romaanse kapitelen worden gesierd door bijbelse taferelen, zoals dat van Daniël in de leeuwenkuil. De **kloostergebouwen** herbergen nu het stadhuis en een klein **museum** met voorwerpen uit de abij en een verzameling van 1300 3de-eeuwse Romeinse munten die in 1986 zijn ontdekt.

🔒 Abdijkerk en klooster
📞 05-56616992. 🕐 mei–sept.: di–za; in het laagseizoen op afspraak.
📷 ✔

Het dubbele bordes van de priorij van La Réole

🏛 Musée de l'Abbaye
Zie voor gegevens en openingstijden 'Abdijkerk en klooster'.

Monségur ㉘

Wegenkaart C2. 🐾 1454. 🚌
ℹ 33 rue des Victimes-du-3-Août-1944, 05-56618940. 🛒 vr (en di in hoogseizoen). 🎪 Foire au Gras (tweede zo in dec. en feb.).

Deze vestingstad werd gesticht in 1265 met toestemming van Eleonora van de Provence, echtgenote van koning Hendrik III van Engeland (die ook hertog van Aquitanie was). Hij verrees op een klip met uitzicht op het dal van de rivier de Dropt (Monségur betekent 'veilige heuvel'). Enkele middeleeuwse gebouwen, waaronder vakwerkhuizen, de smalle Ruelle du Souley en de gotische Tour du Gouverneur, zijn nog intact. In de noordoostelijke hoek van het met arcaden omgeven plein staat de Église Notre-Dame, een laatgotisch bouwwerk. De uit gietijzer en glas opgetrokken markthal verrees eind 19de eeuw. Hier kon 700 à 800 ton *pruneaux d'Agen*, de bekende lokale pruimensoort (*blz. 153*) worden opgeslagen.

La Réole ㉙

Wegenkaart C2. 🐾 4340. 🚉 🚌
ℹ 3 place de la Libération, 05-56611355. 🛒 Za. 🎪 Festival VivaCité (juli, ieder even jaar, net als het Festival International de Folklore).

Place du Marché en Église Notre-Dame in Monségur

De strategische ligging aan de oever van de Garonne, niet ver van het begin van het Droptdal, bezorgde dit oude, ommuurde plaatsje in de middeleeuwen grote rijkdom. Het stadhuis, rond 1200 gesticht door Richard I en schitterend gerestaureerd, is een van de oudste van heel Frankrijk. Het 13de-eeuwse Château des Quat'Sos is in particulier bezit.

De benedictijnenpriorij herbergt nu de gemeentelijke kantoren. Het traliewerk boven de centrale ingang van dit bouwkundige juweel uit de 18de eeuw is van de bekende ijzerwerker Blaise Charlut, die ook de balustrade van het inpandige trappenhuis maakte. Voor het gebouw is een sierlijk dubbel bordes te zien. De Église Saint-Pierre heeft een romaanse apsis en een gotisch gewelf, dat in de 17de eeuw is vernieuwd. Bezoekers maken tijdens een wandeling langs informatiepanelen kennis met het lokale architectonische erfgoed. In de **Musées de La Réole**, in een voormalige tabaksfabriek, zijn antieke auto's, militaire voertuigen, treinattributen en landbouwwerktuigen te zien.

Auto in het Musée Automobile, La Réole

🏛 Musées de La Réole
19 avenue Gabriel-Chaigne.
📞 05-56612925. 🕐 juli–aug.: dag.; april– sept.: wo–zo; okt.–maart: zo.
📷 ✔

Château de Roquetaillade 🟢

Engel in de Roze Zaal

Dit kasteel, omringd door een park vol eeuwenoude bomen, is een van de meest indrukwekkende van de Gironde. Hoog op een rots gelegen bood het een perfecte uitvalspositie voor aanvallen op indringers. Het kasteel bestaat uit twee delen: het 12de-eeuwse Château-Vieux (oude kasteel) met zijn versterkte poortgebouw, wachthuis en donjon, en het Château-Neuf (nieuwe kasteel), dat in 1306 werd gebouwd door kardinaal Gaillard de La Mothe, neef van paus Clemens V, met toestemming van koning Edward I van Engeland (die toen heerste over Aquitaine). Het kasteel, nog altijd eigendom van familie van de kardinaal, heeft zes torens en een centrale donjon. In de 19de eeuw restaureerde Viollet-le-Duc, de Franse meester van de neogotiek, het kasteel en maakte er een geromantiseerd middeleeuws juweel van.

Monumentale haard
In de Synodezaal hield paus Clemens V bijeenkomsten.

★ Roze Zaal
Net als de kapel, de Groene Zaal en de eetzaal, is ook deze ruimte door Viollet-le-Duc flink onder handen genomen. De decoratie en de meubels zijn erkend als historische monumenten.

Ondergrondse doorgang

VIOLLET-LE-DUC EN DE NEOGOTIEK

De familie Mauvesin, die het kasteel in 1864 erfde, gaf Eugène Viollet-le-Duc (1814–1879) opdracht Roquetaillade te restaureren. Deze beroemde architect had bij de restauratie van middeleeuwse gebouwen in Carcassonne en Vézelay, de Notre-Dame-de-Paris en Pierrefonds al blijk gegeven van zijn liefde voor de gotische stijl. Viollet-le-Duc begon in 1865 met de buitenkant van Roquetaillade. Hij creëerde meer openheid op de begane grond en liet een eetzaal,

Viollet-le-Duc

een ophaalbrug en een fraai trappenhuis aanbrengen. De Groene en Roze Zaal werden ingericht door zijn collega Edmond Duthois (1837–1889). De aankleding van het kasteel, in een stijl die voorloopt op de art nouveau, is nooit voltooid.

Ingang

Ophaalbrug

STERATTRACTIES

★ **Trappenhuis**

★ **Roze Zaal**

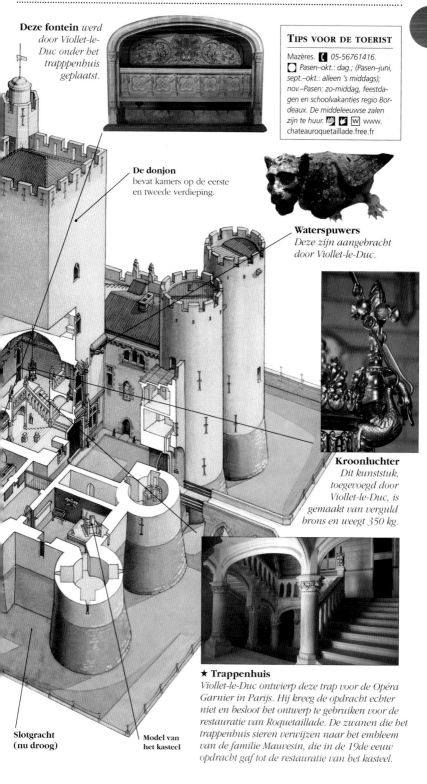

Deze fontein *werd door Viollet-le-Duc onder het trapppenhuis geplaatst.*

TIPS VOOR DE TOERIST

Mazères. 05-56761416.
Pasen–okt.: dag.; (Pasen–juni, sept.–okt.: alleen 's middags); nov.–Pasen: zo-middag, feestdagen en schoolvakanties regio Bordeaux. De middeleeuwse zalen zijn te huur. www. chateauroquetaillade.free.fr

De donjon bevat kamers op de eerste en tweede verdieping.

Waterspuwers
Deze zijn aangebracht door Viollet-le-Duc.

Kroonluchter
Dit kunststuk, toegevoegd door Viollet-le-Duc, is gemaakt van verguld brons en weegt 350 kg.

Slotgracht (nu droog)

Model van het kasteel

★ Trappenhuis
Viollet-le-Duc ontwierp deze trap voor de Opéra Garnier in Parijs. Hij kreeg de opdracht echter niet en besloot het ontwerp te gebruiken voor de restauratie van Roquetaillade. De zwanen die het trappenhuis sieren verwijzen naar het embleem van de familie Mauvesin, die in de 19de eeuw opdracht gaf tot de restauratie van het kasteel.

Gerestaureerde fresco's (14de eeuw) in de kerk van Saint-Macaire

Saint-Macaire ③

Wegenkaart C2. 🏛 1541. 🚌
ℹ juli–aug.: in de priorij, 05-56633452. Laagseizoen: in het stadhuis, 05-56630364. 📧 do.
🎭 Nuits Macariennes (juli–aug.).

Dit middeleeuwse dorp ligt aan de rand van de regio Bordeaux. Het werd rijk van de handel op de rivier. Er zijn enkele fraaie gebouwen te zien, opgetrokken uit oker-kleurige kalksteen. De priorij Saint-Sauveur, gebouwd in de vorm van een Latijns kruis, herbergt 14de-eeuwse fresco's en een verguld houten beeld van Maria met Kind. De Place du Mercadiou, het marktplein, wordt omzoomd door koop-manswoningen uit de 15de en 16de eeuw. In de zomer kunt u tijdens de Nuits Macariennes theaterstukken en concerten bijwonen, en tijdens het Festival du Polar staan detectiveromans centraal.

OMGEVING: Circa 7,5 km ten noordoosten van Saint-Ma-caire, aan de D672, staat het wijnhuis **Château Malromé**, dat stamt uit de 14de–16de eeuw. Hier woonde Henri de Toulouse-Lautrec, die er in 1901 overleed. Hij is begraven in **Verdelais,** 3 km ten noorden van Malromé.

Ongeveer 3 km naar het noord-westen ligt **Saint-Maixant**. Het **Centre François-Mauriac** hier is gewijd aan het leven en werk van deze schrijver en Nobelprijswinnaar (1883–1970).

♣ Château Malromé
Saint-André-du-Bois. 📞 05-56764492. 🕐 nov.–maart: zo; apr.–juni en sept.–okt.: wo–zo; juli–aug.: di–zo. 📧 📷 🌐 www.malrome.com
🏛 **Centre François-Mauriac**
Domaine de Malagar, Saint-Maixant. 📞 05-57981716. 🕐 juni–sept.: ma, wo–zo; okt.–mei: wo–zo.

Cadillac ②

Wegenkaart C2. 🏛 2532. 🚌
ℹ 9 place de la Libération, 05-56621292. 📧 za.

De vestingstad Cadillac ligt aan de Garonne. Het plaatsje werd in 1280 gesticht om de opmars van de Franse troepen te stuiten. De Porte de la Mer herinnert nog aan deze oorlogszuchtige tijden. Het **Château des Ducs d'Épernon** springt direct in het oog. Het is in 1599 ge-bouwd door een bescherme-

ling van Hendrik III. Deze brak een middeleeuws fort af om op deze plek een nieuw onderko-men te bouwen. Het interieur bevat een gedecoreerd plafond en monumentale schouwen. Tijdens de Franse Revolutie is het gebouw geplunderd en in 1818 gebruikte men het als vrouwengevangenis. Van 1890 tot 1952 deed het dienst als school voor jeugdige misdadigers.

♣ Château des Ducs d'Épernon
📞 05-56626958. 🕐 juni–sept.: dag.; okt.–mei: di–zo. 📧 📷

OMGEVING: Rions, 4,5 km ten noorden van Cadillac aan de D10, heeft een Gallo-Romeins verleden en middeleeuwse versterkingen.
Circa 11 km naar het noord-westen via de D10 ligt het imposante **Forteresse de Langoiran**.

♣ Forteresse de Langoiran
📞 05-56671200. 🕐 juli–aug.: dag.; laagseizoen: za–zo. 📧 📷

La Brède ③

Wegenkaart C2. 🏛 3000.
ℹ 3 avenue Charles-de-Gaulle, 05-56784772.

Een brede oprijlaan voert naar **Château de La Brède,** waar Montesquieu zijn hele leven heeft gewoond. Rond dit nogal strenge gotische gebouw zijn een meertje en slotgrachten uit-gegraven. De donjon gaat terug tot de 13de eeuw,

Charles de Montesquieu werd geboren in Château de La Brède en woonde er lange tijd

maar de ronde torens, de kapel en de andere gebouwen zijn 15de-eeuws. De slaapkamer van Montesquieu, die tevens zijn werkkamer was, is nog intact. Hij schreef er *De l'esprit des lois*. De imposante bibliotheek, die 7000 boeken bevat, heeft een tongewelf. De tuin die het chateau omringt, werd door Montesquieu zelf ontworpen na een bezoek aan Engeland.

♣ Château de la Brède
🔲 05-56202049. ◯ *juli–sept.: ma, wo–zo; Pasen–juni, okt.–11 nov.: za–zo en feestdagen.* 🅿 ✅

Graves ㉞

Wegenkaart C2.

Deze streek strekt zich uit langs de zuidelijke oever van de Garonne, ten zuiden van Bordeaux aan de kant van Pessac en Léognan. De Graves is de oudste wijnstreek van de regio Bordeaux. De bodem hier is *graveleux* (met veel grind), en dat verklaart de benaming van de streek. Dit gebied telt maar liefst 350 wijnhuizen. Men produceert er witte en rode wijn, soms in hetzelfde bedrijf, zoals op **Château Haut-Brion** het geval is. De appellation Graves bestrijkt een gebied van 3700 ha, dat jaarlijks ruim 18 miljoen liter wijn voortbrengt. In **Podensac**, in de 18de eeuw een belangrijke havenstad aan de Garonne, staan enkele mooie huizen uit die periode. *Lillet*, een mengeling van wijn, vruchtenlikeur en kinabast *(blz. 259)*, wordt hier van

MONTESQUIEU (1689–1755)

Charles-Louis de Secondat, later baron De La Brède et de Montesquieu, kwam in 1689 ter wereld in La Brède. Hij werd advocaat, maar was ook geïnteresseerd in de wetenschap. In 1721 liet hij in Amsterdam zijn *Lettres persanes* uitgeven. Dit boek, dat hem grote roem bracht, vormde een politieke satire op Lodewijk XIV en leverde kritiek op de mores in die tijd. Als voorzitter van het Parlement de Bordeaux bleef hij op de hoogte van de Parijse literaire scene. Tijdens zijn reizen verzamelde hij gegevens voor zijn boek **Charles de Montesquieu** *De l'esprit des lois* (1748), dat de basis legde voor de politieke wetenschap. Deze intellectueel, grootgrondbezitter en propagandist van bordeauxwijn stierf in 1755 in Parijs.

oudsher als aperitief gedronken. Het **Maison des Vins de Graves** vertelt de geschiedenis van de lokale wijnmakerijen. Podensac is ook een goede plek om de hoge golf *(mascaret)* te gaan zien die het waterpeil van de Gironde bij vloed flink opstuwt.
In **Portets**, midden in de Graves, staat Château Langueloup. De grote, 19de-eeuwse wijnkelders zijn uitgerust met voor die tijd imposante snufjes. U vindt er tevens het **Musée de la Vigne et du Vin**.

♣ Château Haut-Brion
🔲 05-56002930. ◯ *op afspraak.*
🌐 www.haut-brion.com
🏠 **Maison des Vins de Graves**
61 cours du Maréchal-Foch, Podensac. 🔲 05-56270925. ◯ *mei–okt.: dag.; nov.–april: ma–vr.*
🌐 www.vins-graves.com
🏛 **Musée de la Vigne et du Vin**
2–4 rue de la Liberté, Portets. 🔲 05-56671390.

Altaarstuk in de kerk van Barsac

Barsac ㉟

Wegenkaart C2. 🏤 1981. 🚌
ℹ 1 allée Jean-Jaurès, Langon, 05-56636800.

Barsac was vanaf de 18de eeuw een belangrijk handelscentrum. Het dankte zijn rijkdom niet alleen aan de wijn, maar ook aan de kalksteen, die lokaal gewonnen werd en waarmee tot in de wijde omtrek werd gebouwd. De kerk, gewijd aan de H. Vincentius, beschermheilige van de wijnboeren in de Gironde, is in de 18de eeuw herbouwd door de architect van Château de Malle *(blz. 90)*. Het barokke interieur bevat een altaarstuk van Vernet en een orgelgalerij door Mollié.
De appellation Barsac omvat verschillende chateaux, waaronder Climens en Coutet, *premiers crus classés*.

🏠 **Maison des Vins de Barsac**
Place de l'Église. 🔲 05-56271544.

Château-Olivier in Léognan, in de streek Graves

Het centrale deel van Château de Malle, opgetrokken in Lodewijk XIV-stijl, en een van de vleugels

Château de Malle 36

Wegenkaart C2. Preignac. ☎ *05-56623686.* ○ *april–half okt.: dag. op afspraak.* 🖼 W *www.chateau-de-malle.fr*

D it fraaie onderkomen, dat ligt ingeklemd tussen de A62, de RN113 en de spoorlijn Bordeaux–Langon, is in de 17de eeuw gebouwd voor Jacques de Malle, een magistraat uit Bordeaux. De oorspronkelijke delen van het chateau zijn het hoofdgebouw en de twee vleugels, die er haaks op staan en die eindigen met een ronde toren. Het twee verdiepingen tellende centrale gebouw stamt uit de 18de eeuw. Het terras met balustraden voert naar een in Italiaanse stijl aangelegde tuin, waarin een openluchttheater ligt en waar stenen beelden staan. Het chateau is ingericht met antieke meubels en bevat een bijzondere collectie 17de-

eeuwse trompe-l'œil silhouetten die bij theatervoorstellingen fungeerden als figuranten. Heel apart is dat de wijngaarden twee soorten wijn voortbrengen: zoete sauternes *cru classé* van topkwaliteit én de veel eenvoudiger graves.

Sauternais 37

Wegenkaart C2/C3. 🏛 *601.* 🚌
ℹ *11 rue Principale, Sauternes, 05-56766913.* W *www.sauternes.com*

D e streek Sauternais ligt langs de zuidoever van de Garonne, circa 40 km ten zuidoosten van Bordeaux. De bodem bestaat uit een mengeling van (fijne) kiezels en kalksteen. De rivier de Ciron, die het gebied doorsnijdt, zorgt voor een uitstekend microklimaat. **Château d'Yquem** is het bekendste van de vele wijnhuizen die de Sauternais rijk is. De sauternes van dit wijnhuis dragen het predikaat

premier cru supérieur en omvatten enkele van de beste en duurste wijnen ter wereld. Yquem, dat stamt uit de 15de eeuw, is een van de oudste wijnhuizen van de streek, met wijngaarden die ongeveer 100 ha beslaan.
De *appellation* Sauternes bestrijkt vijf dorpen: Sauternes, Bommes, Fargues, Preignac en Barsac. Deze *grands crus* kunt u proeven en kopen bij **Maison des Vins de Sauternes**.

♣ **Château d'Yquem**
☎ *05-57980707.* **Wijnkelders**
○ *een maand van tevoren reserveren.*
🏠 **Maison des Vins de Sauternes**
14 place de la Mairie, Sauternes.
☎ *05-56766983.* ○ *dag.*

OMGEVING: Circa 4,5 km ten westen van Sauternes ligt het fort van **Budos** (1308), een van de kastelen van paus Clemens V. De resten van een van zijn andere kastelen ziet u in **Fargues**, 5 km oostelijker.

Villandraut 38

Wegenkaart C3. 🏛 *826.* 🚌
ℹ *Place du Général-de-Gaulle, 05-56253139.* ⊟ *do.*

H et imposante **chateau** hier verrees in 1305 als woonpaleis, maar het had ook een defensieve rol. Het werd gebouwd in opdracht van paus Clemens (*blz. 39*), die was geboren in Villandraut. Het immense gebouw met binnenplaats werd – net als het Château de Roquetaillade (*blz. 86–87*) – verdedigd door een rechthoekig geheel van

---

SAUTERNES

De druiven die men gebruikt voor sauternes zijn aangedaan door de schimmel *Botrytis cinerea* (dit proces wordt edele rotting genoemd). Door de schimmel verschrompelen de druiven en krijgen ze een zeer hoog suikergehalte. Dit zorgt voor zoete wijn. De oogst van de sauternesdruiven is een lastig karwei, want het gebeurt geheel handmatig. Na de gisting rijpt de wijn twee jaar op het vat en wordt vervolgens gebotteld. Sauternes wordt gekoeld geserveerd. Het is niet uitsluitend dessertwijn, maar kan ook worden gedronken als aperitief of vergezeld van een stukje foie gras of roquefort.

De sauternes rijpt nog twee jaar op het vat

muren met zes torens, die mooi uitzicht bieden op de omgeving.

♠ Château de Villandraut
📞 *05-56258757.* ⭕ *feb.–nov.: dag.* ⭘ *dec.–jan.*

OMGEVING: In het dorp **Saint-Symphorien**, 10 km naar het westen, groeide de schrijver François Mauriac op. Het dorp inspireerde hem tot het schrijven van *Thérèse Desqueyroux*.

Château de Cazeneuve ㊴

Zie blz. 92–93.

Uzeste ㊵

Wegenkaart C3. 🏠 *417.* ℹ️ *Place du Général-de-Gaulle, Villandraut, 05-56253139.* 🎭 *Festival d'Uzeste (aug.).*

De **Collégiale d'Uzeste**, gewijd in 1313 in opdracht van Clemens V *(blz. 39)*, is een van de mooiste gotische bouwwerken van de Gironde. Dat deze abdijkerk in verhouding tot het dorp nogal groot is, heeft te maken met het feit dat de paus er begraven ligt (in het koor). De klokken-

toren, in flamboyant gotische stijl, staat aan de oostzijde.

⛪Collégiale d'Uzeste
⭕ *half april–half okt.: dag.*

De indrukwekkende Collégiale d'Uzeste

Bazas ㊶

Wegenkaart C3. 🏠 *4788.* ℹ️ *Place de la Cathédrale, 05-56252584.* 📅 *Za.* 🎭 *Fête des Bœufs Gras (do voor Aswoensdag in feb.).* 🌐 *www.ville-bazas.fr*

Het plaatsje Bazas werd meer dan 2000 jaar geleden gesticht als de hoofdstad van de Romeinse provincie Vasates. Later werd het een bisdom op de pelgrimsroute naar Santiago de Compostela. De schitterende gotische kathedraal verrees tussen de 13de en 17de eeuw en is kortgeleden gerestaureerd. De opvallendste elementen zijn het fraaie roosvenster en het driedubbele gotische portaal, met 13de-eeuwse decoraties. Achter dit majestueuze gebouw liggen de tuinen van het kapittelhuis.
De Place de la Cathédrale is een iets aflopend plein waar al eeuwenlang een kleurrijke markt wordt gehouden. Het wordt omzoomd door 16de- en 17de-eeuwse huizen met gedecoreerde gevels en een zuilengalerij. Borden wijzen bezoekers de weg langs pittoreske straatjes.
Musée de Bazas is gewijd aan de geschiedenis van deze plaats (veel archeologie). De **Apothicairerie de l'Hôpital Saint-Antoine** bezit een fraaie collectie aardewerk en glazen voorwerpen.

🏛 Musée de Bazas
📞 *05-56252584.* ⭕ *juni–sept.: za en feestdagen 's middags (en juli–aug. zo-middag).*
🏛 Apothicairerie de l'Hôpital Saint-Antoine
📞 *05-56650665.* ⭕ *do-middag.*

OMGEVING: Captieux, 17 km ten zuiden van Bazas, ligt op de route die kraanvogels op doorreis van Scandinavië naar Spanje. Voor meer informatie belt u met de Ligue de Protection des Oiseaux Aquitaine in Bègles (tel. 05-56913381).

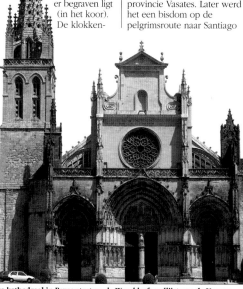

De kathedraal in Bazas staat op de Werelderfgoedlijst van de Unesco

Château de Cazeneuve ❸⓿

Dit kasteel ligt hoog boven de diepe kloof die de rivier de Ciron in het landschap heeft uitgesleten. De bosrijke tuin heeft een oppervlakte van 50 ha. Het kasteel lijkt een eenheid, maar het is in diverse fasen verrezen. Een eenvoudige donjon die in de 11de eeuw op een heuvel werd gebouwd vormde de basis. Drie eeuwen later was deze uitgegroeid tot een fort en in de 17de eeuw is het geheel verbouwd tot luxueus onderkomen. De gebouwen, die nog altijd bewoond zijn, liggen rond een centrale binnenplaats. Tijdens de rondleiding krijgt u een goed beeld van de verschillende stadia van de bouw en hoort u de namen van beroemde bezoekers en bewoners, onder wie Hendrik IV van Frankrijk (de eigenaar), zijn echtgenote Margaretha en de hertogen van Albret.

Het kasteel ligt hoog boven de kloof waarin de rivier de Ciron stroomt

De kapel
Door de zeven ramen valt er veel licht in deze hoge, gewelfde ruimte. Zijbeuken flankeren het schip.

De kelders
In de middeleeuwse kelders worden vaten vol kostelijke bordeauxwijnen bewaard.

Merovingische graven

De lagergelegen binnenplaats
voert naar het bassin en naar de middeleeuwse wijnkelders.

STERATTRACTIES

★ **Zitkamer van koningin Margaretha**

★ **Slaapkamer van Hendrik IV**

★ Slaapkamer Hendrik IV
Hier staan een bureau-ministre en een klerenkast van notenhout in Lodewijk XIV-stijl. Op het voeteneinde verwijzen de gespiegelde F's naar Frankrijk en Navarra en de H naar Hendrik.

TIPS VOOR DE TOERIST

Wegenkaart C3. Préchac.
C 05-56254816.
juni–sept.: dag.; Pasen–mei, okt.: za–zo en feestdagen.
Rondleiding en wijnproeverij op verzoek. W www.chateaudecazeneuve.com

Studeerkamer

Slaapkamer van koningin Margaretha
In de kamer hangt een mooi Aubusson-wandkleed en er is een kledingkast in Lodewijk XIII-stijl te zien.

★ Zitkamer van koningin Margaretha
Deze ruimte bevat een schouw in renaissancistische stijl en Lodewijk XV-meubels.

Grotten

HET LIEFDESLEVEN VAN KONINGIN MARGARETHA

In 1572 erfde Hendrik III van Navarra, de latere Hendrik IV van Frankrijk, Château de Cazeneuve. Hij trouwde met Margaretha van Frankrijk, hertogin van Valois (1553–1615). Deze intelligente en ontwikkelde vrouw was de dochter van Hendrik II en Catherine de' Medici. Margaretha bleek niet in staat te zijn om Hendrik een troonopvolger te schenken en daarom verbande hij haar in 1583, in afwachting van de echtscheiding, naar Cazeneuve. Margaretha leidde er een losbandig leven en dit was Hendrik een doorn in het oog. Hij liet haar opsluiten in Château d'Usson, in Auvergne, waar ze 18 jaar van haar leven sleet (1587–1605). Ze schreef er gedichten en stelde haar memoires op schrift. Later keerde ze terug naar Parijs, waar ze in 1615 overleed.

Portret van koningin Margaretha

PÉRIGORD EN QUERCY

Van het diepe, nauwe Vézèredal tot de vruchtbare, brede Dordognevallei en van de panoramische Cingle de Trémolat tot de bossen op de grens van de Limousin is de Périgord een streek van contrasten. Dit gevarieerde landschap is bezaaid met beschilderde grotten, middeleeuwse dorpen en robuuste kastelen, sporen van bewoning die teruggaan tot de prehistorie.

De Périgord-Quercy bestrijkt het gebied van twee departementen, Lot en Dordogne. Dit laatste is in grootte het derde departement van Frankrijk, na zijn Aquitaanse buren Landes en Gironde. De verscheidenheid aan landschappen biedt elk wat wils: in het noorden weilanden en bossen, die overlopen in die van de Limousin, in het oosten ruige kalksteenplateaus, in het zuiden wijngaarden die bijna naadloos overgaan in die van Bordeaux, in het westen ten slotte laagland dat zich baadt in het parelmoeren kustlicht dat over de Charentais strijkt. Op al deze streken hebben mensen hun sporen gedrukt, een nalatenschap die teruggaat tot ver in de prehistorie. De grotten van het Vézèredal, het Gallo-Romeinse museum in Périgueux, het fantastische kasteel in Castelnaud dat getuige was van de Honderdjarige Oorlog, de vele middeleeuwse vestingplaatsen of *bastides* en de renaissancehuizen van Sarlat zijn slechts facetten van een erfenis die een half miljoen jaar beslaat. Van de grotten van holbewoners en de kastelen op hoge rotsen, tot watermolens over rivieren en vele in okeren zandsteen opgetrokken romaanse kerken: de architectuur is steeds in harmonie met het landschap van deze veelzijdige streek, die toch een eenheid vormt.

Ganzen worden in de Périgord gehouden voor de productie van foie gras

◁ Château de Belcastel, tussen Souillac en Lacave

Périgord en Quercy verkennen

Het grootste deel van deze streek ligt in het departement Dordogne. De hoofdstad daarvan is Périgueux, gelegen aan de oevers van de Isle. De Dordogne wordt vaak in vier gebieden verdeeld: de Périgord Blanc (Witte Périgord) bestaat uit kalksteenplateaus die zich uitstrekken van het midden van het Isledal tot het Verndal in het oosten en het Forêt de la Double in het westen. De Périgord Vert (Groene Périgord) bestrijkt het noorden van het departement, van Ribérac tot Hautefort. De schilderachtige Périgord Noir (Zwarte Périgord) bestaat uit het Vézère- en Dordognedal, tot aan Sarlat en de grens met de Quercy. In het zuidwesten ligt de Périgord Pourpre (Purperen Périgord), bedekt met wijngaarden en bespikkeld met de vestingstadjes rond Bergerac.

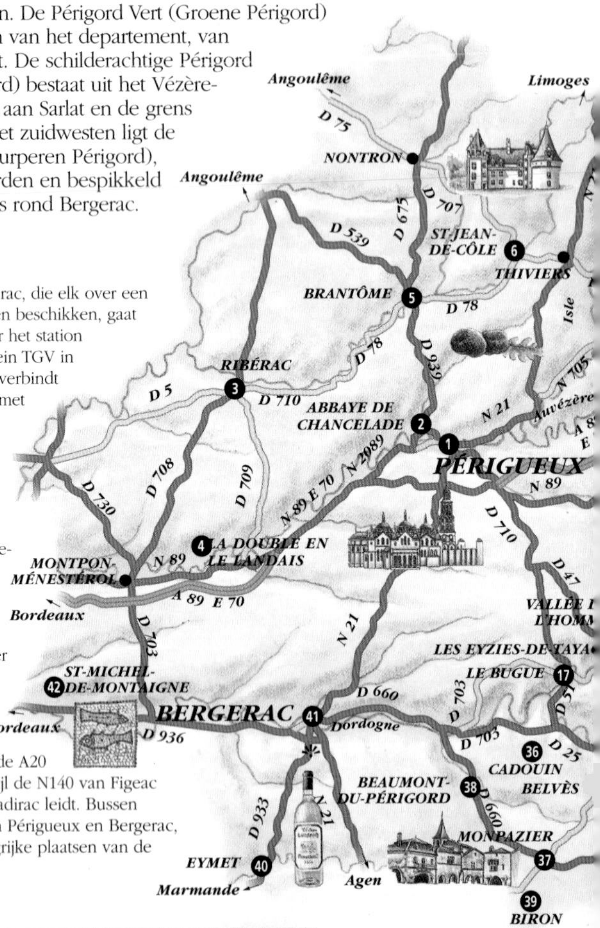

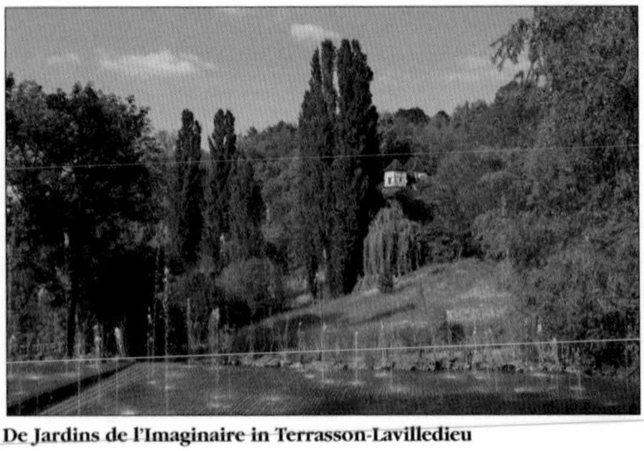

Angoulême
Limoges
D 75
NONTRON
Angoulême
D 707
D 675
D 539
ST-JEAN-DE-CÔLE
6
THIVIERS
BRANTÔME
5
D 78
Isle
D 78
D 939
RIBÉRAC
3
D 5
D 710
ABBAYE DE CHANCELADE
2
N 21
N 705
Auvézère
1
PÉRIGUEUX
N 2089
N 89
D 730
D 708
D 709
N 89 E 70
D 710
4
LA DOUBLE EN LE LANDAIS
MONTPON-MÉNESTÉROL
N 89
A 89 E 70
Bordeaux
D 47
D 703
N 21
LES EYZIES-DE-TAYA
LE BUGUE
17
ST-MICHEL-DE-MONTAIGNE
42
D 660
D 703
BERGERAC
41
Dordogne
Bordeaux
D 936
D 703
36
D 25
CADOUIN
BEAUMONT-DU-PÉRIGORD
38
BELVÈS
D 660
D 933
N 21
MONPAZIER
37
EYMET
40
Agen
Marmande
39
BIRON

Vervoer

Van Périgueux en Bergerac, die elk over een internationale luchthaven beschikken, gaat er een shuttledienst naar het station van de hogesnelheidstrein TGV in Angoulême. Het spoor verbindt Périgueux en Bergerac met Sarlat, Bordeaux en Limoges. De A89 verbindt Périgueux via Mussidan met Bordeaux. De andere kant op zal de A89 binnenkort tot aan Brive-la-Gaillarde gaan. De N89 doorsnijdt de Périgord van Oost naar West, de N21 van Noord naar Zuid. Verder lopen er door de belangrijkste dalen van de Périgord tal van wegen.
In de Quercy verbindt de A20 Brive met Cahors, terwijl de N140 van Figeac naar Rocamadour en Padirac leidt. Bussen rijden niet alleen tussen Périgueux en Bergerac, maar tussen alle belangrijke plaatsen van de Dordogne.

De Jardins de l'Imaginaire in Terrasson-Lavilledieu

Symbolen

- Snelweg
- Hoofdweg
- Secundaire weg
- Toeristische route
- Uitzichtpunt

**Steile, smalle straat in
Saint-Cirq-Lapopie**

BEZIENSWAARDIGHEDEN

**Vakwerktorentje
in Autoire, Quercy**

ZIE OOK

• *Accommodatie* blz. 246–247

• *Restaurants* blz. 262–263

0 kilometer   10

Onder de loep: Périgueux ❶

H et oude centrum van Périgueux is een van de grootste beschermde stadsgezichten van Frankrijk. Het programma van restauratie, waarmee begonnen is in 1970, betekende verlevendiging van de smalle straatjes tussen de boulevards van de bovenstad en de oevers van de Isle, en van de wijk Mataguerre naar de wijk Plantier. De aangename middeleeuwse wijk, die voetgangersgebied is, ligt rond de kathedraal. Op marktdagen gonzen Place de la Mairie, Place du Coderc en Place de la Clautre van de drukte. Dwaal rond over de Place Saint-Louis, vlak achter de Rue Limogeanne, en door de straatjes rond Place de la Vertu.

Rue Limogeanne, de belangrijkste voetgangers-straat, met winkels en renaissancehuizen

★ **Place Saint-Louis**
Het mooiste huis aan dit plein is het Maison du Pâtissier, of Maison Tenant. Dit gerestaureerde 14de-eeuwse stadspaleis is een belangrijk voorbeeld van renaissancebouwkunst. De deur stamt uit de 17de eeuw. Het pediment erboven draagt een opschrift in het Latijn.

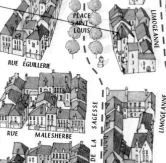

Hôtel La Joubertie
Het herenhuis op Rue de la Sagesse 1 heeft een schitterende renaissancetrap met een cassettegewelf en zuilen waarvan de kapitelen zijn bewerkt met fantasiedieren.

Hôtel de Ville

Hôtel Estignard
werd gebouwd onder Frans I (1515–1547).

Place du Coderc
Het plein bij het Hôtel de Ville (stadhuis) is gevuld met bonte marktkramen.

SYMBOOL

– – – Aanbevolen route

Logis Saint-Front of Hôtel Gamenson

Dit vierkante complex aan de Rue de la Constitution 7 bestaat uit een vierkant blok met twee 15de-eeuwse huizen, een 16de-eeuwse vleugel in vakwerk en een traptoren.

Vrijmetselaarsloge

De originele vrijmetselaarssymbolen op dit gebouw uit 1869 werden vernietigd tijdens het Vichybewind (1940–1944) en hersteld in 1987.

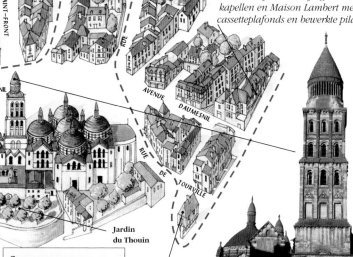

★ **Kadehuizen**

Tot de gebouwen aan de kade behoren het 17de-eeuwse Hôtel Salleton, het 15de-eeuwse Maison des Consuls (of Maison Cayla) met zijn gotische dak-kapellen en Maison Lambert met zijn cassetteplafonds en bewerkte pilasters.

Jardin du Thouin

Oude molen

STERATTRACTIES

★ **Cathédrale Saint-Front**

★ **Place Saint-Louis**

★ **Kadehuizen**

★ **Cathédrale Saint-Front**

De eerste kerk werd in 1120 door brand verwoest. De herbouw kreeg de vorm van een Grieks kruis, zoals de San Marco in Venetië. De eenvoud van het interieur benadrukt de verhoudingen. De koepels steunen op zuilen en zijn ieder 38 m hoog en 25 m in doorsnede.

Périgueux verkennen

Musée du Périgord

Het moderne Périgueux is gebouwd op de resten van het antieke Vesunna. Deze Gallo-Romeinse nederzetting werd gesticht in ongeveer 16 v.C., maar raakte vanaf de 4de eeuw in verval. In de middeleeuwen ontstond er een nieuwe gemeenschap rond de huidige Église de la Cité en Château Barrière, maar het stadje werd overschaduwd door Le Puy-Saint-Front vlak ten noorden ervan, dat bloeide door de zorg voor pelgrims op weg naar Santiago de Compostela. Na jarenlange vijandelijkheden werd er in 1240 vrede gesloten, waarna de twee steden versmolten. In de renaissance nam Périgueux in omvang toe. De stad dijde uit rond de kathedraal, die altijd het hart van de stad is gebleven.

Resten van een Romeins amfi-theater in de Jardin des Arènes

🏛 Vesunna

Parc de Vésone. 📞 05-53530092.
🌑 *jan., Kerstmis en buiten het seizoen: ma.* 🎫 ♿

Dit museum is genoemd naar de stad uit de oudheid die hier vroeger lag. De kunst- en gebruiksvoorwerpen geven een beeld van het dagelijks leven in Gallo-Romeinse tijden. Een gebouw van Jean Nouvel (1945–) overdekt de resten van

een Romeins huis dat in 1959 werd ontdekt. Vlakbij staat de indrukwekkende **Tour de Vésone**. Met een hoogte van 24 m en een doorsnee van 17 m geeft het een indruk van het formaat van de tempel waarvan de toren lang geleden deel uitmaakte. In de Jardin des Arènes liggen de resten van een amfitheater waar 20.000 toeschouwers terechtkonden.

♠ Château Barrière

Rue de Turenne, alleen buitenkant.
Eeuwenlang diende dit kasteel uit de 12de eeuw als vesting voor de adellijke families van de Périgord. In de 15de eeuw werd het verbouwd en in 1575, tijdens de Godsdienstoorlogen, werd het belegerd door de protestanten. Het oudste deel

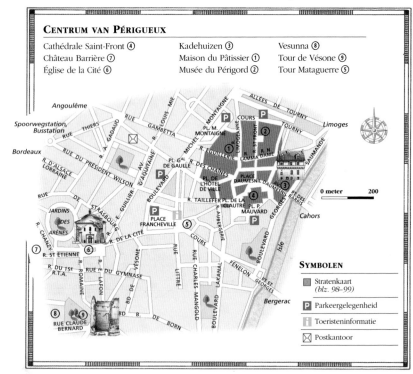

CENTRUM VAN PÉRIGUEUX

Cathédrale Saint-Front ④
Château Barrière ⑦
Église de la Cité ⑥

Kadehuizen ③
Maison du Pâtissier ①
Musée du Périgord ②

Vesunna ⑧
Tour de Vésone ⑨
Tour Mataguerre ⑤

Angoulême
Spoorwegstation, Busstation
Bordeaux
Limoges
Cahors
Bergerac

ALLÉES DE TOURNY
COURS TOURNY
RUE THIERS
RUE GAMBETTA
R. A. GADAUD
PL. M. MONTAIGNE
R. ST-FRONT
R. MICHEL MONTAIGNE
R. DU PRÉSIDENT WILSON
AV. D'AQUITAINE
PL. G^al DE GAULLE
R. ÉGUILLERIE
R. DES CHAINES
LAMMA DAME
PL. DE L'HÔTEL DE VILLE
PLACE DAUMESNIL D'AUMESNIL
R. D'ALSACE LORRAINE
BOULEVARD
R. TAILLEFER PL. DE LA CLAUTRE PL. P. MAUVARD
JARDINS DES ARÈNES
R. DE STRASBOURG
E. GUILLIER
PLACE FRANCHEVILLE ⑤
R. AUBERGERIE
R. DE LA CITÉ
R. CHANZY
⑦ R: ST ÉTIENNE ⑥
COURS
RUE
R. VÉSONE
RUE DU GYMNASE
R. DU 15e R.T.A.
RUE ROMAINE
LAFON
BD. DE
RUE LITTRÉ
RUE CHARLES-MANGOLD
BD. LAKANAL
FÉNELON
BOULEVARD GEORGES
PL DES BARRIÈ
GEORGES
Isle
⑧ ⑨
RUE CLAUDE BERNARD
BD. B.. DE BORN
BOULEVARD

0 meter   200

SYMBOLEN

▪ Stratenkaart (blz. 98–99)

🅿 Parkeergelegenheid

ℹ Toeristeninformatie

✉ Postkantoor

– een Gallo-Romeinse muur en een donjon – kunt u aan de achterkant zien. De elegante toren van vijf verdiepingen en de woonvertrekken dateren uit de renaissance.

🔒 Cathédrale Saint-Front
Place de la Clautre.
De Byzantijns-romaanse elementen van Saint-Front, sinds 1669 een kathedraal, zijn van Paul Abadie, die later ook de Sacré-Cœur in Parijs zou ontwerpen. Hij voegde de vijf koepels en twaalf torenspitsen toe. Binnen vindt u een 17de-eeuws altaarstuk en kruisweg-staties van Jacques-Émile Lafon. Resten van de oude klokkentoren worden in de kloostergang bewaard. 's Zomers worden orgelconcerten gegeven op het orgel uit 1869.

🔒 Église de la Cité
Place de la Cité.
De eerste kathedraal van Périgueux, de romaanse, eenschepige Église Saint-Étienne-de-la-Cité, dateert van de 11e eeuw. In de 17de eeuw werd hij verbouwd en verloor hij de status van kathedraal. Op de kerk staan nog twee van de vier oorspronkelijke koepels.

⛩ Tour Mataguerre
Place Francheville. 📞 05-53531063. 🖥
Van de 28 torens die ooit om Le Puy-Saint-Front stonden is dit de enig bewaarde. Het toeristenbureau ernaast organiseert rondleidingen door dit rudiment van de

De 15de-eeuwse Tour Mataguerre is een restant van de stadswallen

Een ziel in de hemel **(1878) van W.A. Bouguereau, Musée du Périgord**

versterkingen die de stad van de 12de tot de 19de eeuw omgaven. Bovenop hebt een fraai uitzicht op Périgueux. Vlakbij staan enkele van de oudste gebouwen van de stad, zoals het Maison des Dames de la Foi, Rue des Farges 4–6, uit de 12de eeuw.

🏛 Musée du Périgord
22 cours Tourny 22. 📞 05-53064070. 🕐 wo–ma (za-zo: alleen 's middags). ⬤ feestdagen. 🖥
Dit museum, dat wel wat wegheeft van een rariteiten-kabinet, bezit een grote en boeiende prehistorische afdeling. Daar staat ook het meest complete neander-thalerskelet ter wereld, gevonden in Régourdou. Verder ziet u glaswerk, mozaïek en aardewerk uit het antieke Vesunna, voorwerpen uit Afrika en Oceanië en regionale schilderijen, beelden en potten, nagelaten door Étienne Hajdu (1907–1996). Daarnaast worden er regelmatig tijdelijke exposities georganiseerd.

🏛 Musée Militaire
32 rue des Farges. 📞 05-53534736. 🕐 ma–za. 🖥
Het oudste militaire museum van Frankrijk omvat zo'n 13.000 voorwerpen. Eén zaal herbergt een ontroerende reeks tekeningen uit de loopgraven van de Eerste Wereldoorlog, gemaakt door Gilbert Privat (1892–1965), winnaar van de Prix de Rome. De medailles, insignes en andere memorabilia van het koloniale verleden en de Tweede Wereldoorlog houden de herinnering levend aan het offer van degenen die vochten en van de noodzaak de vrede te bewaren.

OMGEVING: Sorges, ten noordoosten van Périgueux, is de truffelhoofdstad van de Périgord. Het **Écomusée de la Truffe** toont hoe truffels groeien, hoe ze opgespoord worden en enkele bijzonder grote exemplaren.

🏛 Écomusée de la Truffe
Sorges. 📞 05-53059011. ⬤ 4 okt.–13 juni: ma. 🖥

TRUFFELS

De truffel uit de Périgord, *Tuber melanosporum*, is een prijzige delicatesse die voor de liefhebber zijn gewicht in goud waard is. Doordat de ondergrondse zwam in heel veel lokale specialiteiten wordt verwerkt is hij zeer schaars geworden. In 1870 bracht het kalksteenplateau rond Sorges alleen al 6 ton truffels per jaar op, een hoeveelheid die nu in de hele Dordogne wordt gevonden. De voornaamste truffelmarkt vindt plaats in Sainte-Alvère, in de streek rond Bergerac. De marktwaarde ligt rond de € 600 per kilo.

Hut met stapelstenen voor truffelzoekers in het Écomusée de Sorges

Abbaye de Chancelade, gebouwd in de 12de eeuw

Abbaye de Chancelade ❷

Wegenkaart D1. 🚶 *3999.* 🚉
🚌 *Périgueux.* ℹ️ *26 place Francheville, Périgueux, 05-53531063.* 🕐 *dag. (uitsluitend buitenzijde).* 📅 *Festival de Théâtre (begin juli).*

Het augustijnenklooster Abbaye de Chancelade in het dal van de Beauronne werd na de stichting in de 12de eeuw een belangrijk intellectueel centrum. Nadat het de Honderdjarige Oorlog en de 16de-eeuwse Godsdienstoorlogen had doorstaan werd het in de 17de eeuw wederom invloedrijk. De abdij is een van de weinige gebouwen uit die tijd die nog (deels) overeind staan. U ziet het washuis, de stallen, de werkplaatsen en een molen.

Omgeving: Van de abdij loopt een pad van 14 km door het bos naar het dorpje **Les Maines**, met uitzicht op het tempeliershuis in Les Andrivaux. De **Prieuré de Merlande**, 4 km ten noordoosten van Chancelade, is een priorij van de monniken van Chancelade.

Ribérac ❸

Wegenkaart D1. 🚶 *4000.* 🚉 *Périgueux.* ℹ️ *Place du Général-de-Gaulle, 05-53900310.* 🛒 *vr.* 📅 *Festival Musiques et Paroles (juli).*

In de geboorteplaats van de 12de-eeuwse minstreel Arnaud Daniel hoort u op de vrijdagse markt evenveel Engels als Occitaans praten, vanwege de grote aantallen Engelse expats die hier in de buurt wonen. In de abdijkerk uit de 12de eeuw met latere uitbreidingen en een koepel boven het koor, hangen veel 17de-eeuwse schilderijen.

Rond Ribérac liggen veel romaanse koepelkerken. In de kerk van **Siorac-de-Ribérac**, versterkt in de 14de eeuw, staat een interessant beschilderd en verguld houten beeld uit de 18de eeuw. De kerk in **Grand- Brassac** heeft een schitterend bewerkt portaal en drie koepels die op stenen zuilen rusten. De kerk in **Saint-Privat-des-Prés** is een architectonisch juweeltje. Boven de ingang prijkt een ronde boog met een rijk versierd profiel.

Omgeving: 30 km ten noordwesten van Ribérac liggen de **Tourbières de Vendoire**, een hoogveenmoeras met bijzondere fossielen, dat kan worden bezocht. **Château de Mareuil**, 30 km ten noorden van Ribérac, is het enige middeleeuwse kasteel dat op een vlakte ligt. Het was ooit het eigendom van de familie Talleyrand. De torens en muren uit de 12de eeuw zijn nog intact, evenals de donjon met woonvertrekken uit de 15de eeuw en een flamboyant gotische kapel.

🦋 **Tourbières de Vendoire**
📞 *05-53907956.* 🕐 *mei–sept.: dag.; okt.–april: uitsluitend zo.* 🖼️
♣ **Château de Mareuil**
Op de kruising van de D939 en de D708. 📞 *05-53900310.* 🕐 *bel van tevoren.* ● *dec.* 🚫 🖼️

La Double en Le Landais ❹

Wegenkaart D2. Tussen Montpon en Ribérac, via de D708.

Het fraaie, woeste moeraslandschap is bezaaid met dichte bossen vol vennen en

Het dorpje Grand-Brassac met zijn kerk, nabij Ribérac

Overdekte markt en kasteel in Saint-Jean-de-Côle

open plekken. In de **Ferme du Parcot** ziet u hoe lokale huizen worden gebouwd met houten skeletten, die worden gevuld met een mengsel van leem, grind en stro. **Saint-Aulaye** staat bekend om zijn kerk, cognacmuseum en een strandje aan de Dronne.
In **La Latière** wordt al sinds de middeleeuwen een druk bezochte veemarkt gehouden.

🍂 **Ferme du Parcot**
Op de weg naar Saint-Astier, Échourgnac. ▐ 05-53819928.
◐ op afspraak. 🎦 🖼

Brantôme ❺

Wegenkaart D1. 🏚 2075. 🚉
Périgueux. 🚩 Boulevard Charlemagne, 05-53058052. ◔ vr-ochtend.

Brantôme ligt op een eiland dat wordt omringd door de Dronne. De huizen liggen rond de **benedictijnenabdij** uit de 9de eeuw. De klokkentoren, die van de 11de eeuw dateert, is een van de oudste van Frankrijk. Een 16de-eeuwse brug verbindt abdij en tuinen. Dicht in de buurt ligt de Grotte du Jugement Dernier. In deze grot is in de 15de eeuw een reliëf van het laatste oordeel uitgehouwen.

🔒 **Abdij**
▐ 05-53058063. ◐ jan. en april–juni: di. 🎦 🖼

OMGEVING: Ruim 10 km ten zuidwesten van Brantôme ligt het 13-eeuwse **Château de Bourdeilles**. Behalve een achthoekige donjon dateren de gebouwen en wallen van dit kasteel uit de renaissance. Het 16de-eeuwse **Château de Puyguilhem**, 10 km ten noordoosten van Brantôme, heeft een sierlijk woonhuis, torens, dakkapellen en tinnen. Ook het interieur is heel fraai. De **Grotte de Villars**, 15 km ten noordoosten van Brantôme, is een netwerk van grotten met een 13 km lang gangenstelsel vol fantastische rotsformaties. Op enkele muren staan prehistorische afbeeldingen.

Brantôme, 'het Venetië van de Périgord'

♠ **Château de Bourdeilles**
▐ 05-53037336. ● jan.–april: di.
♠ **Château de Puyguilhem**
Villars. ▐ 05-53548218.
● jan.–april: ma.
🔓 **Grotte de Villars**
▐ 05-53548236. ◐ april–okt.: dag.
🎦 🖼 ⓦ www.grotte-villars.com

Saint-Jean-de-Côle ❻

Wegenkaart D1. 🏚 340.
🚉 Thiviers. 🚩 Rue du Château, 05-53621415. 🎪 Floralies (tweede weekeinde van mei).

Saint-Jean-de-Côle wordt wel een van de mooiste dorpjes van Frankrijk genoemd. Blikvanger is de priorij uit de 11de eeuw, geblakerd in de strijd met de Engelsen tijdens de Honderdjarige Oorlog, in 1569 geplunderd door de protestanten tijdens de Godsdienstoorlogen en herbouwd in de 17de eeuw. De 12de-eeuwse Byzantijns-romaanse kerk heeft een ongebruikelijke vorm: een halve cirkel rond de apsis. Het houtsnijwerk in het koor dateert van de 18de eeuw. De middeleeuwse brug en de Rue du Fond-du-Bourg met vakwerkhuizen uit de 14de eeuw dragen veel bij aan de schilderachtige indruk van het dorpje. Het 12de-eeuwse Château de la Marthonie aan Place Saint-Jean werd verbouwd in de 15de en vergroot in de 17de eeuw.

OMGEVING: Château de Jumilhac, 20 km ten noordoosten van Saint-Jean-de-Côle stamt uit de 13de eeuw, maar het prachtige dak met de peperbustorens en daklichten uit 1600. De bijgebouwen en wallen werden afgebroken in de 17de eeuw om plaats te maken voor luxueuze ontvangstruimten, zoals een salon in de stijl van Versailles en een schitterende Louis XIII-trap.

♠ **Château de Jumilhac**
Jumilhac. ▐ 05-53524297.
◐ juni–sept.: dag.; okt.–nov. en maart–mei: za en zo-middag; nov.–maart: zo-middag. 🎦 🖼

Château de Hautefort ❼

De middeleeuwse vesting Hautefort wordt vaak in één adem genoemd met de befaamde krijger en troubadour Bertran de Born. Het indrukwekkende kasteel dat het later verving werd gebouwd voor de markies van Hautefort, die graag iets klassieks in de stijl van de Loire-kastelen wilde. Het werk begon in 1630 naar een ontwerp van Nicolas Rambourg en werd voltooid in 1670. Een ophaalbrug leidt naar binnenplaats en hoofdgebouw, met een galerij en een steil leidak. Baron en barones De Bastard begonnen in de jaren twintig van de vorige eeuw met de restauratie van het hoofdgebouw, die ruw werd beëindigd door een brand in 1968. Alleen de 16de-eeuwse wandtapijten bleven gespaard. In de Tour de Bretagne, het enige bewaarde middeleeuwse gedeelte (14de eeuw) zijn foto's te zien van de ravage na de brand. In 1995 werd de restauratie voltooid.

★ **Staatsietrap**
Deze gaat in twee delen naar de volgende etage.

De grote slaapkamer is versierd met houtsnijwerk en gevuld met antiek meubilair.

De dakconstructie van de Tour de Bretagne dateert uit 1678.

De grote salon is behangen met Vlaamse tapijten. Aan weerszijden van de zaal staan monumentale houten schoorsteenmantels.

Het dorp Hautefort ligt onder het indrukwekkende kasteel

STERATTRACTIES

★ **Kapel**

★ **Staatsietrap**

★ **Kapel**
*Het plafond, een trompe-
l'oeil cassettekoepel, lijkt
neer op een aarden vloer.*

TIPS VOOR DE TOERIST

Wegenkaart E1.
Terrasson-Lavilledieu.
05-53505123.
dag. dec.–jan.
chateau-hautefort@wanadoo.fr
www.ot-hautefort.com

Het terras werd opnieuw
aangelegd in de jaren dertig
van de vorige eeuw. Buxus en
taxus zijn koepelvormig gesnoeid om de contouren van
het chateau en zijn torens met
leidaken te weerspiegelen.
Deze geometrische tuin heeft
de vorm van een spuitende
fontein.

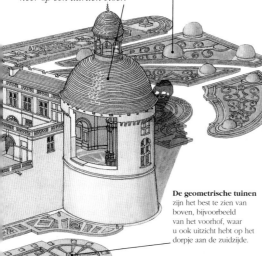

De geometrische tuinen
zijn het best te zien van
boven, bijvoorbeeld
van het voorhof, waar
u ook uitzicht hebt op het
dorpje aan de zuidzijde.

DE TROUBADOUR
VAN HAUTEFORT

Bertran de Born (ca. 1150–
1215), burggraaf van Hautefort, is een legende in de Pay
d'Oc. Ruim 40 van zijn liederen zijn bewaard, vele over de
hoofse liefde, enkele politiek
of strijdlustig van aard. Verschillende keren vocht hij
tegen zijn broer en de Engelse Kroon (destijds hertogen
van Aquitanië) om het
eigendom van Hautefort.
Vanwege zijn krijgszuchtige

**Miniatuur van Bertran de
Born te paard**

houding kreeg hij soms de schuld van het toenmalige conflict
tussen Engeland en Frankrijk. Dante schildert hem bijvoorbeeld in zijn *Inferno* af als onrustzaaier en zet hem in de hel.
Hij eindigde zijn leven als monnik in de Abbaye du Dalon.

Auvézèredal ⑧

Wegenkaart E1. Périgueux.
Place Eugène Le Roy, Hautefort, 05-
53504027. Of 4 place Thomas-Robert
Bugeaud, Lanouaille, 05-53621782.
Fête de la Noix (Nailhac), Festival
du Pays d'Ans (juli–aug.).

In deze vallei ligt een aantal
bezienswaardigheden.
De **Chapelle d'Auberoche**,
met zijn traditionele
dakpannen uit de Périgord,
ligt hoog op een rots met een
fantastisch uitzicht. Verder
stroomopwaarts kletteren bij
La Boissière d'Ans de watervallen van Blâme met donde-
rend geweld in de Auvézère.
Ook op de **Colline de Saint-
Raphaël** hebt u een fraai
uitzicht op de Loue en de
Auvézère. De twee zware
zuilen voor de kerk zijn de
restanten van een benedictijnenpriorij. **Génis** ligt hoog op
een granieten plateau en kijkt
uit op de *gorges* van de Dalon.
Stroomopwaarts ligt een
watermolen, de **Moulin du
Pervendoux**, met daarachter
stroomversnellingen en de
Cascade du Saut-Ruban. Het
wandelpad GR 646 leidt van
de **Église de Saint-Mesmin**
naar de waterval beneden. In
Le Puy-des-Âges, op een uit-
loper van kwarts, ligt de kleine
kapel **Notre-Dame-de-Partout**
vol offergaven. Het chateau
op de heuvel bij **Savignac-
Lédrier** kijkt uit op een 17de-
eeuwse smidse, terwijl in
Payzac de oude papiermolen
Vaux staat. Overal liggen ovale
stenen schuren die oorspronkelijk een rieten dak hadden.

**Het ongerepte Auvézèredal, met
zijn heuvels, bossen en weilanden**

Les Jardins de l'Imaginaire aan de Vézère in Terrasson-Lavilledieu

Terrasson-Lavilledieu ❾

Wegenkaart E2. Aan de N89.
🚶 6700. 🚗 🚌 🚹 Rue Jean Rouby,
05-53503756. 🛒 do-ochtend.
🎭 Les Chemins de l'Imaginaire (juli).

B oven aan het Vézèredal,
dat diep in de Périgord
doordringt, groeide het dorpje
Terrasson-Lavilledieu uit rond
een Merovingische abdij. De
Pont Vieux, de ouden stenen
brug, gaat terug tot de 12de
eeuw, maar werd ernstig
beschadigd in de Honderd-
jarige Oorlog en grotendeels
herbouwd eind 15de eeuw,
evenals de kerk en het klooster. Terrasson was een strategisch stadje in de 16e-eeuwse
Godsdiensttoorlogen en door-
stond de Franse Revolutie.
De **Jardins de l'Imaginaire**,
kijken uit op het oude stadje.
De 6 ha omvatten een rozentuin, een heilig bos, een
watertuin, een belvédère en
verschillende bronnen,

allemaal aangelegd rond
historische en mythologische
thema's.

🌸 Jardins de l'Imaginaire
🚹 Place du Foirail, 05-53508682.
🕐 half april–half okt. ● buiten het
seizoen: di. 🎫 🖼️

Vézèredal ❿

Wegenkaart E2. 🚗 Périgueux.
🚌 Les Eyzies. 🚹 19 Rue de la
Préhistoire, Les Eyzies, 05-53069705.
🎭 Festival du Périgord Noir
(juli–aug.), Festival du Folklore
International (Montignac, juli).

I n dit dal liggen vele schilderachtige stadjes. **Condat-sur-
Vézère**, ooit een stad van de
tempeliers, ligt aan de samenloop van de Vézère en de
Coly. Er staan een romaanse
kerk en een kasteel met een
vierkante toren. **Fanlac** ligt
rond de kerk en de klokkentoren. In dit stadje werd de film
Jacquou le Croquant opge-

nomen, naar de roman van
Eugène Le Roy. De achtergrond
wordt gevormd door het Forêt
Barade en het nabijgelegen
Château de l'Herm. Tot deze
sfeervolle ruïne in de bossen
behoort een veelhoekige toren
en een gotisch portaal dat toegang geeft tot een wenteltrap.
Rouffignac werd bijna geheel
vernietigd in de Tweede
Wereldoorlog, maar de kerk
met zijn prachtige renaissance-
portaal werd gespaard. In de
buurt ligt de **Grotte de Rouffignac**, waar rond 10.000 v.C.
mensen woonden. Sinds de
16de eeuw komen er bezoe-
kers op af. Met een treintje
rijdt u 8 km door gangen die
zijn beschilderd en bekrast
met onder andere 158 afbeeldingen van mammoeten.
In **Plazac** werd de donjon uit
de 12de eeuw veranderd in een
romaanse kerk met een vierkante klokkentoren en een
aanpalende begraafplaats.
Saint-Geniès staat vol fraaie
huizen van okeren zandsteen,
een 15de-eeuwse kerk en een
17de-eeuws chateau. De gotische kapel in Le Cheylard, net
buiten het dorp, is versierd met
bijbelse taferelen uit de 14de
eeuw. Het chateau van **Salignac**, ooit een ommuurde
vesting, is nu een elegante
residentie met een pannendak.
Het Manoir de la Cipière in
Saint-Crépin uit de 16de–17de
eeuw is de omweg waard.
Over de Beune leidt de weg
van **Tamniès**, boven een meer,
naar **Marquay**, een dorp met
een versterkte romaanse kerk.
Verderop ligt het **Château de
Commarque** in een dal dat al

TIBETAANSE LAMA'S IN DE PÉRIGORD

In 1977 koos een aantal Tibetaanse
boeddhisten onder leiding van Zijne
Heiligheid Dudjom Rinpoche een heuvel
uit bij het gehucht Le Moustier, vlak bij
Saint-Léon-sur-Vézère, als de plaats voor
een nieuwe spirituele gemeenschap.
De nadruk in **Laugeral**, zoals het werd
genoemd, ligt op meditatie en studie van
de leer van de boeddhistische Nyingma-
school door groepen inwonende studenten. Iedereen is
echter welkom voor een bezoek, zolang hij of zij in vrede
komt. De Dalai Lama is een van de vele eerbiedwaardige
gasten van deze unieke plek.

**De stoepa in het
Dhagpocentrum**

sinds de prehistorie bewoond is. Binnen het gedeeltelijk vervallen kasteel staat een kerk uit de 4de eeuw. De klim naar de donjon biedt uitzicht op het **Château de Laussel**. *Bories*, ronde stapelhutten die typerend zijn voor de Périgord, ziet u rond **Sireuil**. In Bénivès maken de ronde **Cabanes du Breuil** deel uit van het openluchtmuseum. Het **Château de Puymartin** ligt bijna verstopt tussen de bomen van het bos. Het werd eind 13de eeuw gebouwd, verbouwd in de 15de eeuw en gerestaureerd rond 1890. In het kasteel treft u stijlmeubelen, wandtapijten en schilderijen aan, waaronder ook mythologische scènes op enkele plafonds en wanden.

♣ **Château de l'Herm**
Via de D31, Rouffignac-St-Cernin-de Reilhac. 📞 05-53054661.
🕐 april–11 nov.: dag. 📷 op afspraak. ♿

🔦 **Grotte de Rouffignac**
Via de D32, Rouffignac-St-Cernin-de Reilhac. 📞 05-53054171.
🕐 20 maart–1 nov.: dag. 📷 ♿
♣ **Château de Commarque**
Aan de D48, Sireuil. 📞 05-53590025.
🕐 april–sept.: dag. 📷 ♿
🏛 **Cabanes du Breuil**
Via de D47, Saint-André-d'Allas.
📞 06-80723859. 🕐 dag.
♣ **Château de Puymartin**
Aan de D47, Marquay. 📞 05-53592997. 🕐 april–okt.: dag. 📷 ♿

Traditionele ronde hutten met stapelmuren in Le Breuil

Saint-Amand-de-Coly ⓫

Wegenkaart E2. Aan de D704 of de D62. 👥 362. 🏠 Maison du Patrimoine, 05-53510456.
📷 kerk.

De robuuste **weerkerk** met een schip van 48 m maakte oorspronkelijk deel uit van een romaanse abdij uit de 7de eeuw. De grondvorm van de kerk is een Latijns kruis. Defensieve kenmerken zijn de 300 m lange muren rond het terrein en de versterkte kamer boven in de 30 m hoge klok-

De romaanse kerk in Saint-Léon-sur-Vézère

kentoren-donjon. Het licht valt de kerk binnen door glas-in-loodramen boven het portaal met drie bogen. De vloer van het prachtig lege interieur loopt licht af naar het koor. In deze kerk en die van Saint-Léon-sur-Vézère en Auriac worden klassieke concerten gegeven die deel uitmaken van het Festival du Périgord Noir *(blz. 33)*. Deze romaanse kerken bieden niet alleen een fraaie entourage maar ook een fantastische akoestiek.

Saint-Léon-sur-Vézère ⓬

Wegenkaart E2. Aan de D706.
👥 422. 🏠 Place Bertran de Born, Montignac, 05-53518260. 🛍 zo.

De 11de-eeuwse kerk in dit dorp is een van de oudste van de Périgord. Binnen hangen fresco's uit de 12de tot de 17de eeuw. In het **Château de Chabans** (14e–17de eeuw) vindt u gebrandschilderde ramen, tapisserieën, meubilair en een tentoonstelling over het Franse verzet.
In Le Moustier ligt een boeddhistisch klooster, **Laugeral**.

♣ **Château de Chabans**
📞 05-53517060.
🌐 www.chateaudechabans.com
🕐 mei–sept.: dag. 📷 ♿
🏛 **Laugeral** Saint-Léon-sur-Vézère. 📞 05-53507529. 🕐 dag. Studenten op afspraak.

De versterkte kerk in Saint-Amand-de-Coly torent boven het dorp uit

Grottes de Lascaux en Lascaux II ⑬

Wegenkaart E2. 🚉 *Brive en Sarlat.*
🚌 *place Bertran-de-Born, Montignac,*
05-53519503. 🕐 *juni–sept.: dag.;*
april–mei en okt.–dec.: di–zo.
⬤ *jan., begin feb.* 📷 📹
🌐 www.culture.gouv.fr/culture/
arcnat/lauscaux.fr

D e grot die bekendstaat als de 'Sixtijnse Kapel van de prehistorie' werd op 12 september 1940 ontdekt door vier jongens die aan het wandelen waren. De grotschilderingen, die dateren van ca. 18.000 v.C., tillen een tipje van de sluier over die onbekende tijd op. We weten nu dat de grot nooit bewoond is geweest en de exacte betekenis van de afbeeldingen op de wanden is nog altijd niet helder. De prehistorische tekenaars maakten slim gebruik van het reliëf van de grot om leven te blazen in de afbeeldingen van stieren, herten, paarden en steenbokken, die de grot van vloer tot plafond bedekken.
De grot werd al snel een grote attractie die duizenden bezoekers trok. Deze toestroom bracht echter ook vele schadelijke micro-organismen mee, die de schilderingen aantastten. Om die reden besloot men in 1963 de grot te sluiten. Het lokale bestuur liet

daarop een exacte kopie maken, op maar 200 m van het origineel, vlak bij het stadje Montignac.
Lascaux II, een opvallend staaltje van wetenschappelijke precisie en artistieke vaardigheid, is geopend in 1983. De schilderes heeft voor haar prestatie dezelfde technieken en materialen als haar verre voorouders gebruikt. De schilderingen zijn nauwgezette kopieën van de originelen, waarvan zo'n 70 procent is nagemaakt op de muren van de twee grote ruimten, de Diverticule Axial (Centrale Zijgang) en de Salle des Taureaux (Stierenzaal). Montignac zelf is ook de moeite waard. Het levendige stadje staat vol fraaie 14de–16de-eeuwse huizen.

OMGEVING: In Thonac, 10 km ten zuidwesten van Lascaux, ligt het **Château de Losse**, een sierlijk kasteel uit 1576, op initiatief van Jean II de Losse, de privé-onderwijzer van Henri IV, gebouwd op de ruïnes van de middeleeuwse vesting. De Tour de l'Éperon uit de 14de eeuw maakt deel uit van de wallen en een versterkt poorthuis bewaakt de vaste brug naar de grote binnenplaats. Binnen in het renaissance-interieur staat meubilair uit de 15de en 17de eeuw. Niet ver vanhier staat

Het 16de-eeuwse Château de Losse, in de buurt van Lascaux

de **Tour de la Vermondie**. Volgens de legende werd de scheve toren uit de 13de eeuw zo scheef gebouwd, opdat de jonkvrouw die er gevangen werd gehouden uit het raam kon hangen om haar geliefde te kussen.

🏰 **Château de Losse**
Thonac. 📞 05-53508008.
🕐 *paasweekend, half april–sept.:*
dag. 📷 📹 ♿ *gedeeltelijk.*

Vallée de l'Homme ⑭

Wegenkaart E2. Aan de D706, tussen Montignac en Les Eyzies.

In dit deel van het Vézèredal, bekend als Vallée de l'Homme (Dal van de Mens), bevindt zich een groot aantal prehistorische vindplaatsen.

🏛 **Le Thot, Espace Cro-Magnon**
Thonac. 📞 05-53507044. ⬤ *jan.,*
12 nov.–dec. en feb.–maart: ma.
📷 📹
In het park van Le Thot leven diersoorten die afstammen van de wilde dieren die het gebied bewoonden in het laatpaleolithicum en wier beeltenis te zien is op de muren van de prehistorische grotten van Lascaux: rendieren, bizons, oerossen en przewalskipaarden. Ook vindt u modellen van uitgestorven soorten, zoals mammoeten en wolharige neushoorns.
In het museum wordt in een nagemaakte prehistorische grot getoond hoe de wanden

Paarden en herten, enkele van de dieren in de Grottes de Lascaux

Mammoetjacht, een van de reconstructies van het leven in de prehistorie in Préhisto Parc, Vallée de l'Homme

werden beschilderd en gegraveerd. Een speciale expositie en film belichten het verhaal van Lascaux II. Vier reproducties die niet te zien zijn in Lascaux II hangen hier. Ze stellen mensen, herten, een koe, paarden en bizons voor.

🏛 Préhisto Parc
Tursac. 📞 05-53507319.
⭕ 15 feb.–11 nov.: dag. ♿

Met reconstructies van het dagelijks leven in de prehistorie neemt het op gezinnen gerichte Préhisto Parc u mee op een reis door de tijd, van neanderthalers tot cro-magnonmensen. Lessen in vuursteenhouwen, speerwerpen, grotschilderen en vuurmaken geven u een indruk van de vaardigheden die u destijds onder de knie moest hebben.

🏛 Village de la Madeleine
Tursac. 📞 05-53518260. ⭕ dag.
Ⓦ www.site-de-la-madeleine.com

De grot van La Madeleine gaf zijn naam aan het magdalénien, de beschaving van jagers-verzamelaars die rond 18.000–10.000 v.C. in deze buurt leefden. Opgravingen brachten talloze voorwerpen aan het licht, zoals een stuk besneden ivoor van een mammoet en een kindergraf, versierd met schelpen en rood oker.
Vanaf de 8ste eeuw bood het dorp van holwoningen in de rotswand boven de Vézère bescherming aan velen.

🏛 La Roque-Saint-Christophe
Peyzac-Le Moustier. 📞 05-53507045.
Ⓦ www.roque-st-christophe.com
⭕ dag. ♿

Deze steile rots boven de Vézère is 80 m hoog en 1 km lang en wordt al sinds de prehistorie bewoond. Het in de rotsen genestelde fort en dorp dateren uit de 10de eeuw, maar gedurende de verdere middeleeuwen zijn er steeds uitbreidingen geweest om de veiligheid te vergroten. De natuurlijke vesting kon duizend mensen herbergen. De vlakke terrassen bieden een mooi uitzicht op het dal. Een reconstructie van een middeleeuws gebouw geeft een goede indruk van het dagelijks leven in die tijd.

Château de Belcayre, tussen Thonac en Sergeac

🏛 Sergeac
ℹ Place Bertran-de-Born, Montignac, 05-53518260.

Een gebeeldhouwd kruis uit de 15de eeuw staat aan de ingang van het dorp, ooit het hoofdkwartier van de tempeliers in de Périgord. Vlakbij het verblijf van de commandant, een huis uit de 14de–15de eeuw, ligt de versterkte kerk met Périgorddakpannen. Het museum heeft een fraaie collectie juwelen.
Niet ver van Sergeac ligt het dal van **Castel-Merle**, met rotsholen die van paleolithicum tot de ijzertijd werden bewoond. Tussen Thonac en Sergac ligt het schitterende Château de Blecayre.

🏛 Grottes du Roc de Cazelle
Voorbij Les Eyzies, aan de D47 naar Sarlat. 📞 05-53594609.
⭕ dag. ♿

De expositie in Roc de Cazelle, een van de vele rotsholen in deze streek, vertelt het verhaal van de menselijke bewoning van deze grotten van het laatpaleolithicum tot 1966. Tijdens uw bezoek ziet u taferelen uit het dagelijks leven van de oudste jagers-verzamelaars tot aan de boeren in de 20ste eeuw. Verder ziet u hoe een grot bewoonbaar werd gemaakt, hoe een vesting werd gebouwd en hoe huizen uit steen werden gehouwen.

De tuinen van de Manoir d'Eyrignac ⓯

De tuinen van dit landgoed, aangelegd in de 18de eeuw, vormen een frisse oase van groen in de dorre, rotsige Périgord Noir. De tuinen worden gevoed door zeven bronnen. In de 19de eeuw werden ze opnieuw vormgegeven volgens de romantische ideeën van dat moment. Binnen honderd jaar waren de tuinen echter zo verwaarloosd dat het de eigenaar, Gilles Sermadiras, en later zijn zoon bijna veertig jaar kostte om ze weer op te knappen. In 1987 openden ze voor het publiek: een combinatie van een formele Franse en een vrijere Italiaanse stijl, met glooiende grasvelden en veel grote bomen en struiken, zoals buxus, taxus, haagbeuk en cipressen. De Franse tuin, een toonbeeld van symmetrie en orde met in figuren gesneoeide en zorgvuldig aangelegde perken, staat in scherp contrast met de onregelmatige 'puzzel' van de Italiaanse tuin. Ook zijn er veel onverwachte verrassingen, zoals geheime hoekjes en plotselinge doorkijkjes.

Gebouwde elementen en groen gaan hand in hand

Restaurant Côté Jardin

Chinese pagode in rode lak

★ Haagbeukpad
Parallel aan de wandeling langs de urnen loopt deze lange, met gras begroeide laan langs haagbeuken: een geometrisch meesterwerk in harmonieuze tinten groen. De uiterst secuur gesneoeide taxus en haagbeuk scheppen bijzondere doorkijkjes.

Sterattracties
★ **Franse tuin**
★ **Haagbeukpad**

Engelse arcade
De begroeiing werpt speelse patronen van licht en schaduw op de doorgang van het paviljoen naast het haagbeukpad naar de met zand bestrooide binnenplaats voor het grote huis.

Rozentuin
De perken naast de brede rechte lanen zijn uitsluitend met witte rozen beplant. Aan het begin van de zomer vullen de bloemen de lucht met hun zoete geur.

TIPS VOOR DE TOERIST

Wegenkaart E2. Aan de D60. Salignac. 🏠 *1123.* 🚉 *Souillac en Brive-la-Gaillarde.* 📞 *05-53289971.* 🕐 *dag.* ♿ 📷 📠 W *www.eyrignac.com* @ *eyrignac@perigord.com*

De vijvers
De vijf in een regelmatig patroon aangelegde vijvers completeren de rozentuin. Om de grote vijver in het midden staan fonteinen.

Het 'betoverde terras', met daarachter de rozentuin, biedt een fraai uitzicht op het landhuis, het veld en de formele Franse tuin eronder.

★ Franse tuin
Voor het terras met veel bloemperken liggen een met zand bestrooide binnenplaats en een kleine vijver. De tuin zelf bestaat uit geometrische patronen van buxushagen en een onberispelijk grasveld.

Het landhuis werd gebouwd in 1653.

Les Eyzies-de-Tayac ⑯

Midden in het Vézèredal met zijn prehistorische beschilderde grotten en rotsholen ligt het dorp Les Eyzies. De 'hoofdstad van de prehistorie' ligt aan de voet van okerkleurige rotsen die sporen dragen van de vroegste menselijke beschavingen. De voorwerpen in het onlangs uitgebreide museum vertellen vrijwel alles wat bekend is over de eerste mensen; een uitstekende start voor een bezoek aan een van de grotten in de buurt. Ook de 12de-eeuwse weerkerk in Tayac, het gehucht naast Les Eyzies, is een bezoekje waard.

TIPS VOOR DE TOERIST

Wegenkaart E2. Aan de D47 tussen Périgueux en Sarlat. 🚌 909. 🚂 Périgueux, Agen. 🅸 19 rue de la Préhistoire, 05-53069705. ⓦ www. leseyzies.com 🅰 ma-ochtend; juli–aug.: do (avondmarkt).

🏛 Musée National de la Préhistoire

📞 05-53064545. ⭘ dag. 🌑 sept.–juni: di. 🎫 📷
Tot de collectie, die groten-deels bestaat uit vondsten uit het Vézèredal, behoren stenen gereedschappen, grafgiften, botten van prehistorische dieren, ornamenten, beeld-jes en gravures. Het terras biedt een indrukwekkend uitzicht op het dal.

⌂ Abri Pataud

📞 05-53069246. ⭘ juli–aug.: dag.; buiten het seizoen eerst bellen. 🎫 📷 ♿
De wanden van deze schuilplaats *(abri)* dragen sporen van zo'n 40 kampemen-ten tussen 35.000 en 20.000 v.C., het aurignacien, gra-vettien en solutréen. Vlak eronder ligt nog een rotshol, waarvan het dak is getooid met een schitterend reliëf van een spiesbok (17.000 v.C., solutréen). In het bijbe-horende museum treft u vondsten aan en details over de opgravingen die er zijn uitgevoerd.

⌂ Abri du Cap Blanc

Marquay. 📞 05-53592174. ⭘ april–okt.: dag. 🎫 📷
Meer dan 15.000 jaar geleden sneden en krasten prehistorische mensen voorstellingen van paarden, bizons en rendieren op de wand van dit rotshol dat als schuilplaats diende. Een kleine expositie werpt licht op het dagelijks leven in het magdalénien en de kunst die toen werd vervaardigd.

⌂ Le Moustier, La Micoque en La Ferrassie

📞 05-53068600. ⭘ 's zomers; reserveren noodzakelijk. 🎫 📷
Het rotshol in Le Moustier, waar het skelet van een neander-thaler werd gevonden, gaf zijn naam aan het moustérien, grofweg 80.000–30.000 v.C. La Micoque, de oudste vindplaats in de Dordogne, werd vanaf 300.000 v.C. bewoond. In de grot in La Ferrassie, bewoond 40.000–25.000 v.C., werden graven van neander-thalers gevonden. Opgravingen brachten ook bewerkt vuursteen uit het aurignacien naar boven, de vroegste voorbeelden van prehistorische kunst uit het Vézèredal.

De primitieve mens, Musée de la Préhistoire

⌂ Abri de Laugerie Haute

📞 05-53068600. ⭘ za en feest-dagen. 🎫 reserveren noodzakelijk. 📷
Dit grote rotshol is bewoond van 22.000 tot 12.000 v.C. Het werd verlaten toen het dak instortte. Men vond hier gereedschappen van vuur-steen en been en een groot aantal harpoenen.

⌂ Abri du Poisson

📞 05-53068600. ⭘ za en feest-dagen. 🎫 reserveren noodzakelijk. 📷
Dit kleine rotshol in de Gorge d'Enfer is genoemd naar het reliëf van een vis dat hier werd aangetroffen. Het is een zalm van een meter, ongeveer 25.000 v.C. uitgehouwen.

⌂ Grotte des Combarelles

📞 05-53068600. ⭘ za en feest-dagen. 🎫 reserveren noodzakelijk. 📷
Deze grot, in gebruik tijdens het magdalénien (15.000 v.C.), bevat zo'n 600 gravures en tekeningen van paarden, rendieren, mammoeten en wol-harige neushoorns, en ook een aantal mensachtigen.

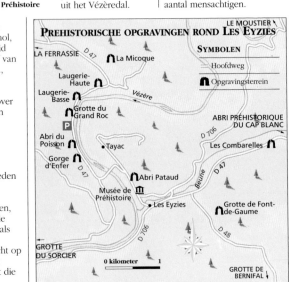

PREHISTORISCHE OPGRAVINGEN ROND LES EYZIES

LE MOUSTIER
LA FERRASSIE
La Micoque
Laugerie-Haute
Laugerie-Basse
Vézère
Grotte du Grand Roc
Abri du Poisson
Gorge d'Enfer
Musée de Préhistoire
Tayac
Abri Pataud
Les Eyzies
ABRI PRÉHISTORIQUE DU CAP BLANC
Les Combarelles
Beune
Grotte de Font-de-Gaume
GROTTE DU SORCIER
GROTTE DE BERNIFAL

SYMBOLEN
— Hoofdweg
⌂ Opgravingsterrein

0 kilometer 1

Tekening van een rendier in de Grotte de Font-de-Gaume

Grotte de Font-de-Gaume
05-53068600. za en feestdagen. reserveren noodzakelijk.
De wanden van deze grot zijn bedekt met prachtige schilderingen in verschillende kleuren uit het magdalénien. Verder zijn er tekeningen en gravures van bijna 200 dieren, waaronder 82 bizons.

Grotte de Bernifal
Meyrals. 05-53296639. juni–sept.: dag.
Bij het licht van zaklantaarn of fakkel ziet u zo'n honderd afbeeldingen van mammoeten en menselijke figuren, plus tekens en symbolen, alle uit het magdalénien.

Abri de Laugerie Basse
05-53069270. www.grandroc.com feb.–half nov. en rond Kerstmis: dag.
In dit rotshol, dat in het magdalénien werd bewoond, is een expositie gewijd aan het dagelijks leven van de cro-magnonmensen, met informatie over gereedschappen, voedsel, jacht en kunstvormen. In deze grot werd het oudste vrouwenfiguurtje van Frankrijk gevonden, de *Venus impudique* of *Onkuise Venus*.

Grotte du Grand Roc
05-53069270. www.grandroc.com feb.–half nov. en rond Kerstmis: dag.
Speciale belichting benadrukt de fantastische kalksteenafzettingen, zoals stalagmieten, stalactieten en diverse bizarre formaties, waarvan sommige hol zijn. Een heel bijzondere afzetting heeft de vorm van een kruis.

Grotte du Sorcier
Saint-Cirq. 05-53071437. buiten het seizoen: za.
De grot in Saint-Cirq aan de voet van een hoge berg bevat

een gedetailleerde gravure van een menselijk figuur. Deze *Tovenaar (Sorcier)* is de meest complete van het tiental 13.000 jaar oude gravures.

Le Bugue-sur-Vézère ⑰
Wegenkaart E2. Aan de D710. Agen, Périgueux. 2825. Porte de la Vézère, 05-53072048. di.

Dit belangrijke toeristische centrum heeft verschillende bezienswaardigheden, zoals het **Aquarium du Périgord Noir** met 6000 vissen en het **Village du Bournat**, een groot openluchtmuseum waar het dagelijks leven in de Périgord in vroegere tijden centraal staat.

Aquarium du Périgord Noir
05-53071074. mei–sept.: dag.

Village du Bournat
05-53084199. half feb.–half nov.

Grotte de Bara-Bahau
Le Bugue. 05-53074458. dag. jan.
Een lange gang met grillige rotsformaties leidt naar een grote zaal waar u beren, paarden en een bizon ziet, bovendien handen, een fallus en andere symbolen.

Son et lumière in de diepte in de Gouffre de Proumeyssac

De Grand Roc in Les Eyzies, aan de oever van de Vézère

Gouffre de Proumeyssac
4 km van Le Bugue, op de weg naar Audrix. 05-53072747. dag. jan.
De op een kathedraal gelijkende koepelzaal bevat minerale afzettingen in een groot aantal vormen. Ook is er een expositie over geologische formaties. Als u van tevoren een afspraak maakt, kunt u in een bak aan kabels in de diepte afdalen, net als de eerste onderzoekers van deze afgrond moeten hebben gedaan.

OMGEVING: Bij de samenloop van de Vézère en de Dordogne, 5 km ten zuidwesten van Le Bugue, ligt **Limeuil**, met een prettig strandje en vele ambachtelijke werkplaatsen. Nauwe straatjes leiden naar het terrein van het chateau en een arboretum (bomentuin). Thomas à Becket bracht ooit een bezoek aan de sierlijke Chapelle Saint-Martin. In Le-Buisson-de-Cadouin, 10 km ten zuiden van Le Bugue, liggen de **Grottes de Maxange**, die pas in 2000 werden ontdekt. Ook in deze grotten treft u heel bijzondere rotsformaties.

Grottes de Maxange
Le-Buisson-de-Cadouin. 05-53234280. Pasen–okt.: dag.

Onder de loep: Sarlat ⑱

A an de voet van een aantal *pechs* (heuvels) ligt Sarlat,
dat na een uitgebreide restauratie van de smalle straten
en binnenplaatsen in zijn oude glorie is hersteld. Veel
huizen hebben een middeleeuwse begane grond met
daarop renaissanceverdiepingen. De handelsstad op de
weg naar Santiago de Compostela breidde gestaag uit in
de 13de eeuw, en wederom halverwege de 15de eeuw.
Uit die tijd stammen de fraaie renaissancehuizen. Rue de la
République, aangelegd in de 19de eeuw en bijgenaamd
La Traverse, scheidt de pittoreske middeleeuwse wijk van
de andere oude straten van de stad. Niet alleen is de
gerestaureerde wijk van Sarlat een juweeltje, ook trekt de
stad bezoekers met de truffel- en fois-grasmarkten.

Rue des Consuls
*In deze straat staan prach-
tige 15de- tot 17de-eeuwse
huizen.*

Place aux Oies
*Op dit plein werd
vroeger een van
Sarlats vijf pluimvee-
markten gehouden.
De bronzen gan-
zen van Lalanne
herinneren hier-
aan. Aan het
plein staan twee
fraaie gebou-
wen uit de
renaissance:
Hôtel de Vas-
sal en Hôtel
Chassaing.*

★ **Place de la Liberté**
*Het hart van Sarlat wordt omringd
door 16de- en 18de-eeuwse huizen
die in tal van films als decor hebben
gediend. De Église Sainte-Marie
op de achtergrond werd
gerestaureerd onder leiding van
Jean Nouvel (1945–) en is nu
een overdekte markt.*

STERATTRACTIES

★ **Maison de
La Boétie**

★ **Place de la Liberté**

0 meter   50

★ Maison de La Boétie
In dit renaissancehuis werd Étienne de La Boétie geboren, een vriend van Michel de Montaigne (blz. 42). Vroeger zat op de begane grond een winkel. De bovenverdiepingen hebben gelede ramen met bewerkte stijlen en van medaillons voorziene pilasters. Een fraai pannendak bekroont het pand.

TIPS VOOR DE TOERIST

Wegenkaart E2. 🏠 10.423.
🚉 Souillac. 🚌 Rue Tourny, 05-53314545. 🗓 april–okt. 🗓 wo en za ('s ochtends); overdekte markt dag. behalve 11 nov.– Pasen; truffelmarkt dec.–feb. 🗓 Festival des Jeux du Théâtre (half juli-begin aug.); Festival du Film de Sarlat (tweede week nov.); Journées du Terroir (Pinksteren).

Lanterne des Morts
Deze toren werd gebouwd in de 12de eeuw ter gelegenheid van het bezoek van St.-Bernardus aan Sarlat. De toren kijkt uit op de apsis en klokkentoren van de kathedraal.

SYMBOOL

 – – – Aanbevolen route

Cathédrale Saint-Sacerdos
Met een aanvang van de bouw in 1504 en voltooiing in de 17de eeuw mist de kathedraal stilistische eenheid. Opvallend is de overhangende orgeltribune uit 1770.

De Chapelle des Pénitents Bleus is het enig bewaarde deel van de vroegere romaanse abdijkerk.

Bisschoppelijk paleis
Dit gebouw heeft fraaie gotische en renaissanceramen en een bovengalerij. Het toeristenbureau dat er is gevestigd organiseert fraaie zomerexposities.

Sarlat verkennen

's Zomers is de binnenstad afgesloten voor gemotoriseerd verkeer. Het is dan heerlijk om de schoonheid van de oude stad te voet te ontdekken. Aan de Place de la Liberté ligt Hôtel de Maleville (of Hôtel de Vienne), een huis waarbij Franse en Italiaanse renaissance zijn gecombineerd. In de Passage Henri-de-Ségogne, in het gerestaureerde deel van de stad, liggen 13de-, 15de- en 16de-eeuwse vakwerkhuizen met kraagstenen en pannendaken.

🔒 Cathédrale Saint-Sacerdos

De kathedraal werd in de 16de en 17de neergezet op de plaats waar daarvoor een romaanse abdijkerk had gestaan. Het interieur kent een schip en vier secties met ribgewelven. Achter de kathedraal liggen de Cour des

Traditionele pannendaken in de oude wijk van Sarlat

Fontaines, de Chapelle des Pénitents Bleus (een overblijfsel van het oude klooster) en de Jardin des Enfeus met grafnissen in de muur. Het is niet duidelijk waartoe de 12de-eeuwse Lanterne des Morts (Lantaarn van de Doden) diende, waarin een lamp kon worden opgestoken.

🏛 Oost-Sarlat

In de 17de eeuw zetelde het gerechtshof in de **Présidial** in de Rue Landry. De façade heeft een lage boog met daarboven een loggia met een lantaarn. Aan weerszijden van het **stadhuis** liggen huizen met topgevels uit de 15de en 17de eeuw. In de Rue

---

Dordognedal ⑲

Langs dit stuk van de Dordogne ligt een aantal mooie kastelen. U kunt ze zien vanaf het water – in een kano of een *gabare* (plaatselijk vaartuig) – of van de weg. Overal rondom bieden de bergen een prachtig uitzicht. Van de hooggelegen promenade in Domme kunt u naar bochten van de rivier bij Montfort kijken Met de weerspiegeling van wolken en zon lijkt de rivier op een zilveren lint door het land.

Château de Beynac ⑤

Na het leuke dorpje Envaux volgt de weg de loop van de rivier. Wanneer de smalle weg de vlakte bereikt komt het indrukwekkende Château de Beynac *(blz. 132).* in zicht. Hier kunt u kilometers in alle windrichtingen kijken.

Château des Milandes ⑥

Het kasteel uit 1489 werd verbouwd in de 19de eeuw. In de jaren vijftig ving zangeres, danseres en filantroop Josephine Baker (1906–1975) hier haar vele geadopteerde kinderen op. Een deel van het kasteel is aan haar gewijd. In de tuin ziet u tegen de achtergrond van dit renaissancebouwwerk valkeniers aan het werk.

TIPS VOOR CHAUFFEURS

Wegenkaart: E2.
Rondrit: 37 km.
Rustplaatsen: Onderweg vindt u tal van boerenherbergen en restaurants. Informatie in Sarlat: 05-53314545.

0 kilometer   2

Château de Castelnaud ⑦

Het kasteel *(blz. 134–135)* hoog op een klif boven de Dordogne is mijlenver in de omtrek te zien.

Fénelon, tegenover het steegje naar het 16de-eeuwse Hôtel de Gérard, is een portaal met vier met *fleurs de lis* gesierde zuilen. Dit was vroeger de toegang tot het stadhuis.

🏛 Place de la Liberté

Het 15de-eeuwse **Hôtel de Gisson** met zijn pannendak is het centrum van het zomerse theaterfestival. Aan de toren van de **Église Sainte-Marie**, nu een overdekte markt, kijken waterspuwers omlaag.

🏛 Rue des Consuls

Aan deze straat liggen fraaie herenhuizen, zoals het **Hôtel Plamon** uit de 14de en 17de eeuw en **Hôtel de Mirandol**

Het oude centrum van Sarlat is heel geschikt voor een avondwandeling

bij de Fontaine Sainte-Marie. Achter de boog over de hoek van de straat ligt het **Hôtel Tapinois de Bétou** met een houten trap uit de 17de eeuw.

🏛 West-Sarlat

Vakwerkhuizen staan aan de **Rue des Armes** en zijn ook zichtbaar vanaf de stadswallen. De **Chapelle des Pénitents Blancs** is het restant van een klooster uit de 17de eeuw. Verderop ligt de **Abbaye Sainte-Claire**, ook uit de 17de eeuw.

OMGEVING: Zo'n 20 km ten zuidoosten van Sarlat ligt **Château de Fénelon**. Hier werd de theoloog en filosoof François de Salignac de la Mothe Fénelon (1651–1715) geboren.

♠ Château de Fénelon

Sainte-Mondane. 📞 *05-53298145.* ⏰ *dag.* ✔ 📷

Parc de Marqueyssac ④
De 6 km aan paden die door de 22 ha parkland kronkelen leiden naar een verbluffende belvédère. Onderweg hebt u een fraai uitzicht op de dorpjes en chateaus die her en der verspreid liggen. Er zijn 150.000 met zorg gesnoeide buxushagen en cipressen aangeplant.

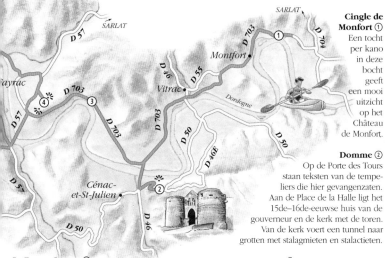

Cingle de Monfort ①
Een tocht per kano in deze bocht geeft een mooi uitzicht op het Château de Monfort.

Domme ②
Op de Porte des Tours staan teksten van de tempeliers die hier gevangenzaten. Aan de Place de la Halle ligt het 15de–16de-eeuwse huis van de gouverneur en de kerk met de toren. Van de kerk voert een tunnel naar grotten met stalagmieten en stalactieten.

La Roque-Gageac ③
De okeren huizen van dit dorp dalen af tot aan de oever van de rivier. Niet ver van de kerk met zijn belfort van één muur en het elegante Manoir de Tarde ligt een tuin met exotische planten. Hoog op de klif staat een in de rotsen ingebouwd fort. De steile klim wordt beloond door het uitzicht op het dal 4o m lager.

SYMBOLEN

▬ Aanbevolen route

= Andere wegen

☀ Uitzichtpunt

Souillac ⑳

Wegenkaart E2. A20 Parijs–Toulouse.
🏨 *3468*. 🚉 *Souillac.* 🛈 *Boulevard
Louis-Jean-Malvy, 05-65378156.* 🚍
vr-ochtend. 🎷 *Festival de Jazz (juli) ;
Festival du Mime Automate (aug.);
Musicales de Souillac (juli).*
🆆 www.souillac.fr; www.souillac.net

Souillac ligt tussen de Dordogne en de Borrèze, in de
Haut-Quercy. De stad groeide
uit rond een benedictijnen-
klooster dat omstreeks 655 was
gesticht en in de 16de eeuw
een abdij werd. Souillacs
invloed strekte zich uit tot 150
priorijen in de omtrek. Later
werd de stad ook een handelscentrum met goederen die per
schip werden aangevoerd, tot
de komst van de spoorwegen
in de 19de eeuw.
De abdijkerk **Église Sainte-
Marie** werd gebouwd in
de 11de en 12de eeuw.
De kerk heeft de vorm
van een Latijns kruis en
wordt bekroond met drie
koepels die op stenen
pendentieven rusten.
Daarmee is het een goed
voorbeeld van de Byzan-
tijns-romaanse stijl die
gebaseerd was op de Aya
Sophia in Istanbul. Twee
opvallende kenmerken
van de kerk zijn het portaal,
dat in de 17de eeuw werd
omgedraaid zodat het naar-
binnen keek, en het beeldhouwwerk uit de 12de eeuw,
bijvoorbeeld een zuil met in
strijd verwikkelde
dieren en mensen.
De profeet Jesaja
is ongewoon
krachtig
verbeeld.

Het toeristenbureau is gevestigd in een vroegere kerk, de
Église Saint-Martin, met een
beschadigde klokkentoren en
een gotisch gewelf. Soms worden er kunstexposities gehouden. Het centrum van Souillac
is aangenaam om te wande-
len, vooral de Rue des Oules,
Rue des Craquelins, Place
Roucou en Place Benetou.
Met 3000 voorwerpen is het
Musée de l'Automate, sinds
1988 in de abdijtuin, het grootste in zijn soort in Europa. De
collectie is voornamelijk
afkomstig uit de fabriek van
Roullet-Decamps, die in 1865
begon met het maken van
bewegende poppen. De ob-
jecten, waaronder een vrouw
die haar gezicht poedert, een
jazzband en een slangenbe-
zweerder, zijn zeer expres-
sief en bewegen door een
fijn afgesteld mechanisme.
De afdeling
robots is
ontworpen in
samenwerking
met de Cité des Sciences
et de l'Industrie in Parijs
en gebruikt de nieuwste
technologie.

*Musée de
l'Automate*

🏛 **Musée de
l'Automate**
Place de l'Abbaye. 📞 *05-
65370707.* ◑ *jan.–maart en nov.– dec.:
ma–di; april–mei en okt.: ma.* 🎫 🎦
🆆 www.souillac.net/musee.automate

Omgeving: Zo'n 11 km ten
zuidoosten van Souillac liggen
de **Grottes de Lacave**,
ontdekt in 1902. Bezoekers
nemen eerst een treintje en
daarna een kleine lift en
leggen zo 1,6 km af door de
gangen en grotten. De
variëteit en vormen van de
stalagmieten en stalactieten,
waaronder enkele die op
dieren lijken, maken dat deze
grotten tot de indrukwekkend-
ste van Frankrijk behoren.

⛰ **Grottes de Lacave**
📞 *05-65378703.*
◑ *half maart–okt.: dag.* 🎫 🎦
🆆 www.grottes-de-lacave.com

Martel ㉑

Wegenkaart E2. Aan de RN140, bij
de A20. 🏨 *462.* 🚉 *Quatre-Routes.*
🛈 *Palais de la Raymondie, Place des
Consuls, 05-65374344.* 🚍 *wo en za
('s ochtends).*

Vanwege het feit dat de
Vicomte de Turenne hier
zetelde heeft Martel zeven
torens, waaronder de klokkentoren van de gotische weerkerk, waarin smalle schietgaten zitten. Verder kunt u de
resten van de wallen uit de
12de tot 14de eeuw bekijken,
het Palais de la Raymondie uit
de 13de–14de eeuw – met een
museum over de vroege ge-
schiedenis met Gallo-Romeinse objecten – en de 18de-
eeuwse overdekte markt.
Naast de reguliere
markten wordt er
's winters een
truffelmarkt
gehouden.

Het gebeeldhouwde timpaan in het portaal van de Église Sainte-Marie in Souillac

Tochtje over de ondergrondse rivier van de Gouffre de Padirac

OMGEVING: Ongeveer 7 km ten zuiden van Martel aan de N140 ligt de preromaanse kerk van **Creysse**. Ongebruikelijk zijn de twee identieke apsissen tegen de rechte muur aan de oostzijde. Het schip volgt de bolling van de rotsige ondergrond. Het dorp, met aardige huizen met verschillende typen daken, ligt tussen de Dordogne en walnotenboomgaarden.

Van 1681 tot 1695 was François Fénelon prior van het versterkte klooster in **Carennac**, 18 km ten zuidoosten van Martel via de D103, daarna de D20. Alles wat er over is van het klooster zijn het verblijf van de deken, waar nu het plaatselijke toeristenbureau is gevestigd, de kerk, met een treffende afbeelding van het laatste oordeel op het timpaan, de kloostergang en de kapittelzaal. Verspreid over het dorpje tegenover het Île de la Calypso liggen interessante oude huizen.

Vanwege zijn hoge ligging biedt **Loubressac**, 20 km ten zuidoosten van Martel, een brede blik op de dalen van de Cère, Bave en Dordogne. U kijkt er tot aan het Château de Castelnau, Saint-Céré en de torens van Saint-Laurent. Binnen de muren kronkelen smalle straatjes tussen de okerkleurige huizen, waarvan enkele bedekt zijn met een waterval aan bloemen.

Autoire, een dorpje 25 km ten zuidoosten van Martel, komt het best uit als u het benadert van de kam van het kalksteenplateau boven de 40 m hoge waterval. Geflankeerd door majestueuze kliffen staat de rustieke architectuur van de Quercy pal naast statige landhuizen. De daken met hun dakkapellen, duiventillen, schoorstenen, kruisbloemen en torentjes lijken wel een mozaïek te vormen. Het dorp is gemakkelijk te voet te verkennen, waarbij u de Chapelle Saint-Roch en het Château des Anglais kunt aandoen. Het kasteel werd vernietigd tijdens de Honderdjarige Oorlog.

Gouffre de Padirac ②

Wegenkaart F2. 📷 Rocamadour-Padirac. 🚌 Brive–Toulouse. ☎ 05-65336456. 🕐 april–okt. ✉ 📷 🖥 www.gouffre-de-padirac.com

Van boven lijkt de afgrond die de ingang tot deze onderaardse spelonken vormt de hemel op te willen zuigen. Deze geologische bezienswaardigheid werd in 1889 blootgelegd. De ondergrondse gangen zijn

Detail van het portaal van Carrennac

minstens een miljoen jaar geleden gevormd, maar het gapende gat in de grond dat ze toegankelijk maakt is waarschijnlijk slechts 10.000 jaar geleden ontstaan. In de afgrond, die tot 100 m diep is, heerst een vrijwel constante temperatuur van zo'n 13 °C. De rondleiding bestaat uit een boottocht van 500 m en een wandeling van 400 m. Ongeveer 10 m onder de grond ligt in de 94 m hoge koepelzaal een spectaculaire groep stalagmieten. Deze vormen de rand van een meertje dat wordt gevoed met water dat door de rotsen sijpelt. Dit meer 'hangt' 27 m boven de onderaardse rivier. In de afgrond loopt nog 9 km aan gangen die niet zijn opengesteld voor het publiek.

Castelnau-Bretenoux ㉓

Wegenkaart F2. Aan de D803. ☎ 05-65109800. 🕐 dag. 🔴 okt.–maart: di. 🖼

Met zijn vierkante donjon en vertrekken voor de landheer komt dit chateau over als een defensief bolwerk. Het werd in de 12de eeuw gebouwd door de baronnen van Castelnau. Het militaire verleden is nog te zien in het stoere silhouet. In de 16de en 17de eeuw volgden verbouwingen, maar in de 18de eeuw werd het kasteel verlaten. In de 19de eeuw werd het gerestaureerd met geld van Jean Mouliérat, een beroemde tenor. De collectie schilderijen en meubilair is bezienswaardig.

Het stoere fort Castelnau-Bretenoux is een schoolvoorbeeld van militaire architectuur

Rocamadour ㉔

G elegen op een rotsplateau hoog boven de Alzou lijkt het alsof Rocamadour regelrecht uit de kalksteenrotsen is gehakt. Het beste zicht op het dorp hebt u in het nabijgelegen gehucht L'Hospitalet. Rocamadour werd een van de belangrijkste pelgrimsoorden van Frankrijk nadat er in 1166 een graf was ontdekt met een gemummificeerd lijk erin dat van de vroegchristelijke kluizenaar St.-Amadour zou zijn. Boven de 12de-eeuwse Zwarte Madonna met Kind in de Chapelle Notre-Dame hangt een klok waaraan bijzondere krachten worden toegeschreven. Een verklaring uit 1172 somt de 126 wonderen op die de Madonna zou hebben verricht. Het beeld wordt nog ieder jaar op 8 september, op Maria-Geboorte, als hoogtepunt van de Semaine Mariale vereerd.

Zwarte Madonna met Kind

Het kasteel werd gebouwd tegen de 14de-eeuwse wallen die het heiligdom aan de westkant beschermden.

Chapelle Saint-Michel
De kapel is gesierd met schitterende fresco's uit de 12de eeuw.

De Crypte de Saint-Amadour is genoemd naar de kluizenaar wiens relieken er liggen. Pelgrims stroomden toe om de heilige vereren.

Musée d'Art Sacré (Museum voor Religieuze Kunst)

Grote Trap
Deze brede trap verbindt het dorp met de heiligdommen. De pelgrims beklommen de treden al biddend op hun knieën.

De Chapelle
Saint-Jean-Baptiste
staat tegenover de
gotische poort van de
Saint-Sauveurbasiliek.

De Basilique Saint-Sauveur, een
heiligdom uit het einde van de 12de
eeuw, leunt tegen de rotswand.

De Chapelle Sainte-Anne uit
de 13de eeuw heeft een fraai
verguld 17de-eeuws altaarstuk.

Wallen

**Kruis van
Jeruzalem**

TIPS VOOR DE TOERIST

Wegenkaart E2. 630.
Rocamadour. in L'Hospitalet
en in het middeleeuwse centrum
van Rocamadour, 05-65332200.
www.rocamadour.com
Les Éclectiques (half juli);
fakkeloptocht (14 aug.); Semaine
Mariale (gewijd aan de Zwarte
Madonna; half sept.).

Gezicht op het dorp
*Rocamadour, dat van
onderen de hoogte in lijkt
te schieten, is op zijn
mooist bij zonsopgang.*

Chapelle
Saint-Blaise

Het dorp
*De 13de-eeuwse Porte
du Figuier aan de
pelgrimsroute leidt
naar de hoofdstraat,
waar nu de souve-
nirwinkels zich
aaneenrijgen.*

**Chapelle
Notre-Dame**
*Het lichaam van
St.-Amadour
werd gevonden
onder de grond
voor de kapel. Op
het altaar staat
de wonderbaar-
lijke Zwarte Ma-
donna met Kind.*

Rocamadour verkennen

Het uitzicht op de wallen van dit versterkte stadje is werkelijk adembenemend. Pelgrims die de 216 treden van de Grote Trap op hun knieën beklommen konden onderweg stoppen op rustplaatsen en kilometers over het Alzoudal beneden uitkijken. Tegen de 13de eeuw trok Rocamadour jaarlijks duizenden bedevaartgangers. De stad werd geplunderd door de Engelsen tijdens de Honderdjarige Oorlog en ontheiligd tijdens de Godsdienstoorlogen, maar de Zwarte Madonna en haar wonderklok overleefden. De pelgrimages stopten na de Revolutie van 1789, maar werden hervat in de 19de eeuw, toen het heiligdom in ere werd hersteld.

200 religieuze artefacten uit de heiligdommen van Rocamadour. Daaronder zijn een gebrandschilderd raam met de Verzoeking van St.-Martinus (13de eeuw), een beschadigde piëta van beschilderd hout uit de 16de eeuw en geëmailleerde relieken uit de 13de eeuw.

⛪ Chemin de Croix
Er zijn plannen om de kruisweg te restaureren. Het pad kronkelt met zijn veertien staties door het bos naar het Kruis van Jeruzalem.

⛪ Grand'Rue
De Voie Sainte (Heilige Weg) die de pelgrims gebruiken begint in L'Hospitalet en komt uit op de Grand'Rue bij de 13de-eeuwse Porte du Figuier, een van de acht bewaard gebleven stadspoorten.
In het stadhuis in de Rue de la Couronnerie vlakbij hangt een enorm wandtapijt van Jean Lurçat (1892–1966).

🏠 Chapelle Notre-Dame
De flamboyant gotische kapel werd rond 1476 gebouwd op de plek waar men vermoedde dat de kluizenaar St.-Amadour zijn leven had gesleten. Het einddoel van de pelgrims is de Zwarte Madonna met Kind, een beeldje uit de 12de eeuw van walnotenhout, bedekt met bladzilver dat zwart is geworden door kaarswalm. Volgens de legenden zou de 9de- eeuwse klok boven haar hoofd spontaan hebben geluid iedere keer dat de Madonna een zeeman van de verdrinkingsdood had gered.

🏠 Heiligdom
Het heiligdom is helemaal in de rotsen gebouwd. Het omvat zeven kerken en kapellen. Diensten worden gehouden in de Basiliek Saint-Sauveur, de Chapelle Saint-Blaise is voor stil gebed. De romaanse kapel werd in de 19de eeuw verbouwd.

🏛 Musée d'Art Sacré-Francis-Poulenc
Parvis des Sanctuaires.
📞 05-65332330. 🕐 dag. 📷
Het museum in het vroegere bisschoppelijk paleis omvat

Beschilderde houten piëta

⚓ Wallen
📞 05-65332323. 📷
De muren zijn alles wat over is van het 14de-eeuwse fort dat de stad en het heiligdom ooit beschermde. U hebt er een fraai uitzicht op Rocamadour en het dal beneden.

🕳 Grottes des Merveilles
📞 05-65336792.
🕐 Pasen–okt.: dag. 📷 📷
🌐 www.grotte-des-merveilles.com
De grotten, die in 1920 werden ontdekt, bevatten veel stalagmieten en stalactieten. De wanden zijn beschilderd in het middenpaleolithicum. Onder de 22 afbeeldingen, waarvan de meeste dieren als paarden en rendieren betreffen, zijn ook de afdrukken van zes handen van mensen.

Het Musée d'Art Sacré met daarachter de crypte van St.-Amadour

🦧 Forêt des Singes

📞 05-65336272.

⏰ april–11 nov.: dag. 📷

In dit dierenpark leven 130 makaken in een bos van zo'n 10 ha. Deze apen, afkomstig van de hooglanden van Afrika, worden bedreigd in hun voortbestaan.

🦅 Rocher des Aigles

📞 05-65336545. ⏰ april–okt.: dag. 📷

Dit centrum is gericht op het uitbroeden van roofvogels. Er leven er circa honderd uit de hele wereld. Tevens een expositie over de valkenjacht.

Saint-Céré 🄳

Wegenkaart F2. Aan de D803/D673. 🏠 3760. 🚉 Bretenoux. ℹ️ Place de la République, 05-65381185. 🛒 za-ochtend. 🎭 Festival Lyrique (eind juli–begin aug.).

Saint-Céré groeide dankzij de stroom van reizigers naar het graf van St.-Spérie. In de 12de eeuw vestigden zich er ambachtslieden en ontstonden de eerste markten. De stad had te lijden van epidemieën en oorlogen, maar kreeg in de 17de eeuw iets van zijn uitstraling terug. Restanten van de voormalige welvaart vindt u terug in de Rue du Mazel, met zijn 15de-eeuwse Hôtel d'Auzier en het 17de-eeuwse Maison Queyssac, en in de Impasse Lagarouste, met zijn uitkragende vakwerkhuizen. Hôtel d'Ambert, in Rue Saint-Cyr, heeft torentjes en een renaissance-portaal. Rue Paramelle leidt naar Maison Longueval, een huis met torens uit de 15de eeuw, en het 15de-eeuwse Hôtel de Puymule in flamboyant gotische stijl. Vermeldenswaard zijn een marmeren altaarstuk uit de 18de eeuw en een Karolingische crypte in de kerk. Boven de stad staan de Tours de Saint-Laurent, donjons uit de 13de en 15de eeuw, alles wat er over is van het kasteel. In 1945 werden ze aangekocht door de schilder en tapijtwever Jean Lurçat (1882–1966). Nu is er een **museum-werkplaats** gehuisvest dat een overzicht biedt van zijn werk. In Saint-Céré bevinden zich nog veel andere ateliers.

Wandkleed van Jean Lurçat met kleurige en bijzondere motieven

🏛 Atelier-Musée Jean-Lurçat

📞 05-65382821. ⏰ Pasen; 14 juli–sept. 📷

OMGEVING: Het **Château de Montal**, 2 km van Saint-Céré, werd in de 19de eeuw ontdaan van zijn mooiste bouwelementen. Dankzij het toegewijde werk van Maurice Fenaille (1855–1937) werden de 16de- en 17de-eeuwse wandtapijten en het meubilair echter in originele staat hersteld. De ronde torens uit de 15de eeuw omringen de fraaie binnenplaats uit de renaissance met zijn monumentale dubbele, met beeldhouwwerk verfraaide trap. In het wachthuis hangt een Aubussontapijt uit de 17de eeuw. De zalen op de eerste verdieping hebben versierde cassetteplafonds met geprononceerde balken.

🏰 Château de Montal

Saint-Jean Lespinasse. 📞 05-65381372. ⏰ Pasen–okt. ● za. 📷 📷

16de-eeuwse duiventil gebouwd door Galiot, heer van Assier

Assier 🄳

Wegenkaart F2. 🏠 533. 🚉 Brive–Toulouse. ℹ️ Caussedal, 05-65405060.

De overblijfselen van het **Château d'Assier** duiden erop dat dit een renaissance-paleisje was dat zich kon meten met de fraaiste Loirekastelen. Het werd gebouwd door Jacques Galiot de Genouillac (1465–1546), een artilleriecommandant onder Lodewijk XII en Frans I. Van het gebouw, voltooid in 1535, resteert alleen de toegangsvleugel met zijn fraaie portiek. Het was getooid met mythologische en klassieke taferelen, renaissancefiguren en militaire emblemen. De bewerkte trap is het mooiste deel van het interieur. In de kerk is een beeltenis van Galiot te zien. Een wonderlijk reliëf aan de buitenkant verwijst naar de krijgskunst. Uniek voor Frankrijk zijn de driedubbele graatgewelven van de koepel boven de grafkapel, die een ingewikkeld sterpatroon vormen.

🏰 Château d'Assier

📞 05-65404099. ⏰ dag. ● sept.–juni: di. 📷 📷

OMGEVING: De 16de-eeuwse **duiventil** aan de weg van Lacapelle naar Marival is 11 m hoog en bevat 2300 aparte nestkamers. De vogels vliegen in en uit via de open lantaarn boven op de toren.
De twee dolmens bij het dorp staan bekend als **Table de Roux** en **Bois des Bœufs**. Er zijn 11 van dergelijke grafkamers in de buurt, daterend van rond 1500 v.Chr.

Figeac ㉗

Het stadje Figeac, gelegen rond een 9de-eeuwse abdij, groeide en bloeide als gevolg van de handel. Tegen de 12de eeuw konden veel inwoners dankzij de toegenomen welvaart fraaie huizen laten bouwen. De stad kreeg in de 14de eeuw wallen. Het middeleeuwse voorkomen illustreert hoe belangrijk de stad vroeger was.

Vergrote replica van de Steen van Rosetta op de Place des Écritures

Figeac verkennen

De rijkste tijd van Figeac was van de 12de tot de 14de eeuw. Er staan buitengewoon fraaie huizen van steen en hout uit die tijd. De meeste hebben een *aula* (woonkamer) op de eerste verdieping en een winkel beneden aan de straat met een arcade ervoor. De ramen zijn getooid met verfijnd romaans beeldhouwwerk. In de 15de en 16de eeuw werden nog veel meer mooie huizen gebouwd, met een *solelho* (open graanopslag) op de bovenste verdieping. Voorbeelden hiervan vindt u aan Place Gaillardy. Tijdens de renaissance werd er nog steeds in middeleeuwse stijl gebouwd, maar er kwamen nieuwe elementen bij, zoals torentjes, binnenplaatsen met arcaden, wenteltrappen en ramen met vensterstijlen die evenwichtig over de façade werden verdeeld. De herenhuizen uit de 18de eeuw hebben monumentale trappen. Met deze rijke erfenis biedt Figeac een compleet overzicht van plaatselijke stedelijke architectuur van de 12de eeuw tot op heden.

🏛 Hôtel de la Monnaie

Place Vival. **Museum en toeristenbureau** ☎ 05-65340625. ⬤ dag. ⬤ okt.–april: zo; mei–juni en sept.: zo-middag. 🈂

Hoewel de wijk Ortabadial gedeeltelijk werd afgebroken om ruimte te maken voor de Place Vival, is dit 13de-eeuwse huis gespaard. Met zijn arcaden op de begane grond en tweelichtvensters is het een fraai voorbeeld van een renaissance-woning. Tegenwoordig huisvest het de toeristeninformatie en het Musée du Vieux Figeac. Topstuk is de bewerkte walnotenhouten deur van het vroegere Hôtel de Sully.

🏛 Abbatiale Saint-Sauveur

☎ 05-65348592.
Deze kerk is een restant van de abdij waaromheen de stad is gegroeid. De 13de-eeuwse kapittelzaal is nu de Chapelle Notre-Dame-de-la-Pitié. Het is gedecoreerd met 17de-eeuwse beschilderde panelen.

🏛 Place Champollion

Met de Place Carnot is dit een van de twee belangrijke pleinen van Figeac. Vroeger heette het Place de l'Avoine. Aan het plein staan middeleeuwse huizen. Maison du Griffon, op nr. 4, dateert van de 12de eeuw. Het romaanse beeldhouwwerk stelt menselijke figuren, mythologische dieren en gebladerte voor. Het gotische huis op nr. 5 uit de 14de eeuw heeft een *solelho* van natuursteen.

🏛 Musée Champollion

4 rue des Frères-Champollion.
☎ 05-65503108.
Dit museum zit in het huis waar de bekende Egyptoloog Jean-François Champollion (1790–1832) werd geboren. In het gebouw uit de 13de en 14de eeuw is een expositie gewijd aan de man die de Steen van Rosetta wist te ontcijferen, waardoor de Egyptische hiëroglieven betekenis kregen.

Ibis, Musée Champollion

Gezicht op Figeac vanuit de Église Notre-Dame-du-Puy

Place des Écritures
Dit bijzondere plein werd
ontworpen door Joseph
Kosuth (1945–), een voorloper
in de conceptuele kunst. Deel
van zijn permanente installatie
is een vergrote replica van de
Steen van Rosetta.

Hôtel de Colomb
5 rue de Colomb. 05-65500540.
10 juli–19 sept.: dag.; april–9 juli
en 20 sept.–okt.: di–zo ('s middags).
Met zijn ingetogen gevel en
uitbundig bewerkte trap is dit
huis typerend voor de 17de
eeuw. Het gebouw huisvest
een permanente expositie
over de geschiedenis en het
erfgoed van Figeac.

Middeleeuwse gebouwen
Nog veel meer gebouwen in
Figeac zijn het bekijken waard.
Hiertoe behoren Hôtel Galiot
de Genouillac met een fraaie
wenteltrap, het 14de-eeuwse
Palais Balène dat rondom een
binnenplaats ligt, Hôtel d'Au-
glanat, met een toren op een
van de vier hoeken en een
14de-eeuws versierd portaal
en de Église Notre-Dame-du-
Puy, waarvan de 13de-eeuwse
apsis werd verbouwd in de
17de eeuw, toen er een monu-
mentaal altaarstuk van de Heilige Maagd werd geplaatst.

**OMGEVING: Capdenac-le-
Haut**, 5 km ten zuidoosten van
Figeac, kijkt uit over de Lot. Op
de esplanade begrijpt u al snel
het strategisch belang van deze
natuurlijke versterking. De
wandeling langs de wallen,
donjon en het huis van de
vroegere consul is aardig. De
Fontaine des Anglais is direct
uit de rotsen gehouwen.
Het dorpje **Espagnac-Sainte-
Eulalie**, zo'n 20 km ten westen
van Figeac, ligt in een bocht
van de Célé en is ontstaan rond
een 12de-eeuwse priorij. De
Église Notre-Dame uit de 13de
eeuw, heeft een vakwerk-
klokkentoren.

Saint-Cirq Lapopie 28

Wegenkaart E3. 170. *Place
du Sombral, 05-65312906.*

De pittoreske locatie en het
geheel van charmante
huizen maken van Saint-Cirq-
Lapopie een van de parels van
het Lotdal. Het ligt op verschillende niveaus tegen de berg
aan, op zo'n 100 m boven de
rivier. Aan de smalle straten
bevinden zich kleine binnenplaatsen en fraaie 13de- en
15de-eeuwse huizen van
natuursteen en hout. In het
benedendorp geeft de 13de-
eeuwse Porte de la Pélissaria
(of Porte de Rocamadour)
toegang tot de Grand'Rue,
waar het middeleeuwse dorp
begint. Interessant zijn de
Place du Carol, met een
belvédère-duiventil waar de
schilder Henri Martin
(1860–1943) woonde, het
13de-eeuwse Maison Vinot,
het 14de-eeuwse **Maison
Médiévale Daura**, **Maison
Breton**, ooit eigendom van de
surrealistische schrijver André
Breton (1896–1966), Maison

Bessac met dubbele uitkragingen, **Place du Sombral** met
het 15de-eeuwse **Maison
Larroque** en **Maison
Rignault**, waarin het Musée
Rignault zit, en **Maison de la
Fourdonne**, waarin het Musée
de la Mémoire du Village is
gevestigd. Bij de ruïnes van
het kasteel staat de **weerkerk**
uit de 16de eeuw.
De stad dreef in de middeleeuwen, toen er 1500 zielen
woonden, vooral op de nijverheid. Onder de arcaden van de
Rue de la Pélissaria en Rue de
la Peyrolerie lagen talloze
werkplaatsen. De specialisten
van vandaag zijn de
robinetaires, houtdraaiers die
kranen voor de vaten van de
Cahorswijnen maken.

OMGEVING: Van Bouziès,
5 km voorbij Saint-Cirq-Lapopie,
kunt u een boottocht over de
Lot maken *(informatie: 05-
65359888)*.
Cajarc, 15 km ten oosten van
Saint-Cirq-Lapopie, is een
dorpje met smalle middeleeuwse
straten en fraaie huizen rond
Maison de l'Hébrardie, een
kasteel uit de 13de eeuw.

De weerkerk van Saint-Cirq-Lapopie

Grotte du Pech-Merle ㉙

Bij een bezoek aan deze grot treedt u in de voetstappen
van de vroege *homo sapiens* en betreedt u een geheimzinnige en magische wereld. Ongeveer 60 miljoen jaar
geleden werd er 50 m diep een gang uitgesleten door een
onderaardse rivier. Deze klamme ruimte vol natuurlijke
rotsformaties bestaat uit zeven spelonken die honderden
schilderingen, tekeningen en gravures bevatten van
mensen, dieren en abstracte symbolen. Het unieke van
Pech-Merle is de manier waarop de prehistorische kunstenaars gebruikmaakten van de geologische kenmerken
van de grot. De tekeningen zijn gemaakt met houtskool,
ijzeroxide en bruinsteen. Omdat een instorting 10.000 jaar
geleden aan het einde van de ijstijd de ingang versperde,
bleef de grot ongerept tot de herontdekking in 1922.

**Gang in Pech-Merle, uitgesleten
door een onderaardse rivier**

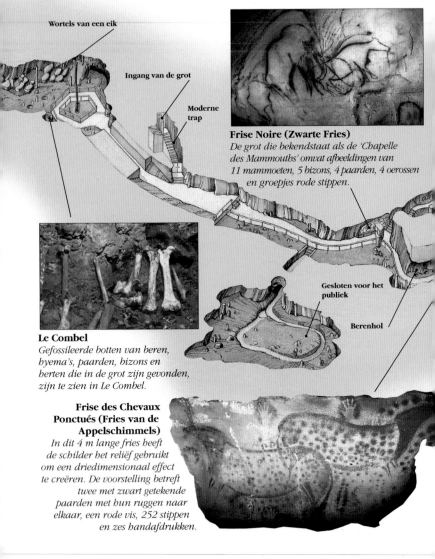

Wortels van een eik

Ingang van de grot

**Moderne
trap**

Frise Noire (Zwarte Fries)
*De grot die bekendstaat als de 'Chapelle
des Mammouths' omvat afbeeldingen van
11 mammoeten, 5 bizons, 4 paarden, 4 oerossen
en groepjes rode stippen.*

**Gesloten voor het
publiek**

Berenhol

Le Combel
*Gefossileerde botten van beren,
hyema's, paarden, bizons en
herten die in de grot zijn gevonden,
zijn te zien in Le Combel.*

**Frise des Chevaux
Ponctués (Fries van de
Appelschimmels)**
*In dit 4 m lange fries heeft
de schilder het reliëf gebruikt
om een driedimensionaal effect
te creëren. De voorstelling betreft
twee met zwart getekende
paarden met hun ruggen naar
elkaar, een rode vis, 252 stippen
en zes handafdrukken.*

Salle des Disques (Zaal van de Schijven)
*In deze grot heeft het calciet zich gekristalliseerd in
concentrische cirkels die op grote schijven lijken.*

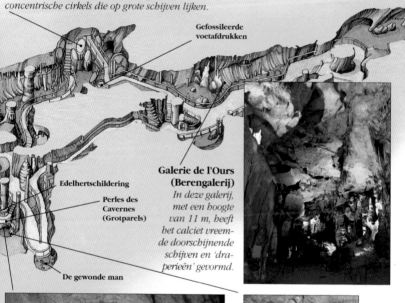

Gefossileerde
voetafdrukken

Edelhertschildering

Perles des
Cavernes
(Grotparels)

De gewonde man

**Galerie de l'Ours
(Berengalerij)**
*In deze galerij,
met een hoogte
van 11 m, heeft
het calciet vreem-
de doorschijnende
schijven en 'dra-
perieën' gevormd.*

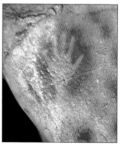

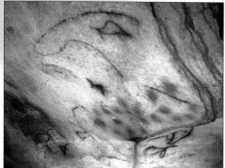

**Frise des Femme-bisons (Fries van de
Bizonvrouwen)** *Deze kleine fries aan de
onderkant van een overhangende rots in de grot
met het Plafond van de Hiërogliefen, toont een
mammoet en gestileerde vrouwen in rood.*

Omtrek van een hand
*Handafdrukken, volgens
sommige archeologen die van
een vrouw, zijn zeldzaam in
de grotkunst. Om de verf op de
muur te spuiten heeft de schilder vermoedelijk de verf uit
zijn of haar mond gespuugd.*

Cahors

Wapen van Cahors

De geschiedenis van Cahors, dat omringd wordt door een lus van de Lot, gaat terug tot de 1ste eeuw v.C. De ruïnes van de Gallo-Romeinse baden, die nu bekendstaan als de Arc de Diane, getuigen van dit antieke verleden. In de 13de eeuw bracht de handel welvaart, die leidde tot de bouw van de elegante koopmanswijk rond de Rue du Château-du-Roi. Uit de 14de eeuw dateren de versterkingen, die bestaan uit stadsmuren met elf torens en twee poorthuizen. Drie versterkte bruggen, waaronder de Pont Valentré, overspannen de rivier. In de 19de eeuw begon Cahors uit deze middeleeuwse kern te groeien. In die tijd werd de Boulevard Gambetta met het stadhuis, het theater en het gerechtshof aangelegd, evenals de kade, wandelpromenade en parken.

Het Maison Henri IV met prachtige decoraties uit de renaissance

Pont Valentré, een van de mooiste middeleeuwse bruggen van Europa

🏰 Vieille Ville

Tijdens de stadswandeling van het toeristenbureau door de Rue du Dr Bergounioux, Rue de Lastié, Rue Saint-Urcisse, Place Saint-James, Rue de la Chantrerie, de Dauradewijk en de kathedraalwijk, ziet u fraaie binnenplaatsen, vakwerkhuizen met uitkragingen van baksteen en huizen met versierde gevels. Typisch renaissance is een manier van decoreren die bestaat uit takken, rozen en zonnen; bijzonder fraaie voorbeelden vindt u op de deuren en schoorsteenmantels van **Maison Henri IV**, in Collège Pélegry en in Hôtel d'Alamand. In de 16de eeuw werden de vensters op Italiaanse wijze gedecoreerd, terwijl in de 17de eeuw veel nieuwe huizen werden voorzien van versierde portalen. Tour Jean XXII in het noorden is alles wat er over is van Palais

Duèze, ooit eigendom van de broer van paus Johannes XXII. Ook het **Musée de la Résistance, de la Déportation et de la Libération** is interessant.

🏛 Musée de la Résistance

Place Bessières. ☎ 05-65221425. ◐ 's middags. ● 1 jan., 1 mei, 25 dec. 🏰

Pont Valentré

De indrukwekkende versterkte brug uit de 14de eeuw, die nooit is aangevallen, heeft zes gotische overspanningen met afgeschuinde pijlers. De drie versterkte torens bieden van 40 m hoog uitzicht op de Lot. Dit symbool van Cahors werd in 1879 gerestaureerd door Paul Gout. Het is de best bewaarde middeleeuwse brug van Europa. U kunt hem zien vanaf de Terrasses Valentré (Allée des Soupirs), de Fontaine des Chartreux, en hoog bij het Croix Magne.

🔒 Cathédrale Saint-Étienne

Deze pleisterplaats op de weg naar Santiago de Compostela onderging tussen de 11de en de 17de eeuw diverse bouwfasen. De kathedraal is in de 19de eeuw gerestaureerd. Het resultaat is een harmonieuze mix van stijlen. Het schip, 20 m breed, is het oudste deel van het gebouw. Erboven prijken twee koepels met een doorsnede van 16 m. Het tim-

---

EEN DUIVELS VERHAAL

Het duurde bijna 50 jaar om de Pont Valentré te voltooien. Volgens de legende vroeg de bouwmeester aan de duivel om hulp, in ruil voor zijn ziel. Om later aan de afspraak te ontsnappen probeerde hij de duivel te bedriegen. Die nam echter wraak: elke avond zou de laatste steen op de middelste toren en op geheimzinnige wijze af vallen, zodat hij de volgende dag weer gelegd moest worden. Bij de restauratie in 1879 verwerkte architect Paul Gout de legende door een beeld van de duivel op de middelste toren aan te brengen, die nu dan ook bekendstaat als de Tour du Diable (Duivelstoren).

Beeldhouwwerk op de Tour du Diable

Portret van Léon Gambetta, Musée de Cahors

paan uit de 12de eeuw boven de romaanse noordingang is net zo uitbundig versierd als die in Moissac en Souillac. Het gotische koor heeft een zuidelijke stijl gekregen. Het plein voor de kathedraal aan de Place Chapou dateert uit de 14de eeuw, toen de kerk een nieuwe façade kreeg. De kloostergang uit 1506 is een meesterwerk in flamboyant gotische stijl.

🏛 Musée Henri-Martin

792 rue Émile-Zola. ☎ 05-65208866. ◐ wo–ma: dag. ● zo-ochtend, 1 jan., 25 dec. ⚙

Dit museum in Parc Tassart is gevestigd in het voormalige bisschoppelijk paleis uit de 17de eeuw. Het museum werd gesticht in 1833. Tot de collectie behoren 18.000 voorwerpen, variërend van archeologische vondsten en munten tot etnografische stukken en schilderkunst, zoals werken van de surrealist Henri Martin (1860–1943), schetsen van Courbet en Corot en schilderijen van Dufy en Lurçat. Eén afdeling is gewijd aan Léon Gambetta (1838–1882), de 'vader' van de Franse Republiek, die werd geboren in Cahors. Het museum beschikt over 3000 documenten die te maken hebben met zijn leven als

TIPS VOOR DE TOERIST

Wegenkaart E3. 1 uur van Toulouse over de A20. 🏃 20.000. 🚉 🚌 ℹ️ Place François Mitterrand, 05-65532065. 🆆 www.mairie-cahors.fr 📅 wo en za ('s ochtends). 🎭 Les Estivales (brochure met informatie over zomeractiviteiten), Cahors Blues Festival (eind juni–juli).

politicus. Tijdens restauratiewerkzaamheden worden soms tijdelijke exposities gehouden.

Schilderij van Henri Martin, Musée Henri-Martin

CENTRUM VAN CAHORS

Arc de Diane ①
Cathédrale Saint-Étienne ③
La Chantrerie ④
Maison Henri IV ⑤
Musée Henri-Martin ②
Pont Valentré ⑥

0 meter 200

SYMBOLEN

🚉 Spoorwegstation
🚌 Busstation
⛴ Veerboot
🅿 Parkeergelegenheid
ℹ️ Touristeninformatie
✝ Kerk
✉ Postkantoor

🏛 La Chantrerie

35 rue de la Chantrerie. 📞 *05-65365828.* ⬜ *juli–aug.: di–za.*

In een voormalig washuis in La Chantrerie biedt het **Musée du Vin et de la Truffe** een overzicht van de plaatselijke lekkernijen. Er wordt toelichting gegeven bij de werkwijze van zeven wijnchateaus uit deze streek, bovendien kunt u gereedschap voor het maken van wijn bekijken. U vindt er ook informatie over *kagor*, een zoete wijn uit de Krim. In het 14de-eeuwse gebouw is tevens het interieur van een middeleeuws koopmanshuis nagebouwd. Op de bovenverdieping worden regelmatig tijdelijke exposities gehouden.

OMGEVING: Het dorpje **Lalbenque**, 15 km ten zuidoosten van Cahors, staat bekend om zijn truffelmarkt, die iedere dinsdagmiddag plaatsvindt tussen december en maart, en om de vele festiviteiten die rond de 'zwarte diamant' worden georganiseerd. De Lot produceert per jaar 3–10 ton truffels. Vrijwel de gehele oogst aan zwarte truffels van de Quercy komt van het land rond Lalbenque.

Église Saint-Pierre in Gourdon

Gourdon ㉜

Wegenkaart E2. Aan de D704. 🚶 4876. 🚉 ℹ️ *24 rue du Majou, 05-65275250.* 🔄 *di en za ('s ochtends).* 🎭 *Les Médiévales (eind juli–begin aug.).*

Het stadje Gourdon, dat op marktdagen tot leven komt, is de hoofdstad van de Bouriane. In de 16de eeuw werd het rijk van de weefindustrie. In het middeleeuwse centrum staan een verdedigingspoort uit de 13de eeuw en een aantal fraaie huizen, waaronder Maison du Sénéchal, Maison Cavaignac en Maison d'Anglars. Twee schilderachtige straatjes zijn de Rue du Majou, waar in de middeleeuwen de stoffen-

Wijngaarden van Cahors ㉛

De wijngaarden rond Cahors behoren tot de oudste van Europa. Cahorswijn staat al sinds de middeleeuwen bekend om zijn uitstekende rijpingskwaliteiten, die te danken zijn aan de goede kwaliteit van de grond op het kalksteenplateau van de Causse. De wijngaarden strekken zich zo'n 60 km aan weerszijden van de Lot uit, met name in het dal onder de stad. Een rondrit biedt niet alleen vele mogelijkheden om wijn te proeven, maar is ook een lust voor het oog.

Duravel ②

Het dorp groeide uit rond een priorij uit de 11de eeuw. In de romaanse kerk ligt een sarcofaag met de lichamen van drie heiligen. De vierkante preromaanse crypte onder het schip staat vol pijlers en zuilen die het dak dragen.

Montcabrier ①

Deze vestingplaats *(bastide)*, in 1298 door Filips de Schone gesticht aan de Thèze, heeft huizen met schitterende façades en uitkragende hoektegels.

Puy-l'Évêque ③

Van de kade, waar ooit een haventje was, tot aan Place de la Truffière, een gunstig gelegen plek met een schitterend uitzicht, kronkelen smalle straten met middeleeuwse huizen langs de zware donjon uit de 13de eeuw en een weerkerk, de Église Saint-Sauveur, uit de 14de eeuw.

winkels lagen, en Rue Zig-Zag. De Église Saint-Pierre, een gotische kerk met asymmetrische torens, bevat enkele bijzondere glas-in-loodramen uit de 16de eeuw en houtsnijwerk uit de barok. De stad staat vol andere godshuizen, zoals de Église des Cordeliers uit de 13de eeuw en verbouwd in de 19de eeuw, de Chapelle Notre-Dame-des-Neiges, de Église Saint-Siméon en Chapelle du Majou. Het middeleeuwse kasteel werd vernietigd in de 18de eeuw. De esplanade ervoor bleef bewaard en biedt een prachtig uitzicht op de Bourianerivier.

OMGEVING: De **Grottes de Cougnac**, 3 km van Gourdon aan de D17, zitten vol stalagmieten en stalactieten en andere interessante rotsformaties, die er betoverend uitzien als ze worden verlicht. De cro-magnonmensen die 25.000 tot 14.000 jaar geleden in de grotten leefden, hebben enkele wanden beschilderd met moeflons (wilde schapen), menselijke figuurtjes en symbolen.

Grottes de Cougnac
📞 05-65414754.
🕐 Pasen–okt. :dag.

Het team speleologen dat de Grottes de Cougnac ontdekte

Luzech ⑥
In de schaduw van de zware donjon uit de 12de eeuw werd dit oude kathaarse leengoed een van de vier baronieën van de Quercy. Een wandeling over het schiereiland voert naar de Chapelle Notre-Dame-de-l'Île, een kapel uit de 16de eeuw. Maison des Consuls, gebouwd in de 12de eeuw, herbergt een archeologisch museum.

TIPS VOOR CHAUFFEURS

Wegenkaart E3.
Rondrit : 70 km.
Rustplaatsen: Twee goede plaatsen om te pauzeren zijn Parnac, waar u 's zomers wijn kunt proeven in de Cave Coopérative du Vignoble de Cahors (Les Côtes d'Olt) (05-65307186) en het Musée du Vin et de la Truffe in La Chantrerie.

Caillac ⑦
Er staan hier drie kastelen: Laroque (13de–15de eeuw), Langle (16de eeuw) en Lagrézette, een chateau uit de renaissance.

Mercuès ⑧
Het Château de Mercuès was ooit het zomerverblijf van de bisschoppen van Cahors. Het is nu een hotel.

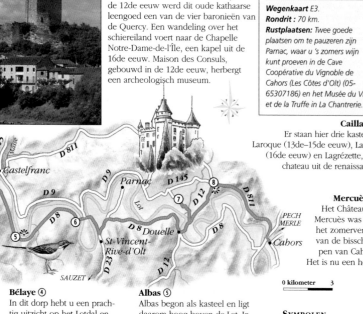

0 kilometer 3

SYMBOLEN

▬▬ Aanbevolen route
= Andere wegen
☀ Uitzichtpunt

Bélaye ④
In dit dorp hebt u een prachtig uitzicht op het Lotdal en de wijngaarden. U vindt er de ruïne van een bisschoppelijk paleis en een weerkerk uit de 15de eeuw met een 17de-eeuws altaarstuk.

Albas ⑤
Albas begon als kasteel en ligt daarom hoog boven de Lot. In de middeleeuwen woonden de bisschoppen van Cahors hier. De toren van de 18de-eeuwse École des Mirepoises steekt uit boven de wirwar van straatjes.

Castelnaud ❸❸

Zie blz. 134–135.

Beynac ❸❹

Wegenkaart E2. Aan de D703.
🏘 *516.* 🚉 *Sarlat.* ℹ️ *La Balme, 05-
53294308.* 🎵 *Nuits Musicales de
Beynac (klassieke muziek, half aug.).*

Belvès ligt op de plek van een oude vesting op de heuvel

Beynac, spectaculair gelegen
op een steile berghelling,
heeft altijd kunstenaars weten
te lokken, onder wie de schilder Camille Pissarro (1830–
1903), de schrijver Henry
Miller (1891–1980) en de dichter Paul Éluard (1895–1952),
die er de laatste jaren van zijn
leven doorbracht. Nog altijd
staat het dorp vol ateliers.
De smalle straat van het
benedendorp naar het kasteel
boven voert langs oude huizen en biedt een fraai uitzicht.
Château de Beynac, op een
top 150 m boven de rivier, is al
van verre zichtbaar. De zetel
van een van de vier baronnen
van de Périgord lag op een
strategische positie, net als zijn
rivaal Castelnaud. Het kasteel
werd verschillende keren
belegerd tijdens de Honderdjarige Oorlog en weer tijdens
de Godsdienstoorlogen van de
16de eeuw. Restauratiewerkzaamheden begonnen in 1961.
U betreedt het kasteel over
een dubbele slotgracht en
door dubbele muren. De
13de-eeuwse donjon wordt
geflankeerd door het hoofdgebouw uit dezelfde tijd, dat
in de 16de eeuw werd her-
bouwd, en een gebouw uit de
14de en de 17de eeuw. De
grote zaal met een gewelfd
plafond heeft een schoorsteen-
mantel uit de renaissance.

De eigenaar is nog altijd
nauwgezet bezig het kasteel te
doen herleven. De sierlijke
12de-eeuwse kapel doet nu
dienst als parochiekerk en
heeft een dak met traditionele
Périgordpannen.
In het **Parc Archéologique**
aan de voet van het kasteel
staat een reconstructie van een
nederzetting uit de bronstijd,
dat een levendige indruk geeft
van het eten, de kleren, huizen en boerderijen van toen.
Ook zijn er werkplaatsen waar
u een indruk kunt krijgen van
het leven in de nieuwe
steentijd en de ijzertijd.

🏰 **Château de Beynac**
📞 *05-53295040.* 🕐 *dag.*
🚫 *behalve half nov.–half maart.* ♿
🏛 **Parc Archéologique**
📞 *05-53295128.* 🕐 *juli–half sept.*
🚫 *za.* 🚫 ♿

OMGEVING: In het charmante,
nabijgelegen gehucht **Cazenac**
staat een kerk uit de
15de eeuw. Een
wandeling over de
weg links ervan
biedt een fantas-
tisch panorama op
het dal beneden
en het Château
de Beynac in
de verte.

Belvès ❸❺

Wegenkaart D2. Aan de D710. 🏘
1431. 🚉 ℹ️ *1 rue des Filhols, 05-
53291020.* 🌐 *www.perigord.com/
belves* 🛒 *za-ochtend.* 🎵 *Les 100 km
du Périgord Noir (ultramarathon, laatste
za van april); Festival Bach (juli–aug.);
Fête Médiévale (eerste zo van aug.).*

Dit dorp op een heuveltop
begon in de 11de eeuw
als kasteel. De middeleeuwse
kern is gecentreerd rond het
kasteel en de Place d'Armes,
waar in de 15de eeuw een
markthal kwam. Vlakbij ligt
het 13de-eeuwse Hôtel Bon-
temps, met een renaissance-
façade. Het stadje heeft zeven
torens, waarvan enkele klokkentorens, bijvoorbeeld een
uit de 15de eeuw, een 11de-
eeuwse donjon (bekend als de
Tour de l'Auditeur) en de Tour
des Frères. De Église Notre-
Dame, met zijn flamboyant
gotische portaal is alles wat er
resteert van de abdij. De holen
die in de verdedigingswerken
zijn opgenomen, werden
bewoond van de 13de tot de
18de eeuw.

Château de Beynac prijkt hoog boven de Dordogne

OMGEVING: Zo'n 8 km westelijk, op de rand van het Forêt de la Bessède, ligt **Urval**. Er staat een gemeenschappelijke oven uit de 13de–14de eeuw, een zeldzaam overblijfsel van het middeleeuwse dorpsleven. De romaanse weerkerk uit de 11de–12de eeuw heeft een klokkentoren met één enkele muur.

Cadouin ㊱

Wegenkaart D2. 👥 *2115.* 🚻 🛈
Place du Général de Gaulle, Le Buis-son, 05-53220609. 🗓 *wo-ochtend.*

Het stadje groeide uit rond de 12de-eeuwse cister-ciënzer **Abbaye de Cadouin** (een Werelderfgoed) op de route naar Compostela. Tot 1932 werd hier de zogenaamde Heilige Lijkwade bewaard en het dorp werd rijk dankzij de pelgrims die toestroomden. Achter de machtige façade van de abdij met zijn steunberen ligt het klooster, gebouwd in de 15de en 16de eeuw in een combinatie van flamboyant gotische en renaissance ken-merken. De kruisbloemen en beelden, met zowel bijbelse als seculiere voorstellingen, zijn meesterwerken van beeldhouwkunst. In de kloostertuin staat een hoge, pagodeachtige klokkentoren.

🛈 Abbaye de Cadouin
🕿 *05-53633628.* ⚫ *jan. en buiten het seizoen: di, vr–za.* ✗ 🖭

De markthal van Cadouin

OMGEVING: In **Trémolat**, 10 km ten noordwesten van Cadouin, werden de opnamen gemaakt van Claude Chabrols film *Le boucher.* Op de belvédère hebt u prachtig uitzicht op de Cingle de Trémolat (de grote lus in de meanderende Dordogne) en de vruchtbare vlakte.

Monpazier, een van de best bewaarde *bastides* van Frankrijk

De weerkerk met zijn op een donjon lijkende klokkentoren, komt buitengewoon streng over. In het plaatsje staan interessante oude huizen uit de 12de tot de 18de eeuw.

Monpazier ㊲

Wegenkaart D2. Aan de D660. 👥 *523.* 🚻 *Belvès.* 🛈 *Place des Cornières 05-53226859.* 🗓 *do-ochtend.*

Monpazier is een klassieke vestingplaats. Het pa-troon van straten en stegen binnen de wallen maakt dit een van de aantrekkelijkste *bastides* van Zuidwest-Frank-rijk. De stad werd in 1284 ge-sticht door Edward I, koning van Engeland, en is bijna 750 jaar onveranderd geble-ven, hoewel er nog slechts drie van de zes stadspoorten resten. De stad is voor diverse films gebruikt als locatie. Het pittoreske centrale plein wordt omringd door arcaden met winkels. Er staat ook een markthal uit de 16de eeuw met een oude graanwaag. In Monpazier werd de schrijver en ontdekkingsreiziger Jean Galmot (1879–1928) geboren.

OMGEVING: Zo'n 17 km ten zuidoosten van Monpazier ligt **Villefranche-du-Périgord**, een *bastide* uit 1261 op de plek waar de Périgord, Quercy en Agenais aan elkaar grenzen. Elke herfst wordt er een beroemde markt voor eekhoorntjesbrood *(cèpes)* ge-houden in de markthal, waar nog de oude waag staat. Tegenover de markt liggen aantrekkelijke huizen met arcaden. In het eikenbos vlakbij kunt u heerlijk wandelen.
Een paar kilometer verder aan de D57 ligt **Besse**, een dorp met een schitterende weer-kerk. De klokkentoren met een top van één muur heeft een portaal uit de 11de eeuw, met drie archivolten (boog-omlijstingen) die zijn versierd met mythologische dieren.

Château de Castelnaud ③③

Het dorpje tussen het kasteel en de rivier ligt bij de samenloop van de Dordogne en de Céou. In de 13de eeuw streed een kathaarse heer, Bernard de Casnac, hier tegen Simon de Montfort om de macht. Het kasteel brandde af, maar werd meteen herbouwd. Omdat de familie Caumont, heren van Castelnaud tijdens de Honderdjarige Oorlog, de kant van de Engelsen koos, werd het kasteel in 1442 belegerd door de Fransen. Tijdens de Godsdienstoorlogen verkreeg de hugenoot Geoffroy de Vivans de macht. Nadat het kasteel tijdens de Franse Revolutie was verlaten, raakte het in verval. In 1966 werd het opgekocht en tot historisch monument uitgeroepen. De restauratiewerkzaamheden duurden tot 1998, waarna het werd opengesteld voor het publiek.

De geschuttoren heeft drie verdiepingen met schietgaten, een falconet (klein kanon), een bronzen haakbus, achterladers (kleine kanonnen) en orgelgeschut op wielen.

De courtine is een weergang met een borstwering, onderbroken door schietgaten voor pijl en boog. Ze kijkt uit op het binnenhof onder de donjon.

★ Barbacane
In dit vooruitgeschoven bolwerk zitten op twee hoogten schietgaten. Het 15de-eeuwse steengeschut ernaast kon kanonskogels van meer dan 100 kg wegschieten, maar slechts 1 per uur, omdat het eerst moest afkoelen voor er weer geladen kon worden.

★ Wapenkamer
Versierde dolken, zwaarden, helmen, kruisbogen, schilden en andere wapens, zoals gesels, knotsen en strijdbijlen zijn te zien in de wapenkamer. Tevens een interessante collectie hellebaarden.

STERATTRACTIES

★ Wapenkamer

★ Barbacane

★ Panorama

Binnenhof
Op de open ruimte onder de donjon bevindt zich een 46 m diepe put. In de cisterne werd regenwater opgeslagen.

TIPS VOOR DE TOERIST

Wegenkaart E2. Aan de D57, 15 km van Sarlat. ☎ 05-53313000. w www.castelnaud. com ⬤ dag. 🖼 🎫 's zomers *historische rondleiding inclusief oude ambachten, op afspraak; middeleeuws spektakel en rond-leidingen 's avonds voor groepen.*

Het voorhof, beschermd door een lagere muur en twee halfronde torens, was in tijden van nood het toevluchtsoord voor de dorpelingen. Het hof omvatte ook de smidse, de oven, de stallen en de werkplaatsen.

Kleine katapulten werkten volgens het principe van de slinger. Ze konden stenen van 5–15 kg tot zo'n 60 m ver de lucht in slin-geren, met een snelheid van twee per minuut.

★ Panorama
De strategische lig-ging was een van de troeven van het kasteel. Met uitzicht over de beide dalen had het de controle over alle wegen. Van hier kunt u Beynac, Marqueyssac en La Roque-Gageac zien liggen.

Katapulten moesten de aanval afslaan. Ze werden expres in het zicht geplaatst om de vijand af te schrikken.

OORLOG IN DE MIDDELEEUWEN

In de middeleeuwen werd een groot aantal wapens ontwikkeld, zoals de falconet (een klein kanon), de bombarde (steengeschut) en de haakbus (een vuurwapen met een lange loop op een drievoet). De verschillende kata-pulten dienden meestal als afschrikmiddel dat naar buiten werd gereden om de vijand te inti-mideren. Gevechten werden in de 15de eeuw met relatief kleine legers uitgevochten: een ca-valerie met daarachter een infanterie met mes-sen en lansen. Vanaf de 16de eeuw werden legers professioneel getraind en aangevoerd.

Slag bij Crécy tussen de Fransen en de Engelsen op 26 augustus 1346

De weerkerk van Beaumont-du-Périgord rijst boven het dorp uit

Beaumont-du-Périgord ❸

Wegenkaart D2. Aan de D25 van Le Buisson. 🦌 *1150*. 🚊 *Le Buisson-de-Cadouin*. 🛈 *Place Centrale, 05-53223912*. 🛒 *di en za ('s ochtends)*.

S inds de stichting in 1272 is Beaumont, een door de Engelsen gebouwde vesting-plaats, zeer veranderd. Van de oorspronkelijke 16 poorten is er slechts één over, de Porte de Luzier, nu de toegang tot de stad. Het centrale plein werd in de 18de eeuw opnieuw in-gericht en de markthal bestaat niet meer. In Rue Romieu en Rue Vidal staan enkele fraaie 13de-, 14de- en 15de-eeuwse huizen. De parel van de stad op het gebied van de bouwkunst is de zware weerkerk Église Saint-Laurent-et-Saint-Front. Dit stoere gebouw is een van de fraaiste versterkte kerken in Zuidwest-Frankrijk en wordt gekenmerkt door een militaire gotische stijl, met vier op belforten lijkende torens die door een weergang worden verbonden.

De kerk werd gebouwd tussen 1280 en 1330 als deel van de verdedigingswerken van de stad. De figuurtjes op het fries in het portaal maken angst-aanjagende grimassen.

OMGEVING: De kerk van het dorp **Saint-Avit-Sénieur**, 5 km ten oosten van Beaumont, is al van ver zichtbaar. Dit romaan-se bouwwerk werd in de 14de eeuw versterkt. Een weergang verbindt de twee torens. Ongeveer 10 km ten oosten van Beaumont ligt **Montfer-rand-du-Périgord**, een dorp met een 16de-eeuwse markthal en de ruïne van een kasteel met een donjon uit de 12de eeuw. De kapel is met fresco's getooid. **Château de Lanquais**, 10 km ten noordwesten van Beau-mont, heeft een 15de-eeuwse ronde toren en een veelhoeki-ge traptoren, plus woonver-trekken uit de 16de en 17de eeuw.

♜ Château de Lanquais
📞 *05-53612424*. ⏰ *dag.* ⬤ *nov.–Pasen: di.* 📷 📽

Biron ❸

Wegenkaart D2. 🦌 *141*. 🛈 *Place des Cornières, Montpazier, 05-53226859*.

H et robuuste **Château de Biron**, vroeger de zetel van een van de vier baronnen van de Périgord, ligt op de grens van de Périgord en de Agenais. Met zijn 12de-eeuwse donjon, woonvertrekken uit de renaissance, een gotische kapel en een klein 14de-eeuws landhuis, getooid met fresco's uit de 16de eeuw, belichaamt het kasteel een verbluffende mengelmoes van bouwstijlen van de 12de tot de 18de eeuw. Nadat het kasteel in 1211 een schuilplaats was geworden voor de katharen, werd het belegerd door Simon de Mont-fort. Tijdens de Honderdjarige Oorlog wisselde het talloze keren van partij, met belege-ringen en verwoestingen als resultaat. Tijdens de renaissan-ce werden grote delen hersteld. Nu torent het uit boven Biron, waar rond de markthal enkele fraaie huizen staan.

♜ Château de Biron
📞 *05-53631339*. ⏰ *juni–sept.: dag.; in laagseizoen eerst bellen.* 🌐 *www.semitour.com* 📷 📽

Eymet ❹

Wegenkaart D2. 23 km van Bergerac aan de D933. 🦌 *2552*. 🚊 *Bergerac*. 🛈 *Place des Arcades, 05-53237495*.

D eze *bastide* aan de Dropt heeft zijn rechtlijnige opzet uit 1270 behouden. Van de 13de-eeuwse donjon kijken

Het Château de Biron ligt op de grens van de Périgord en de Agenais

De bibliotheektoren is alles wat over is van het Château de Montaigne

Bergerac ④

Zie blz. 138–139.

Saint-Michel-de-Montaigne ④

Wegenkaart C2. 47 km van Bergerac aan de D936. 🚶 *312.* 🛈 *Bourg, 05-53732962.*

Het portaal van de romaanse kerk heeft zuilen en vier fijn gevormde bogen. Binnen bevinden zich, behalve meubilair uit de 17de eeuw, kruiswegstaties van de schilder Gilbert Privat (1892–1969). Van het kasteel waar Montaigne leefde is alleen de 16de-eeuwse **toren** bewaard, waar zich zijn bibliotheek bevond en waar hij schreef. Op de balken van zijn studeerkamer op de bovenste verdieping staan 57 zinspreuken in het Grieks en Latijn, die de epicuristische, stoïcijnse en sceptische ideeën vertegenwoordigen die Montaigne beïnvloedden. Op het terras kijkt u uit over de Lidoire.

🔺 **Toren**
🎫 *05-53586393.* ⬤ *jan. en nov.–juni: ma.–di.* ✿ ✿

OMGEVING: Zo'n 44 km van Bergerac aan de D936 naar Castillon-la-Bataille ligt **Montcaret**. De romaanse kerk heeft kapitelen die wellicht uit een ouder Gallo-Romeins bouwwerk afkomstig zijn. Vlakbij liggen de restanten van een Gallo-Romeinse villa die in 1827 werd ontdekt. U

Arcaden in de *bastide* Eymet

ziet er een mooie mozaïekvloer, een binnenplaats met zuilen eromheen, een grote kamer van 60 m^2 met een driedubbele apsis, een zwembad met mozaïeken van nautische onderwerpen en een verfijnd verwarmingssysteem. De kwaliteit en details suggereren dat dit een luxueus verblijf moet zijn geweest. Het werd gebouwd in de 1ste eeuw n.C. en herbouwd in de 4de eeuw. Er zijn aanwijzingen dat deze plaats is bewoond sinds de oudheid.

waterspuwers omlaag, terwijl de 15de- en 16de-eeuwse huizen getooid zijn met torentjes en gedeelde ramen. Op het centrale plein staat een fontein uit de 17de eeuw. Eymet was ooit een bolwerk van de Engelsen, maar ook nu wonen er veel Britse expats.

OMGEVING: 20 km ten noordoosten van Eymet ligt **Issigeac**, een dorp met een spiraalvormige opzet en wallen uit de 13de eeuw. De 15de–16de-eeuwse

gotische kerk met de klokkentoren boven de ingang, staat naast een priorij. Het oude bisschoppelijke paleis, met de uitkragende torens op de twee paviljoens, dient nu als stadhuis, terwijl de voormalige tiendschuur het toeristenbureau huisvest. Aan de hoofdstraat staan mooie huizen, een daarvan heeft gebeeldhouwde balken uit de 14de eeuw.

MONTAIGNE DE HUMANIST

Montaigne

Michel Eyquem de Montaigne werd in 1533 geboren in het Château de Montaigne. Na een studie rechten werd hij in 1557 raadslid in Périgueux, later lid van het Parlement de Bordeaux. Van 1572 tot 1580, terwijl de Godsdienstoorlogen woedden, bestudeerde hij de aard van het geluk en werkte hij aan zijn beroemde *Essays*. Hij leidde een teruggetrokken leven, maar onderhield contacten met machthebbers. In 1581 werd hij burgemeester van Bordeaux, een diplomatiek bestuurder in de woelige tijd van strijd tussen katholieken en protestanten en pestepidemieën. Hij stierf in 1592.

Bergerac

Faience uit Bergerac

Bergerac was tijdens de Honderdjarige Oorlog afwisselend in handen van de Fransen en de Engelsen. In latere jaren werd het een bolwerk van protestants geloof. De stad aan de oevers van de Dordogne werd een handelscentrum, een pleisterplaats voor *gabares* (traditionele houten schuiten) die hout, stenen, papier uit de molen van Couze, wijn, walnoten, kastanjes en andere goederen tussen de Périgord en de haven in Bordeaux vervoerden. De hugenotenstad bezat ooit verschillende eigen havens. In de 18de eeuw passeerden jaarlijks 15.000 ton goederen en 1500 schepen. De huidige kade dateert pas van 1838, maar werd met de komst van de spoorwegen aan het einde van de 19de eeuw al snel zo goed als werkeloos. Tegenwoordig vertrekken nog steeds dagelijks *gabares* van de Quai Salvette, maar nu vervoeren ze toeristen op panoramische tochtjes over de Dordogne.

Restaurant in de voetgangerszone van de Vieille Ville van Bergerac

Vieille Ville

De vakwerkhuizen van de meesterbootslui staan aan de Place de la Mirpe, waar ook een standbeeld staat van Cyrano de Bergerac, de held met de grote neus van Edmond Rostand *(blz. 200)*. Aan de Rue Saint-Clar staan uitkragende huizen met muren van leem, baksteen of vakwerk. Place Pélissière, in een pas gerestaureerd deel van de stad, is genoemd naar de vilders wier werkplaatsen hier ooit stonden. Met de Église Saint-Jacques en de Fontaine Font-Ronde, de openbare wasplaats, vormt het een pittoresk geheel. In Rue Saint-James staan interessante huizen, waaronder een 18de-eeuws herenhuis, een Louis XIII-huis met een winkel beneden en bossages in de gevel, een 16de-eeuws huis met gelede ramen en vakwerkhuizen uit de 17de en 18de eeuw. In Rue des Fontaines staan twee **middeleeuwse huizen**.

Beeld van Cyrano

Église Saint-Jacques
Place Pélissière.

De 12de-eeuwse kapel op de weg naar Santiago de Compostela werd in de 13de eeuw de stadskerk. De klokkentoren bestaat uit een enkele muur. In latere jaren werd de kerk diverse keren verbouwd, zoals de complete herziening van het schip in de 18de eeuw. Het neogotische orgel van Aristide Cavaillé-Coll uit 1870 staat geklasseerd als historisch monument.

Musée d'Art Sacré
In het huis aan de Église Saint-Jacques. 05-53573321.
op afspraak.
Religieuze kunst en kunstvoorwerpen in één kamer.

Musée Costi
Toegang via het binnenhof van Place de la Petite Mission. 05-53630413. op afspraak.
Dit museum in twee kelders van het Presbytère Saint-Jacques omvat werk van Costi, een beeldhouwer die werd geboren in 1906 en studeerde onder Antoine Bourdelle. De collectie omvat 52 bronzen en 7 gipsen beelden, gemaakt tussen 1926 en 1973.

Maison des Vins-Cloître des Récollets
1 rue des Récollets. 05-53635755. half juni–half sept.: dag.; half sept.–half juni: di–za. jan.
Het Cloître des Récollets werd gebouwd in 1630 op de plaats van een klooster uit de 12de eeuw. De galerijen uit de 16de en 18de eeuw kijken uit op de binnenplaats. De kapel diende een tijdje als vrijmetselaarshal. Nu zit er het Maison des Vins de Bergerac, dat de plaatselijke wijnproductie reguleert en proeverijen houdt. U kunt hier ook een tocht langs wijngaarden regelen.

Musée du Vin et de la Batellerie
5 rue des Conférences. 05-53578092. di–vr, za ochtend; half maart–half nov.: ook zo-middag.
Dit museum is gewijd aan de geschiedenis van de rivier-

Fles Monbazillac

WIJNEN UIT BERGERAC

Bergeracwijnen stonden in hoog aanzien tijdens de Honderdjarige Oorlog in Engeland en, nadat de stad een protestants bolwerk werd, ook in Holland, maar hun faam gaat al terug tot de 13de eeuw. Er zijn 12.400 ha wijngaarden in de streek, met 13 *appellations* voor rode, rosé en zowel zoete als droge witte wijnen, waaronder de bekende Monbazillac. Ochtendnevel en herfstzon voeden de *pourriture noble* veroorzakende schimmel die de druiven zo zoet maakt. Voor informatie over wijnroutes kunt u zich wenden tot de Conseil Interprofessionnel des Vins de la Région de Bergerac (CIVRB): 05-53635757, www.vins-bergerac.fr

In het Cloître des Récollets is het Maison des Vins gevestigd

scheepvaart en de lokale
wijnhandel. Geëxposeerd
worden kunstvoorwerpen,
modellen, documenten, foto's
en archiefmateriaal dat ter
beschikking is gesteld door
families van schippers, reders
en wijnproducenten.

**Musée d'Intérêt National
du Tabac**

Maison Peyrarède, place du Feu.
05-53630413. zo-ochtend, ma;
half nov.–half maart: za-zo.
In 1950 stichtte de Direction
des Musées de France in het
Maison Peyrarède, een

herenhuis uit 1604 dat in 1982
werd gerestaureerd, een
museum dat enig is zijn soort
in Europa: het behandelt de
geschiedenis van de tabak
over een periode van 3000
jaar. De collectie illustreert het
vroegste gebruik van de plant,
de verspreiding over de
wereld en de manier waarop
tabak werd gerookt, en valt de
antirooklobby aan. Te zien
zijn verschillende soorten
rookgerei en hoe die worden
gemaakt. Ook wordt het
belang van de tabaksteelt
voor de Dordogne belicht.

**CENTRUM VAN
BERGERAC**

Cyrano de Bergerac ⑤
Église Saint-Jacques ①
Maison des Vins-
   Cloître des Récollets ⑥
Middeleeuwse huizen ⑦
Musée d'Art Sacré ③
Musée Costi ②
Musée d'Intérêt National
   du Tabac ⑧
Musée du Vin et
   de la Batellerie ④
Quai Salvette ⑨

SYMBOLEN

Veerboot
Parkeergelegenheid
Touristeninformatie
Postkantoor

0 meter   200

LOT-ET-GARONNE

D e 19de-eeuwse Franse schrijver Stendhal vergeleek het zonnige, glooiende landschap van Lot-et-Garonne met dat van Toscane. Het enerverende verleden van het welvarende, agrarische departement vindt u terug in de architectuur. Kastelen, romaanse kerken, vestingplaatsen (bastides) en schilderachtige dorpjes strijden om aandacht met de prachtige natuur.

Lot-et-Garrone, inclusief het vroegere Comté (Graafschap) d'Agenais, ligt pal tussen de voormalige bezittingen van de koningen van Frankrijk en Engeland (die tevens hertogen van Aquitanië waren) en was inzet van bittere strijd, die in 1472 uiteindelijk werd gewonnen door Frankrijk. In de 13de en 14de eeuw werden er ruim veertig vestingplaatsen gebouwd in opdracht van Raymond VII, graaf van Toulouse, van Alphonse de Poitiers, broer van Lodewijk IX van Frankrijk, en van Edward I van Engeland. Met hun centrale, door arcaden omringde pleinen en hun rechtlijnige stratenpatroon vormden deze *bastides* niet alleen een reactie op de groei van de burgerij, maar ook op het voortslepende Engels-Franse conflict dat Zuidwest-Frankrijk tot diep in de 15de eeuw teisterde.

De vruchtbare glooiende heuvels en dalen en de dennenbossen die oprukken uit de Landes bezorgen Lot-et-Garonne een gevarieerd en fraai landschap. De Lot, de Garonne, de Baïse en het kanaal langs de Garonne zorgen voor 200 km aan vaarwegen. Vroeger was dit water de enige transportweg tussen de Guyenne en de Languedoc. De belangrijke producent van groente en fruit, waaronder de beroemde gedroogde pruimen *(pruneaux)* uit Agen *(blz. 153)*, wordt ook wel de boomgaard van Europa genoemd. De wijnen doorstaan de vergelijking met die van de buren uit Bordeaux en spelen een belangrijke rol in de overvloed aan gastronomische specialiteiten van deze hoek van Frankrijk.

Beschaduwd meer bij Lauzun

◁ **Vakwerkhuis in een straatje in Pujols**

Lot-et-Garonne verkennen

De Garonne en zijn voedende rivier de Lot doorsnijden het departement. In het midden is het Lotdal af en toe smal en steil en dan weer breed en vlak. Fruit, waaronder de beroemde *pruneaux d'Agen* (gedroogde pruimen), en groenten worden verbouwd op de vruchtbare grond langs de oevers. In het zuidoosten liggen de streken Agenais en Pays de Serres, gekenmerkt door brede hoogvlakten en vlakke dalen. In het zuidwesten ligt de streek Albret, het gebied dat ooit onder het gezag van Hendrik IV viel. In het noordwesten ligt het Pays Marmandais, met boomgaarden, akkers vol groenten en met wijngaarden begroeide hellingen. Het Pays du Dropt in het noorden en de glooiende heuvels van de Haut-Agenais liggen vol fraaie *bastides*. In het noordoosten staat het middeleeuwse Château de Bonaguil, in het noordwesten het Château de Duras uit de renaissance.

Met bloemen bedekte gevel in Pujols

De weerkerk van Villeréal

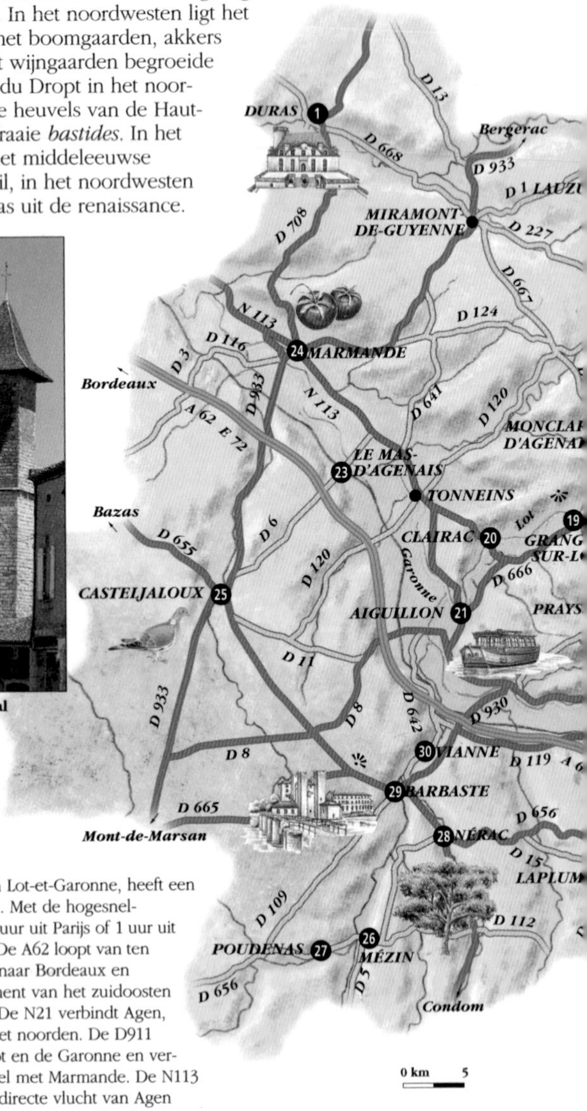

VERVOER

Agen, de hoofdstad van Lot-et-Garonne, heeft een vliegveld en een station. Met de hogesnelheidstrein TGV is het 4 uur uit Parijs of 1 uur uit Toulouse of Bordeaux. De A62 loopt van ten noorden van Toulouse naar Bordeaux en doorsnijdt het departement van het zuidoosten naar het noordwesten. De N21 verbindt Agen, Villeneuve-sur-Lot en het noorden. De D911 volgt de loop van de Lot en de Garonne en verbindt op die wijze Fumel met Marmande. De N113 volgt de Garonne. Een directe vlucht van Agen naar Parijs Orly West duurt 1 uur en 20 minuten.

0 km   5

SYMBOLEN

- Snelweg
- Hoofdweg
- Secundaire weg
- Toeristische route
- Uitzichtpunt

De Lot bij Casseneuil

Duiventil bij Poudenas

ZIE OOK

- ***Accomodatie*** blz. 248–249
- ***Restaurants*** blz. 264–265

BEZIENSWAARDIGHEDEN

Agen (blz. 158–161) 31
Aiguillon 21
Aubiac 40
Barbaste 29
Beauville 34
Bonaguil (blz. 148–149) 11
Casseneuil 17
Casteljaloux 25
Castillonnès 3
Clairac 20
Duras 1
Estillac 41
Gavaudun 7
Granges-sur-Lot 19
Laplume 39
Laroque-Timbaut 33
Lauzun 2
Layrac 37
Le Mas-d'Agenais 23
Marmande 24
Mézin 26
Moirax 38
Monclar-d'Agenais 18
Monflanquin 6
Monsempron 10
Nérac 28
Pays de Serres 32
Penne-d'Agenais 13
Poudenas 27
Prayssas 22
Pujols 15
Puymirol 36
Saint-Avit 8
Sainte-Livrade-sur-Lot 16
Saint-Maurin 35
Sauveterre-la-Lémance 9
Tournon-d'Agenais 12
Vianne 30
Villeneuve-sur-Lot 14
Villeréal 5

Rondrit

Pays du Dropt 4

Duras ❶

Wegenkaart D2. 22 km ten noorden van Marmande. 🏠 *1250.*
🚊 *Marmande.* 🛈 *14 boulevard Jean-Brisseau, 05-53836306.*
🚪 *ma, za; 's zomers do.* 🎭 *La Troupe du Parvis (juli); Fête de la Madeleine (juli); Fête des Vins (aug.).*

D eze *bastide* heeft de typische plattegrond van een vestingstad *(bz. 22–23)* en is hoog gelegen op een vlakte boven de Dropt. Het **Château de Duras** werd in ongeveer 1137 gebouwd en is

Het Château de Duras (12de eeuw), ooit huis van de hertogen van Duras, huisvest verschillende musea

later diverse keren gewijzigd. In de 14de eeuw was het een fort met acht torens, tegen de 17de eeuw was het een chic chateau geworden, maar tijdens de Franse Revolutie veranderde het bijna totaal in puin. In 1969 werd het aangekocht door de Franse staat. Inmiddels is het grootste deel van het kasteel gerestaureerd en opengesteld voor het publiek, dat door 35 zalen kan dwalen. Hiertoe behoren de Salle des Maréchaux (Zaal van de Maarschalken) en een balzaal met een tongewelf uit 1740. Op de toren hebt u een fraai uitzicht op het Pays de Duras. Het historisch museum in het souterrain behandelt het leven in Duras en richt zich vooral op de wijnbouw, ambachten en andere traditionele folklore.

Het **Musée Conservatoire du Parchemin et de l'Enluminure** in het dorp zelf richt zich op de productie van boeken in de middeleeuwen. De hoofdstraat Rue Jauffret leidt naar een klein plein met pittoreske oude huizen.

⚜ **Château de Duras**
📞 *05-53837732.*
🕐 *feb.–nov.: dag.* 🈁 🔲
🏛 **Musée Conservatoire du Parchemin et de l'Enluminure**
Rue des Eyzins. 📞 *05-53207555.*
🕐 *april–sept.: dag.* 🈁 🔲
ⓦ *www.museeduparchemin.com*

Lauzun ❷

Wegenkaart D2. 26 km ten oosten van Duras. 🏠 *791.* 🚊 *Marmande.*
🛈 *Rue Taillefer, 05-53201007.* 🚪 *za.*
🎭 *Gasconnades (tweede zo van aug.).*

H et veelbewogen leven van de hertog van Lauzun, maarschalk aan het hof van Lodewijk XIV, wordt behandeld

---

Pays du Dropt ❹

D e Dropt stroomt door het Pays du Dropt, de streek in de noordwestelijke hoek van Lot-et-Garonne. De zachtglooiende valleien worden bedekt met wijnranken en pruimenbomen en overal staan kleine witte romaanse kerken van natuursteen. De wijngaarden van de Côtes de Duras beslaan zo'n 2000 ha, vaak in handen van kleine familiebedrijven. De Côtes de Duras kregen in 1937 een *appellation* toegekend.

Sainte-Colombe-de-Duras ①
Het koor van deze kleine romaanse kerk heeft bewerkte kapitelen. Op een fresco staan taferelen uit het leven van St.-Colomba.

Saint-Sernin-de-Duras ③
De kerk in dit leuke dorpje is schilderachtig begroeid met wilde wingerd. Het gebouw werd in de 15de en de 19de eeuw gerestaureerd.

TIPS VOOR CHAUFFEURS

🛈 *Allemans-du-Dropt, 05-53202559.*
Rondrit: *Ongeveer 57 km.*
Rustplaatsen: *De Étape Gasconne in Allemans-du-Dropt en de table d'hôte in Château Monteton zijn aanbevolen. Probeer de pruimen van M en Mme Dreux in Esclottes en de foie gras van M en Mme Ros van Les Renards in Saint-Sernin-de-Duras.*

Esclottes ②
Dit dorp is genoemd naar de *clottes* (grensstenen) rond het gebied van de diocesen Agen en Bazas. De 11de-eeuwse kerk heeft kapitelen met de Tronende Christus en andere taferelen.

MONSÉGUR

D 15F   D 312
D 15E   D 237   D 203
①   ②   D 134   Duras
D 15E5
D 254   D 668

D 708

MARMANDE

Monteton ⑧
Boven de Dropt ligt een leuk romaans kerkje uit de 12de eeuw. In de kapitelen zijn veel fantasiedieren uitgehouwen.

in het **Château de Lauzun**, gebouwd in de 13de en verbouwd eind 14de eeuw. In de renaissancevleugel staan twee monumentale schoorsteenmantels met beeldhouwwerk en marmeren kapitelen. In de gotische kerk in het dorp, tegenover een huis met kariatiden, staan een kansel en een altaarstuk uit de 17de eeuw.

Château de Lauzun
05-53941889. juni–okt.: dag. 10.00–12.00 en 14.00–18.00 uur.

Een duiventil in Castillonnès, in de typische stijl van Lot-et-Garonne.

Castillonnès ❸

Wegenkaart D2. 12 km ten oosten van Lauzun. *1325. Villeneuve-sur-Lot of Bergerac. Place des Cornières, 05-53368744. di ochtend.*

De vestingstad Castillonnès werd rond 1259 hoog op een rotspunt aangelegd. Tijdens de Honderdjarige Oorlog *(blz. 41)* ging de stad diverse keren van Franse in Engelse handen over en vice versa, maar in 1451 werd Castillonès definitief Frans. Van de stadsmuren zijn alleen twee poorten over. Op Place des Cornières, het centrale plein, staat een ongebruikelijke markthal uit de 20ste eeuw. Aan de andere kant van het plein ligt het Maison du Gouverneur, met een renaissancebinnenplaats. Het huis dient als stadhuis en toeristenbureau. De kerk, die na de Godsdienstoorlogen van de 16de eeuw werd herbouwd, heeft een barok altaarstuk en gebrandschilderde ramen van meester Louis Franchéo.

Omgeving: Zo'n 13 km westelijk ligt **Miramont-de-Guyenne**, een vestingstad uit 1278 die ooit in handen was van de familie Albret. Op het grote plein is de markthal gereconstrueerd. Aan de smalle straten liggen fraaie vakwerkhuizen.

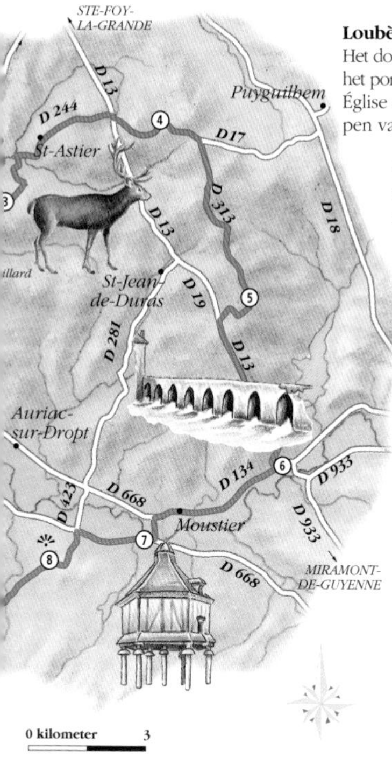

Loubès-Bernac ④
Het dorp heeft vier kerken. Boven het portaal van een daarvan, de Église de Loubès, hangt het wapen van Richard Leeuwenhart.

Symbolen
- Aanbevolen route
- Andere wegen
- Uitzichtpunt

Soumensac ⑤
Op de restanten van de 12de-eeuwse wallen van Soumensac kunt u genieten van een fraai uitzicht.

La Sauvetat-du-Dropt ⑥
Dit dorp in een oude *sauve* (beschermd gebied), heeft een grote kerk met een 12de-eeuws koor, en een romaanse brug.

Allemans-du-Dropt ⑦
De Église Saint-Eutrope is versierd met prachtige fresco's uit de 15de eeuw. Hierop ziet u afbeeldingen van het laatste avondmaal, de kruisiging, de wederopstanding, de hel en het laatste oordeel. Het koor vertoont Moorse invloeden.

De markthal van Villeréal dateert van het einde van de 14de eeuw

Villeréal ❺

Wegenkaart D2. 13 km ten oosten van Castillonès. 🚶 *1250.* 🚆 *Bergerac.* ℹ *Place de la Halle, 05-53360965.* 🍴 *za.* 🎪 *Bodega (juli); Retromobile (tweede zo in sept.).*

D e vestingstad Villerèal werd in 1265 aangelegd volgens een rechtlijnig stratenplan *(blz. 22–23)*. Langs het grote plein in het midden staan arcaden die daarboven uitkragende huizen. De eerste verdieping van de grote markthal van het einde van de 14de eeuw heeft vakwerkmuren die gevuld zijn met een mengsel van leem, grind en stro. Hierin is nu het stadhuis gevestigd. De weerkerk uit de 13de eeuw, waar de burgers bij onraad konden schuilen, heeft twee torens die zijn verbonden door een weergang.
Het **Maison de Campagne** tegenover de kerk is een openluchtmuseum. Op 400 m² wordt de natuur van Lot-et-Garonne getoond, met een nadruk op het plattelandsleven en de planten en dieren die daar u daar kunt zien.

🏛 **Maison de Campagne**
📞 *05-53366514.*
🕐 *op afspraak.*

Omgeving: In deze buurt liggen tal van interessante romaanse kerken, waaronder de 12de-eeuwse kerk van **Bournel,** 6 km ten zuiden, de 12de-eeuwse kerk van **Rives**, 2 km ten noorden, en de 14de-eeuwse kerk van **Montaut**, 7 km ten zuidwesten van Villeréal.

Monflanquin ❻

Wegenkaart D3. 13 km ten zuiden van Villeréal. 🚶 *800.* 🚆 *Villeneuve-sur-Lot.* ℹ *Place des Arcades, 05-53364019.* 🍴 *do.* 🎪 *Foire aux Vins et Fromages (mei); Festival Amateur de Théâtre (juli); Journées Médiévales (aug.).*

D eze aantrekkelijke vestingstad staat geregistreerd als een van de mooiste dorpen van Frankrijk. Het dorp ligt tegen de hellingen boven de Lède. Het plaatsje uit 1240 werd in 1252 een *bastide* met een ovaal stratenplan onder bevel van Alphonse de Poitiers. De verdedigingswerken werden echter in de 17de eeuw ontmanteld op gezag van kardinaal Richelieu. De hoofdstraten komen uit op de Place des Arcades boven op de heuvel.
Aan dit plein staan huizen met arcaden *(blz. 22–23)*, zoals het

Maison du Prince Noir

Maison du Prince Noir (Huis van de Zwarte Prins, *blz. 41)* met gotische ribgewelven en geprofileerde cassetten. De klokkentoren van de prachtige **Église Saint-André** bestaat uit een enkele muur, die uit 1927 dateert. Het middeleeuwse portaal van de kerk is gedecoreerd met reliëfs.
Aan Rue de l'Union, Rue des Arcades and Rue Sainte-Marie staan huizen van natuursteen met arcaden op de begane grond en 16de-eeuwse vakwerkgevels op de eerste verdieping.
De stad heeft drie middeleeuwse tuinen opnieuw laten aanleggen en gevuld met sierplanten, groenten, aromatische en medicinale kruiden die kenmerkend zijn voor de middeleeuwen. Hoog boven de stad prijkt het versterkte Château de Roquefère (niet geopend voor het publiek).
Het **Musée des Bastides** vertelt over de aanleg en de taak van vestigsteden vanaf de 13de eeuw *(blz. 22–23)*.

🔓 **Église Saint-André**
🕐 *dag.*
🏛 **Musée des Bastides**
Maison du Tourisme, place des Arcades.
📞 *05-53364019.* 🕐 *dag.* 📷 ✉

Omgeving: Cancon, 13 km ten westen van Monflanquin, is een andere *bastide* met een charmante oude wijk.

BERNARD PALISSY'S 'FIGULINES RUSTIQUES'

Bernard Palissy, een beroemd pottenbakker, werd rond 1510 geboren in Lacapelle-Biron. Hij maakte borden, schalen en kannen van 'rustiek keramiek': geëmailleerd aardewerk waarop hij in hoogreliëf reptielen, vissen, schelpen en planten aanbracht, natuurgetrouw geboetseerd en beschilderd. Hij bakte ze in een oven, die hij volgens zeggen stookte met de vloeren en meubels van zijn eigen huis. Hij stond onder bescherming van Catharina de' Medici en de Connétable de Montmorency, en werd 'uitvinder van rustiek aardewerk voor de koning en de hertog van Montmorency'. In 1588 werd hij als hugenoot gevangengezet in de Bastille en in 1589 of 1590 stierf hij in gevangenschap.

Bernard Palissy

Gavaudun ❼

Wegenkaart E3. 11 km ten oosten van Monflanquin. 🏛 327. 🚉 Monsempron.

Gavaudun prijkt fier boven het beboste dal aan zijn voeten. De ruïne van het 11de–13de-eeuwse kasteel is indrukwekkend, met name die van de machtige **donjon** met een portaal van kalksteen. De overweldigende entourage wordt regelmatig gebruikt voor festivals en muzikale evenementen.

♠ Donjon
🕐 juni en sept.: za–zo; juli–aug.: dag.
📞 05-53956204.

OMGEVING: 2 km naar het noorden ligt het gehucht **Saint-Sardos-de-Laurenque**, waar u een mooie romaanse kerk met een bewerkt portaal kunt aantreffen.

Saint-Avit ❽

Wegenkaart D2. 15 km ten noordoosten van Monflanquin. 🏛 430. 🚉 Monsempron. 🎨 Foire à la Poterie (tweede zo van aug.).

Dit charmante gehucht aan de Lède heeft slechts één straat. De 13de-eeuwse romaanse kerk is gesierd met fresco's. Saint-Avit is de geboorteplaats van Bernard Palissy (zie hiernaast). Het **Musée Bernard-Palissy** is gewijd aan zijn leven en werk, maar stelt ook hedendaags keramiek tentoon.

🏛 Musée Bernard-Palissy
Saint-Avit, Lacapelle-Biron. 🕐 feestdagen en 's zomers: ma, wo–zo; laagseizoen: zo-middag. 📞 05-53409822.

Château des Rois-Ducs in Sauveterre-la-Lémance

Sauveterre-la-Lémance ❾

Wegenkaart E2. 14 km ten oosten van Saint-Avit. 🏛 640. 🚉 Monsempron.

Dit dorp, gedomineerd door het particuliere Château des Rois-Ducs, gaf zijn naam aan het sauveterrien, een periode in het mesolithicum. Een klein museum, het **Musée de la Préhistoire**, toont objecten die in 1920 bij Le Martinet zijn gevonden. Hiertoe behoort een aantal voorwerpen uit het mesolithicum.

'Figuline rustique' van Bernard Palissy

🏛 Musée de la Préhistoire
🕐 april–okt.: dag.; nov.–maart: di–vr. 🅿 📷 📞 05-53407303.

OMGEVING: In **Saint-Front-sur-Lémance**, 2 km naar het zuidwesten, staat een interessante 11de–14de-eeuwse weerkerk.

Monsempron ❿

Wegenkaart E3. 10 km ten zuiden van Bonaguil. 🏛 2200. 🚉 Monsempron. 🚌 ℹ Fumel: Place Georges-Escandes. 📞 05-53711370. 📅 do-ochtend. 🎪 Jaarmarkt en Fête du Printemps (maart).

De contouren van de benedictijnenpriorij Saint-Géraud-de-Monsempron rijzen op boven de samenloop van de Lot en de Lémance. Het versterkte dorpje heeft een prachtig geproportioneerde romaanse kerk, die ondanks de veranderingen van de 16de eeuw zijn 12de-eeuwse uitstraling heeft behouden: een schip met bewerkte kapitelen en een tongewelf, een door natuurstenen zuilen gedragen koepel boven het kruisveld en een sober portaal. De halfronde apsissen overlappen elkaar.

OMGEVING: Bij **Fumel**, 3 km naar het noordoosten, staat een baroniekasteel uit de 12de–16de eeuw, omringd door formele tuinen. ✝

De voormalige benedictijnenpriorij met zijn romaanse kerk boven Monsempron

Château de Bonaguil ⓫

Het enorme Château de Bonaguil ligt majestueus op een heuvel aan de voet van een beboste berg. De bastions, wallen en torentjes steken vrolijk af tegen het weelderige groen. Het kasteel, dat in de 13de eeuw werd gesticht op een *aiguille creuse* (holle naald) stond al snel bekend als 'goede naald', of *bonne aiguille* in het Frans, vandaar zijn naam. In 1483 kwam het in handen van Bérenger de Roquefeuil (1448–1530), die het uitbreidde. Als gevolg van erfenissen wisselde het nogal eens van eigenaar, maar in 1761 kwam het chateau terecht bij Marguérite de Fumel, die het liet verbouwen. Tijdens de Franse Revolutie werd het verlaten en in 1860 verkocht aan de gemeente Fumel. Het kasteel is een duidelijk voorbeeld van de overgang van een militair bouwwerk naar een vroegrenaissancistische adellijke woning.

De onneembare vesting Bonaguil ligt boven op de heuvel

Grote zaal

★ Grote Toren
Dit sleutelelement in de verdediging van het kasteel wordt omringd door muren, die vroeger overdekt waren. De toren beschermde het binnenhof.

Rode Toren

Put
Op de belangrijkste binnenplaats stond de put, die direct in de rotsen was uitgehakt. De schacht reikte tot aan het grondwaterpeil. Achter de put staat een sierlijke gotische poort, die naar de bijgebouwen en het voorhof van het kasteel leidde.

STERATTRACTIES
★ Ophaalbrug
★ Grote Toren
★ Donjon

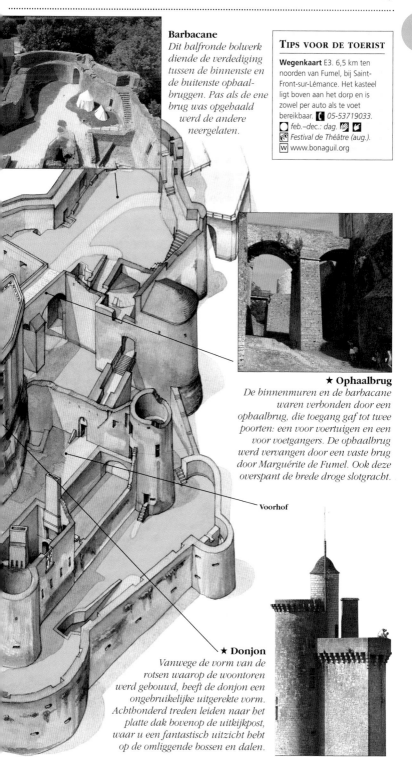

Barbacane
Dit halfronde bolwerk diende de verdediging tussen de binnenste en de buitenste ophaalbruggen. Pas als de ene brug was opgehaald werd de andere neergelaten.

TIPS VOOR DE TOERIST

Wegenkaart E3. 6,5 km ten noorden van Fumel, bij Saint-Front-sur-Lémance. Het kasteel ligt boven aan het dorp en is zowel per auto als te voet bereikbaar. 05-53719033. feb.–dec.: dag. Festival de Théâtre (aug.). www.bonaguil.org

★ Ophaalbrug
De binnenmuren en de barbacane waren verbonden door een ophaalbrug, die toegang gaf tot twee poorten: een voor voertuigen en een voor voetgangers. De ophaalbrug werd vervangen door een vaste brug door Marguérite de Fumel. Ook deze overspant de brede droge slotgracht.

Voorhof

★ Donjon
Vanwege de vorm van de rotsen waarop de woontoren werd gebouwd, heeft de donjon een ongebruikelijke uitgerekte vorm. Achthonderd treden leiden naar het platte dak bovenop de uitkijkpost, waar u een fantastisch uitzicht hebt op de omliggende bossen en dalen.

De vestingstad Tournon-d'Agenais ligt strategisch op een rotsig plateau

Tournon-d'Agenais ⑫

Wegenkaart E3. 10 km ten zuiden van Fumel. 🚶 780. 🚌 Penne-d'Agenais. 🅿️ Place Centrale, 05-53407582. 🛒 's zomers: vr-avond; mei: bloemenmarkt. 🎉 Fête des Rosières (aug.); Foire à la Tourtière (aug.).

O p een plateau boven de Boudouyssou ligt een vestingstad uit ongeveer 1270, die al spoedig onder Engels bewind kwam.
Huizen die in de wallen zijn ingebouwd kijken omlaag van de klif. Ze zijn gemaakt van onbewerkte en bewerkte natuursteen, maar enkele huizen, zoals die in de Rue du Bousquet, hebben daarnaast muren van vakwerk. In het 13de-eeuwse Maison de l'Abescat in Rue de l'École woonden in de middeleeuwen de bisschoppen van Agen. De klokkentoren op het plein stamt uit 1637 en wordt bekroond met een houten spits. In 1843 werd daar een maanklok op aangebracht. Iets hoger dan Place de la Mairie ligt een park, op de plek van een kerk die in de 16de eeuw tijdens de Godsdienst-oorlogen is verwoest.

Penne-d'Agenais ⑬

Wegenkaart D3. 16 km ten westen van Tournon. 🚶 2004. 🚌 🅿️ Rue du 14-Juillet, 05-53413780. 🎉 Foire à la Tourtière (tweede zo van juli). 🎉 Fête des Rosières (15 aug.).

D it stadje was bij toerbeurten een uitvalsbasis voor Richard Leeuwenhart, eigendom van de graven van Toulouse en van de kruisvaarders van Simon de Montfort. Het was tijdens de Honderdjarige Oorlog afwisselend in handen van de Fransen en de Engelsen en ging tijdens de Godsdienstoorlogen over van de protestanten op de katholieken.
Langs de klinkerstraatjes naar beneden staan schilderachtige, gerestaureerde huizen. Het stadje wordt bekroond door de verzilverde koepel van een grote neo-Byzantijnse basiliek uit 1897–1947.
Tot de middeleeuwse stad behoren de 12de-eeuwse muren, de fraaie huizen met gotische portalen en de vierkante donjon van het kasteel, dat werd afgebroken onder Hendrik IV (1589–1610).

Portret in het Musée de Gajac

Enkele huizen aan het plein hebben ramen met ingewikkeld gotisch maaswerk. De kleine Porte de Ricard wordt geflankeerd door steunberen. De verdedigingstoren aan de Rue des Fossés maakte vroeger deel uit van de wallen. Aan de Place du Mercadiel en Place Paul-Froment staan koopmanshuizen met arcaden. Onder het huidige raadhuis ligt de vroegere 'koninklijke' gevangenis.

OMGEVING: In **Port-de-Penne**, onder de stad gelegen aan de Lot, staat een romaanse kerk uit de 12de eeuw. Ook een deel van de oude stadswallen is bewaard gebleven.

Villeneuve-sur-Lot ⑭

Wegenkaart D3. 10 km ten westen van Penne-d'Agenais. 🚶 24.600. 🚌 Penne-d'Agenais. 🚉 🅿️ 47 rue de Paris, 05-53361730. 🛒 di en za; bloemenmarkt (april). 🎉 Fête du Cheval (sept.).

V illeneuve werd in 1264 aan weerszijden van de Lot gesticht door Alphonse de Poitiers en is de grootste *bastide* van Lot-et-Garonne.
Het symbool van de stad is de oude brug (Pont Vieux), die in 1287 over de Lot werd gelegd en werd gerestaureerd in de 17de eeuw. De brug heeft vijf overspanningen en was ooit voorzien van drie versterkte torens. Op de noordoever staat de Chapelle du Bout-du-Pont uit de 17de eeuw, die is gewijd aan zeelieden en schippers. De twee majestueuze poorten, de Porte de Paris en Porte de Pujols, beide 30 m

De verzilverde koepel van de Basilique de Peyragude in Penne-d'Agenais

De versterkte Porte de Ville van Pujols grenst aan de Église Saint-Nicolas

hoog, maakten vroeger deel uit van de stadsmuren. Op de Place Lafayette, een plein met arcaden rondom, worden bonte markten gehouden. De Église Sainte-Catherine in Byzantijns-romaanse stijl dateert van de 19de eeuw, maar heeft glas-in-loodramen en beelden uit de 15de en 16de eeuw. De gotische Église Saint-Étienne aan de overkant van de Lot werd in de 16de eeuw verbouwd.

Het **Musée de Gajac**, in een in onbruik geraakte molen uit de 16de eeuw, toont religieuze en 19de-eeuwse schilderijen. In de **Haras National** (Nationale Stallen), gevestigd in 1804, staan vele Arabische en Anglo-Arabische paarden. In het Quartier d'Eysses in het noorden van Villeneuve vindt u aan de weg naar Monflanquin een archeologisch opgravingsterrein met een Gallo-Romeinse villa uit de 1ste eeuw n.C. De amforen en andere objecten die hier zijn gevonden kunt u zien in het kleine **Musée Archéologique** ter plaatse.

🏛 **Musée de Gajac**
2 rue des Jardins. ☎ 05-53404800.
◯ dag. ● di en feestdagen.
🖋 🎦

🔱 **Haras National**
Rue de Bordeaux. ☎ 05-53700091.
◯ 's zomers: ma–za; 's winters: ma–vr. 🎦 🖋

🏛 **Musée Archéologique**
Place Saint-Sernin-d'Eysses.
☎ 05-53706519. ◯ juli–aug.: 's middags; sept.–juni: za-middag. 🖋

Pujols ⓯

Wegenkaart D3. Ten zuiden van Villeneuve-sur-Lot. 🏠 3844.
🚉 Penne-d'Agenais. 🛈 Place Saint-Nicolas, 05-53367869. 🛒 zo; aardewerkmarkt (aug.). 🎿 Course du Mont-Pujols (paasmaandag).

D eze zwaar versterkte stad staat op de officiële lijst van leukste dorpen van Frankrijk. In de loop van de geschiedenis is het stadje diverse keren aangevallen. De stadspoort Porte de Ville is de enige toegang tot de ommuurde stad. De poort fungeert tevens als klokkentoren voor de Église Saint-Nicolas, die dateert van de 14de–15de eeuw. Aan de hoofdstraat staan mooie 15de-eeuwse uitkragende vakwerkhuizen. In de Église Sainte-Foy, met fresco's uit de 16de eeuw, worden wisselende exposities gehouden.

Omgeving: De rotsformaties in de **Grotte de Lastournelle** en **Grotte de Fontirou** zijn interessant.

Sainte-Livrade-sur-Lot ⓰

Wegenkaart D3. 9 km ten westen van Villeneuve-sur-Lot.
🏠 6200. 🚉 Penne-d'Agenais.
🚌 🛈 45 rue Nationale, 05-53014588. 🛒 vr. 🎿 Championnat du Monde de Cracher de Pruneau (zomer); Foire aux Vins et Produits Régionaux (aug.).

D e kerk van deze vestingstad werd gebouwd tussen de 12de en de 14de eeuw. De fraaie romaanse apsis bestaat uit lagen verschillende natuursteen. In de kerk bevindt zich een wit marmeren beeld van een bisschop uit de 14de eeuw. Een andere bezienswaardigheid is de Tour du Roy, een toren die ooit bij een kasteel van Richard Leeuwenhart hoorde. **Roseraie Vicart**, tussen Sainte-Livrade en Casseneuil, is een grote rozentuin met 300 soorten rozen.

🌷 **Roseraie Vicart**
Sainte-Livrade. ☎ 05-53410499.
◯ mei–sept. dag. 🖋 🎦

Casseneuil ⓱

Wegenkaart D3. 5 km ten noordoosten van Sainte-Livrade. 🏠 2500.
🚉 Penne-d'Agenais. 🚌 🛈 45 allée des Promenades, 05-53411333.
🛒 wo en zo; bloemenmarkt (mei).

E euwenlang was dit stadje op een schiereiland afhankelijk van rivierverkeer en -handel. In 1214 weerstond het onder leiding van Simon de Montfort de Engelsen. Langs de oever staan overhangende huizen. In de **Église Saint-Pierre** bevinden zich 13de- en 15de-eeuwse fresco's.

🔒 **Église Saint-Pierre**
☎ 05-53411333 (toeristenbureau).
◯ dag. 🎦

De Tour du Roy met zijn trap in Sainte-Livrade-sur-Lot

De kerk van Monclar-d'Agenais torent boven het Tolzacdal uit

Monclar-d'Agenais ⓲

Wegenkaart D3. 10 km ten noordwesten van Sainte-Livrade. 862.
Tonneins. Rue de Marmande, 05-53418744.

De vestingplaats *(bastide)* Monclar werd in 1256 op een smalle landtong gesticht door Alphonse de Poitiers. Van zijn hoogverheven positie biedt de stad een schitterend uitzicht over het dal van de Tolzac. Langs één kant van het plein staan arcaden. De markthal grenst aan de Église Saint-Clar, die een portaal uit de 16de eeuw heeft.

Omgeving: In **Castelmoron-sur-Lot**, 6 km naar het zuidwesten, ligt een kunstmatige vijver, waarnaast een Moors stadhuis staat.
De kerk in **Fongrave**, 8 km zuidelijk, heeft een fraai houten altaarstuk. In **Temple-sur-Lot**, 10 km naar het zuiden, staat een huis uit de 15de eeuw dat fungeerde als hoofdkwartier voor de tempeliers. In dit dorp kunt u 200 soorten waterlelies zien in de **Jardin des Nénuphars 'Latour-Marliac'**.

Granges-sur-Lot ⓳

Wegenkaart D3. 15 km ten westen van Sainte-Livrade. 600.
Tonneins of Aiguillon.

Deze vestingstad, in 1291 gesticht aan de Lot, werd grotendeels verwoest tijdens de Honderdjarige Oorlog. Het **Musée du Pruneau Gourmand** is gericht op de geschiedenis van de plaatselijke pruimenindustrie. U ziet hier 19de- en 20ste-eeuwse ovens, droogkasten en andere benodigdheden voor de productie van gedroogde pruimen, evenals documenten. Het museum ligt in een pruimenboomgaard met 3000 bomen.

🏛 **Musée du Pruneau Gourmand**
📞 05-53840069. ⬤ dag.
⬤ tweede helft jan.

Omgeving: Zo'n 2 km naar het noordwesten ligt de *bastide* **Laparade**. Bij de Ferme du Chaudron Magique in **Brugnac**, 11 km noordelijk, kunt u mohair kopen van angorageiten.

Clairac ⓴

Wegenkaart D3. 29 km ten westen van Villeneuve-sur-Lot. 2660.
18 rue Gambetta, 05-53887159.
⬤ do. Foire au Printemps (maart); Fête de la Fraise (mei); Semaine Musicale (juli–aug.).

Omdat het een hugenotenstadje was, werd Clairac in 1621 belegerd door Lodewijk XIII, waarbij de versterkingen met de grond gelijk werden gemaakt. Verschillende vakwerkhuizen uit de 15de eeuw overleefden de aanval. De **benedictijnenabdij** werd gesticht in de 7de eeuw en was in de 13de eeuw de invloedrijkste van de Agenais. Nu zit er een museum over de geschiedenis van de abdij en het dagelijks leven in de middeleeuwen. Ook is er een tentoonstelling over oude ambachten en handel in dit gebied. Het **Musée du Train** ernaast behandeld 100 jaar spoorweggeschiedenis. In het **Forêt Magique** ziet u bewegende dwergen, kabouters en dieren.

Duiventil met arcaden in Clairac

🏛 **Abbaye des Automates, Musée du Train en Forêt Magique**
📞 05-53793481. ⬤ jan.–maart: wo en schoolvakanties; april–dec.: dag.

Omgeving: Tonneins, aan de oever van de Garonne, 8 km naar het noordwesten, was een Gallische stad.
A Garonna, een complex in de voormalige Manufacture Royale des Tabacs (Koninklijke Tabaksfabrieken) uit 1726, doet de wereld van de scheepvaart over de Garonne herleven.

🏛 **A Garonna**
📞 05-53792279. ⬤ april–okt.: op afspraak.

Voormalig hoofdkwartier van de tempeliers in Temple-sur-Lot

Boten bij de dubbele sluis in Buzet-sur-Baïse

Aiguillon ㉑

Wegenkaart D3. 11 km ten zuiden van Tonneins. 4500. Place du 14-Juillet, 05-53796258. di en vr. Fête des Fleurs (mei); Festival de Jazz (aug.).

Aiguillon, bij de samenloop van de Lot en de Garonne, wordt al bewoond sinds de Romeinse tijd. Tijdens de Honderdjarige Oorlog was de stad inzet van strijd. Het Château des Ducs werd tussen 1775 en 1781 gebouwd door de hertog van Aiguillon, maar al tijdens de Franse Revolutie, een paar jaar later, werd de luxeresidentie geplunderd. In 1966 werd het gebouw een school. Het **Musée Raoul-Dastrac** toont Romeinse mozaïeken en 19de-eeuwse pelgrimsstaven.

Het Château des Ducs in Aiguillon is nu een school

🏛 Musée Raoul-Dastrac
Rue de la République. 05-53844144 of 05-53881645. april–aug.: di–zo.

OMGEVING: In **Pech-de-Berre**, 4 km ten noorden van Aiguillon, hebt u een goed zicht op de dalen van Lot en Garonne. **Damazan**, 7 km westelijk, is een *bastide* met vakwerkhuizen en een markthal, waarop de eerste verdieping het stadhuis is gevestigd. Zo'n 5 km ten zuidwesten van Aiguillon liggen woonboten in het kanaal bij **Buzet-sur-Baïse**, dat bekendstaat om zijn wijngaarden. 7 km zuidwestelijk ligt **Saint-Pierre-de-Buzet**, met een fraaie weerkerk uit de 12de eeuw.

Prayssas ㉒

Wegenkaart D3. 15 km ten oosten van Aiguillon. 937. Aiguillon. Place de l'Hôtel-de-Ville, 05-53663657. Fête du Fruit (aug.).

Omgeven door lage bergen die zijn begroeid met fruitbomen en chasselasdruiven ligt het dorpje Prayssas. Bij de stichting in de 13de eeuw kreeg de *bastide* (blz. 22–23) een ovaal stratenplan. De kerk heeft een mooie romaanse apsis.

OMGEVING: Het versterkte dorp **Clermont-Dessous**, 7 km naar het zuidwesten, wordt beheerst door het kasteel. Rondom de 11de-eeuwse romaanse kerk staan pittoreske huizen.

PRUNEAUX D'AGEN

Niet minder dan 65 procent van alle pruimen van Frankrijk komt uit de Agenais. Het duurt zeven à acht jaar voor de bomen volwassen zijn en vrucht dragen. Ze worden in de winter gesnoeid. Het fruit is rijp in augustus en september. De pruimen worden geoogst door de bomen te schudden, met de hand en machinaal. Nadat ze op maat zijn gesorteerd, komen de meeste pruimen terecht in een droogtunnel, waar ze 24 uur bij 75 °C blijven. Zo raken ze 21–23 procent van hun vocht kwijt. Voor 1 kg gedroogde pruimen is ongeveer 3 kg verse pruimen nodig. Vanwege hun hoge kwaliteit worden al sinds de middeleeuwen *pruneaux d'Agen* geproduceerd in de streek rond Agen.

Reclame voor Agenpruimen

Verguld houtsnijwerk met de graflegging van Christus in Marmande

Le Mas-d'Agenais ㉓

Wegenkaart D3. 11 km ten westen van Tonneins. 🏠 *1500*. 🚇 *Marmande of Tonneins*. 🛈 *Place de la Halle, 05-53895058*. 🍴 *do*.

Dit dorp ligt langs het kanaal dat evenwijdig aan de Garonne loopt. Er zijn aanwijzingen dat hier Romeinen hebben gezeten, gezien de vondst van een marmeren beeld dat bekendstaat als de *Vénus du Mas*, nu in het Musée des Beaux-Arts in Agen *(blz. 160)*. In het Collégiale Saint-Vincent, een abdijkerk uit de 11de–12de eeuw, zijn 17de-eeuwse koorbanken en bewerkte kapitelen te zien, en een *Christus aan het kruis* (1631) van Rembrandt. De 17de-eeuwse graanmarkt op het plein heeft een houten dak. Ook het washuis is bezienswaardig.

monument erkend orgel van Cavaillé-Coll uit 1859. Midden op het 17de-eeuwse altaarstuk in de Chapelle Saint-Benoît zijn twee taferelen uitgesneden. Door de tuin komt u in de kloostergang uit de 16de eeuw. Aan Rue Labat staan vakwerkhuizen. De wallen zijn bekleed met een modern mozaïek, dat belangrijke episodes uit de stadsgeschiedenis verbeeldt.

Venus du Mas uit Mas-d'Agenais

🛐 **Église Notre-Dame**
Rue de la République.
🚪 *dag*. 🖼

OMGEVING: Zo'n 5 km naar het noordwesten ligt bij de Gallo-Romeinse opgraving **Sainte-Bazeille** het **Musée Archéologique André-Larroderie**. U vindt hier voorwerpen van de ijzertijd tot aan Lodewijk XIV.

🏛 **Musée Archéologique André-Larroderie**
Place René-Sanson.
📞 *05-53944028*. 🚪 *juli–aug.: ma en wo–zo; sept.–juni: zo*. 🖼

Marmande ㉔

Wegenkaart D3. 🏠 *18.000*. 🚇 🚉 🛈 *Boulevard Gambetta, 05-53644444*. 🍴 *di, do, za*. 🎉 *Fête des Fleurs et de la Fraise (mei); Fête de la Tomate (aug.); Nuits Lyriques en Marmandais (aug.); Festival du Cheval de Trait (aug.)*.

Al sinds de 19de eeuw worden er in de streek rond Marmande tomaten gekweekt, terwijl men nu ook op aardbeien inzet. Tijdens de Honderdjarige Oorlog werd er om de stad gevochten, maar in 1580 won Frankrijk die strijd. De **Église Notre-Dame**, gesticht in 1275, heeft een als

Casteljaloux ㉕

Wegenkaart C3. 23 km ten zuiden van Marmande. 🏠 *4900*. 🚇 *Marmande*. 🛈 *Maison du Roy, 05-53930000*. 🍴 *di en za*. 🎉 *Fête des Vins, Pains et Fromages (aug.); Festival de la Jeune Chanson Française 'Cadet d'Argent' (juli)*.

De naam van dit kuuroord op de rand van de bossen van de Landes is verbonden met die van de Albretdynastie. Zo'n veertig vakwerkhuizen met uitkragingen uit de 15de en 16de eeuw dateren uit de tijd dat de stad de hoofdstad van Gascogne was en de uitvalsbasis voor de jachtexpedities van Hendrik IV *(blz. 43)*. Het Maison du Roy is een mooie residentie uit de 16de eeuw waar Lodewijk XIII en XIV verbleven. Tour Maquebœuf is een van de weinige overblijfselen van de 14deeeuwse verdedigingswerken van de stad.

OMGEVING: In **Clarens**, 2 km ten zuiden van Casteljaloux, ligt een 17 ha groot meer met zandstrandjes, dat wordt omringd door dennenbomen. Mensen van alle leeftijden kunnen hier verschillende watersporten beoefenen. Bij het uitzichtpunt van **Bouglon** kunt over de bossen van de Landes kijken. De **Église Saint-Savin**, 1 km ten zuiden van Villefranche-du-Queyran, is een juweeltje van romaanse bouwkunst. De 11de–12deeeuwse kerk heeft een koor met twaalf bogen en twintig prachtig bewerkte kapitelen.

Kloostergang uit de renaissance van de Église Notre-Dame in Marmande

De robuuste 13de-eeuwse kerk van Mézin torent boven het dorp uit

Mézin ㉖

Wegenkaart D3. 12 km ten zuidwesten van Nérac. 🎫 *1500.* 🚇 *Agen.* 🚌 ✚ *Place Armand-Fallières, 05-53657746.* 🍷 *do en zo.*

M ézin groeide uit rond een middeleeuws klooster, waarvan helemaal niets bewaard is gebleven, en de bijbehorende kerk.
Om het hoofdplein staan arcaden. In de smalle, kronkelige straatjes staan vakwerkhuizen en een paar fraaie residenties van natuursteen. De Porte de Ville of Porte Anglaise, met een gotische boog, is een restant van de muren die in de 13de eeuw om het stadje werden gelegd.
Aan het plein staat de gerestaureerde 13de-eeuwse **Église Saint-Jean-Baptiste**. Ondanks de zes lelijke, licht hellende zuilen van het schip heeft de kerk een sierlijk interieur. De 90 treden van de klokkentoren worden beloond met een uitzicht op het Gascogner land rondom het stadje. Het smeedijzeren kruis links van het portaal dateert uit 1815. Hierop zijn de Lans en Nagels afgebeeld, bekroond door de haan die kraaide toen Petrus Christus verloochende.

De stad telt verschillende parken. Het is vooral aangenaam wandelen over de wallen, in de wijk rond Rue Neuve en door de Rue des Jardins. Het **Musée du Liège et du Bouchon**, dat in 1999 een nieuwe opzet kreeg, is gewijd aan de kurkenindustrie, waarom de stad in de 19de en het begin van de 20ste eeuw bekendstond.

🔓 **Église Saint-Jean-Baptiste**
Place Armand-Fallières. ⭘ *dag.* 🚫
🏛 **Musée du Liège et du Bouchon**
Rue Saint-Côme. 📞 *05-53656816.* ⭘ *april–okt.* ⬤ *ma.* 📷 🚫

OMGEVING: Sportliefhebbers zullen blij zijn met het complex in **Lislebonne**, 3 km verderop aan de weg naar Réaup. Er staan veel interessante romaanse kerken in deze streek. Vooral die in **Villeneuve-de-Mézin**, 5 km zuidelijk, **Lannes**, 4 km zuid-oostelijk, en **Saint-Simon-Saint-Pé**, 10 km zuidwestelijk, zijn bijzonder fraai.
Moncrabeau, 10 km oostelijk, heet de hoofdstad van de leugenaars. Het heeft deze titel gewonnen in een wedstrijd die al sinds de 18de eeuw jaarlijks wordt gehouden op de eerste zondag van augustus.

EEN EEUW KURKENINDUSTRIE

Begin 19de eeuw, toen het land rond Mézin de voornaamste bron van ruwe kurk van Frankrijk was, was de kurkenproductie de belangrijkste industrie van Lot-et-Garonne. Zo'n vijftig fabrieken exporteerden een paar miljoen kurken per dag naar alle delen van de wereld. De neergang van deze industrie begon in de tweede helft van de 19de eeuw, met de komst van de zeeden en de import van ruwe kurk uit Spanje, Portugal en Algerije. Tegenwoordig wordt slechts 60 procent van de ruwe kurk rond Mézin gebruikt voor de fabricage van kurken. Van de kurkeikbossen die in 1851 zo'n 5600 ha in beslag namen zijn nog maar 5000 bomen over.

Kurkenmaakster in een traditionele werkplaats

De watermolen van Poudenas, aan de oever van de Gélise

Poudenas ㉗

Wegenkaart D3. 4 km ten westen van Mézin. 253. 05-53657746. Agen. Foire d'Antan (aug.).

Dit middeleeuwse dorp was ooit een postkoetshalte waar Hendrik IV vaak kwam. Het **chateau** boven het dorp werd gebouwd door de heren van Pudenas, vazallen van koning Edward I van Engeland. In de 16de eeuw werd het kasteel, gelegen in bebost parkland, omgetoverd tot adellijke residentie. Aan de voorkant lopen galerijen met arcaden.

♣ Château de Poudenas
05-53657886. ○ uitsluitend groepen, op afspraak.

Nérac ㉘

Wegenkaart D3. 27 km ten zuidwesten van Agen. 7500. Agen. 7 avenue Mondenard, 05-53652775. za. Fêtes du Grand Nérac (juli); Fête des Vins de Buzet (aug.); Festival Musique en Albret (aug.–okt.); Festival de la Baïse au Mississippi (okt.).

De Baïse is een goed bevaarbare rivier die door het centrum van Nérac stroomt. Op de ene oever liggen het kasteel en de nieuwe stad, op de andere ligt Petit Nérac. In de 14de eeuw was Nérac hoofdstad van de regio Albret en de favoriete basis van de familie Albret. Deze had zich in de 12de eeuw in de streek gevestigd en was door huwelijken verbonden met het Huis van Navarra en de Franse koninklijke familie. Nérac was

een protestants bolwerk en in 1621 werden de versterkingen op gezag van Lodewijk XIII afgebroken.

Uit het **kasteel**, dat in de 14de–16de eeuw boven de Baïse werd gebouwd, blijkt de macht van de familie Albret. Het bestond ooit uit vier vleugels, voorzien van ronde torens. Het werd verlaten in de 16de eeuw en alleen de noordvleugel is bewaard gebleven. Deze heeft een sierlijke, uitkragende galerij met getordeerde zuilen, gebouwd tussen 1470 en 1522 door Alain le Grand d'Albret. Sinds 1934 is in de vleugel het **Musée de Nérac** gehuisvest, dat zich richt op de familie Albret en het leven en het hof in Nérac. Een apart gedeelte is gewijd aan plaatselijke neolithische en Romeinse vondsten. De 18de-eeuwse **Église Saint-Nicolas** met zijn neoklassieke façade is bekend om de 19de-

eeuwse glas-in-loodramen met afbeeldingen van profeten, en om zijn fraaie fresco's. Het Maison des Conférences, een stadsvilla uit de 16de eeuw aan de Rue des Conférences, heeft zijn originele gelaagde galerijen en de gevel met renaissancemotieven behouden. Hier voerden Catharina de' Medici en Hendrik van Navarra vanaf 1578 besprekingen *(conférences)*, die tot een verzoening van katholieken en protestanten moesten leiden.

Petit Nérac staat vol vakwerkhuizen. Het ligt aan de Baïse, dicht bij de sluis uit 1835. Opvallend is de 19de-eeuwse Église Notre-Dame. Maison de Sully, aan de andere kant van de Vieux Pont, werd verbouwd in de 16de eeuw en was in 1580 eigendom van de jonge hertog De Sully, eerste minister onder Hendrik IV.

Het openbare **Parc de la Garenne** strekt zich 2 km uit langs de oevers van de rivier. Er staan verschillende fonteinen, waaronder de Fontaine du Dauphin, die in 1601 de geboorte van Lodewijk XIII markeerde, en de Fontaine de Fleurette, genoemd naar een meisje dat zich verdronk nadat ze was verleid en verlaten door de prins van Navarra.

Église Saint-Nicolas, Nérac

♣ Kasteel en Museum
Impasse Henri IV. 05-53652111. ma.

♠ Église Saint-Nicolas
Place Saint-Nicolas. dag.

♣ Parc de la Garenne
dag.

Uitkragend vakwerkhuis in Petit Nérac aan de Baïse

De romaanse brug in Barbaste telt tien overspanningen

Barbaste ㉙

Wegenkaart D3. 6 km ten noordwesten van Nérac via de D930.
🏠 1550. 🚉 Agen. 🛈 Place de la Mairie, 05-53658485. 🎪 Fête Nationale des Moulins (juni).

D e **versterkte molen**, in de 13de eeuw voorzien van vier torens, kijkt uit over de Gélise naar een romaanse brug met tien overspanningen. Halverwege de 19de eeuw maakte Antonin Bransoulié er een graanmolen van. Ook bracht hij een pad aan, dat de torens en de molen verbond met de westoever, en bouwde hij een pakhuis. Eind 19de eeuw werd het gebouw een kurkenfabriek *(blz. 155)*. Zowel in 1906 als in 1937 werd deze door brand beschadigd. Naast de molen staat het hoofdverblijf van Antonin Bransoulié. Hier zit nu het **Château Imaginaire**, waar u een 'rondrit' langs de lokale wijngaarden maakt met behulp van hologrammen.

🏚 **Versterkte molen**
🕐 op afspraak. ☎ 05-53650937.
⛴ **Château Imaginaire**
Maison Aunac, rue Moulin-des-Tours.
🕐 april–juni: 's middags; juli–aug.: dag. 🎟 ☎ 05-53972515.

OMGEVING: De vestingstad **Lavardac**, 2 km naar het noordoosten, werd gesticht in 1256. De haven aan de Baïse was welvarend zolang rivierverkeer belangrijk was. Nu is het stadje een aanlegplaats voor pleziervaartuigen. De 13de-eeuwse toren is alles wat over is van het oude kasteel.

Vianne ㉚

Wegenkaart D3. 8 km ten noordwesten van Nérac. 🏠 1260. 🚉 Agen. 🛈 Place des Marronniers, 05-53652954. 🎪 juni–sept. vr tot 's avonds laat. 🎪 Journée des Nations (juni).

D eze vestingstad, die nog zijn versterkingen heeft, werd in 1284 gesticht aan de Baïse. Topattractie is de fraaie 12de-eeuwse kerk. Terwijl het schip, het koor en de bewerkte kapitelen onmiskenbaar romaans zijn, zijn het portaal, de versiering van de apsis en de versterkingen van de klokkentoren gotisch van stijl. Een glasblazerij uit 1928 houdt de plaatselijke glasblazerstraditie levend *(blz. 270)*.

OMGEVING: In **Xaintrailles**, 5 km ten zuiden van Vianne, staat een vierkante donjon uit de 15de eeuw. Hoe honing wordt gemaakt ziet u in het plaatselijke **Musée de l'Abeille**. Zo'n 12 km ten westen van Vianne liggen in **Durance** de resten van een kasteel van Hendrik IV en ongeveer 16 km naar het noorden ligt de 13de-eeuwse *bastide* **Francescas**.

Musée de l'Abeille
☎ 05-53659026. 🕐 sept.–juni: op afspraak. 🎟

Een van de versterkte inrijpoorten in de wallen van Vianne

VROUWEN AAN HET HOF VAN NÉRAC

Jeanne d'Albret, moeder van Hendrik IV

Tijdens de bloei van het hof van Nérac in de 16de eeuw speelden vrouwen een belangrijke rol. Marguérite d'Angoulême (1492–1549), de vrouw van Hendrik van Navarra en zus van Frans I, kwam in circa 1530 naar Nérac en nam in haar gevolg wetenschappers, dichters en humanisten als Lefebvre d'Etaples en Clément Marot mee. Haar dochter Jeanne d'Albret (1528–1572), de moeder van Hendrik IV, werd protestants en wijdde zich aan de verspreiding van het calvinisme.

Onder de loep: Agen ③

Hôtel Amblard

Manuscript uit Agen

De Franse hoofdstad van rugby en pruimen – hoewel de beroemde *pruneaux d'Agen* hier eigenlijk niet vandaan komen – Agen (Aginnum) was oorspronkelijk een Gallo-Romeinse stad. Aan het einde van het Romeinse Rijk groeide de stad snel uit, maar had te lijden van invasies in de 5de en 6de eeuw. Later werd Agen ingelijfd bij het hertogdom Aquitanië, dat in 1032 werd gevormd. Om de stad werd gevochten door de koning van Frankrijk en de koning van Engeland, die ook de hertog van Aquitanië was, en tijdens de Honderdjarige Oorlog wisselde de macht voortdurend. In de 16de eeuw werden tijdens de Godsdienstoorlogen de protestanten de stad uit gejaagd. Later werd Agen een industrie- en handelsstad, waarbij het profiteerde van de ligging aan de Garonne. Tegenwoordig is het bestuurscentrum en universiteitsstad.

Maison du Sénéchal (14de eeuw)

Théâtre Ducourneau
Dit neoclassicistische theater uit 1906 staat bekend om de uitstekende akoestiek.

★ Rue Beauville
Deze fraai gerestaureerde hoofdstraat is een van de mooiste van Agen. Aan weerszijden staan vakwerkhuizen met overhangende verdiepingen.

RUE RICHARD COEUR DE LION
RUE BEAUVILLE
RUE MONCORNY
RUE MOLIÈRE
RUE DE LA GRANDE HORLOGE
RUE DU PUITS DU SAUMON
RUE JEAN THORTE
FLOIRAC
AUG

STERATTRACTIES
★ Cathédrale Saint-Caprais
★ Musée des Beaux-Arts
★ Rue Beauville

0 meter   100

SYMBOOL
 Aanbevolen route

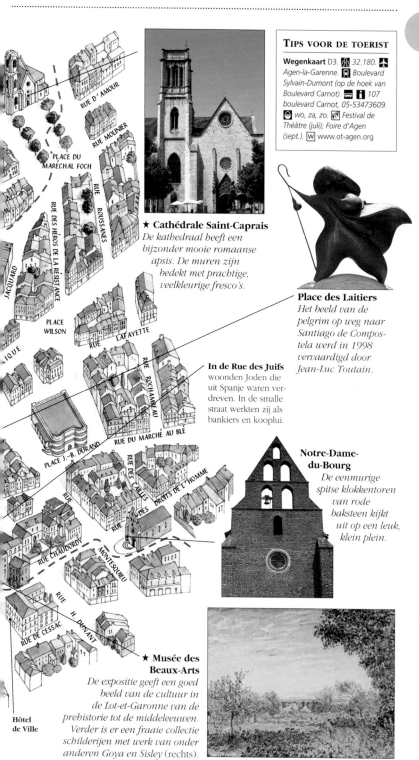

Tips voor de toerist

Wegenkaart D3. 32.180.
Agen-la-Garenne. Boulevard
Sylvain-Dumont (op de hoek van
Boulevard Carnot). 107
boulevard Carnot, 05-53473609.
wo, za, zo. Festival de
Théâtre (juli); Foire d'Agen
(sept.). W www.ot-agen.org

★ Cathédrale Saint-Caprais
De kathedraal heeft een bijzonder mooie romaanse apsis. De muren zijn bedekt met prachtige, veelkleurige fresco's.

Place des Laitiers
Het beeld van de pelgrim op weg naar Santiago de Compostela werd in 1998 vervaardigd door Jean-Luc Toutain.

In de Rue des Juifs
woonden Joden die uit Spanje waren verdreven. In de smalle straat werkten zij als bankiers en kooplui.

Notre-Dame-du-Bourg
De eenmurige spitse klokkentoren van rode baksteen kijkt uit op een leuk, klein plein.

★ Musée des Beaux-Arts
De expositie geeft een goed beeld van de cultuur in de Lot-et-Garonne van de prehistorie tot de middeleeuwen. Verder is er een fraaie collectie schilderijen met werk van onder anderen Goya en Sisley (rechts).

Hôtel de Ville

Agen verkennen

In de grootste stad in het Garonnedal tussen Toulouse en Bordeaux staan nog vele fraaie huizen, die getuigen van welvaart in de tijden dat Agen handelsstad en industrieel centrum was.

In het hart van de stad, tussen Boulevard Carnot en de Garonne, liggen smalle straten met gerestaureerde middeleeuwse vakwerkhuizen, chique 16de- en 17de-eeuwse herenhuizen en door arcaden omringde pleinen, neoclassicistische gebouwen uit het begin van de 20ste eeuw en een mooi museum. Tussen de Esplanade du Gravier aan de Garonne en het kanaal dat parallel aan de rivier loopt liggen prettige parken.

Beeld, Église des Jacobins

Renaud et Armide (16de eeuw) van Domenico Tintoretto

Le plongeur (1877) van Gustave Caillebotte

🏛 Musée des Beaux-Arts

📍 Place du Docteur-Esquirol.
📞 05-53694723. ⬤ di en feestdagen. 📷 ✏️

Het Museum voor Schone Kunsten werd gesticht in 1876. De collectie omvat vrijwel elk tijdperk van de prehistorie tot de 20ste eeuw en is een van de fraaiste in Zuidwest-Frankrijk. De werken zijn tentoongesteld in vier mooie 16de- en 17de-eeuwse herenhuizen. U ziet onder andere de *Venus du Mas*, een Romeins beeld uit Le Mas-d'Agenais *(blz. 154)*, Vlaamse, Hollandse, Franse en Italiaanse schilderijen uit de 16de en 17de eeuw en een belangrijke collectie 18de- en 19de-eeuwse Spaanse kunst, waaronder vijf doeken van Goya. Schilderijen van Courbet, Corot en Sisley dekken de 19de eeuw, terwijl doeken van Roger Bissière en beelden van Claude en François-Xavier Lalanne de 20ste eeuw vertegenwoordigen.

🏯 Vieille Ville

Dit deel van de stad is vol bezienswaardigheden, die variëren van de 13de-eeuwse **Chapelle Notre-Dame-du-Bourg**, in Rue des Droits-de-l'Homme, met een uit één muur bestaande klokkentoren, en een van de oudste gebouwen met gewapend beton in Frankrijk, het **Théâtre Ducourneau** uit 1906, aan Place du Docteur-Esquirol. Aan de smalle **Rue Beauville**, staan vakwerkhuizen uit de 15de eeuw. De **Église Notre-Dame-des-Jacobins**, ooit de kapel van een dominicanenklooster uit 1249, wordt nu gebruikt voor exposities. De nabijgelegen **Place des Laitiers** wordt omringd door arcaden. De **Ruelle des Juifs**, een smalle steeg, was tot het einde van de 14de eeuw de

Het kanaal langs de Garonne stroomt ook door Agen

plek waar geldschieters en kooplieden zaten. De **Rue des Cornièrese**, aan de andere kant van de Boulevard de la République, was in de 13de eeuw een belangrijke doorgangsweg voor de handel. Boven de arcaden in verschillende stijlen liggen mooi gerestaureerde huizen. Andere huizen die het bekijken waard zijn, zijn het 14de-eeuwse **Maison du Sénéchal** in de Rue du Puits-du-Saumon en het 18de-eeuwse **Hôtel Amblard** op Rue Floirac 1.

🔒 Cathédrale Saint-Caprais
Place du Maréchal-Foch. ⬜ *dag.* 🔲 📞 *05-53663727.*
De kathedraal dateert van de 12de eeuw, maar is sindsdien ettelijke keren verbouwd. Let op de prachtige romaanse apsis en de bonte fresco's op de wanden.

🚇 Place Armand-Fallières
Het bisschoppelijk paleis, dat nu wordt gebruikt door het gemeentebestuur, werd gebouwd in 1775 en is later uitgebreid. Voor het neoclassicis-

tische gerechtshof ligt een statige trap, geflankeerd door allegorische beelden.

🍃 Le Gravier
Onder Lodewijk XIII werden er streekmarkten gehouden op dit kleine eiland in de rivier. De esplanade uit 18de en 19de eeuw is een geliefde plek voor een wandeling. Aan de Avenue Gambetta ligt **Hôtel Hutot-de-la-Tour**, een 18de-eeuws gebouw van roze baksteen waar de belastinginspecteur woonde. Rechts ervan ligt de **Tour de la Poudre**, die ooit deel uitmaakte van de 14de-eeuwse stadswallen.

🚉 Pont Canal
De stenen brug met 23 overspanningen is met zijn 580 m een van de langste van Frankrijk.

OMGEVING: Parc Walibi Aquitaine, 3,5 km ten westen van Agen, heeft zo'n 20 spectaculaire ritten en andere attracties te bieden *(blz. 286)*. **Les Serres Exotiques Végétales Visions**, in Colayrac-

Vakwerkhuizen in de Rue Richard-Cœur-de-Lion

Saint-Cirq, 6 km ten westen van Agen, zijn kassen vol vreemde exotische planten.

🍃 Parc Walibi Aquitaine
Château de Caudouin, Roquefort.
📞 *05-53967832.* ⬜ *half april–okt.* 🌐 *www.sixflagseurope.com* 🅿
🍃 Les Serres Exotiques Végétales Visions
📞 *05-53670777.* ⬜ *juli–aug.: dag.; sept.–juni: di–zo.* 🅿 🔲

CENTRUM VAN AGEN

Cathédrale Saint-Caprais ①
Chapelle Notre-Dame-du-Bourg ⑤
Hôtel Amblard ②
Maison du Sénéchal ③
Musée des Beaux-Arts ④
Tour de la Poudre ⑥

SYMBOLEN

⬛ Stratenkaart *(blz. 158–159)*
🚉 Spoorwegstation
🚌 Busstation
🅿 Parkeergelegenheid
ℹ Toeristeninformatie
✝ Kerk
✉ Postkantoor

Een van de vele romaanse kerkjes in het Pays de Serres

Pays de Serres ❷

Wegenkaart D3.

De dalen en de plateaus van het Pays de Serres vormen een apart geologisch landschap, in het noorden begrensd door de Lot en in het zuiden door de Garonne. Smalle stroken kalksteen, bekend als *serres* (kammen) lopen dwars door het land, dat verder doorbroken wordt door kleine dorpjes en vestingplaatsen *(bastides)* op rotspunten. Ook zijn er schilderachtige, door mensenhanden vervaardigde structuren, zoals duiventillen, boerderijen en romaanse kerken en kapelletjes. De karakteristieke witte muren van natuursteen contrasteren met het omliggende land.

De markthal in Laroque-Timbaut met Toscaanse zuilen

Laroque-Timbaut ❸

Wegenkaart D3. 16 km ten noord-oosten van Agen. ∰ 1300. 🚊 Agen. 🛈 Rue du Commerce, 05-53957950. 🛒 do-ochtend. 🎪 Festival Médiéval (aug.).

Het dorpje Laroque-Timbaut ligt op een rotspunt. De markthal uit de 13de eeuw heeft een fraai houten dak, dat wordt gesteund door Toscaanse zuilen (zonder cannelures). Aan het einde van de charmante Rue du Lô vindt u de fundamenten van een 13de-eeuws kasteel met bijgebouwen. Net buiten het dorp is een gedenkteken voor de helden van het dorp, zoals de wielrenner Paul Dangla (1878–1904) en Louis Brocq (1856–1928), beroemd om zijn pioniersarbeid voor de behandeling van huidziekten. In het dal ligt een kapel die is gewijd aan St.-Germain, waar jaarlijks op de laatste zondag van mei pelgrims bijeenkomen.

OMGEVING: Hautefage-la-Tour, 7 km ten noorden van Laroque-Timbaut, heeft een ongewone zeskantige toren uit de 15de eeuw. De 16de-eeuwse kerk heeft een mooi houten dak.
Ongeveer 6 km ten noordwesten van Laroque-Timbaut ligt het middeleeuwse versterkte stadje **Frespech**. Het **Musée du Foie Gras** in **Souleilles** behandelt de 4500 jaar oude geschiedenis van de *foie gras*.

🏛 **Musée du Foie Gras**
📞 05-53412324. 🔾 dag. ⬤ jan. 📷 📹

Beauville ❸

Wegenkaart D3. 11 km ten oosten van Laroque-Timbaut. ∰ 560. 🚊 Agen. 🛈 Grande Rue, 05-53476306. 🛒 zo.

De oude vestingstad Beauville ligt beschut achter een rij bomen tegen de heuvel en biedt zo een schitterend uitzicht op het omringende land. Aan het aantrekkelijke dorpsplein met zijn arcaden liggen vakwerkhuizen. Het kasteel uit de 13de eeuw met latere aanpassingen wordt momenteel gerestaureerd. Boven de ingang van de 16de-eeuwse kerk prijkt een klokkentoren.

Rond het dorpsplein van Beauville liggen huizen boven arcaden

Saint-Maurin ❸

Wegenkaart D3. 28 km ten noordoosten van Agen. ∰ 450. 🚊 Agen.

Dit vredige dorpje in een groene vallei groeide uit rond een 11de-eeuwse benedictijnenabdij. Een deel van de abdij werd vernietigd tijdens de kruistochten, terwijl de rest in de 14de eeuw werd beschadigd door de Engelsen. Alleen een deel van de kerk en het huis van de abt zijn bewaard gebleven. Deze kerk, met een grondvlak van een Latijns kruis, heeft een halfrond koor met zes schitterend gebeeldhouwde kapitelen, waaronder een voorstelling van de martelaar St.-Maurin. Het vroegere schip stond op wat nu het dorpsplein is. Andere resten van de abdij liggen tussen nieuwere delen van het dorp. In het huis van de abt zit een **museum**. Dit is ontworpen door de dorpelingen zelf en bezit een verzameling voorwerpen die door hen zijn aangedragen, waarmee het dagelijks leven aan het begin van de 20ste eeuw wordt geïllustreerd.

Ook staat er een maquette van de abdij in volle glorie. Op het plein voor het huis van de abt vindt u een mooie markthal, die in 1625 werd gerestaureerd, een put en een paar mooie vakwerkhuizen. De 13de-eeuwse Église Saint-Martin-d'Anglars boven het dorp werd verbouwd in de 16de eeuw. Tot de inrichting behoren een 17de-eeuws altaar met houtsnijwerk en een 18de-eeuws beeld van Jozef.

🏛 **Abdijmuseum**
Palais abbatial. ◐ *juli–aug.* ● *di.*
☏ *05-53476306 (Beauville).* 🔕 🚫

Puymirol ㊱

Wegenkaart D3. 17 km ten oosten van Agen. 🚌 *880.* 🚉 *Agen.*
ℹ *83 rue Royale, 05-53953230.*

Puymirol was in 1246 de eerste vestingstad van Agenais. Op de bergtop waar het stadje ligt kijkt u uit over de Séoune.

Over de stadsmuren rondom Puymirol kunt u wandelen. De Porte Comtale geeft toegang tot de stad. De belangrijkste straat is de Rue Royale. Op het grote plein, dat wordt omringd door arcaden, staat nog de oude put. De kerk, verbouwd in de 17de eeuw, heeft een portaal uit de 13de eeuw met een brede archivolt met beeldhouwwerk. In de middeleeuwen was Puymirol in de wijde omtrek befaamd om zijn markten.

OMGEVING: Zo'n 8 km naar het zuidoosten ligt **Clermont-Soubiran** op de top van een heuvel, waardoor u er een prachtig uitzicht hebt op de glooiende heuvels en de bossen. De klokkentoren van de 12e-eeuwse kerk bestaat uit

Boven het kruisveld van de Église Saint-Martin in Layrac prijkt een koepel

een enkele muur. In het Château de la Bastide zit het Musée du Vin et de la Tonnellerie, een klein museum over plaatselijke wijnen.

Layrac ㊲

Wegenkaart D3. 10 km ten zuiden van Agen. 🚉 *Agen.* ℹ *Rue Docteur-Ollier, 05-53665153.*

In dit dorp hebt u een prachtig uitzicht over de Gers en de Garonne. Op de 12de-eeuwse Église Saint-Martin prijkt een koepel uit de 18de eeuw. De apsis is bijzonder fraai. De kapitelen op de façade zijn voorzien van monsters en demonen. Binnen bevindt zich een marmeren altaarstuk. Op de vloer vindt u nog resten van een mozaïek uit de 11de–12de eeuw, met daarop Samson die de leeuw verslaat. De klokkentoren is het enige wat over is van de oude kerk, die in 1792 door brand werd verwoest. Tegen de oude stadswallen aan Place de Salens staan een fontein en een wasplaats.

OMGEVING: Astaffort, een klein plaatsje in de regio Brulhois, zo'n 11 km ten zuiden van Layrac, is de geboorteplaats van de zanger Francis Cabrel. Behalve vakwerkhuizen treft u er resten van stadsmuren aan. De romaanse Église Saint-Félix werd in de 17de eeuw verbouwd.

Caudecoste, op de top van een heuvel 9 km ten zuiden van Layrac, stamt uit 1273. Het is een van de weinige vestingplaatsen die werden gesticht door een religieuze orde. Rond het kleine, door arcaden omgeven plein staan vakwerkhuizen op houten pilaren. Ook de kerk aan de rand van het dorp is een bezoekje waard.

Vakwerkhuis in Caudecoste

De apsis van de romaanse Église Notre-Dame in Moirax

Moirax ❸

Wegenkaart D3. 7 km ten zuiden
van Agen. 🏠 1023. 🚉 Agen.
🛈 Place du Prieuré, 05-53870369.

Het oude dorpje Moirax,
dat rondom zijn majes-
tueuze kerk ligt gegroepeerd,
kijkt uit over de vlakten van
de Agenais.
Halverwege de 11de eeuw
schonk Guillaume de Moirax,
de lokale baron, land aan de
orde van Cluny, zodat deze er
een klooster kon bouwen. Het
klooster beleefde een woelige
tijd in de middeleeuwen, toen
het had te lijden van verschillende strijdende partijen.
Tegen het einde van de 17de
eeuw begon men met een
omvangrijk restauratie-
programma, maar dat kwam in
1789 met de Franse Revolutie
tot een abrupt einde.
De **Église Notre-Dame**, die
vroeger deel uitmaakte van het
klooster, is een prachtig
voorbeeld van romaanse
bouwkunst en is nu toch heel
goed gerestaureerd. Boven het
vooruitstekende middendeel
van de façade prijkt een klokkentoren met twee arcaden.
Deze wordt bekroond met een

tentdak. De van buiten van
steunberen voorziene beuken
hebben binnen twee rijen
bogen boven elkaar. De
booglijsten van het portaal zijn
gedecoreerd met kralen en
bladslingers en rusten op vier
slanke zuilen. De gotische
boog erboven omlijst een
halfrond raam. Boven het
koor prijkt een koepel die is
gedekt met dakspanen en
wordt bekroond door een
lantaarn. Ook de boogramen
van de apsis en zijapsissen zijn
getooid met parellijsten.

De kerk heeft de vorm van
een basiliek, dat wil zeggen
dat het schip wordt
geflankeerd door zijbeuken,
iets wat niet vaak voorkomt in
dit deel van Frankrijk. Het
enige licht in het schip komt
binnen door het raam in de
westelijke muur.
Het strikt symmetrische
dwarsschip is in drieën
verdeeld. Beide armen van
het dwarsschip, verlicht door
een dubbele rij ramen,
hebben treden die naar een
verhoging leiden. De koepel
boven het kruisveld heeft later
een stervorm gekregen. Vier
dragende zuilen op de vierkante basis torsen de achthoekige koepel. Het koor krijgt
licht door ramen met bogen
op slanke zuilen, terwijl de
gewelfde apsis wordt verlicht
door vijf boogramen.
De zuilen die de kerk dragen
worden bekroond door ruim
honderd bewerkte kapitelen.
Naast abstracte en planten-
motieven zijn op veel plaatsen
leeuwen te zien, terwijl ook
vogels, rammen en allerlei
fantasiemonsters een plekje
hebben gevonden. Dertien
kapitelen zijn voorzien van
bijbelse taferelen, waaronder
afbeeldingen van Adam en
Eva en de Hof van Eden,
Michaël in gevecht met de
draak en Daniël in de
leeuwenkuil. In de zijbeuken
ziet u 17de-eeuws houtsnijwerk met verschillende scènes
uit het Oude Testament.

🔒 **Église Notre-Dame**
⭕ dag. ☑ op afspraak met het
toeristenbureau, 05-53870369.

Het vijfkantige washuis buiten Laplume dateert uit de 17de of 18de eeuw

Sérignac-sur-Garonne vormt een schilderachtige halte aan het kanaal

Laplume 🟡

Wegenkaart D3. 14 km ten zuidwesten van Agen. 🏠 *1250.*
🚌 *Agen.* 🛈 *64 Grande Rue, 05-53951667.*

De voormalige 'hoofdstad' van de kleine regio Brulhois ten zuidwesten van Agen kijkt van een gunstig gelegen plekje hoog op de kalksteenrotsen uit over het land eromheen. Van de middeleeuwse kern is nog een deel bewaard, waaronder een gedeelte van de stadsmuren en twee poorten. De 16de-eeuwse Église Saint-Barthélemy werd in de 17de en de 18de eeuw gerestaureerd. Even buiten Laplume ligt het Lavoir de Labat, een vreemd, vijfhoekige washuis uit de 17de of de 18de eeuw.

Aubiac 🟡

Wegenkaart D3. 4 km ten noorden van Laplume. 🏠 *870.* 🚌 *Agen.*
🛈 *05-53951667.*

De prachtige, romaanse weerkerk Église Sainte-Marie steekt uit weelderig groen uit boven het dorp. De kerk werd tussen de 9de en 12de eeuw neergezet op de resten van een Merovingisch bouwwerk. Van buiten lijkt het een vierkant, robuust en sober fort, maar het interieur is verrassend uitbundig, met ronde bogen in de apsis en tongewelven boven het portaal. De koepel boven het vierkante koor is getooid met 16de-eeuwse fresco's die de vier evangelisten voorstellen. Het 14de-eeuwse kasteel naast de kerk behoorde toe aan een tak van de familie Galard. In de 18de eeuw kreeg het een ander aanzien. Een belangrijke archeologische vondst uit Aubiac is een Keltische bronzen paardenkop, dat zich in het Musée des Beaux-Arts in Agen *(blz. 160)* bevindt.

Beeld van Blaise de Monluc, Estillac

Estillac 🟡

Wegenkaart D3. 2 km ten noorden van Aubiac. 🏠 *1307.* 🛈 *05-53678036.*

Dit 13de-eeuwse bastion was ooit eigendom van Blaise de Monluc, de schrijver en maarschalk van Frankrijk die de katholieke legers leidde ten tijde van de Godsdienstoorlogen. Zijn wit marmeren beeld rust in het **Château de Monluc**, waar hij woonde. Hij wist zich ook te onderscheiden in de Frans-Italiaanse oorlogen en staat bekend om zijn *Commentaires*, een verhandeling over het krijgsbedrijf. De stijl van de 16de-eeuwse kerk is typerend voor deze streek.

♠ Château de Monluc
📞 *05-53678183.* ⏰ *dag.* 🎨 ✔

OMGEVING: **Sérignac-sur-Garonne,** zo'n 13 km ten noordwesten van Estillac, was ooit een belangrijke vestingplaats. De ligging aan het kanaal garandeert vele bezoekers per boot. Er staan mooie vakwerkhuizen en een 11de-eeuwse kerk met een romaans portaal en een gedraaide klokkentoren, een exacte replica van het 16de-eeuwse origineel uit 1922, gerestaureerd in 1989.

De stoere romaanse weerkerk in Aubiac

LANDES

D e Landes trekt jaarlijks duizenden bezoekers, die zich laten verleiden door de prachtige bossen en de lange zandstranden langs de Atlantische kust: een paradijs voor surfers. Niet minder fraai is echter het binnenland met zijn prachtige architectuur, kleurrijke festivals en vele culinaire hoogstandjes.

De Landes ligt midden in Aquitaine en beslaat een oppervlakte van 9.800 km². In dit nog grotendeels ongerepte gebied met bossen, meren en rivieren heerst een gematigd zeeklimaat. De witte zandstranden met een totale lengte van 106 km, de ontelbare rivieren *(courants)*, de meren en wetlands maken van de Landes een waar lustoord voor watersporters. In het binnenland lokken dennenbossen en maïsvelden met hier en daar een vakwerkhuis. De eerste nederzettingen in de Landes dateren van de prehistorie. De nalatenschap van de Honderdjarige Oorlog is terug te vinden in de vele *bastide*-stadjes, die op strategische plaatsen in het landschap liggen. Het leven was zwaar in dit zompige moerasland: herders hadden zich aangepast aan de modderige ondergrond en hoedden hun schapen op stelten. In het Second Empire (1852–1870) veranderde het landschap van de Landes door de afwatering van het moerasland en de aanplant van dennenbossen om in de behoefte aan hars en hout te voorzien. Tegelijkertijd kwamen er betere verbindingen tussen dorpen en steden: spoorwegen werden aangelegd en wegen aanzienlijk verbeterd. In 1970 werd het Parc Naturel Régional des Landes de Gascogne aangelegd ten behoud van de traditionele levensstijl in de Landes. Tegenwoordig trekken de fraaie romaanse architectuur (vooral langs de oude pelgrimsroute naar Santiago de Compostela), de surfstranden en de watertherapie veel bezoekers. Ook de stierenrennen *(blz. 25)* zijn populair. Bovendien is de Landes een paradijs voor fijnproevers: streekspecialiteiten zijn *foie gras de canard*, kip (met vrije uitloop), Chalosse-rundvlees, op zandgrond geteelde asperges, armagnac en Tursanwijnen.

Bootjes met toeristen op de Courant d'Huchet

◁ **Koor van de benedictijner Abbaye de Saint-Sever**

De Landes verkennen

De Landes is uitstekend te verkennen via de talrijke wegen die door de
streek lopen. Van Biscarosse in het noorden tot Capbreton in het zuiden
liggen lange stranden en chique vakantiecomplexen langs de kust.
Achter de duinen strekt zich een ongerept groen landschap uit. Dit
bestond vroeger uit heidevelden *(landes)* met hier en daar groepjes loofbomen, maar is nu grotendeels begroeid met dennen. De
twee belangrijkste steden zijn het vredige Mont-de-Marsan, de
departementshoofdstad en het bestuurlijke centrum, en Dax,
een kuuroord met heilzame bronnen.
Het Parc Naturel Régional des Landes de Gascogne
(290.000 ha) is ideaal voor natuurvrienden en
even verder naar het zuiden liggen de glooiende heuvels van de Armagnac, de Chalosse en
de Tursan, aan de voet van de Pyreneeën.

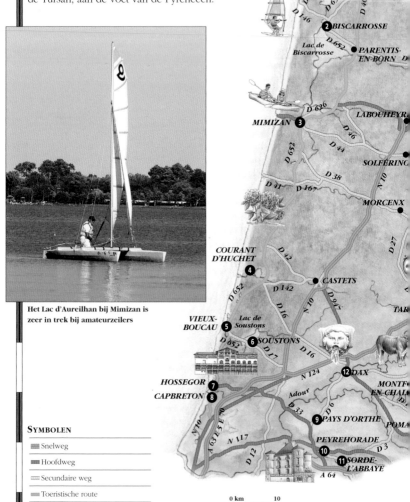

Het Lac d'Aureilhan bij Mimizan is
zeer in trek bij amateurzeilers

Arcachon

*Lac de Cazaux
et Sanguinet*

D 83 · D 652 · D 46

D 146

❷ **BISCARROSSE**

*Lac de
Biscarrosse* · D 652 · ● **PARENTIS-
EN-BORN** D

D 626

MIMIZAN ❸

D 46

D 652 · D 44 · **LABOUHEYR**

SOLFÉRINO

D 38 · N 10

D 41 · D 167 · **MORCENX**

D 27

**COURANT
D'HUCHET**

❹

D 42

D 652 · D 142 · ● **CASTETS**

N 10 · D 947 · **TAR**

**VIEUX-
BOUCAU** ❺ · *Lac de
Soustons* · D 16

D 652 · ❻ **SOUSTONS**

D 17 · D 16

N 124 · ❶❷ **DAX** · **MONTF**
EN-CHAL

HOSSEGOR ❼

CAPBRETON ❽ · *Adour*

N 149 · A 63/E 70 · D 33 · D 6 · **PAYS D'ORTHE** ❾ · **POMA**

N 117 · **PEYREHORADE**

D 12 · ❿ · ⓫ **SORDE-
L'ABBAYE** · D 3

A 64

SYMBOLEN

▬	Snelweg
▬	Hoofdweg
▭	Secundaire weg
▬	Toeristische route
☀	Uitzichtpunt

0 km   10

BEZIENSWAARDIGHEDEN IN HET KORT

Aire-sur-l'Adour ⑰
Biscarrosse ②
Brassempouy ⑮
Capbreton ⑧
Courant d'Huchet ④
Dax ⑫
Grenade-sur-l'Adour ⑲
Hossegor ⑦
Labastide-d'Armagnac ㉑
Mimizan ③
Monfort-en-Chalosse ⑬
Mont-de-Marsan ⑳

Parc Naturel Régional des Landes de Gascogne (blz. 170–173) ①
Pays d'Orthe ⑨
Peyrehorade ⑩
Pomarez ⑭
Saint-Sever ⑱
Sorde-l'Abbaye ⑪
Soustons ⑥
Vieux-Boucau ⑤

Rondrit
Tursan ⑯

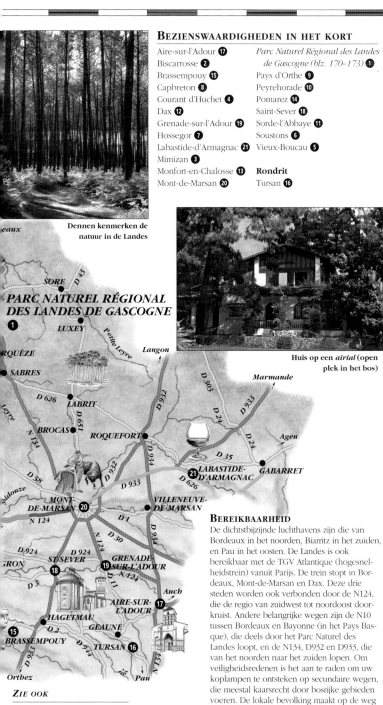

Dennen kenmerken de
natuur in de Landes

Huis op een *airial* (open
plek in het bos)

BEREIKBAARHEID

De dichtstbijzijnde luchthavens zijn die van Bordeaux in het noorden, Biarritz in het zuiden, en Pau in het oosten. De Landes is ook bereikbaar met de TGV Atlantique (hogesnelheidstrein) vanuit Parijs. De trein stopt in Bordeaux, Mont-de-Marsan en Dax. Deze drie steden worden ook verbonden door de N124, die de regio van zuidwest tot noordoost doorkruist. Andere belangrijke wegen zijn de N10 tussen Bordeaux en Bayonne (in het Pays Basque), die deels door het Parc Naturel des Landes loopt, en de N134, D932 en D933, die van het noorden naar het zuiden lopen. Om veiligheidsredenen is het aan te raden om uw koplampen te ontsteken op secundaire wegen, die meestal kaarsrecht door bosrijke gebieden voeren. De lokale bevolking maakt op de weg soms gebruik van ultrasonore geluidssignalen om het wild van de weg te houden. Tussen dorpen en steden rijden bussen.

Parc Naturel Régional des Landes de Gascogne ❶

D it schitterende natuurgebied wordt in het westen begrensd door de Atlantische kust, in het noorden door de wijnvelden van de Gironde en in het zuiden door de uitlopers van de Pyreneeën. Het park werd in 1970 aangelegd, niet alleen tot behoud van de traditionele architectuur en cultuur van de Landes, maar ook ter bescherming van wilde dieren die van groot belang zijn voor het levensonderhoud van de ongeveer 40.000 bewoners van dit gebied. Hiervan profiteren veertig dorpen: twintig in de Gironde en 21 in de Landes. Het grote plateau (315.000 ha) tussen uitgestrekte maïsvelden is begroeid met loofbomen en altijdgroene dennen. Het akkerland wordt gevoed door de rivier de Leyre, die door het hele reservaat stroomt. De drie door het park lopende routes naar Santiago de Compostela worden door veel pelgrims afgelegd.

Klederdracht van de Landes

Kanoën op de rivier de Leyre

Musée du Patrimoine Religieux in Moustey
Moustey telt twee godshuizen: de Église Saint-Martin, met fraaie reliëfs in het portaal, en de Église Notre-Dame, waarin het Musée du Patrimoine Religieux huist.

Quartier de Marquèze
In Marquèze, dat deel uitmaakt van het Écomusée de la Grande Lande, ziet u een reconstructie van een traditioneel dorp. Hier staan laat-19de-eeuwse huizen in de kenmerkende stijl van de Landes.

PARTIE N DU PARC

BORDEAUX

Belin-Bé

BISCARROSSE

Saugn
et-Mu

Mo

Liposthey

PARENTIS-
EN-BORN

Pissos

Grande Leyre

MIMIZAN

Labouheyre D 626 D 45

Commensacq Trensacq

Marquèze

Solférino

Sabres

MARAIS
DU PLATIET

BAYONNE

0 kilometer 5

Atelier des Produits Résineux de Luxey
Het harsatelier in Luxey herinnert aan een product dat bepalend was voor de economie van de Landes. U kunt hier ook een bezoek brengen aan het Musée de l'Estupe-huc (Brandweermuseum), waar u een tentoonstelling over het blussen van bosbranden kunt bekijken.

TIPS VOOR DE TOERIST

40 km ten zuiden van Bordeaux via de N10. **Wegenkaart** B3/C3.
🚉 Sabres. 🛈 Maison du Parc, 33 route de Bayonne, 33830 Belin-Beliet, 05-57719999.
FAX 05-56881272. 🕐 ma–vr 8.30–12.30, 13.30–17.30 uur.
⬤ feestdagen. W www.parc-landes-de-gascogne.fr

SYMBOLEN

▭	Snelweg
—	Spoorlijn
▭	Hoofdweg
▭	Secundaire weg
🛈	Toeristenbureau

Ooit werd in de Landes veel hars gewonnen

FLORA EN FAUNA

Langs de rivier de Leyre, die door het laagland van de Landes stroomt, staan varens en loofbomen als de bergeik en de kastanje. Overal in de drassige gebieden komen Europese moerasschildpadden, otters en hermelijnen voor. In de delta van de Leyre, waar zoet en zout water samenkomen, huizen ooievaars, zilverreigers en kraanvogels tussen lisdodden en zeekraal. Tussen de dennen, brem en heide liggen lagunen die worden bewoond door geelbuikpadden, waterrallen en nachtegalen.

Kraanvogel in het Parc Régional

Het Parc Naturel Régional des Landes de Gascogne verkennen

D it omvangrijke natuurreservaat tussen de Gironde en de Landes ligt in een gebied dat vroeger Grande Lande heette. Hier graasden schapen onder het waakzaam oog van herders, die zich op stelten over het vlakke, drassige gebied voortbewogen. De meeste mensen woonden in een van de vele dorpjes, maar ook op het platteland werden huizen gebouwd, op zogeheten *airiaux:* open grasgebieden, omgeven door loofbomen. Toen Napoleon III aan het einde van de 19de eeuw besloot om het gebied opnieuw te ontwikkelen, verdwenen de moerassen en weiden langzaamaan onder nieuw aangeplante dennenbossen. In het park treft u echter niet alleen bos aan, maar ook verschillende waterwegen, meertjes en de ongerepte oevers van de rivier de Leyre, vanwaar u pittoreske dorpjes, oude boerderijen en prachtige romaanse kerken ziet liggen.

Vroeger liepen de herders in de Landes op stelten

🐾 Vallées des Leyre

Wegenkaart B3. 🏠 *Maison du Parc, 33 route de Bayonne, 33830 Belin-Beliet, 05-57719999.*
FAX *05-56881272.* ⏰ *ma–vr.* ⏰ *feestdagen.* W *www.parc-landes-de-gascogne.fr*

De rivier de Leyre, dat wil zeggen de Grande en de Petite Leyre, mondt uit in het Arcachonbassin. De Leyre levert tachtig procent van het water in het bassin en is dus van groot belang voor het ecologisch evenwicht. Langs de rivier lopen geen wegen: de Leyre kan alleen per kano of te voet worden verkend. Rond het bos waar de waterweg zo'n 100 km lang doorheen stroomt, liggen valleien en moerasgebieden met een rijke fauna. Oude kerken en dorpjes verfraaien het landschap.

Genetkat in het Leyrebos

🐝 Solférino

Wegenkaart B3. In het zuidwestelijke deel van het park.
Napoleon III stichtte het dorpje Solférino in 1863. Hij wilde er een typisch plattelandsdorp van maken. Om de streek te bevolken en de landbouw te bevorderen, kocht de keizer 7000 ha moerasland, waarop hij tien boerderijen, 28 gezinswoningen, tien ambachtshuizen, een kerk en een school liet bouwen.

🏠 Site Archéologique d'Albret

Wegenkaart C3. Labrit, in het zuidoosten van het park.
ℹ️ *05-58510101 (gemeentehuis).* ⏰ *juli–aug.: dag.* 🈲 ☑️
Labrit dankt zijn faam aan de Albrets, de machtige familie waar Hendrik IV van afstamde *(blz. 43).* Rond 1127 bouwden de Albrets hier van leem en hout een rond fort, waarvan de resten een zeldzaam voorbeeld van 11de–12de-eeuwse vestingarchitectuur zijn. In het vakwerkhuis in het centrum van het dorp is een museum ondergebracht, met een tentoonstelling over de Albrets en plaatselijke archeologische opgravingen.

🏛 Musée des Forges

Wegenkaart C3. Brocas.
📞 *05-58514068 of 58516263.*
⏰ *half juni–half sept.: di-zo.* 🈲 📷
In de 19de eeuw stond Brocas bekend om zijn ijzergieterijen. Het plaatselijke museum is gehuisvest in een voormalige graanmolen en toont niet alleen de gereedschappen en technieken van de ijzergieters, maar ook allerlei gietijzeren objecten, waaronder vuurplaten. Naast de hoogoven vindt u werkplaatsen, een schuur en de vroegere huizen van de ijzergieters.

In het Parc Naturel Régional des Landes de Gascogne is te zien hoe ooit de oogst werd binnengehaald

✦ Quartier de Marquèze

Wegenkaart B3. Marquèze, in het noordoosten van Sabres. ☎ *05-58083131.* 🚂 *Per oude stoomtrein die vertrekt van station Sabres.* ⭕ *april–okt.: dag.* ♿

Het Écomusée de la Grande Lande is een openluchtmuseum op drie locaties: Luxey, waar u veel leert over harstappen, Moustey, waar plaatselijke religieuze tradities tot leven komen en Marquèze, waar u meer te weten komt over het vroegere dagelijkse bestaan in een bepaald gebied in de Grande Lande.

Maar het verleden herleeft pas echt als u de oude stoomtrein naar Marquèze neemt.

Het in 1969 geopende Musée de Marquèze verschaft aan de hand van een kleine 19deeeuwse boerengemeenschap inzicht in het traditionele plattelandsbestaan in de Grande Lande. Volgens de overlevering woonde ieder gezin in een huis op een *airial*, een open plek tussen loofbomen, die ooit de enige plukjes groen op het kale, vlakke moerasland vormden. Tot de verschillende soorten gebouwen die hier zijn te zien, behoren een landhuis, arbeidershuizen en schapenschuren. Er wordt hier op een levendige en informatieve manier uitleg gegeven over typische plattelandsberoepen als schapenhoeder, graanmolenaar en harsverzamelaar *(zie Luxey)*. Ook de vele aspecten van het boerenbestaan komen aan bod.

Een van de schaarse groepjes loofbomen in de bossen van de Landes

✦ Luxey

Wegenkaart C3. In het noordoosten van Sabres. ℹ *05-58083131 (Sabres).*

Van circa 1850 tot ongeveer 1950 was de harsindustrie van groot belang voor de economie van de Landes. In Luxey zijn de werkplaats en de gereedschappen van de harsverwerkers Jacques en Louis Vidal te bewonderen, in de oorspronkelijke gebouwen uit 1859. In de bast van dennen werden inkepingen gemaakt, waaruit de hars in bakjes droop. De inhoud van de bakjes werd overgeheveld in grote vaten die naar de destilleerderij werden gebracht. Daar werden hars en terpentine gescheiden voor gebruik in de chemische industrie.

De enorme bosbranden van 1947 en 1949 in de Landes waren rampzalig voor de harsindustrie. In Luxey ziet u in het

Apsis van de 11de-eeuwse kerk in Belhade

Musée de l'Estupe-huc ('doof het vuur' in het Gascons) welke gevaren brandweerlieden bij het blussen van branden moesten doorstaan.

🏛 Musée d'Estupe-huc

Luxey. ☎ *05-58080618.* ⭕ *april–okt.: dag.* ♿

✦ Moustey

Wegenkaart B3. ℹ *05-58083131.* ⭕ *april–okt.: dag.* ♿

In Moustey staan tegenover elkaar de laat-15de-eeuwse parochiekerk St.-Martin (noordkant), in laatgotische stijl, en de ooit aan een herberg grenzende pelgrimskerk Église Notre-Dame, met een interessante 16de-eeuwse sluitsteen. Binnen vindt u het **Musée du Patrimoine Religieux et des Croyances Populaires**, dat is gewijd aan de godsdienstrituelen en het volksgeloof van de streek.

🏛 Musée du Patrimoine Religieux et des Croyances Populaires

☎ *05-58083131.* ⭕ *april–okt.: dag.* ♿

DE NALATENSCHAP VAN ARNAUDIN

Félix Arnaudin (1844–1921), die in Labouheyre (in het zuidwesten van het park) woonde, doorkruiste de Landes te voet en per fiets met zijn logge fotoapparaten. Hij fotografeerde niet alleen de gaandeweg verdwijnende wereld van schaapherders en verhalenvertellers, maar ook landelijke taferelen, het landschap en de architectuur. Zijn impressie van de laat-19deeeuwse Grande Lande, waar mensen zich in leven hielden met de akkerbouw, het fokken van vee en de aanplant van bossen op eindeloze vlakten, maakt deel uit van een gekoesterde reeks historische documenten.

Berger et bergerot au pardéou **van Arnaudin**

Biscarrosse is een van de populairste vakantieoorden aan de kust van de Landes

Biscarrosse ❷

Wegenkaart B3. 🏙 *10.000.*
🚉 **ℹ** *55 place Georges-Dufau,*
05-58782096. 🚌 *dag 's ochtends.*
🎟 *Rassemblement International*
d'Hydravions (mei); Festival Rue des
Étoiles (juli); Fête de la Plage (aug.).

V oor Biscarrosse ligt een
15 km lang strand, dat zich
uitstrekt tot de rivier de Adour.
Het stadje markeert het begin
van de Côte d'Argent (Zilver-
kust) en ligt tussen de oceaan,
het bos en twee meren, waarop verschillende watersporten
worden beoefend.
Als u belangstelling hebt voor
watervliegtuigen kunt u terecht in het **Musée Historique de l'Hydraviation** naast
de Établissements Latécoère,
waar van 1930 tot eind jaren
vijftig watervliegtuigen werden gemaakt. In het **Musée
des Traditions et de l'Histoire de Biscarrosse** krijgt u
een kijkje in de geschiedenis
van Biscarrosse en het leven
van de harsverzamelaars en
herders in de Landes.

🏛 **Musée Historique
de l'Hydraviation**
332 avenue Louis-Bréguet.
ℹ *05-58780065,* 🕐 *dag.; sept.–juni*
alleen 's middags. ⬤ *di en feestdagen.*
📷 🌐 *www.latecoere.com*
🏛 **Musée des Traditions et
de l'Histoire de Biscarrosse**
216 avenue Louis-Bréguet.
ℹ *05-58787737.* 🕐 *juli–aug.:*
ma–za; feb.–jun. en sept.: di–za.
⬤ *okt.–jan.* 📷
🌐 *www.traditions.bisca.free.fr*

OMGEVING: 4 km ten noorden
van Biscarrosse ligt het Lac de
Sanguinet (5600 ha) met helder
zoet water: ideaal voor vissers
en watersporters. In het plaatsje
Sanguinet, gebouwd op de
resten van een Gallo-Romeins
dorp, staat een archeologisch
museum dat onder meer is
gewijd aan de vroegere visserij.

🏛 **Musée des Sites
Archéologiques Sublacustres**
ℹ *05-57785420.* 🕐 *juli–aug.: dag.*
🌐 *www.musee-de-sanguinet.com* 📷

Mimizan ❸

Wegenkaart B3. 🏙 *10.000 (inclusief*
omliggende dorpen). 🚆 *Labouheyre of*
Morcenx. 🚉 **ℹ** *38 avenue Maurice-*
Martin, 05-58091120. 🚌 *Mimizan-*
Bourg: vr-ochtend; Mimizan-Plage: 15
juni–15 sept.: do-ochtend.
🎟 *Fêtes de la Mer (1 mei).*

De 13de-eeuwse klokkentoren van
de abdijkerk van Mimizan

I n de zomer trekt Mimizan
vele bezoekers met zijn
stranden (totale lengte: 10 km)
en bossen met een 40 km lang
netwerk van fietsroutes. De
13de-eeuwse klokkentoren
van de abdijkerk in Mimizan
staat op de Werelderfgoedlijst
van de Unesco.
In het kleine museum bij de
abdij komt middeleeuws
Mimizan aan bod. Tijdens het
door het toeristenbureau georganiseerde uitstapje Destination Bois (de bossen in)
maakt u kennis met de bos-
bouwcultuur in de regio.

🏛 **Site de l'Abbaye**
Rue de l'Abbaye. **ℹ** *05-58090061.*
🕐 *dag.* ⬤ *juni–sept.: zo.* 📷
🌐 *musee.mimizan.com*
🏛 **Destination Bois**
Neem contact op met het toeristenbu-
reau van Mimizan. **ℹ** *05-58091120.*
🌐 *www.destination-bois.com*

OMGEVING: In **Saint-Julien-
en-Born**, 12 km ten zuiden
van Mimizan stroomt de Courant de Contis omlaag naar het
Plage de Contis, een strand met
een vuurtoren. In **Lit-et-Mixe**,
4 km verder naar het zuiden,
staat het aan de plaatselijke
ambachten gewijde **Musée
'Vieilles Landes'**.
Bekijk in **Lévignacq**, 23 km
ten zuidoosten van Mimizan,
het beschilderde eiken plafond boven het schip van de
14de-eeuwse kerk.

🏛 **Musée 'Vieilles Landes'**
Lit-et-Mixte. **ℹ** *05-58428917.*
🕐 *juli–aug.: ma–za.* 📷

Courant d'Huchet ❹

Wegenkaart B4. *Léon.* 🛈 *Bureau des Nateliers, rue des Berges-du-Lac, 05-58487539.*

Aan de kust van de Landes monden talrijke rivieren *(courants)* uit in de oceaan. Het bekendst is de Courant d'Huchet met een fraaie flora en fauna. Sinds 1908 kunnen bezoekers deze rivier bevaren in *galupes*, kleine platbodems die met een *palot* (roeiboom) worden voortgedreven. De *galupe*-tochtjes beginnen op het Étang de Léon, het meer dat de *courant* voedt, en gaan verder over een netwerk van beekjes en riviertjes, waarop wilde eenden, blauwe reigers en houtsnippen voorkomen. Op de oevers groeien cipressen, hibiscussen, irissen, gladiolen en varens, en in de zomer leven hier eenden, otters, wilde zwijnen, nertsen, rivierkreeften en palingen, die van de Sargassozee hierheen zwemmen om op te groeien. De Bateliers de Léon *(blz. 299)* zeilen met hun *galupes* 10 km stroomafwaarts naar de oceaan.

Standbeeld van Mitterrand

Vieux-Boucau-les-Bains ❺

Wegenkaart B4. 🏠 *1400.* 🚉 *Dax (30 km) of Bayonne (35 km).* 🚌 🛈 *11 promenade du Mail, 05-58481347.* 🗓 *di en za 's ochtends.* 🎭 *stierenrennen (juni–sept.).*

Vlakbij Vieux-Boucau ligt rond een zoutmeer van 60 ha het vakantiecomplex Port-d'Albret. Het vooral in de zomer populaire complex is alleen te bereiken via de lommerrijke Promenade du Mail. In de plaatselijke arena worden stierenrennen gehouden.

Soustons ❻

Wegenkaart B4. 🏠 *6.000.* 🚉 *Dax.* 🚌 🛈 *05-58415262 (Grange de Labouyrie).* 🗓 *ma-ochtend; zomermarkt: do-ochtend.* 🎭 *Fête de la Tulipe (maart–april).*

Soustons is de hoofdplaats van het district Marensin en ligt aan een groot zoetwatermeer dat in trek is bij watersportliefhebbers.
In het centrum prijkt een standbeeld van François Mitterrand, de vroegere president van Frankrijk, die graag in zijn 3 km verderop gelegen residentie Latché verbleef.
Het **Musée des Traditions et des Vieux Outils** brengt oude ambachten als dakdekken, timmeren en harsverzamelen tot leven.

🏛 **Musée des Traditions et des Vieux Outils**
Château de la Pandelle, Avenue du Général-de-Gaulle. 🕿 *05-58413909.* 📷 ⭕ *15 juni–aug.* ⬤ *maart.*

OMGEVING: Ten zuiden van Soustons strekt zich de Marensin uit: een waterrijk gebied met rivieren en meren als het in een natuurreservaat gelegen **Étang Noir** en het Étang Blanc.

🦎 **Réserve Naturelle de l'Etang Noir** 🕿 *05-58728576.* ⬤ *za–zo.* 📷 📷

Hossegor ❼

Wegenkaart A4. 🏠 *3500.* 🚉 *Bayonne of Dax.* 🚌 🛈 *Place des Halles, 05-58417900.* 🗓 *20 april– 8 juni: zo; 9–30 juni: wo, vr en zo; juli–aug.: ma, wo en zo.* 🎭 *Salon du Livre (juli); Les Musicales (juli–aug.); Surf Rip Curl Pro: wereldkampioenschap surfen (aug.); Quiksilver Pro (okt).*

Toeristen in een *galupe*, een traditioneel rivierbootje op de Courant d'Huchet

Begin 20ste eeuw vielen schrijvers als Paul Margueritte en Rosny Jeune voor de charme van dit dorpje tussen de dennen. Sindsdien trekt Hossegor jaarlijks vele bezoekers. In de jaren dertig veranderde het plaatsje in een toeristenoord aan de kust. Van die tijd dateren het Sporting Casino en het traditionele *fronton,* waarin nog altijd *cesta punta* *(blz. 30–31)* wordt gespeeld. De villa's rond het golfterrein en het zeemeer herinneren aan de hoogtijdagen in de jaren twintig en dertig. Ze zijn gebouwd in de Baskische stijl *(blz. 20–21)* en vertonen niet alleen Baskische kenmerken als witte daken en gevels, maar ook elementen van de voor de Landes typerende vakwerkhuizen.
Tegenwoordig staat Hossegor bekend om zijn internationale surfkampioenschappen: de Rip Curl Pro en de Quiksilver Pro, waaraan eind augustus en in oktober de beste surfers ter wereld deelnemen.

Het Sporting Casino in Hossegor (jaren dertig) toont de Baskische bouwstijl

Vissers op de pier van Capbreton

Capbreton ❽

Wegenkaart A4. 🏛 *6700.* 🚌 🚹
Avenue du Président-Pompidou, 05-58721211. 🏪 *di, do en za-ochtend.*
🎭 *Fête de la Mer (juni); Festival de Contes (juli); Déferlantes Francopho-nes (aug.); Fête du Chipiron (sept.).*

Even ten zuiden van Hosse-gor ligt aan een kanaal de-ze drukbezochte kustplaats die in trek is bij zeilers. In het openluchtmuseum **Écomusée de la Pêche** is een tentoon-stelling ingericht over de zee-vaartgeschiedenis (10de–16de eeuw) van dit dorpje: de vis-sers van Capbreton gingen ooit midden op de Atlantische Oceaan op walvisjacht. De houten pier dateert van eind 19de eeuw. Bezienswaardige gebouwen in het centrum zijn de 15de-eeuwse huizen en de Église Saint-Nicolas.

🏛 **Écomusée de la Pêche**
Casino Municipal, Place de la Liberté.
📞 *05-58724050.* ⏰ *april–sept.: dag.; okt.–nov. en feb.–maart: feestdagen en schoolvak., zo.* ⬤ *dec.–jan.* 🏷 ⬛

Église de Saint-Étienne-d'Orthe

OMGEVING: Marais d'Orx is een beschermd natuurgebied met een oppervlakte van maar liefst 800 ha. Ruim 200 soorten trekvogels, waaronder de lepelaar, maken hier elk jaar een tussenstop op hun tocht naar het zuiden.

🦆 **Marais d'Orx**
Toegankelijk via Labenne, 8 km ten zuiden van Capbreton. 🚹 *Maison du Marais, 05-59454246.* ⏰ *dag..*
🌐 *reserve-maraisorx.org* 🏷 ⬛

Pays d'Orthe ❾

Wegenkaart B4. 🚌 *Peyrehorade.*
🚹 *147 avenue des Évadés, Peyrehorade (05-58730052).*

Ten zuiden van de Landes ligt het Pays d'Orthe, waar al sinds de prehistorie de reis-routes door het zuidwesten van Frankrijk elkaar kruisen. Van de 11de eeuw tot de Franse Revolutie woonde de familie Orthe in dit gebied met schitterende kastelen en reli-gieuze gebouwen. Het *bastide*-stadje **Hastingues** ligt op de pelgrimsroute naar Santiago de Compos-tela, bij het kruispunt van de wegen die van Le Puy en Vézelay hierheen voeren. Hastingues werd in de 13de eeuw door de Engelsen ge-sticht. Van de oude vesting-werken staat de poort nog altijd overeind.

In het **Centre d'Exposition Saint-Jacques-de-Compos-telle**, even van de snelweg A64, krijgt u een goed beeld van de zware pelgrimstochten naar Santiago de Compostela. Ten oosten van Hastingues en ten zuiden van Peyrehorade ligt de **Abbaye d'Arthous**, die in de 12de eeuw door pre-monstratenzers werd gesticht en in de 17de en 18de eeuw werd herbouwd. Hier staat ook een kerk uit circa 1167 met gotische elementen: spits-

De Europese moerasschildpad wordt in de Landes beschermd

bogen in de zuidelijke zijbeuk en kapitelen met prachtige reliëfs. In de kloostertuinen wordt iedere zomer een kera-miekfestival gehouden, met pottenbakkers uit de buurt en van verder weg. Bovendien zijn in het **Musée d'Histoire** en het regionale **Centre Édu-catif du Patrimoine** boeiende tentoonstellingen te bekijken. **Saint-Étienne-d'Orthe,** ten noorden van Hastingues, ver-schaft toegang tot het slikge-bied van de rivier de Adour, waar nu een natuurreservaat van 12.810 ha ligt. Hier leven beschermde diersoorten als ooievaars, Europese moeras-schildpadden en wilde pony's.

Het Château d'Orthe (ook wel: Château de Montréal) in Peyrehorade

🏛 **Centre d'Exposition de Saint-Jacques-de-Compostelle**
Even van de A64 af; ook bereikbaar vanuit Hastingues. 📞 05-59415600 *(Autoroutes du Sud de la France).*
⛪ **Abbaye d'Arthous**
Circa 2 km ten oosten van Hastingues. 📞 05-58730389.
Abdij en Musée d'Histoire
🕐 *feb.–dec.: di-zo.* 🖼 🎫
Centre Éducatif du Patrimoine
🕐 *ma–vr.* 🖼

Peyrehorade ➓

Wegenkaart B4. 🏘 *3500* 🚌 🚃
🛈 147 quai du Sabot, 05-58730052.
🗓 *wo en za 's ochtends; nov.–maart: wo-ochtend: foie gras-markt.* 🎭 *Festival des Abbayes (half juni); Festival Nuits d'Été en Pays d'Orthe (aug.).*

Dit grootste dorp van het Pays d'Orthe ligt in het uiterste zuiden van Landes, tussen de rivieren de Gave d'Oloron en de Gave de Pau. Peyrehorade dateert pas van de 14de eeuw, waarin het dankzij de handel tussen Bayonne en Toulouse werd gesticht. Het dorp wordt gedomineerd door het **Château d'Aspremont**, dat in de 13de eeuw door de burggraven D'Orthe werd gebouwd op de plaats van een 11de-eeuwse vesting, waarvan alleen de torenruïne bewaard bleef.

Bijzonder fraai is het **Château d'Orthe** (of Château de Montréal) waarin nu het gemeentehuis is gevestigd. Het dateert van de 16de eeuw en is in de 18de eeuw herbouwd door Jean de Montréal. Het kasteel is niet toegankelijk, maar imponeert wel, met zijn vier torens die boven de Gave de Pau verrijzen.

Sorde-l'Abbaye ➓➀

Wegenkaart B4. 🏘 *535.* 🚃
🛈 Place de l'Église; 05-58730483.
🎭 *Festival des Abbayes (juni); La Compostellane (eind juli); Festival Nuits d'Été en Pays d'Orthe (aug.).*

De plaats waar nu Sorde-l'Abbaye ligt is sinds de prehistorie constant bewoond geweest. In de Falaise du Pastou, een rotswand aan de overzijde van de Gave d'Oloron, werden vier schuilplaatsen ontdekt (gesloten voor publiek), die uit het magdalenien (ongeveer 12.000 v.C.) dateren. Duizenden jaren lang bood een spleet in de rotswand doorgang van Frankrijk naar Spanje. Vanaf de 10de eeuw staken pelgrims op weg naar Santiago de Compostela hier vaak de grens over; het dorpje werd een belangrijke rustplaats. In Bourg-Vieux, het oude centrum, ligt de **Abbaye Saint-Jean**, die door de Unesco op de Werelderfgoedlijst is gezet. Benedictijner monniken, die zich hier vanaf ongeveer 975 vestigden, stichtten de abdij in de 12de eeuw. Het heiligdom werd in de 16de eeuw tijdens de Godsdienstoorlogen verwoest, maar is in de 17de eeuw en later door mauristen in de 18de eeuw opnieuw opgebouwd. Gedurende de Franse Revolutie stond de abdij leeg. Voor de Abbaye Saint-Jean is nu opnieuw een tuin met geneeskrachtige kruiden en uitzicht op de rivier aangelegd. Naast de ruïnes van de abdijgebouwen ziet u een romaanse kerk met elementen uit het einde van de 11de eeuw (zoals de mozaïekvloer in het koor) en de 12de eeuw (apsis, portaal en kapitelen met reliëfs). Er is ook een ondergronds boothuis met een gewelfd plafond en toegang tot de rivier. Dit in Frankrijk unieke bouwwerk werd gebruikt voor graanopslag. Ten oosten van de abdij staat het 16de-eeuwse huis van de abt, waar vroeger een Gallo-Romeinse villa stond. Het privéhuis is gesloten voor publiek, maar de resten van de baden en mozaïekvloeren uit de 4de eeuw zijn te bezichtigen. Voorts is Sorde-l'Abbaye de grootste kiwiproducent van Frankrijk.

⛪ **Abbaye Saint-Jean**
Place de l'Église. 📞 05-58730962.
🕐 *nov.–maart: ma–vr; april–okt.: di–zo.* 🖼 🎫

Ruïne van een van de gebouwen van de Abbaye Saint-Jean in Sorde

In de arena (1913) van Dax worden stierenrennen gehouden

Dax ⑫

Wegenkaart B4. 20.000. 🚉 ⬜
ℹ️ *11 cours Foch, 05-58568686.* ⬛
za en zo (overdekte markt, Halles, Place Saint-Pierre). 🎭 *Festival de la Comédie (mei); Festival des Abbayes (juni); Paso Passion (aug.); Festival Toros y Salsa en Festival d'Art Sacré (sept.).*

Dax was ooit een plaatsje aan een meer, maar ligt nu aan de oever van de rivier de Adour, tussen een vlak gebied en de Pyreneeën. Onder de Romeinse heerschappij groeide Dax dankzij zijn warmwaterbronnen. Na de aanleg van spoorwegen in de 19de eeuw werd Dax zelfs het belangrijkste kuuroord van Frankrijk. In het middeleeuwse centrum spuit het heilzame water uit de Fontaine Chaude, die ook wel de Fontaine de la Nèhe wordt genoemd.
Het in een 17de-eeuws huis gevestigde **Musée Jean-Charles de Borda** vertelt de geschiedenis van de stad, van de prehistorie tot de middeleeuwen. Een zaal is gewijd aan stierenrennen en -vechten. Ernaast, in het **Musée Georgette-Dupouy**, zijn schilderijen te zien van de 20ste-eeuwse kunstenares, aan wie het museum zijn naam dankt. Moderne en hedendaagse kunst wordt getoond in de **Chapelle des**

La Landaise au chapeau in het Musée Georgette-Dupouy

Carmes, in het westen van Dax. In het noorden liggen langs het Parc Théodore-Denis de ruïnes van Gallo-Romeinse muren en de stierenarena uit 1913.
Het **Parc du Sarrat** is een potpourri van vormentuinen, Japanse tuinen en groentetuinen. Verder naar het zuiden ligt het **Musée de l'Aviation Légère de l'Armée de Terre**, waar materieel van de landmacht is te bekijken, bijvoorbeeld oude legerhelikopters.

🏛 **Musée de Borda**
27 rue Cazade.
📞 *05-58741291.*
⬜ *di–za.* 📷 ✔

🏛 **Musée Georgette-Dupouy**
25 rue Cazade.
📞 *05-58560434.*
⬜ *dag.* 📷 🌐 *ass.gdupouy.free.fr*

⛪ **Chapelle des Carmes**
11 bis rue des Carmes.
📞 *05-58741291 of 58900038.*
⬜ *tijdens tijdelijke tentoonstellingen.*

🌿 **Parc du Sarrat**
Rue du Sel-Gemme.
📞 *05-58568686.*
⬜ *feb.–nov.: di, do en za.* 📷 ✔

🏛 **Musée de l'Aviation Légère de l'Armée de Terre**
58 avenue de l'Aérodrome.
📞 *05-58 746619.*
⬜ *feb.–nov.: ma–za.* 📷 ✔

Omgeving: In **Saint-Paul-lès-Dax**, 2 km ten westen van Dax, staat een 11de-eeuwse kerk met sierlijke reliëfs. U vindt er ook de Forges d'Ardy, een oude metaalfabriek, en het huis van de schrijver Pierre Benoit (1886–1962), waarin nu een museum over zijn leven en werk is ingericht.

🏛 **Musée Pierre-Benoit**
650 avenue Pierre-Benoit. 📞 *05-58912916.* 📷 ⬜ *mei–15 okt.: do.* ✔ *op telefonische afspraak.*

Montfort-en-Chalosse ⑬

Wegenkaart B4. 1400. 🚉 ℹ️
25 place Foch 05-58985850. ⬛ *wo-ochtend.* 🎭 *Carnival (maart); Festival des Août ats (aug.); Fête des Vendanges à l'Ancienne (okt.).*

Dit oude *bastide*-stadje ligt in het hart van de Chalosse. Dit vruchtbare gebied staat bekend om zijn uitstekende rundvlees en de beroemde *foie gras*. Deze wordt gemaakt van de levers van eenden die worden gevoederd met in de Landes verbouwde maïs. Montfort was ooit een belangrijke rustplaats langs de route naar Santiago de Compostela. Hiervan getuigt de Église Saint-Pierre, een kerk met een 12de-eeuws schip en een toren uit de 15de eeuw. Het **Musée de la Chalosse** huist in een 17de-eeuws landgoed: een herenhuis met bijgebouwen, waar het bestaan in de Chalosse van de 19de eeuw tot leven komt.

🏛 **Musée de la Chalosse**
Domaine de Carcher. 📞 *05-58986927.*
⬜ *april–okt.: di–zo; nov.–maart: di–vr.*
⬛ *15 dec.–jan.* 📷 ✔

Reliëf (11de-eeuw) in de Église de Saint-Paul-lès-Dax

Het 17de-eeuwse Château de Gaujacq bij Pomarez

Pomarez ⑭

Wegenkaart B4. 🏔 *1479.* 🚌 🚐
🛈 *regionaal toeristenbureau in Amou,
05-58890225.* 🛍 *ma-ochtend.*
🎭 *Fête du Printemps (maart); Festival
Art et Courage (april).*

Pomarez aan de Adour is
een oud rivierhavenstadje,
maar er herinnert niet veel aan
het verleden. Het plaatsje is
vermaard om zijn stierenrennen, evenementen die in de
Landes zeer populair zijn.
In café Laborde, in het centrum, is een stierenvechtmu-
seum ondergebracht, met een
breed opgezette tentoonstelling. U komt hier bijvoorbeeld
meer te weten over de regels
die rond 1830 voor stierenvechten in Gascogne zijn
opgesteld. Even verderop ligt
de overdekte stierenarena.
Daar paraderen de stierenrenners op muziek, waarna
het adembenemende spekta-
kel begint en de renners be-
hendig de aanstormende run-
deren ontwijken, die op plaatselijke *ganaderias (veeboer-
derijen)* zijn gefokt. De renners dragen witte broeken en
bolero's en werken in teams,
zogeheten *cuadrillas (blz. 24–
25):* ze springen op en duiken
weg onder begeleiding van
blaasorkesten *(bandas).* Om
te voorkomen dat de stieren
de renners aan hun horens
rijgen, zijn de punten van de
horens met kapjes omhuld.

OMGEVING: 1 km ten westen
van Pomarez ligt het 17de-
eeuwse **Château de Gaujacq**.
Hier zocht de markies van
Montespan troost, nadat hij
erachter was gekomen dat zijn
vrouw er een relatie
op nahield met koning
Lodewijk XIV.

♟ Château de Gaujacq
Gaujacq. 📞 *05-58890101.*
🕐 *15 feb.–15 nov.: dag.* 🎫 📷

Brassempouy ⑮

Wegenkaart B4. 🏔 *268.* 🚌 *Orthez
of Dax.* 🛈 *regionaal toeristenbureau
in Amou 05-58890225.*

Dit 13de-eeuwse vesting-
plaatsje wordt vaak in een
adem genoemd met de be-
roemde *Venus van Brassempouy:* een vrouwenbeeldje uit
de steentijd, dat in 1894 werd
gevonden in de Grotte du
Pape, een prehistorische grot
in de omgeving. Op het beeldje, dat ruim 20.000 geleden
werd gesneden uit het ivoor
van een mamoettand, is het
eerst bekende menselijke
gelaat te zien. Het is tentoongesteld in het Musée des Anti-
quités Nationales de Saint-
Germain-en-Laye, bij Parijs.
Een kopie van het beeldje en
replica's van andere prehistorische figuren (35.000–15.000
v.C.) uit Frankrijk en andere
landen zijn te bewonderen in
het **Maison de la Dame de
Brassempouy**, naast het
Château de Poudenx.

🏛 Maison de la Dame de Brassempouy
📞 *05-58892173.* 🕐 *juni–sept.: dag.;
april–mei en okt.: di–zo; nov.–feb.: di,
za–zo en feestdagen.* ● *dec.–jan.* 🎫
juni–sept. 📷

KUUROORDEN IN DE LANDES

In de Landes liggen de belangrijkste kuuroorden van Frankrijk. De heilzame kracht van de thermale bronnen en de
warme modder is al sinds de Romeinse tijd bekend. Dax is
het oudste kuuroord van de Landes en het warme water uit
deze stad staat bekend om zijn pijn verzachtende werking.
Het bronwater en de warme modder uit Eugénie-les-Bains,
Saubusse, Prechacq-les-Bains en Tercis trekken bezoekers
die met reuma of overgewicht te kampen hebben.

De thermale bronnen van Dax zijn al sinds de Romeinen geliefd

De Tursan ⑯

De Tursan is een gebied met groene valleien, waar vooral maïs wordt verbouwd voor het vetmesten van ganzen en eenden. Van de levers van deze vogels wordt *fois gras* gemaakt. In de Tursan wordt al eeuwenlang wijn geproduceerd, die Eleanora van Aquitaine in de 11de naar het Engelse koninklijke hof liet exporteren. De lichte rode wijnen, de strakdroge witte wijnen en de rosé's worden verbouwd op 460 ha aan steile wijngaarden. De route voert langs wijngoederen, een kuuroord en pittoreske gebouwen.

Wijn uit de Tursan

Larrivière ⑤
De Église Notre-Dame-du-Rugby in dit plaatsje is genoemd naar de sport die overal in Zuidwest-Frankrijk bijzonder populair is.

Samadet ①
In dit plaatsje, dat bekend is om zijn klei- en hout-industrie, stond de Koninklijke Faïence-fabriek, die in 1831 zijn deuren sloot.

Eugénie-les-Bains ④
Dit in 1861 geopende kuuroord draagt de naam van keizerin Eugénie. In het restaurant van Michel Guérard zijn heerlijke gerechten en speciale gezondheidsmenu's te krijgen (blz. 267).

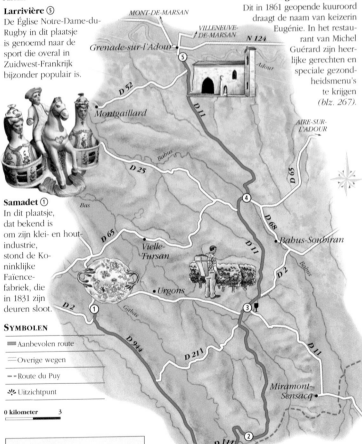

SYMBOLEN

▬▬	Aanbevolen route
══	Overige wegen
- -	Route du Puy
☼	Uitzichtpunt

0 kilometer   3

TIPS VOOR DE AUTOMOBILIST
Lengte van de route: ongeveer 90 km.
Rustpunten: in deze streek vindt u diverse goede gîtes en boerderijen met accommodatie. Op veel plaatsen kunt u de producten uit de Tursan proeven en kopen. Voor meer informatie kunt u zich wenden tot het toeristenbureau in Geaune, tel. 05-58445001.

Pimbo ②
Een oud *bastide*-stadje met een van de oudste abdijkerken van de Landes, die door benedictijner monniken werd opgericht. Pimbo is een goed vertrekpunt voor wandelingen door het wonderschone landschap.

Geaune ③
In de kelders van deze hoofdplaats van de Tursan kunt u de lokale wijnen proeven. Neem voor meer informatie contact op met het toeristenbureau van Geaune (05-58445001).

Marmerreliëf (4de eeuw) op de sarcofaag in de Église Sainte-Quitterie

Aire-sur-l'Adour ⓱

Wegenkaart C4. 🚏 6868.
🚉 Mont-de-Marsan. 🛈 Place du Général-de-Gaulle, 05-58716470.
🍴 di en za 's ochtends. 🎭 Fêtes Patronales (3de weekeinde van juni); Festival de Théâtre (okt.); Festival de la Bande Dessinée (dec.).

Dit plaatsje aan de oever van de Adour en op de pelgrimsroute naar Santiago de Compostela ontsluit de Tursan. Het was al bewoond voordat de Romeinen het in 50 v.C. bereikten. Het voormalige bisschoppelijke paleis (begin 17de eeuw) huisvest nu het gemeentehuis. Ernaast ligt het het 14de-eeuwse Palais de l'Officialité, het oude gerechtshof. De Cathédrale Saint-Jean-Baptiste dateert van de 12de eeuw en is later herbouwd. De **Église Sainte-Quitterie-du-Mas** op de Colline du Mas staat op de Werelderfgoedlijst.
In de grote 11de eeuwse crypte van de kerk staat de graftombe van de patroonheilige van Gascogne. Andere hoogtepunten zijn het 12de-eeuwse koor, de stenen klokkentoren en de barokke kansel met reliëfs uit 1770.

🔒 Église Sainte-Quitterie-du-Mas
Boven aan de rue Félix-Despagnet.
📞 05-58716470 of 06-77024344.
🕐 half mei–sept.: ma-za; okt.–half mei: ma–vr. 🦽 ☑

Saint-Sever ⓲

Wegenkaart C4. 🚏 4666.
🚉 Mont-de-Marsan, daarna per bus.
🚌 🛈 Place du Tour-du-Sol, 05-58763464. 🍴 za-ochtend; dec.–jan.: foie gras-markt.
🎭 Fêtes du Quartier Péré (aug.); Semaine Taurine (nov.).

Het in 993 gestichte Saint-Sever is een strategisch gelegen stadje met een aantal bouwkundige hoogstandjes. De ruïnes van de vroegere nederzetting liggen op het Plateau de Morlanne. Het plateau en de oude abdij met de omliggende straten vormen de twee belangrijkste wijken van Saint-Sever.
De **Abbaye de Saint-Sever** (Werelderfgoed) staat aan een plein met de fraaie 18de-eeuwse stadshuizen. De in 988 gestichte abdij beleefde zijn gloriedagen in de 11de en 12de eeuw. Het door brand, aardbevingen en oorlogen beschadigde bouwwerk is diverse keren herbouwd, maar werd in 1790 verlaten. In de 19de eeuw is de prachtige abdij op twijfelachtige manier gerestaureerd. De abdijkerk is gebouwd naar een ontwerp van benedictijner monniken en telt 150 kapitelen met kleurrijke schilderingen, waaraan de schade is hersteld.

In het **Couvent des Jacobins**, dat in 1280 is gesticht en later werd herbouwd, kunt u de kloostergang, de kerk, de kapittelzaal en de oude refter bezoeken (sommige ruimtes zijn echter van tijd tot tijd gesloten). In het plaatselijke historische museum ziet u een kopie van de *Beatus*, een commentaar op de *Openbaring van Johannes* van de hand van Stephanus Garcia. Het origineel bevindt zich in de Bibliothèque Nationale in Parijs.

🔒 Abbaye de Saint-Sever
Place du Tour-du-Sol. 🕐 dag. ☑
🔒 Couvent des Jacobins
Place de la République.
📞 05-58763464. 🕐 dag. ☑

Grenade-sur-l'Adour ⓳

Wegenkaart C4. 🚏 2305. 🚉 Mont-de-Marsan. 🛈 1 place des Déportés, 05-58454598. 🍴 ma en za 's ochtends. 🎭 Fêtes Patronales (juni).

Grenade-sur-l'Adour werd in 1322 door de Engelsen gesticht. In het vestingplaatsje staan 14de- en 15de-eeuwse huizen en een mooie kerk met een laat-15de-eeuwse gotische apsis. In het **Petit Musée de l'Histoire Landaise** is een tentoonstelling over de volkstradities van de Landes te bewonderen.

🏛 Petit Musée de l'Histoire Landaise
Rue de Verdun. 📞 06-70452420. 🕐 20 maart–okt.: di–za 's middags. 🦽 ☑

OMGEVING:
In **Bascons**, 4 km ten noorden van Grenade, worden stierenrennen gehouden (blz. 24–25). Er staan ook een kapel en een **museum**, dat aan deze populaire volksport in de Landes is gewijd.

🏛 Musée de la Course Landaise
Bascons. 🕐 wo–vr. 📞 05-58529176. 🦽 ☑

De *Beatus* van Saint Sever, Bibliothèque Nationale

De 14de-eeuwse Donjon Lacataye met het Musée Despiau-Wlérick

Mont-de-Marsan ㉒

Wegenkaart C4. 🏛 32.000. 🚄 🚌
ℹ 6 place du Général-Leclerc, 05-
58058737. 🕐 di en za 's ochtends.
🎭 Festival d'Art Flamenco,
Fête de la Madeleine (juli).

M ont-de-Marsan is al sinds
1790 het bestuurscen-
trum van de Landes en ligt aan
de oevers van de rivieren de
Midou en de Douze, die sa-
menstromen in de Midouze.
Vandaar de bijnaam 'drierivie-
renstad' van dit levendige
handelsbolwerk, waarin de
beste Spaanse stierenvechters
hun kunsten vertonen.

🏛 **Musée
Despiau-Wlérick**
Donjon de Lacataye, 6 place
Marguerite-de-Navarre. 📞 05-
58750045. 🕐 di en feestdagen.
🎟 gratis op ma. ☑

Het Musée Despiau-Wlérick in
de 14de-eeuwse vesting
Donjon Lacataye is het enige
museum in Frankrijk dat is
gewijd aan Franse figuratieve
beeldhouwkunst uit de eerste
helft van de 20ste eeuw. Tentoongesteld is het werk van de
kunstenaars van Mont-de-
Marsan, onder wie Charles
Despiau (1874–1946) en Robert Wlérick (1882–1944). U
ziet hier bovendien werken

van Alfred Auguste Janniot
(1889–1969), een beeldhouwer uit de art-decoperiode.

🏠 **Église de la Madeleine**
Rue Victor-Hugo.
In deze vroeg-19de-eeuwse
neoklassieke kerk is een hoog-
altaar te bewonderen, dat in
de 18de eeuw door de ge-
broeders Mazetti is gebouwd.
Als u naar de rivier de Douze
wandelt, ziet u op 6 en 24 bis
rue Maubec twee **romaanse
huizen**, die zijn opge-
trokken van lokale
schelpsteen.

🏛 **Quartier Saint-
Médard**
Ten oosten van het
centrum ligt de die-
rentuin (23 ha), het
Parc de Nahuque,
waar de dieren veel
ruimte hebben. Aan het
einde van de avenue de
Villeneuve staat de
romaanse **Église Saint-
Médard**.

🌹 **Parc de
Nahuques**
Route de Villeneuve.
📞 05-58759438.

*Apollo van
Charles Desp...*

CENTRUM VAN MONT-DE-MARSAN

Église de La Madeleine ④
Musée Despiau-
   Wlérick ⑤
Parc Jean-Rameau ①
Romaanse huizen in de
   rue Maubec ② en ③

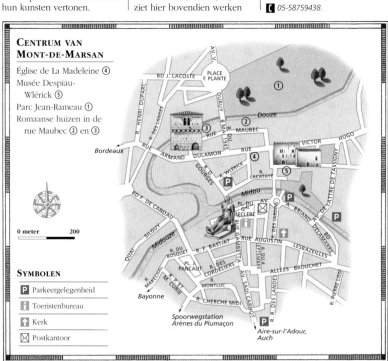

0 meter   200

SYMBOLEN

🅿 Parkeergelegenheid

ℹ Toeristenbureau

✝ Kerk

✉ Postkantoor

Vakwerkhuizen boven de arcaden aan de Place Royale in Labastide-d'Armagnac

✤ Parc Jean-Rameau

Toegang aan de place Francis-Planté.
Dit 6 ha grote park draagt de naam van Jean Rameau (1858–1942), een belangrijke romanschrijver en dichter uit de Landes. U vindt hier sculpturen en Japanse tuinen met niet minder dan 80 verschillende boomsoorten en 165 plantensoorten.

Labastide-d'Armagnac ㉑

Wegenkaart C3. 🏠 *700.* 🚌 ℹ️
Place Royale, 05-58446756. 🛒 *markt met lokale producten: juli–aug.: zo.*
🎪 *L'Armagnac en Fête (eind okt.).*

Deze fraai gelegen *bastide* werd in 1291 gesticht door Bertrand VI, graaf van Armagnac, in de tijd dat Edward I van Engeland hier regeerde. Bezienswaardig zijn de 13de-eeuwse huizen en het 15de-eeuwse washuis. Rond de place Royale, het centrale plein met arcaden, prijken vakwerkhuizen uit de 14de–17de eeuw. In de gotische kerk uit de 15de eeuw ziet u een beschilderde houten piëta uit dezelfde eeuw. De versterkte klokkentoren van de kerk getuigt van een turbulent verleden. Het **Écomusée de l'Armagnac** is een openluchtmuseum, waar u te weten komt hoe armagnac wordt gemaakt. Naar verluidt is armagnac de oudste soort cognac die al sinds eind 15de of begin 16de eeuw uit dit gebied wordt geëxporteerd. In de **Notre-Dame-des-Cyclistes**, een 11de-eeuwse

romaanse kapel die is opgedragen aan de wielersport, is een door de abt Massie in 1959 ingericht museum te bezoeken. Op de tentoonstelling ziet u door voormalige wielerkampioenen geschonken fietstruien en racefietsen waarop de Tour de France werd gereden.

Beschilderde piëta in Labastide

🏛 Écomusée de l'Armagnac
4 km ten zuidoosten van Labastide.
📞 *05-58448838.* 🕐 *nov.–maart: ma–vr; april–okt.: dag.* 🚫 🅿️

⛪ Notre-Dame-des-Cyclistes
Quartier Géou, aan de weg naar Cazaubon. 📞 *05-58446640.*
🕐 *mei–sept.: dag.*

OMGEVING: De **Domaine Départemental d'Ognoas**, 10 km ten noordoosten van Labastide is een landgoed met een experimentele boerderij. Hier staan 200 koeien vredig te grazen op een 25 ha groot gebied, waar armagnacdruiven worden verbouwd. U kunt hier zien hoe de armagnac op traditionele wijze wordt gedestilleerd.

Domaine Départemental d'Ognoas
Arthez-d'Armagnac.
📞 *05-58452211.* 🕐 *mei–sept. en feestdagen: dag.; okt.–april: ma–vr.* 🚫 🅿️

Flessen armagnac met een bijbehorend bol glas

ARMAGNAC

Armagnac werd sinds de late middeleeuwen geëxporteerd en waarschijnlijk al in de Gallische tijd geproduceerd. De armagnacdruiven (zoals baco 22A, colombard, folle blanche of ugni blanc) worden in oktober geoogst. Het sap van de druiven wordt gedestilleerd in een koperen ketel. Na een rijpingsperiode van twee jaar in eikenhouten vaten krijgt de armagnac zijn lichtbruine kleur en karakteristieke smaak. Daarna wordt de drank gebotteld. Armagnac wordt gedronken uit een bol glas.

PAYS BASQUE

I*n het westen van het departement Pyrénées-Atlantiques ligt het Pays Basque (Frans Baskenland), tussen de rivier de Adour en de Pyreneeën. Tussen Anglet in het noorden en Hendaye in het zuiden wordt het begrensd door de Atlantische Oceaan. De schone zandstranden trekken elk jaar massa's toeristen. In het groene binnenland liggen schilderachtige dorpen en grazen kudden schapen.*

Sinds het begin van de 20ste eeuw, toen de kustplaatsen van het Pays Basque tot ontwikkeling kwamen, komen de meeste mensen naar deze streek voor de mooie stranden. Het achterland heeft echter een veel rijkere historie. Er zijn aanwijzingen dat dit deel van Frankrijk al in het neolithicum (5000–2000 v.C.) bewoond was. Later vielen de Kelten binnen, daarna de Romeinen, die op hun beurt werden verdreven door Germaanse stammen uit het oosten. In 778 werden de Franken, onder leiding van Karel de Grote, teruggeslagen, net als een invasie van Lodewijk IX van Frankrijk (1226–1270). Hierna werd het Pays Basque onderdeel van het nieuwe koninkrijk Pamplona.

In 1530 ging Basse-Navarre weer deel uitmaken van Frankrijk, in 1589 gevolgd door Labourd en Soule, de andere noordelijke provincies van het gebied. Spanje behield Vizcaya, Guipuzcoa, Alava en Navarra. In 1659 leidde de Vrede van de Pyreneeën tot een verzoening tussen Frankrijk en Spanje, die werd verstevigd door het huwelijk van de jonge Lodewijk XIV van Frankrijk met de Spaanse *infanta* in Saint-Jean-de-Luz in 1660.

Aan het eind van de 18de eeuw begon voor het Pays Basque een periode van economisch verval, die pas eindigde met de opkomst van het toerisme. De streek is tegenwoordig niet alleen een paradijs voor watersporters, maar profiteert ook van de hernieuwde belangstelling voor de oude pelgrimsroutes naar Compostela. In 1993 werden ze op de Werelderfgoedlijst gezet.

Het Pays Basque heeft door de eeuwen heen vastgehouden aan zijn nationale identiteit. Dit uit zich onder andere in het gebruik van het Euskara, de Baskische taal, en ook in de streekarchitectuur, de religieuze en wereldse festivals en de keuken.

Partie de cartes van Ramiro Arrue (1892–1971): **vier mannen spelen** *mus*, **een Baskisch kaartspel**

◁ **Het Grande Plage in Biarritz**

Pays Basque verkennen

Tot Frans Baskenland behoren de drie historische provincies Basse-Navarre, Labourd en Soule. Basse-Navarre telt verscheidene stadjes, zoals Saint-Palais en Saint-Jean-Pied-de-Port, die vroeger belangrijke pleisterplaatsen waren op de pelgrimsroute naar Santiago de Compostela. De Labourd, met de Golf van Biskaje in het westen, bestaat uit glooiende heuvels en bergen, zoals La Rhune, de Axuria en de Artzamendi, met vele fraai gelegen dorpen als Ainhoa en Ascain. De Soule, de ruigste streek, reikt tot de uitlopers van de Pyreneeën, die deel uitmaken van de Béarn. Het landschap is er soms spectaculair, waarvan het Forêt des Arbailles, het Forêt d'Iraty en de drie kalksteenravijnen, de Gorges de Kakouetta, Gorges d'Holzarté en Gorges d'Olhadubi, getuigen.

Boerderij in de Vallée des Aldudes, te midden van grasland en beukenbossen

VERVOER

De regionale luchthaven is Biarritz-Anglet-Bayonne. Er gaat ook een TGV (hogesnelheidstrein) van Parijs naar Bayonne. Bayonne is tevens te bereiken via twee snelwegen, de A64-E80 vanuit Toulouse en Pau, en de A63-E5-E70 vanuit de Landes en Bordeaux. Van Bayonne leidt de D932 naar Cambo-les-Bains. In het westen verbindt de D918 de dorpen Espelette, Ainhoa, Saint-Pée-sur-Nivelle en Ascain, in Labourd, en gaat dan verder naar het zuiden naar Saint-Jean-Pied-de-Port. De D918 gaat de bergen van Soule in, waar de dorpjes Larrau en Sainte-Engrâce liggen en ook de Gorges d'Holzarté en de Gorges de Kakouetta.

DE REGIO IN HET KORT

SYMBOLEN

- Snelweg
- Hoofdweg
- Secundaire weg
- Schilderachtige route
- ❊ Uitkijkpunt

Orthez

BIDACHE 13

D 936

LA BASTIDE-CLAIRENCE

'TZ •

D 14

D 22

D 11

Orthez

D 933

SAINT-PALAIS 18

D 11

L'HÔPITAL-ST-BLAISE 19

MAULÉON-LICHARRE 20 D 24

D 25

COL D'OSQUICH ❊

D 918

EAN-D-DE-PORT

D 18

MASSIF DES ARBAILLES 21

TARDETS-SORHOLUS 22

Oloron-Sainte-Marie, Pau →

D 918

D 26

D 113

FORÊT D'IRATY 23

LARRAU 24

GORGES D'HOLZARTÉ EN GORGES D'OLHADUBI 25

GORGES DE KAKOUETTA 26

SAINTE-ENGRÂCE 27

Door de golfslag gevormde rotsen bij
Plage Miramar in Biarritz

Traditionele Baskische
huizen in Saint-Jean-
Pied-de-Port

ZIE OOK

- *Accommodatie* blz. 252
- *Restaurants* blz. 268

0 km   10

e elektrische tandradbaan die leidt naar de
p van de berg La Rhune

Onder de loep: Bayonne ❶

Bayonne, de culturele hoofdstad van het noordelijk deel van het Pays Basque, kwam tot bloei door de overzeese handel en door de strategische ligging bij de Spaanse grens. De stad viel lang onder Engels bewind, maar werd in 1451 ingenomen door de Fransen. In de 16de eeuw opende Bayonne zijn poorten voor tal van Joodse vluchtelingen, die hier aan vervolging in Spanje en Portugal trachtten te ontkomen. De stad aan de samenvloeiing van Adour en Nive bezit een opmerkelijk architectonisch erfgoed. Bayonne staat ook bekend om de augustusfestivals en om de oudste stierenvechtfeesten in Frankrijk.

★ **Musée Basque**
Dit museum, gevestigd in het 16de-eeuwse Maison Dagourette, documenteert elk aspect van de Baskische cultuur.

Place de la Liberté
Op dit plein worden bij het begin van de augustusfestivals de sleutels van de stad in de menigte gegooid.

Theater
Op het punt waar de Nive zich bij de Adour voegt, werd in 1842 dit theater gebouwd. Op het balkon van het stadhuis, dat erin is ondergebracht, worden de festivals van Bayonne afgekondigd.

Château-Vieux

0 meter   200

PLACE DE LA, LIBERTÉ

RUE BERNÈDE

RUE L'ORMOND

RUE

RUE DU PORT-NEUF

RUE

THIERS

PLACE PORTES

RUE

PONT MAYOU

QUAI DES CORSAIRES

NIVE

QUAI DUBOURDIEU

RUE VICTOR HUGO

RUE GARDIN

RUE DES CASTETS

ORBE

RUE DE

RUE L'AFFITTE

RUE BOURGNEUF

PLACE DU CHATEAU VIEUX

RUE DES GOUVERNEURS

PLACE VANSTEENBERGHER

RUE MO

RUE DES PREBENDES

RUE DOUER

★ **Cathédrale Sainte-Marie**
Deze gotische kathedraal staat midden in het historische centrum van Bayonne. De twee spitsen zijn de blikvanger van de stad. Vooral de 14de-eeuwse kruisgang van de kathedraal is bijzonder mooi.

Église Saint-André

In deze kerk uit de 19de eeuw hangt een bekend schilderij van de Annunciatie door Léon Bonnat. De kerk bezit een orgel dat in 1863 werd geschonken door Napoleon III.

TIPS VOOR DE TOERIST

Wegenkaart A4. Baiona *in het Baskisch.* 🏙 *42.000.* ✈ *Biarritz-Anglet-Bayonne 8 km ten zuiden van Bayonne.* 🚃 🚌 ℹ *Place des Basques, 05-59460146.* ◻ *dag.* 🎭 *Foire au Jambon (half april), Fêtes de Bayonne (begin aug.), stierengevechten (juli–sept.).*

★ Musée Bonnat

Tot de collectie van dit museum behoort werk van Rubens, El Greco, Degas, Titiaan, Rafaël, Watteau, Delacroix en Goya.

Nivekade

De kade van de Nive, waar de mensen 's zomers graag slenteren, bruist in het festivalseizoen van de muziek en de dans. Waar het nu wemelt van de terrassen, werden vroeger vis en waren afkomstig uit Amerika uitgeladen.

STERATTRACTIES

★ **Cathédrale Sainte-Marie**

★ **Musée Basque**

★ **Musée Bonnat**

SYMBOOL

– – – Aanbevolen route

Inwoners van Bayonne in festivalkleding in het oude centrum

Bayonne verkennen

U kunt het beste beginnen op de zuidoever van de Adour en dan langs de Nive wandelen. Aan de kade staan Baskische vakwerkhuizen met opvallende donkerrode of groene luiken.

🏛 Historisch centrum

Tot aan de 17de eeuw werd de oude stad rondom de kathedraal doorsneden door grachten. Sommige straten, zoals de Rue du Port-Neuf, zijn ontstaan uit gedempte grachten. De Rue Argenterie is genoemd naar de zilversmeden die hier hun ateliers hadden; de Rue de la Salie ligt in de buurt van de laken- en specerijenhandelaars.

🏛 Nivekade

De Nivekade voert van de Place de la Liberté langs de overdekte markt en het marktplein. De Quai Jauréguiberry, met zijn voor Bayonne karakteristieke huizen, en de Rue de Poissonnerie, een eindje verderop, bruisten van activiteit toen Bayonne een belangrijke haven was voor de handel op de Nieuwe Wereld.

♣ Château-Vieux

Rue des Gouverneurs.

Het in de 12de eeuw gebouwde en in de 17de uitgebreide kasteel bezit nog elementen van een Romeins fort. Ooit woonde hier de Engelse gouverneur en later verbleven twee Franse koningen, Frans I en Lodewijk XIV, hier. Het is gesloten voor publiek, maar u kunt de binnenplaats betreden.

⌂ Musée Basque

Maison Dagourette, 37 quai des Corsaires. **▎** 05-59466190.
● ma en feestdagen (behalve juli en aug.). **▢ ▨** gratis onder 18; combikaartje met Musée Bonnat.
W www.musee-basque.com

Het museum is ondergebracht in het Maison Dagourette, een schitterend gerestaureerd huis uit de 16de eeuw dat verklaard is tot historisch monument. De collecties, die sinds de stichting in 1922 flink zijn gegroeid, richten zich op de Baskische cultuur. Verspreid over 20 zalen geven ze een beeld van de volkskunst en de gebruiken van het Pays Basque. Er komen verschillende thema's aan de orde, zoals het boerenleven, de zee- en rivierhandel, theater, muziek, dans en sport, met één zaal gewijd aan pelota *(blz. 50)*. Er zijn ook afdeling gewijd aan traditionele klederdracht, architectuur, religieuze en wereldse festivals en begrafeniszeden. De schilderijen beelden typische lokale taferelen en activiteiten uit.

⛉ Place Paul-Bert

In augustus worden op dit plein in Petit Bayonne kalveren losgelaten als onderdeel van de traditionele stierenrennen. Vlakbij staat de **Église Saint-André** (19de eeuw), waar de mis wordt opgedragen in het Baskisch. Direct tegenover de kerk staat het **Château-Neuf**, dat in de 15de eeuw werd gebouwd onder Karel VII. Het maakt deel uit van de verdedigingswerken die later rond de stad werden aangelegd. In de zomer organiseert het Musée Basque grootschalige tentoonstellingen in het kasteel.

Spelletje pelota bij de omwalling van Fontarabia, in het Musée Basque, door Gustave Colin

⛉ Quartier Saint-Esprit

Deze wijk op de noordoever van de Adour, ten oosten de **Pont Saint-Esprit**, is nog grotendeels een arbeidersbuurt, met een internationaal tintje. Hier vestigden de immigranten zich, vooral Joden die uit Portugal en Spanje werden verdreven. Zij waren mede verantwoordelijk voor de florerende zeehandel van Bayonne. Een synagoge en een Joodse begraafplaats getuigen nog van deze periode.

OMGEVING: Het **Croix de Mouguerre**, 8,5 km van Bayonne, herdenkt de gevallenen in een slag uit 1813 tussen de Engelsen onder Wellington en de Fransen onder Maréchal Soult. Hier hebt u een mooi zicht op de Pyreneeën, Bayonne, de Adour en de Atlantische Oceaan.

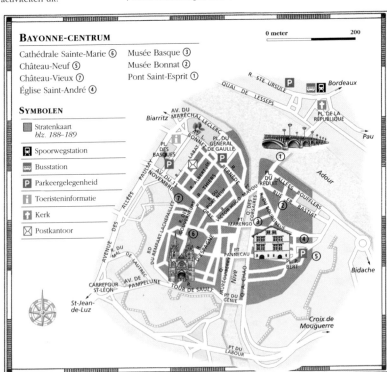

BAYONNE-CENTRUM

Cathédrale Sainte-Marie ⑥   Musée Basque ③
Château-Neuf ⑤   Musée Bonnat ②
Château-Vieux ⑦   Pont Saint-Esprit ①
Église Saint-André ④

SYMBOLEN

▮	Stratenkaart *blz. 188–189*
▯	Spoorwegstation
⬚	Busstation
P	Parkeergelegenheid
i	Toeristeninformatie
✚	Kerk
⊠	Postkantoor

0 meter   200

Musée Bonnat

Keramisch bord (16de eeuw)

Musée Bonnat is gevestigd in een 19de-eeuws gebouw en bezit meer dan 5000 kunstwerken. Ze dateren van de oudheid tot aan het begin van de 20ste eeuw. De zalen liggen rond een binnenplaats en bevatten schilderijen, beelden en keramiek, met werken van Goya, Rubens, Ingres, Degas, Van Dyck, Géricault en andere grote kunstenaars. De meeste tentoongestelde stukken zijn verzameld door Léon Bonnat (1822–1922) uit Bayonne, een zeer populaire portretschilder.

De baadster (1807) van Ingres, een topstuk uit Musée Bonnat

OUDHEID

In het souterrain is de collectie Egyptische, Griekse en Romeinse oudheden, met enkele zeer zeldzame stukken, ondergebracht.

SCHILDERIJEN

Tot de eclectische collectie 19de-eeuwse schilderijen behoren studies van Géricault, Delacroix, Corot, Degas en impressionistische werken. Ze omvat tevens een tiental schilderijen en 95 tekeningen van Jean Auguste Dominique Ingres, met daarbij het beroemdste schilderij van het museum, *De baadster* (1807).

PORTRETTEN DOOR LÉON BONNAT

Léon Bonnat, geboren en getogen in Bayonne, schilderde eind 19de en begin 20ste eeuw opvallende portretten van belangrijke mensen uit de Parijse high society. Onder hen de schrijver Victor Hugo, societydames en mannen uit de politiek. Er is ook vroeg werk van Bonnat te zien en op de binnenplaats hangt een groot schilderij van Bonnat met zijn leerlingen in de heuvels boven Bayonne, door Henri-Achile Zo.

RESERVECOLLECTIES

Om zoveel mogelijk werk te kunnen tonen heeft het museum in zes zalen een mix van allegorische, dierlijke en figuratieve studies en andere genres opgehangen. Op de drie overige verdiepingen is maar een tiende van de museumbezittingen te zien.

SPAANSE SCHILDERKUNST

Léon Bonnat studeerde aan het Prado in Madrid en had als verzamelaar een grote voorkeur voor de Spaanse Oude Meesters. Van deze voorkeur geeft het museum blijk met werken van Goya – zoals *Don Francisco de Borja*, een zelfportret en *De laatste communie van San José de Calasanz* – en El Greco, zoals *De hertog van Benavente* en *Kardinaal Don Gaspar de Quiroga*, plus verscheidene schilderijen van Murillo en Ribera.

GALERIJ MET SCHETSEN VAN RUBENS

Deze unieke collectie bestaat uit schetsen die Peter Paul Rubens (1577–1640) maakte als ontwerp voor wandtapijten. Ze beelden allegorische thema's af, gemaakt voor de koning van Spanje, en taferelen uit het leven van Hendrik IV van Frankrijk. Hier zijn ook verfijnde terracottasculpturen te zien uit de Cailleuxcollectie.

LE CARRÉ

Le Carré, in een belendend gebouw, is een uitbreiding van het museum die wordt gebruikt voor tijdelijke tentoonstellingen.

🏛 **Musée Bonnat**
5 rue Jacques-Laffitte.
📞 05-59590852. ⏱ juli–aug.: dag.
● sept.–juni: di en feestdagen. 📷 📷
gratis 1ste zo van de maand;
combikaartje met Musée Basque. ♿
🆆 www.musee-bonnat.com
🏛 **Le Carré**
9 rue Frédéric-Bastiat.
📞 05-59590852. ⏱ 's middags
tijdens tijdelijke tentoonstellingen.

De opwekking van Lazarus (1853), een vroeg werk van Léon Bonnat

Kathedraal van Bayonne

De Cathédrale Sainte-Marie, ook wel Notre-Dame-de-Bayonne genoemd, werd in de 12de en 13de eeuw gebouwd op de plaats van een romaanse kapel en is de blikvanger van Bayonne. Het imposante bouwwerk in noordelijke gotische stijl, met zijn twee hoge spitsen, is al van grote afstand te zien. Het staat in het hart van de oude stad en was een belangrijke pleisterplaats op de bedevaartsroute naar Santiago de Compostela in Spanje.

Detail Vrouw van Kanaän-venster

In de 19de eeuw onderging de kathedraal een uitgebreide restauratie na een brand, zodat het huidige gebouw het resultaat is van 800 jaar voortdurend bouwen en renoveren.

De vlucht naar Egypte
Deze bijbelse scène door Nicolas-Guy Brenet (1728–1792) hangt in de Chapelle Saint-Léon. Brenet, een leerling van François Boucher, was de eerste die in de tweede helft van de 18de eeuw weer op grootse wijze historische taferelen afbeeldde. Hij heeft grootschalige religieuze werken vervaardigd voor een aantal kerken in Frankrijk.

West-portaal

★ Kruisgang
De in laatgotische stijl uitgevoerde kruisgang ligt aan de zuidkant van de kathedraal. Van de bogengalerijen zijn er nog drie over. De kruisgang diende ook als begraafplaats; er zijn nog veel graftomben te zien.

STERATTRACTIES

★ Kruisgang

★ Sacristie

★ Vrouw van Kanaän-venster

Stijlvolle bogen, met daarin weer vier kleinere bogen met driepasvensters erboven, omringen de kruisgang

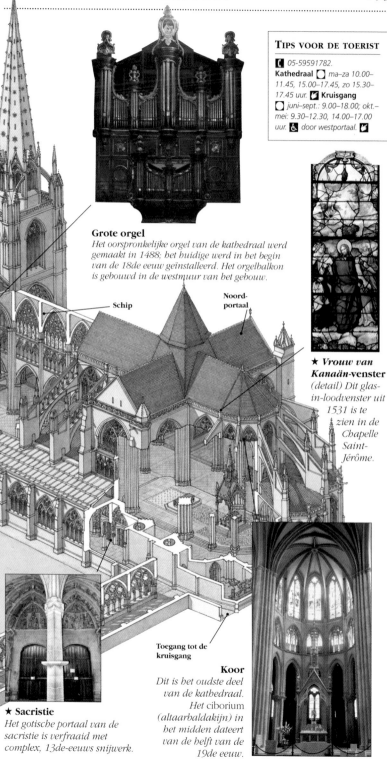

Grote orgel
Het oorspronkelijke orgel van de kathedraal werd gemaakt in 1488; het huidige werd in het begin van de 18de eeuw geïnstalleerd. Het orgelbalkon is gebouwd in de westmuur van het gebouw.

Schip

Noord-portaal

TIPS VOOR DE TOERIST

05-59591782.
Kathedraal ma–za 10.00–
11.45, 15.00–17.45, zo 15.30–
17.45 uur. **Kruisgang**
juni–sept.: 9.00–18.00; okt.–
mei: 9.30–12.30, 14.00–17.00
uur. door westportaal.

★ **Vrouw van Kanaän-venster**
(detail) Dit glas-in-loodvenster uit 1531 is te zien in de Chapelle Saint-Jérôme.

Toegang tot de kruisgang

Koor
Dit is het oudste deel van de kathedraal. Het ciborium (altaarbaldakijn) in het midden dateert van de helft van de 19de eeuw.

★ **Sacristie**
Het gotische portaal van de sacristie is verfraaid met complex, 13de-eeuws snijwerk.

Biarritz ❷

Wegenkaart A4. *Miarritze* in het
Baskisch. 🏠 *30.000.* 🚉 🚌 🛈
1 square d'Ixelles, 05-59223710.
📷 *juli–aug.* 📅 *dag.* 🎭 *Fête des
Casetas (eind juni), Biarritz Surf
Festival (half juli), Feria Andalouse
(eind aug.).* 🌐 *www.ville-biarritz.fr*

Tot aan het eind van de
19de eeuw, toen het baden
in zee populair begon te
worden, was Biarritz een
kleine haven voor walvisvaarders. De nieuwe trend in het
feit dat de stad geliefd was bij
Napoleon III en keizerin
Eugénie, leidden ertoe dat
Biarritz door de buitenwereld
werd ontdekt. Sindsdien trekt
de stad met zijn stijlvolle villa's
een kosmopolitisch publiek,
dat komt om te surfen en van
luxe te genieten.

Biarritz verkennen

Het beroemde **Grande Plage**
strekt zich uit voor het **casino**,
een art-decogebouw uit 1924.
Rechts ervan staat het
indrukwekkende **Hôtel du
Palais**, gebouwd in het begin
van de 20ste eeuw op de plaats
van Villa Eugénie, de
voormalige keizerlijke residentie. In de verte is de **Phare de
la Pointe Saint-Martin** zichtbaar. In deze vuurtoren leidt
een trap met 248 treden naar
de lantaarn, waar u een
panoramisch zicht hebt van

Anglet tot aan de Landes. Bij
Plage Miramar, het verlengde
van het Grande Plage, staan
luxe belle-époquevilla's, met
als mooiste Villa San Martino
en Villa Casablanca. De **Rus-
sisch-orthodoxe kerk** aan
Avenue de l'Impératrice is
gebouwd aan het eind van de
19de eeuw. Een eindje verderop staat de expositieruimte **Le
Bellevue**, in empirestijl, met
een art-decorotonde. Boven
de beschutte **vissershaven**,
aangelegd in 1870, staat de
Église Sainte-Eugénie.
Het symbool van de stad is de
Rocher de la Vierge, die via
een ijzeren wandelpad, ontworpen door Alexandre Eiffel,
is verbonden met de promenade. Boven op de rots staat een
Mariabeeld. **Villa Belza** uit
1895, met een torentje en een
puntdak, kijkt uit over zee.
Plage du Port-Vieux, ten
zuiden van de rotsen, leidt
naar de **Côte des Basques.**

🔒 Chapelle Impériale

Rue Pellot. 📞 *05-59223710.*
⭕ *bel voor openingstijden.* 🧳 📷
Deze kapel aan Place Sainte-
Eugénie is gewijd aan Onze-
Lieve-Vrouwe van Guadalupe.
Hij werd in 1864 gebouwd in
opdracht van keizerin
Eugénie. Het gebouw is een
combinatie van Byzantijns-
romaanse en Moorse stijlen,
die tijdens het Second Empire
in de mode waren. Binnenin

vallen het beschilderde plafond, de balken en de *azulejos*
(tegels in Moorse stijl) uit de
fabriek van Sèvres op.

🏛 Musée de la Mer

Plateau de l'Atalaye. 📞 *05-
59227540.* ⭕ *april–okt.: dag.* 🧳
Dit museum in een art-decogebouw uit 1935 documen-
teert het leven in de Golf van
Biskaje met verschillende
aquaria en vitrines over de
visserij. De bezoeker kan ook
zeehonden gracieus onder
water zien zwemmen.

**De 19de-eeuwse Chapelle
Impériale in Biarritz**

🏛 Musée Historique

Rue Broquedis. 📞 *05-59248628.* ⭕
di–za. 🧳 📷
Dit museum, in een voormalige kerk, behandelt de geschiedenis van Biarritz, van
vissersdorpje tot mondaine
badplaats.

🏛 Musée du Chocolat

14–16 avenue Beau-Rivage. 📞 *05-
59415464.* ⭕ *dag.* 🧳 📷
Museum over de chocolade-
vervaardiging in deze streek,
die begon in de 16de eeuw
met de import van cacao-
bonen uit Amerika.

OMGEVING: Anglet, 4 km ten
oosten van Biarritz, bezit een
lang strand, een dennenbos,
de Chiberta-golfbaan en de
legendarische Grotte de la
Chambre-d'Amour.
Van de Chapelle Sainte-
Madeleine in **Bidart**, 5 km ten
zuiden van Biarritz, hebt u een
mooi uitzicht, en in **Guéthary**,
2 km verder zuidwaarts, expo-
seert Musée Municipal Sarale-
guinea hedendaagse kunst.

Het Grande Plage en de vuurtoren van Biarritz, gezien vanaf de haven

High society in Biarritz

In de tweede helft van de 19de eeuw, toen Napoleon III en keizerin Eugénie Biarritz faam bezorgden als badplaats, ging het Second Empire over in de belle époque. In die tijd groeide Biarritz uit tot een vakantieoord met een druk nachtleven voor de rijken. Het stond vol nieuwe art-deco- en art-nouveaugebouwen en sprak vele prominenten aan, zowel uit Frankrijk als de rest van de wereld. President Sadi Carnot, premier Georges Cle-

Karikatuur van badgasten in Biarritz

menceau en de schrijvers Émile Zola en Edmond Rostand brachten hier hun zomervakantie door en Sissi, Elizabeth van Oostenrijk, zocht hier genezing van haar levensmoeheid. In het begin van de 20ste eeuw trokken de casino's beroemdheden aan als Sarah Bernhardt en de couturier Jean Patou. Na de Tweede Wereldoorlog hield de markiezin van Cueva extravagante feestjes met sterren als Rita Hayworth, Gary Cooper, Bing Crosby en Frank Sinatra.

Edward VII, koning van Engeland, bracht in het begin van de 20ste eeuw menige zomer door in Biarritz.

De stranden van Biarritz waren vooral in de mode in de eerste helft van de 20ste eeuw.

BADEN IN ZEE

Napoleon III en keizerin Eugénie, die tot aan de Eerste Wereldoorlog en kort daarna de 'Strandkoningin' was, introduceerden in Biarritz de mode om naar het strand te gaan. De beurskrach van Wall Street in 1929 en de daaropvolgende economische depressie maakten een abrupt einde aan dit eerste strandtijdperk.

Charlie Chaplin was een van de vele beroemdheden die in de jaren dertig en veertig van de 20ste eeuw de talrijke luxehotels van Biarritz frequenteerden, zoals Hôtel Miramar.

De Britse koninklijke familie trad in de voetsporen van Edward VII en bezocht de zonnige stranden van Biarritz regelmatig. Deze foto van Edward, prins van Wales, later de hertog van Windsor, en zijn jongere broer George, hertog van Kent, dateert van 1925, toen ze te gast waren in de Villa Hélianthe.

Saint-Jean-de-Luz ❸

Wegenkaart A4. *Donibane Lohizune* in het Baskisch. ♟ *13.600.* 🚉 🚌
🛈 *Place du Maréchal-Foch, 05-59260316.* 🛒 *di en vr 's ochtends.*
🎭 *Musique en Côte Basque en Académie Maurice Ravel (april en sept.).* Ⓦ www.saint-jean-de-luz.com

H et voormalige piratenbolwerk Saint-Jean-de-Luz ligt aan een baai met het Fort de Socoa aan het ene einde en de Pointe de Sainte-Barbe aan het andere. De stad is rijk geworden door de kapitalen die werden bijeengebracht door handelaren en piraten – die vooral actief waren van de 16de tot de 19de eeuw – en door de walvisvangst en tonijnvisserij. De haven is nog steeds levendig en Saint-Jean-de-Luz is nu een aangenaam vakantieoord, vooral in trek bij surfers.
De kust ten noordoosten van het stadje telt vele stranden: Erromardi, Lafitenia, Mayarco en Senix, die ook horen bij het buurplaatsje Guéthary.
Aan de Place Louis-XIV, tegenover de haven en achter het toeristenbureau, staan stijlvolle panden. Het wemelt er nu van de terrassen in de schaduw van platanen. Ook in de Rue Mazarin staan fraaie herenhuizen, zoals het Maison de l'Infante, Maison des Trois-Canons op nr. 10 en Maison de Théophile de la Tour-d'Auvergne op nr. 18.

⛪ Église Saint-Jean-Baptiste
Rue Gambetta. 📞 *05-59260881.*
🕐 *dag.* 📷 *'s zomers.*
Deze robuuste kerk werd in 1419 door een brand verwoest en daarna in verscheidene fasen herbouwd. Vanbuiten ziet hij er niet bijzonder uit, maar het interieur, met een fraai altaarstuk, is schitterend. Hier trouwde Lodewijk XIV op 9 juni 1660 met Maria-Theresia van Oostenrijk *(blz. 36).*

🏛 Maison Louis-XIV
Place Louis-XIV. 📞 *05-59260156.*
🕐 *juni–sept.: dag.* 📷 📷

Drukke autovrije straten in de oude wijk van Saint-Jean-de-Luz

Dit huis werd in 1643 gebouwd voor de reder Johannis de Lohobiague. Kardinaal Mazarin (1602–1661), die Frankrijk bestuurde toen Lodewijk XIV minderjarig was, verbleef hier in 1660, net als Anna van Oostenrijk en Lodewijk XIV zelf, toen hij met de *infanta* Maria-

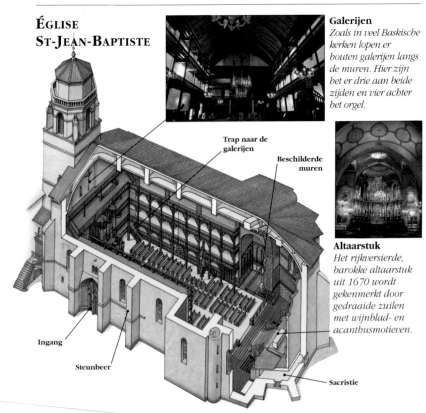

ÉGLISE ST-JEAN-BAPTISTE

Galerijen
Zoals in veel Baskische kerken lopen er houten galerijen langs de muren. Hier zijn het er drie aan beide zijden en vier achter het orgel.

Trap naar de galerijen

Beschilderde muren

Ingang

Steunbeer

Altaarstuk
Het rijkversierde, barokke altaarstuk uit 1670 wordt gekenmerkt door gedraaide zuilen met wijnblad- en acanthusmotieven.

Sacristie

Maison de l'Infante, aan de haven van Saint-Jean-de-Luz

Theresia ging trouwen, een van de voorwaarden van de Vrede van de Pyreneeën. Ernaast staan het **Maison Saubat-Claret**, met rijk bewerkte balkons, en het **Hôtel de Ville** (1654), met een ruiterstandbeeld van Lodewijk door Bouchardon.

🏛 Maison de l'Infante
Quai de l'Infante. 📞 05-59263682. 🕐 15 juni–15 okt.: dag. 📷 🎫
Dit huis uit 1640, ook wel bekend als Maison Joanoenea, was eigendom van de redersfamilie Haraneder. Hier verbleef de toekomstige koningin van Frankrijk in 1660.

🏛 Rue de la République
Deze straat voert naar het **Grande Plage**. Maison Esquerrenea op nr. 17, dat de brand van 1558 had overleefd, is het oudste huis van de stad. Net als Maison Duplan op nr. 10 heeft het een toren vanwaar binnenvarende schepen kunnen worden geobserveerd. In de autovrije **Rue Gambetta** bij de Place Louis XIV staan prachtige huizen op nr. 18 en 20.

Omgeving: In **Urrugne**, 5 km van Saint-Jean-de-Luz, staat een interessante kerk, de 16de-eeuwse **Église Saint-Vincent**, met een renaissanceportaal, een 45 m hoge klokkentoren, een orgelgalerij en 22 m hoge houten galerijen. **Château d'Urtubie** uit 1341 is grotendeels herbouwd in de 16de en 18de eeuw. Lodewijk XI verbleef er in 1463.

⚜ Château d'Urtubie
RN 10. 📞 05-59543115. 🕐 maart–okt.: dag. 📷 🎫

Ciboure ❹

Wegenkaart A4. *Ziburu* in het Baskisch. 🏘 6000. 🚉 🚌 Saint-Jean-de-Luz. 🛈 27 quai Maurice-Ravel, 05-59476456. 🛒 zo-ochtend. 🎭 Fête du Thon (2de za in juli). ⓦ www.ciboure.com

Pal ten zuiden van Saint-Jean-de-Luz, aan de andere oever van de Nivelle, ligt Ciboure. Het **Couvent des Récollets** is gebouwd in 1610 en werd tijdens de Franse Revolutie gebruikt als gevangenis en tribunaal. Aan de kade staat een 17de-eeuws huis met een klokgevel: hier werd de componist Maurice Ravel geboren.
De 16de-eeuwse **Église Saint-Vincent** in de Rue Pocalette heeft een versterkte, achthoekige klokkentoren. Binnenin zijn drie rijen houten galerijen, een imposant altaarstuk en schilderijen uit de Chapelle

des Récollets te zien. **Villa Leïhorra**, gebouwd in 1929 in een combinatie van art-deco-stijl en neo-Baskische stijl, valt op door een Spaans aandoende patio.
De vuurtoren werd in 1936 gebouwd naar ontwerp van André Pavlovsky. Het Fort de Socoa uit de 17de eeuw, bedoeld om de walvisvaarthaven te beschermen, staat op de punt van de havenomwalling.

🏛 Couvent des Récollets
Quai Pascal-Elissalt. **Kruisgang** 📞 05-59476456. 🕐 dag. 🎫
🏛 Villa Leïhorra
Rue du Docteur-Micé. 📞 05-59470709. ⬤ tijdelijk gesloten.

Hendaye ❺

Wegenkaart A4. *Hendaia* in het Baskisch. 🏘 12.000. 🚉 🚌 🛈 12 rue des Aubépines 05-59200034. 🛒 wo en za 's ochtends. 🎭 Fête Basque (2de weekeinde in aug.). ⓦ www.hendaye.com

De familiebadplaats Hendaye, aan de monding van de Bidassoa, bestaat uit twee delen: Hendaye-Plage en Hendaye-Ville. De Église Saint-Vincent bezit een mooi 13de-eeuws crucifix en een 17de-eeuws altaarstuk. De twee rotsen op Pointe Sainte-Anne markeren de toegang tot de Baie de Fontarrabie.

Omgeving: 1,5 km van Hendaye ligt **Chateau d'Abbadia**, gebouwd door Antoine d'Abbadia (1810–1897). Het gotische ontwerp is vermengd met oosterse tintjes.

⚜ Château d'Abbadia
Route de la Corniche. 📞 05-59200451. 🕐 feb.–dec.: ma–vr. 📷 🎫

Het onverschrokken, neogotische Château d'Abbadia in Hendaye

Trein op de tandradbaan op weg naar de top van La Rhune bij de Col de Saint-Ignace

Nivelledal ❻

Wegenkaart A4.

Het landschap van dit dal, met de hoge toppen van La Rhune, de Mondarrain en de Axuria op de achtergrond, bestaat uit een mengeling van glooiende heuvels, grasland en akkers, met een keurige omheining eromheen. **Ascain**, 6 km van de kust, ligt op de uitlopers van La Rhune. Hert dorp is onsterfelijk gemaakt door Pierre Loti (1850–1923) in zijn roman *Ramuntcho*. De oude huizen in Labourdstijl en de kerk maken een schilderachtige indruk. De westelijke toren van de kerk, die in 1626 in aanwezigheid

De Grottes de Sare, prehistorische grotten in het Nivelledal

van Lodewijk XIII werd gewijd, is indrukwekkend. In de buurt ligt **Saint-Pée-sur-Nivelle**, met 18de-eeuwse huizen en de Église Saint-Pierre, waarin grafstenen – waaronder een uit de 16de eeuw – uit de vloer steken. Achter de kerk staat de **Moulin Plazako Errota**, een 15de-eeuwse molen, die tegenwoordig buiten dienst is. Hij bevat nog oude korenmaten die door Baskische molenaars werden gebruikt. Er lopen voet- en fietspaden door het staatsbos met zijn vreemd gevormde knoteiken. Op het **Lac de Saint-Pée**, 2 km verderop, te bereiken via de D918, kunt u watersporten.
De top van de berg **La Rhune** (905 m) kan te voet of per treintje worden bereikt. De berghellingen zijn bezaaid met megalithische monumenten uit het neolithicum. U ziet er ook schaapherders met hun kudden, alsmede *pottoks* en vale gieren *(blz. 17)*.
In het oude smokkelaarsdorp **Sare** staan enkele mooie 17de-en 18de-eeuwse huizen in Labourdstijl *(blz. 20)*. Wie hier door de buurt zwerft,

komt 14 kapellen tegen die gewijd zijn aan de Madonna en verschillende heiligen. Ze zijn vanaf de 17de eeuw door vissers gebouwd als dankbetoon voor hun behoud.
Maison Ortillopitz, net buiten Sare, is een statige 17de-eeuwse boerderij. Met zijn vakwerkgevels, eiken balken en dikke stenen muren is het een typische *etxe*, een traditioneel Baskisch huis *(blz. 20)*.
De **Grottes de Sare** liggen 7 km ten zuiden van het dorp. Archeologen hebben hier beenderen en vuurstenen gereedschap gevonden, wat aantoont dat de grotten in de prehistorie bewoond waren.

🍴 **Moulin Plazako Errota**
📞 *05-59541949.*
⭕ *juni–sept.: dag.* 🖼
🎣 **Lac de Saint-Pée**
📞 *05-59541169.*
⭕ *juli–aug.: dag.* 🖼
🚂 **Petit Train de la Rhune**
Col de Saint-Ignace. 📞 *05-59542026.* ⭕ *half maart–half nov.* 🖼
🏛 **Grottes de Sare**
📞 *05-59542188.* ⭕ *dag.*
⭕ *jan.* 🖼 🖼 🌐 www.sare.fr
🍴 **Maison Ortillopitz**
📞 *05-59859192.* ⭕ *april–okt.: dag.*
🖼 🖼 🌐 www.ortillopitz.com

POTTOKS

Sinds de prehistorie dwaalt het type pony dat bekendstaat als *pottok* (spreek uit 'potiok'), 'klein paard', door het Pays Basque. *Pottoks* zijn sterk doordat ze voortkomen uit een hard milieu met weinig voedsel. Ze zijn voskleurig of zwart, dikbuikig, met lange manen, tengere benen en kleine hoeven. Deze paardensoort is bedreigd, maar in de jaren zeventig van de 20ste eeuw hebben enkele paardenfokkers zich hun lot aangetrokken. Vroeger werden ze gebruikt op de boerderij of geslacht, maar nu worden ze beschermd en zijn ze het symbool van het Pays Basque.

Pottoks in hun natuurlijke omgeving, de heuvels van het Pays Basque

Ainhoa ❼

Wegenkaart A4. 👥 *611.* 🚉
🚌 *Bayonne, Saint-Jean-de-Luz.*
ℹ️ *Mairie 05-59299260.*

Ainhoa, met zijn pittoreske
oude huizen met rood of
groen houtwerk, wordt
beschouwd als een van de
mooiste dorpen van Frankrijk.
Van sommige huizen zijn de
lateien bewerkt. In de 14de-
eeuwse kerk op het hoofdplein
ziet u weer galerijen langs de
muren en een verguld altaarstuk; de grafstenen op het
kerkhof hebben een ronde top
(blz. 27). De klokkentoren van
de kerk bestaat uit vijf
geledingen. Bij de kerk Notre-
Dame-de-l'Aubépine, gelegen
op 450 m hoogte, zijn nog 26
van die traditionele Baskische
grafstenen te vinden. Hier kunt
u de top van La Rhune, de
Atlantische Oceaan en het
grensdistrict Dancharia, in
Navarra, zien.

Espelette ❽

Wegenkaart A4. *Ezpeleta* in het
Baskisch. 👥 *1900.* 🚉 🚌 *Cambo-
les-Bains.* ℹ️ *Château, 05-59939502.*
🎪 *wo-ochtend en za (juli–aug.).* 🎉
*Fête du Piment (laatste weekeinde van
okt.), pottok-markt (laatste di–wo in
jan.).*

Dit dorp, bekend om zijn
rode pepers, is tevens de
geboorteplaats van pater
Armand David (1826–1900),
die in China de reuzenpanda
ontdekte en ook een herten-
soort, *Elaphurus davdianus*
(Pater Davidshert), die naar
hem is genoemd. Een pla-
quette op Maison Bergara

PIMENT D'ESPELETTE

*Snoeren ge-
droogde piment*

Rode pepers werden in 1650 voor het eerst
uit Mexico ingevoerd in het Pays Basque. In
het begin dienden ze als medicijn, pas later
als specerij en conserveermiddel. Ze worden in veel lokale gerechten verwerkt, vers
dan wel gedroogd, in hun geheel of in poe-
dervorm, zelfs als smaakmaker in chocolade. De Gorria-variëteit, *piment d'Espelette*,
wordt geteeld in tien dorpen rondom Espelette. De pepers worden aan het eind van de
zomer geplukt en aan een snoer gehangen
om te drogen. Deze pepers, het symbool
van Espelette, hebben hun eigen AOC en de laatste zondag
van oktober wordt er een festival aan ze gewijd.

geeft aan waar hij woonde.
Ook het 11de-eeuwse **Château des Barons d'Ezpeleta**,
waarin nu het dorpsbestuur en
het toeristenbureau gevestigd
zijn, is bezienswaardig.
De kerk bezit een beschilderd
plafond, houten galerijen, een
17de-eeuws altaarstuk en een
grote klokkentoren. Op het
kerkhof ziet u oude grafstenen
met ronde top en de tombe
van de eerste Miss Frankrijk.

♣ Château des Barons
d'Ezpeleta

145 route Karrika-Nagusia.
📞 *05-59939502.* 🕐 *dag.*

Itxassou ❾

Wegenkaart A4/B4. *Itsasu* in het
Baskisch. 👥 *2000.* 🚉 *Cambo.* ℹ️
Mairie, 05-59297536. 🎉 *Fête de la
Cerise (eerste zo in juni); Fête-Dieu
(eind juni).*

Itxassou ligt midden in een
schilderachtige vallei. In de
wijk Urzumu staat de 17de-
eeuwse, witte Église Saint-

*Het dorp Itxassou, centrum van
de kersenteelt*

Fructueux, met galerijen van
gedraaid en bewerkt hout. Het
kerkhof telt meer dan 200
karakteristieke grafstenen met
ronde top. Kersen zijn een
specialiteit van dit gebied en
elk jaar begin juni is er een
festival aan gewijd. Vers of als
jam, ze zijn verrukkelijk met
een plak schapenkaas *(blz.
209).*

OMGEVING: 1,5 km van
Itxassou voert een kronkel-
weg langs de Nive en de
Gorges d'Ateka-Gaitz tot aan
de **Pas-de-Roland**. Volgens
het verhaal doorboorde
Roeland *(blz. 204)* deze rots
met zijn zwaard, Durandal.
Hier rijst de **Artzamendi**
(Baskisch voor 'Berenberg')
926 m de lucht in; hij is
gemakkelijk te bereiken, per
auto of te voet. U kunt ook
een aangename wandeling
maken naar de top van de
Mondarrain, 750 m hoog,
waar de ruïnes te zien zijn van
een Romeins fort dat in de
middeleeuwen is herbouwd.

De witte huizen en de imposante klokkentoren van Espelette

Villa Arnaga, het huis van Edmond Rostand in Cambo-les-Bains

Cambo-les-Bains ⓾

Wegenkaart A4. *Kanbo in het Baskisch.* 🚶 *4500.* 🚍 *Cambo.* ℹ️ *Avenue de la Mairie, 05-59297025.* 🎭 *wo en vr.* 🎪 *Festival de Théâtre (half juni); Fête du Gâteau Basque (laatste zo in sept.).*

H et bekende kuuroord Cambo-les-Bains ligt boven de rivier de Nive. Vele mensen, onder wie kunstenaars, schrijvers en andere beroemdheden uit de 19de en begin 20ste eeuw, hebben hier profijt getrokken van het zwavel- en ijzerhoudende water van de twee bronnen. Tot hen behoorden Napoleon III en keizerin Eugénie, die in 1856 een vakantiehuis in Biarritz hadden gekocht, de Spaanse componist Isaac Albéniz in 1909 en de schilder Pablo Tillac in 1921. Bij helder weer hebt u van de Rue du Trinquet en de Rue des Terrasses een mooi zicht op het rivierdal en de Pyreneeën. De Église Saint-Laurent bezit een laat-17de-eeuws, altaarstuk van verguld hout met een paneel in het midden dat het martelaarschap van de H. Laurentius uitbeeldt. Op het kerkhof zijn weer enkele typisch Baskische grafstenen te zien *(blz. 27).*

De Avenue Edmond-Rostand leidt naar de heuvels waar Rostand zijn huis, **Villa Arnaga**, liet bouwen. Elke kamer is in een andere stijl versierd, zoals klassieke elementen in de studeerkamer en Chinese in de salon. Op de kamers op de begane grond worden leven en werk van de schrijver gedocumenteerd.

🏛 **Villa Arnaga**
Route de Bayonne. 📞 05-59297057. 🕐 *april–okt.: dag.* 📷 ♿

EDMOND ROSTAND

Cambo-les-Bains is nauw verbonden met de schrijver Edmond Rostand (1868–1918). Rostand was lid van de Académie Française en de schrijver van het beroemde toneelstuk *Cyrano de Bergerac* (1897), *L'Aiglon* (1900) en *Chantecler* (1910). Omdat hij leed aan pleuritis, ging hij in 1900 naar Cambo vanwege de daar aanwezige heilzame bronnen. Al snel raakte hij onder de bekoring van het stadje en het volgende jaar liet hij de stijlvolle Villa Arnaga bouwen voor zichzelf en zijn gezin. Hier woonde Rostand bijna 15 jaar lang met zijn vrouw en twee kinderen.

Hasparren ⓫

Wegenkaart B4. *Hazparne in het Baskisch.* 🚶 *5900.* 🚍 *Cambo-les-Bains, Bayonne.* ℹ️ *2 place Saint-Jean, 05-59296202.* 🎪 *elke tweede di.* 🐂 *stierenrennen (juli-aug.); Championnat de l'Irrintzina (Aug).*

H asparren wordt omgeven door glooiende heuvels en weilanden waarin schapen grazen. In dat landschap liggen dorpjes en traditionele Baskische vakwerkboerderijen met witte muren en rode luiken. Hasparren was vroeger een centrum voor de fabricage van schoenen en lederwaren en is nu een aangenaam industriestadje.

De **Chapelle du Sacré-Cœur,** ook bekend als de Chapelle des Missionaires, is gebouwd in 1933. De muren van het schip zijn bedekt met enorme fresco's van 48 heiligen, van wie sommige met de instrumenten van hun martelaarschap.

Fresco in Chapelle du Sacré-Cœur

Het koor is verfraaid met het mozaïek *Christus in Majesteit.* In Maison Eyhartzea, in de Rue Francis-Jammes, bij de toegang tot het dorp, is nu een cultureel centrum gevestigd, maar van 1921 tot zijn dood in 1938 woonde hier de dichter Francis Jammes. Bij de *fronton* (pelotabaan) vindt u een klein archeologisch centrum genaamd **Hatzen Bidea,** waar het resultaat van de opgravingen in de Grottes d'Oxocelhaya wordt getoond.

🏛 **Hatzen Bidea**
Place du Fronton. 📞 05-59291066. 🕐 *sept.–juni: ma–vr; juli–aug.: dag.* 📷 ♿

OMGEVING: Tussen Cambo en Hasparren biedt de D22, de zogenaamde **Route Impériale des Cimes** ('keizerlijke bergtoppenweg'), een prachtig zicht op het Nivedal en op de bergen Artzamendi, La Rhune, en Mondarrain. U kunt terugkeren naar Hasparren via Cambo-les-Bains en Bayonne-Saint-Pierre-d'Irube door een aftakking te nemen in het district Patchkoenia.

Château de Gramont in Bidache, boven het Bidouzedal

Ongeveer 13 km van Hasparren liggen de **Grotte d'Isturitz** en de **Grotte d'Oxocelhaya**, twee grotten die gevormd zijn door een ondergrondse tak van de Arbéroue. Hier zijn schilderingen en gravures van herten en paarden gevonden, en ook botten, gereedschap en van been gemaakte muziekinstrumenten.

Grotte d'Isturitz en Grotte d'Oxocelhaya
Saint-Martin-d'Arbéroue.
05-59296472. dag. www.grottes-isturitz.com

La Bastide-Clairence ⓬

Wegenkaart B4. *Bastida* in het Baskisch. *900. Bayonne.* *Maison Darrieux, 05-59296505.* *aardewerkmarkt (tweede weekeinde in sept.).*

Dit mooie vestingstadje op de grens met Gascogne werd in 1312 gesticht door de koning van Navarra. Dankzij de ligging vlak bij Béarn kon hier het verkeer op de Adour in de gaten worden gehouden. In de middeleeuwen maakte het dorp een groei door als gevolg van de weverijen, leerbewerkingsbedrijven en de handel. Het grondplan is nog net als in de middeleeuwen: twee hoofdstraten met dwars daarop zes kleinere straten met vakwerkhuizen en arcaden. De 14de-eeuwse Église Notre-Dame, in het hoger gelegen deel, staat op een pleintje met grafstenen. Een eindje heuvelopwaarts ligt een begraafplaats met 60 grafstenen van sefardische Joden die in de 17de eeuw van Portugal hierheen waren gevlucht.

Omgeving: 3 km van La Bastide-Clairence staat de benedictijner abdij **Notre-Dame-de-Belloc**. Ze werd gesticht in 1875 en wordt bewoond door monniken die het land bewerken en boeken in het Baskisch uitgeven. Op de begraafplaats zijn een paar typisch Baskische grafstenen te zien.

Bidache ⓭

Wegenkaart B4. *Bidaxune* in het Baskisch. *1100. Puyoô. Bayonne.* *Rue des Jardins, 05-59560349.*

Bidache was ooit de zetel van een hertogdom, wat het historisch belang van het stadje aangeeft. Dat blijkt ook uit de ruïnes van Château de Gramont, dat de hertog hier in de 13de eeuw liet bouwen. Tot aan de 18de eeuw werd het verscheidene keren verbouwd, waardoor het middeleeuwse en renaissance-elementen bezit. De **Joodse begraafplaats** van Bidache is de oudste van Frankrijk.

De benedictijner abdij Notre-Dame-de-Belloc, bij La Bastide-Clairence

Bidarray ⑭

Wegenkaart B4/B5. *Bidarrai* in het Baskisch. 🏠 *700.* 🚉 *Pont Noblia-Bidarray.* 🚌 *Cambo-les-Bains.* ℹ️ *Barbastaenea, 05-59377460.* 🎪 *jaarmarkt (1ste zo in mei).*

D it dorp is verdeeld in 12 districten, alle met huizen in de typische Basse-Navarre-stijl *(blz. 20)*. Op het plein boven op de heuvel staat een kleine 12de-eeuwse kerk met roze zandstenen muren *(blz. 27)*. Overal zijn grazende schapen te zien.
De Nive is hier geschikt voor watersport. De liefhebber kan een bezoek brengen aan het **Maison du Pottok**, een centrum dat gewijd is aan dit kleine Baskische paard *(blz. 198)*. Doordat Bidarray gelegen is tussen Ainhoa en Baïgorry aan de GR10, een langeafstandswandelpad, is het dorp een goed uitgangs-punt voor een mooie wandeling tegen de bergen Iparla, Baygoura en Mont Artzamendi.

De Pont-Noblia over de Nive bij Bidarray

🐎 Maison du Pottok
📞 *05-59522114.*
🕐 *juli–aug.: zo–vr.* 🅿️ 🅲
🌐 *www.maisondupottok.com*

Omgeving: In **Ossès**, 6 km van Bidarray, staan mooie vakwerkhuizen, zoals het Maison Harizmendi en het Maison Ibarrondo, en huizen met versierde lateien, zoals het Maison Arrosa en het Maison Arrosagaray. De Église Saint-Julien aan het plein is een 16de-eeuwse kerk in renaissancestijl met een zeven-hoekige klokkentoren en een 17de-eeuws barok portaal. De kerk bezit bewerkte houten galerijen langs de muren, een wenteltrap en een schitterend 17de-eeuws barok altaarstuk. De huizen in **Saint-Martin-d'Arrosa**, 4 km verder op de andere oever van de Nive, zijn traditioneel met versierde lateien. Op de uitlopers van de bergen staat een kerk met een verguld houten altaar en een gedecoreerd plafond.

Vallée des Aldudes ⑯

A an het uiteinde van de Vallée des Aldudes ligt de streek Pays Quint of Kintoa. Hoewel hij bij Spanje hoort, is hij permanent verpacht aan de inwoners. Net als het Baztán-, Erro- en het Valcarlosdal, over de Spaanse grens, is het een gebied van *estives* (berg-weiden), beukenbossen en geïsoleerde boerderijen. Hier komt u hele kudden zwartkopschapen, *manechs*, tegen.

Kerk in de Vallée des Aldudes

Venta Baztán ③
Aan de Spaanse kant van de grens worden Baskische markten *ventas* genoemd. Op deze *ventas*, bij bergpassen, kunt u een souvenir kopen of een hapje eten.

De kerk van Les Aldudes

0 km   0,5

Kuartela ④
Bij Kuartela, in de buurt van een oude kazerne, verlaat u de N138 en rijdt u naar naar Urepel. Deze smalle, kronkelende, maar mooie route voert door beukenbossen en weelderige groene weilanden.

N 138

N 138

N 138

③

④

PAYS QUINT OF KINTOA

PAMPELUNE

Saint-Étienne-de-Baïgorry ⑮

Wegenkaart B5. *Baigorri* in het Baskisch. 🏃 *1500.* 🚌 *Ossès.* 🚐 *Ossès.* ℹ️ *Place de l'Église, 05-59374728.* 📅 *Journée de la Navarre (laatste weekeinde van april); Euskal Trial (Pinksteren).*

Het centrale plein met een *fronton* (pelotabaan) biedt een mooi zicht op de Mont Buztanzelai en de Mont Oilandoi, helemaal tot aan de Col d'Ispéguy. Rechts van de hoofdingang van de 11de-eeuwse romaanse **kerk** vindt u de Porte des Cagots, een poort voor *cagots*, dorpsbewoners die om onduidelijke redenen werden afgezonderd. Hun getto lag in de wijk Mitchelenea, met daarin een brug uit 1661 die in de volksmond de **Romeinse brug** wordt genoemd.

Château d'Etxaux, met twee middeleeuwse torens aan de noordzijde en twee renaissanceborstweringen aan de zuidzijde, domineert Baïgorry. De kasteelheer heerste hier 500 jaar lang. Het bezit een kleine collectie voorwerpen die verbonden zijn met Charlie Chaplin, die hier ooit verbleef.

♣ Château d'Etxauz
Aan de D949. 📞 *05-59374858.* 🕐 *bel voor openingstijden.* 📷 🎫

OMGEVING: De wijngaarden van **Irouléguy**, 5 km van Saint-Étienne, zijn de enige in het noordelijke Pays Basque met een eigen **coöperatie.** Net buiten **Banca,** 8 km verder, liggen de resten van een 18de-eeuwse smeltoven, een relict van de vroegere mijnen. In **Les Aldudes** staan huizen van rood zandsteen in Navarrestijl. Bij de Salaisons des Aldudes, een vleesproducent, kan de bezoeker iets leren over de Baskische varkensvleesindustrie

en de producten proeven. De eigenaar, Pierre Oteïza, heeft bijna in zijn eentje de hambereiding van *pie noir*, een lokale varkenssoort, nieuw leven ingeblazen. Op de **Argibel**, een berg ten westen van het dorp, staat een grote prehistorische steencirkel.

🏛 Cave Coopérative d'Irouléguy
Aan de D15. 📞 *05-59374133.* 🕐 *dag.* 📷 🎫

Château d'Etxauz in Saint-Étienne-de-Baïgorry

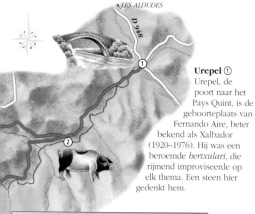

LES ALDUDES

D 948

① **Urepel** ①
Urepel, de poort naar het Pays Quint, is de geboorteplaats van Fernando Aire, beter bekend als Xalbador (1920–1976). Hij was een beroemde *bertxulari*, die rijmend improviseerde op elk thema. Een steen hier gedenkt hem.

TIPS VOOR DE AUTOMOBILIST

Wegenkaart B5.
Lengte: 15 km vanaf Saint-Étienne-de-Baïgorry aan de D948.

Rustplaatsen: In Venta Baztán vindt u een herberg en een kleine supermarkt. De rit langs weilanden, beukenbossen en boerderijen kent veel geschikte stopplaatsen.

SYMBOLEN

 Aanbevolen route

= Andere wegen

—· Grens met Spanje

☼ Uitkijkpunt

Larrategia ②
Dit gebied is karakteristiek voor de Baskische valleien, die voor het grootste deel alleen geschikt zijn voor grazend vee. U vindt hier geïsoleerde boerderijen en herders met hun kudden.

De Nive bij Saint-Jean-Pied-de-Port, een bekende pleisterplaats voor bedevaartgangers naar Compostela

Saint-Jean-Pied-de-Port ⑰

Wegenkaart B5. *Donibane Garazi* in het Baskisch. 🏠 *1400.* 🚌 ▨
🛈 *14 place Charles-de-Gaulle, 05-59370357.* ☕ *ma–di en feestdagen.*
🏺 *een partij pelota main wordt gespeeld op de trinquet (ma); gastronomische beurs (tweede week van juli en derde week van aug.); Baskische sterkemannenwedstrijd (juli–aug.).*

Als laatste halte voor de gevaarlijke beklimming van de passen naar Roncesvalles is Saint-Jean-Pied-de-Port sinds de 14de eeuw een belangrijke stad op de pelgrimsroutes naar Santiago de Compostela. De stad, de Tuin van Navarra,

heeft tot 1589, toen hij toeviel aan Hendrik IV van Frankrijk, steeds weer andere heersers gekend. U betreedt de oude stad vanaf de Place Charles-de-Gaulle via de Porte de Navarre, een versterkte poort met schietgaten en kantelen. Er gaat een trap naar het wandelpad bij de Citadelle uit de 17de eeuw. De zuilen in de mooie 14de-eeuwse Église Notre-Dame-du-Bout-du-Pont zijn van roze zandsteen gemaakt. In Maison Mansart, eveneens van roze zandsteen, is het stadhuis gevestigd.
Langs de Rue de la Citadelle staan prachtige natuurstenen huizen met versierde lateien en dakranden en rijkelijk be-

werkte balken. Een van de mooiste van deze huizen is Maison Arcanzola, gebouwd in 1510, met baksteen/vakwerkmuren op de bovenverdieping. Even verderop staat de Prison des Évêques. In de 19de eeuw werd hij gebruikt als gevangenis, maar het gebouw dateert al van de tijd dat de stad de zetel was van een bisdom – driemaal tussen 1383 en 1417. De **Porte Saint-Jacques**, de poort aan het eind van de Rue de la Citadelle, staat op de Werelderfgoedlijst; nog steeds komen bedevaartgangers door de poort.
Wanneer u de Nive oversteekt bij de schilderachtige Pont Notre-Dame naar de Rue d'Espagne-wijk op de andere oever, komt u bij de omwalling. Er is daar een overdekte markt waar elke maandag een veemarkt wordt gehouden.

OMGEVING: 10 km verder, net voorbij Arnéguy en Valcarlos in Spanje, ligt **Roncesvalles** (Roncevaux in het Frans). Het stadje ligt onder de Puerto d'Ibañeta (ofwel Col de Roncevaux), een pas op een hoogte van 1507 m. Er staan een 18de-eeuwse herberg, de 12de-eeuwse Capilla de Sancti Spiritus en de 14de-eeuwse Église de Santiago. De pelgrims die in Roncesvalles arriveerden, moesten nog 800 km naar Compostela afleggen.

SLAG BIJ RONCESVALLES

In 778 trok het christelijke leger van Karel de Grote na een poging om de Moorse stad Zaragoza te belegeren, zich terug via de Pyreneeënpassen. De vermoeide achterhoede onder leiding van Karels neef Roeland

15de-eeuwse miniatuur van Karel de Grote en de gesneuvelde Roeland

werd in de pas van Roncesvalles aangevallen door Basken, die in die tijd de Moren steunden, en leed zware verliezen. Roeland zelf sneuvelde. Bij de Col d'Ibañeta staat een gedenksteen voor de gevallen helden, wier daden onsterfelijk werden gemaakt in het *Roelandslied*, dat meer dan 300 jaar later werd geschreven.

BASKISCH LINNEN

Traditioneel geweven linnen in een winkel in Saint-Jean-de-Luz

Baskisch linnen wordt traditioneel geweven met strepen, bedoeld om het linnengoed van de verschillende families in het dorpswashuis uit elkaar te houden. Baskisch linnen werd oorspronkelijk geweven van vlas op houten weefgetouwen, maar wordt nu gemaakt van zowel vlas als katoen, met gebruik van machines. De traditionele patronen variëren op het Baskische kruis en de ondergrond is tegenwoordig vaak kleurig in plaats van wit. Linnen kent veel doeleinden, van tafelkleden en servetten tot gordijnen. Tegenwoordig zijn er nog enkele ateliers – Jean Vier in Saint-Jean-de-Luz, Ona Tiss in Saint-Palais en Lartigue in Oloron-Sainte-Marie, in de Béarn – die het oude vakwerk uitvoeren.

Saint-Palais ⓲

Wegenkaart B4. *Donapaleu* in het Baskisch. 🚶 *2000.* 🚉 *Puyoô.* 🚌 ℹ️ *Mairie, 05-59657178.* 🎉 *vr.* 🎭 *Festival de Force Basque (eerste zo na 15 aug.); paardenmarkt(26 dec.).*

D e vestingstad Saint-Palais werd gesticht in de 13de eeuw en zou uitgroeien tot de hoofdstad van het koninkrijk Navarra. Aangezien hij gelegen is op het kruispunt van verscheidene pelgrimsroutes, werden hier vele markten gehouden. Hier kwamen ook de eerste Estates General van de regio bijeen in de 16de eeuw. Er staan enkele mooie oude huizen, zoals het Maison des Têtes, dat is gedecoreerd met afbeeldingen van mensenhoofden in medaillons. **Musée de Basse-Navarre et des Chemins de Saint-Jacques**, op de binnenplaats van het stadhuis, is gewijd aan de geschiedenis van de pelgrimages naar Compostela. U vindt hier ook **Ona Tiss**, een van de weinige resterende traditionele Baskische weefateliers.

🏛 **Musée de Basse-Navarre et des Chemins de Saint-Jacques**
📞 *05-59657178.* ⏰ *dag.* 🎭 📷
🏠 **Ona Tiss**
23 rue de la Bidouze. 📞 *05-59657184.* ⏰ *sept.–juni: ma–do; juli–aug.: ma–za.* 📷

OMGEVING: In het 16de-eeuwse **Château de Camou**, 5 km ten noorden van Saint-Palais, vindt u een tentoonstelling over pachtboerderijen en uitvindingen uit de renaissance. In **Garris**, 3 km verder naar het noordwesten, wordt elk jaar op 31 juli en 1 augustus een pottokmarkt gehouden. **Ostabat**, 12 km ten zuiden van Saint-Palais, was een belangrijke pleisterplaats op de kruising van de pelgrimsroutes uit Tours, Vézelay en Le Puy.

⛪ **Château de Camou**
📞 *05-59658403.* ⏰ *juli–aug.: dag 's middags.* 🎭 📷

L'Hôpital-Saint-Blaise ⓳

Wegenkaart B5. *Ospitale-Pia* in het Baskisch. 🚶 *75.* 🚉 🚌 *Oloron-Sainte-Marie.* ℹ️ *Mairie, 05-59661112.* 🎭 *pelgrimstocht ter ere van Saint-Blaise (begin feb.).*

De 12de-eeuwse kerk van Hôpital-Saint-Blaise

D it dorpje, 13 km ten noordoosten van Mauléon-Licharre, ligt dicht bij de grens met de Béarn *(blz. 213)*. Ooit zetelde hier een commandeur van de tempeliers en stond er een herberg waar pelgrims konden eten en overnachten voor ze hun reis vervolgden naar de Col du Somport, via Oloron-Sainte-Marie of Saint-Jean-Pied-de-Port. De opvallende, 12de-eeuwse **Église de L'Hôpital-Saint-Blaise** is uitgevoerd in romaanse stijl met Moorse elementen. Deze zijn vooral te herkennen in de stenen roosters voor de ramen en in de kapitelen van de poort. Moorse invloeden zijn ook binnen in de kerk te zien: de kruisgewelven in de stenen koepel vormen met hun achtpuntige ster. Het altaarstuk is barok en langs de muren ziet u de traditionele Baskische galerijen *(blz. 196)*. Zowel het altaarstuk als de galerijen dateren van een latere periode dan de kerk zelf.

🔒 **Église de L'Hôpital-Saint-Blaise**
📞 *05-59661112.*
⏰ *dag.* 🎭 📷

Wever in Ona Tiss, de Baskische linnenweverij in Saint-Palais

De pelgrimsroutes van Zuidwest-Frankrijk

D e vier belangrijkste pelgrimsroutes – van Tours, Vézelay, Le Puy-en-Velay en Arles – naar Santiago de Compostela lopen door Zuidwest-Frankrijk. Sinds de ontdekking in 813 van het vermeende graf van de apostel Jacobus in Compostela hebben velen de gevaarlijke tocht ondernomen. Men gelooft dat Jacobus in Spanje heeft gepredikt nadat zijn lichaam daarheen was vervoerd na zijn marteldood in Jeruzalem in de 1ste eeuw. Wanneer de pelgrims de Pyreneeën waren overgestoken via de Col de Somport of de Col de Roncevaux, moesten ze nog 800 km reizen naar de kathedraal van Santiago. De routes werden in 1993 op de Werelderfgoedlijst van de Unesco geplaatst.

Straatnaambord in Bordeaux
Pelgrims uit de Médoc en Tours, of per boot over de Garonne, pauzeerden in deze stad. U ziet de schelp van Jacobus, symbool van de pelgrims, op dit bord.

Getijdenboek
Vanaf de 12de eeuw werden reisverslagen en reisgidsen geschreven. Een daarvan was de 15de-eeuwse Codex Calixtinus *door de monnik Aymery Picaud.*

De pelgrim van vandaag draagt zijn bagage in een rugzak.

Pelgrims steken de Aspe over bij Oloron-Sainte-Marie in Béarn.

De *sportelle*
Dit was een insigne dat pelgrims op hun kleding naaiden. In sommige gebieden diende het als pas. De pelgrims van vandaag dragen een credencial, *een paspoort waarin met stempels hun voortgang wordt bijgehouden.*

Kaart van de pelgrimsroutes naar Compostela
Deze kaart, gebaseerd op een 17de-eeuwse, toont de diverse routes en de punten waar ze samenkomen. De pleisterplaatsen concentreren zich in het zuidwesten.

orte Saint-Jacques
*Tot de vele
monumenten op de
g naar Compostela
die nu op de
Werelderfgoedlijst
staan, behoort deze
oort in Saint-Jean-
Pied-de-Port
(blz. 204). De stad
igt aan de voet van
de Pyreneeën, vlak
onder Roncesvalles.*

Religieuze gebouwen
*Veel kerken, zoals die op de
foto in L'Hôpital Saint-Blaise, staan op de Werelderfgoedlijst. Ze getuigen van
de kracht van het
christelijk geloof
in Zuidwest-
Frankrijk in
de middeleeu-
wen, net als
in de rest van
Europa.*

Gîtes en refuges
*De pelgrims vinden onderweg tal
van gîtes en refuges, waar ze
kunnen overnachten op vertoon
van hun credencial, dat ze krijgen
van hun bisdom.*

Sommige pelgrims dragen
nog steeds een kruis als
teken van hun geloof.

CQUETS EN JACQUAIRES
Frankrijk worden de bedevaartgangers naar Com-
stela *jacquets* of *jacquaires* genoemd. Hoewel ze
ankelijk van hun vertrekpunt verschillende routes
bruiken, komen die alle samen in het Pays Basque.
nwege het spectaculaire landschap en de plaatsen
ar ze langs komen, zijn de routes zeer populair.

Stèle de Gibraltar
*In Ostabat, bij Saint-Palais, staat een
gedenkteken dat het punt markeert waar de
routes uit Tours, Le Puy-en-Velay en
Vézelay samenkomen.*

Beeld van een pelgrim
*Dit beeld aan de Spaanse kant van de
Col du Somport geeft de route aan
vanuit Arles, die later in Puente la
Reina samenkomt met vier andere
pelgrimsroutes. Vandaar voert één
enkele route, de Camino Francés
('Franse weg'), verder naar Compostela.*

Klokkentoren met drie spitsen van de 16de-eeuwse kerk in Gotein, bij Mauléon

Mauléon-Licharre ⑳

Wegenkaart B5. *Maule-Lextarre* in het Baskisch. ⚒ *3500.* 🚌 *Oloron-Sainte-Marie.* ➖ ❗ *Place des Allées,* *05-59280237.* 🚌 *di en za 's ochtends.* 🎭 *Fête de l'Espadrille (15 aug.).* Ⓦ *www.valleedesoule.com*

Mauléon-Licharre, ook bekend als Mauléon-Soule, is de hoofdstad van de Soule, de kleinste en dunbevolktste provincie van het Pays Basque. Het strekt zich uit langs de oevers van de rivier de Saison. In Mauléon, het hoger gelegen deel van het stadje, staat het 12de-eeuwse **Château Fort**. Bij dit kleine fort, gelegen op een hooggelegen rots, horen kerkers en kanonnen. Het oude vestingstadje Mauléon is gebouwd in de 13de eeuw, toen Edward I van Engeland over Aquitaine heerste. Licharre, het westelijke, lagergelegen deel, was het bestuurlijke centrum van de provinvie. Aan het uiteinde van de Allées de la Soule ligt Hôtel de Montréal, een 17de-eeuws gebouw waarin nu het stadhuis, een muziektent en een *fronton* (pelotabaan) zijn ondergebracht. **Château d'Andurain**, gebouwd in de 16de en 17de eeuw, valt op door zijn grote leistenen dak. De decoratie van het kasteel, dat nog steeds wordt bewoond door de afstammelingen van Arnaud de Maytie, is

uitgevoerd in renaissancestijl, zoals bewerkte schoorsteenmantels, de meubelen zijn antiek en het bezit zeldzame boeken.

⚜ **Château Fort de Mauléon**
🎫 *05-59280462*
🕐 *april–15 juni: za–zo;* *15 juni–15 sept.: dag.* 🖼

⚜ **Château d'Andurain de Maytie**
1 rue du Jeu-de-Paume.
🎫 *05-59280418.*
🕐 *juli–20 sept.* ⚫ *do, zo* *'s ochtends.* 🖼 ✅

Omgeving: In **Gotein**, 4,5 km van Mauléon-Licharre, staat een 16de-eeuwse kerk met een 18de-eeuws altaarstuk. De klokkentoren, met drie spitsen, elk met een klein kruis erop, is karakteristiek voor de Soule.
Ordiarp, 6 km verderop in de richting van Col d'Osquich, was een pleisterplaats op de route naar Compostela. Er staan verscheidene middeleeuwse huizen en een 12de-eeuwse kerk, waar de mis in het Baskisch wordt opgedragen. Het kerkhof telt enkele grafstenen met ronde top *(blz. 27)*. Naast het stadhuis staat het **Centre d'Évocation de Saint-Jacques de Compostelle**. Het behandelt de romaanse kunst en architectuur in verband met de pelgrimstochten naar Compostela.
In Trois-Villes, 10 km verder, staat **Château d'Élizabea**, gebouwd in 1660 en omgeven door tuinen. Het was eigendom van de graaf van Tréville, commandant van de musketiers onder Lodewijk XIII. Het komt voor in *De drie musketiers* (1844) van Alexandre Dumas. Op de weg naar Les Arbailles passeert u bij **Aussurucq** een kerk in Soulestijl.

⚜ **Château d'Élizabea**
🎫 *05-59285401.* 🕐 *april–sept.:* *dag.* ⚫ *10–30 juni; aug.* 🖼 ✅
🏛 **Centre d'Évocation de Saint-Jacques-de-Compostelle**
Direct naast het stadhuis. 🎫 *05-59280763.* 🕐 *ma–vr.* 🖼 ✅

Massif des Arbailles ㉑

Wegenkaart B5. 🚌 *Oloron-Sainte-Marie.* ❗ *Place Centrale, Tardets,* *05-59285128.* 🎭 *Transhumance (mei, rond Hemelvaart); Fête des Bergers, Col d'Ahusquy (eerste zo na 15 aug.).*

Het dichte en magische Forêt des Arbailles, de inspiratiebron van vele Baskische legenden, beslaat een bergachtig kalksteenoppervlak. Zware regenval heeft geleid tot de vorming van ongeveer 600 uithollingen. Delen van dit gebied met verzakkingen, bergspleten en kloven doen denken aan een enorme gatenkaas. Omdat het terrein zo ongelijk is, wordt de wandelaar aangeraden niet van het pad af te dwalen. Al sinds onheuglijke tijden leven de mensen van Les Arbailles van hun schapen. De herders wonen in zogenaamde *cayolars*. Van mei tot oktober worden de ooien gemolken en wordt schapenkaas, zoals Ossau-Iraty, gemaakt.
De D117 voert naar **Ahusquy**, met een bron waarvan het zuivere, praktisch mineraalvrije water een heilzame werking zou hebben en het urineren zou bevorderen. Van Ahusquy kunt u naar het Forêt des Arbailles gaan, dat bezaaid is met megalithische monumenten, zoals de **Cercle de Pierre de Potto** en de Dolmen d'Ithé. Behalve schapen leven in deze ongerepte omgeving herten en wilde geiten, en de kliffen zijn de thuisbasis van slechtvalken, oehoes, lammergieren en grote bonte spechten.

Een grote bonte specht in het Forêt des Arbailles

OSSAU-IRATY

Ossau-Iraty, gemaakt volgens traditionele methoden

In een gebied tussen het Forêt d'Iraty en de Pic du Midi d'Ossau, met de bergen van het Pays Basque aan de ene kant en die van de Béarn aan de andere, wordt Ossau-Iraty gemaakt. Deze kaas van onge-pasteuriseerde schapenmelk heeft zijn eigen AOC-keurmerk.

In mei trekken zo'n 2000 kudden schapen, waaronder 300.000 ooien, naar de *estives*, de bergweiden. Hier eten ze het voedzame en gevarieerde groen dat de kaas zijn smaak geeft. Nadat de schapen gemol-ken zijn, wordt de melk gestremd en de kaas wordt gesne-den, gefermenteerd en in vormen geperst. Dan rijpt hij twee tot drie maanden. Hij wordt gegeten als voorafje en in salades en is ook heel lekker met kersenjam als nagerecht.

Tardets-Sorholus ㉒

Wegenkaart B5. *Atharratze-Sohorolüze* in het Baskisch. 700. Oloron-Sainte-Marie. Place Centrale, 05-59285128. sept.–juni: elke tweede ma; juli–aug.: ma. Foire aux Fromages; Fêtes de Tardets (derde week in aug.).

De geschiedenis van Tardets-Sorholus gaat terug tot 1289, toen het werd gesticht als *bastide*. Rond het centrale plein staan 17de-eeuwse huizen met arcaden. Bij het stadhuis wordt op de *fronton* pelota (*blz. 30*) gespeeld. Sommige huizen langs de rivier de Saison bezitten houten galerijen. De boerderijen in Soulestijl op de uitlopers van de bergen vertonen grote gelijkenis met de gebouwen met leien daken in Béarn.

OMGEVING: 5 km van Tardets-Sorholus, in de richting van Barcus, staat de 16de-eeuwse **Chapelle de la Madeleine**.

Hier hebt u een magnifiek uitzicht op de Soule en de Pyreneeën. Een Latijnse inscriptie in de kerk maakt melding van een oude Baskische godheid.

Forêt d'Iraty ㉓

Wegenkaart B5. 05-59285129.

Het Forêt d'Iraty aan weers-zijden van de Frans-Spaanse grens beslaat meer dan 17.000 ha. Aan de Franse kant varieert de hoogte van 900 tot 1500 m. De zware jaar-lijkse neerslag heeft een weelderige begroeiing tot gevolg. Hier gedijen zowel dennen als beuken. Net als het Massif des Arbailles is het terrein bezaaid met de resten van oude megalithische monumenten.

Er zijn hier ook veel veen-gronden, waarin door afslui-ting van de lucht oude plan-tenmaterie wordt geconser-veerd. Hierdoor geven zij een overzicht van evolutionaire veranderingen in de afgelopen duizenden jaren. Hier leven wilde zwijnen, herten, vossen en eekhoorns.

Bij de Col de Bagarguiac, voor-bij de Col d'Organbidexka en dicht bij een chalet met een bezoekerscentrum, vindt u verscheidene bewegwijzerde paden voor een rondwan-deling van $1^1/2$ tot 4 uur of voor een langlauftocht in de winter. De GR10 doorkruist het noordelijke deel van dit gebied. U kunt ook via de D18 door Iraty rijden van Larrau tot Saint-Jean-Pied-de-Port.

Het dorpje Larrau, onder de Pic d'Orhy

Larrau ㉔

Wegenkaart B5. *Larraine* in het Baskisch. 250. Place Centrale, 05-59285128. ma, in Tardets.

Larrau, een dorp met huizen met leistenen daken, klampt zich vast aan de flanken van de Pic d'Orhy, een berg die een rol speelt in lokale legenden. Het ligt aan de rand van het Forêt d'Iraty en is het centrum voor de houtduivenjacht, een hier populaire sport.

OMGEVING: Ongeveer 12 km van Larrau ligt de **Col de Larrau**, een pas op 1573 m hoogte. Hier kunt u halt houden op weg naar de **Pic d'Orhy**, op 2017 m hoogte, $1^1/2$ uur lopen ver. 12,5 km verder ligt **Col d'Organ-bidexka**, op 1284 m hoogte. In de herfst komen vogelaars hier trekvogels observeren.

Col d'Organbidexka
05-59256203.

Huizen in Tardets-Sorholus, een 13de-eeuwse vestingstad

Gorges d'Holzarté
en Gorges d'Olhadubi ㉕

De Gorges d'Holzarté en Gorges d'Olhadubi, bij Larrau, zijn twee grote kloven die door de kracht van het water in het kalksteen zijn uitgesneden. U hebt een spectaculair uitzicht over beide vanaf de Passerelle d'Holzarté, een voetbrug over de Gorges d'Olhadubi. Voor mensen met hoogtevrees is de brug afschrikwekkend, maar hij is volkomen veilig en er zijn zelfs picknickplaatsen om een hapje te eten.

Gîte d'Étape de Logibaria ①
Logibaria ligt onder in een dal, te midden van een weelderig berglandschap. Deze *gîte* aan lange-afstandswandelpad GR10 is een goed punt om te eten of te overnachten.

Pont de la Mouline ②
Deze brug overspant de Gave de Larrau. Een monument herdenkt hier een strijd tussen leden van de Franse Résistance en een groep zich terugtrekkende Duitse soldaten tijdens de Tweede Wereldoorlog.

Latsagaborda ③
Deze onlangs gerestaureerde hutten, zoals ze overal te zien zijn in de Baskische bergen, worden tegenwoordig gebruikt door houtduivenjagers. Oorspronkelijk zijn ze gebouwd voor schaapherders.

TARDETS-SORHOLUS
Pont de Logibaria D 26
LARRAU D 26
①
②
③

GORGES
⑥
⑦
D'HOLZARTÉ *Irzola*
GR 10
GORGES
BOIS D'HOLZARTÉ

Passerelle d'Holzarté ⑥
Deze voetbrug is in 1920 gebouwd en later verstevigd. Vroeger werd er hout uit het Forêt d'Iraty over vervoerd.

0 ——————— 500 m

Symbolen

–•' Aanbevolen route

= Andere wegen

☙ Uitkijkpunt

Gorges d'Holzarté ⑦
Tegen het eind van hun tocht kunnen bezoekers de Gorges d'Holzarté bewonderen, een adembenemende kloof, die de rivier in het gesteente heeft gevormd.

Col d'Ardakhotxia ④
Vanaf deze
pas hebt u
een spectaculair
uitzicht op het
eronder gelegen
Larraudal. Het glooiende
dal is karakteristiek
voor deze regio.

Pont d'Olhadubi ⑤
af deze brug in een magnifieke,
omgeving vol kleine watervallen
ot u een spectaculair uitzicht. De
er kan zwemmen in de meertjes
brug en een eindje verder willen
n kanoërs zich misschien wagen
aan een halsbrekende afdaling.

De Gorges de Kakouetta, met wandelwegen voor de bezoekers

Gorges de Kakouetta ㉖

Wegenkaart B5. Sainte-Engrâce. 🌣
15 maart–15 nov.: dag. 📞 05-
59286083 en 59287344. 👟 Stevige
wandelschoenen worden aangeraden.

Dit smalle ravijn bij Sainte-Engrâce, dat door de
duizenden jaren lange
werking van het water is
uitgesneden in het gesteente,
werd voor het eerst verkend
door Édouard-Alfred Martel in
1906. U kunt langs de bedding
van het ravijn lopen – een
wandeling van twee uur
zonder zonlicht – of er
helemaal omheen in 6¹/2 uur.
U kunt ook via metalen
wandelwegen 2 km de kloof
in lopen.
Van beide zijden van de kloof
is het ongeveer 300 m naar de
bodem. Sommige smalle
doorgangen, waaronder de
Grand Étroit, een van de
schitterendste van Frankrijk,
zijn maar een paar meter
breed en het is zeer spannend
om erdoorheen te
lopen. Dankzij de
vochtige omstan-
digheden in de
diepe kloof
heerst er een
weelderige
vegetatie.
Na ongeveer een
uur wandelen
bereikt u een 20 m
hoge waterval,
waarvan de bron
nog niet is ontdekt.
Zo'n 200 m verder
komt u bij de Grotte
du Lac, een hol met
reusachtige stalac-
tieten en stalag-
mieten. Hier ein-
digt de wandeling.

Sainte-Engrâce ㉗

Wegenkaart B5. *Santa Graxi* in het
Baskisch. 🚶 250. 🚌 Puyoô. 🚌
Mauléon. 🛈 Mairie, 05-59286083.
🎉 patronale festivals (Pinksteren).

Het herdersdorpje Sainte-Engrâce op 630 m hoogte
midden in het hoger gelegen
deel van de Soule ligt praktisch op de grens met de
Béarn en heel dicht bij Navarra,
een provincie in Spaans
Baskenland. Het bestaat uit
ongeveer 100 boerderijen en
'districten' die verspreid liggen
over een groot stuk onbedorven land. Hier, bij de samen-
komst van de Gorges de
Kakouetta en de Gorges
d'Ehujarre, lijkt het dorp de
wacht te houden over alle
heuvels in de omgeving. De
12de-eeuwse romaanse abdijkerk is gewijd aan Santa
Engracia, naar wie het dorp is
genoemd. Zij was een jonge
Portugese vrouw die in 303 ter
dood werd gebracht toen ze
christenen vervolgd werden in
het Romeinse Zaragoza. De
oorspronkelijke kapel
werd gebouwd om er
een relikwie van
de heilige in
onder te bren-
gen – haar arm.
Later hoorde de
kapel bij het
klooster in Leyre, in
Navarra. Hij bezit een
houten kansel en 21
kapitelen, gegraveerd
met bijbelse scènes. Het
smeedijzeren koorhek en
de barokke altaarstukken
zijn ook een bezichtiging
waard. Op het kerkhof
ziet u verscheidene
typisch Baskische
grafstenen.

**Bewerkt kapiteel,
Sainte-Engrâce**

BÉARN

·······························

De Béarn vormt met het Pays Basque het departement Pyrénées-Atlantiques. De streek grenst in het zuiden aan Spanje en in het oosten aan de Hautes-Pyrénées. Het klimaat is zacht. De bergen en groene heuvels van de Haut Béarn contrasteren sterk met het vlakke land van de Gave de Pau en Gave d'Oloron.

Het landschap van de Béarn is zeer gevarieerd: van de ruige Pic du Midi d'Ossau in het oosten tot de laaggelegen vlakten die uitlopen in de Landes en Gascogne in het westen. De culturele identiteit komt duidelijk tot uitdrukking in de eigen taal, het Gascons, en in gastronomische specialiteiten als *garbure (blz. 257)*, *confit* van eend, kaas van schapenmelk en wijn uit Jurançon en Madiran.

De Béarn kent een turbulent verleden. De Romeinen bouwden er nederzettingen en later werd de streek ingelijfd bij het Spaanse koninkrijk Aragón. In de 9de eeuw viel de Béarn onder Gasconse heerschappij en in 1290 onder de graven van Foix, die het gebied als onafhankelijk territorium bestuurden, ondanks verdragen waarin het als deel van Frankrijk werd beschouwd. Overerving leidde tot de aansluiting van de Béarn bij Navarra. In 1560 verklaarde de heerseres Jeanne d'Albret *(blz. 43)* de Béarn tot protestante staat, waardoor de streek in de bloedige Godsdienstoorlogen werd gestort. Haar zoon, Hendrik IV, werd in 1589 koning van Frankrijk, maar Béarn-Navarra bleef een autonome staat tot 1620, toen Lodewijk XIII deze onder Frans bewind bracht. Na de Franse Revolutie werd de Béarn samengevoegd met het Pays Basque tot het nieuwe departement Basses-Pyrénées, dat in 1970 werd hernoemd tot Pyrénées-Atlantiques.

Het moderne leven drong aan het begin van de 20ste eeuw nauwelijks door tot de Béarn. Maar sinds 1950 is de streek enorm veranderd, dankzij de ontdekking van gas in Lacq, de intensieve maïsteelt en de groei van de hoofdstad Pau. Een verbeterd wegennet heeft ook bijgedragen aan de toegankelijkheid van dit ongerepte, unieke gebied.

Een kudde *pottoks* in het Soussouéoudal

◁ Detail van het portaal van de Cathédrale Sainte-Marie in Oloron-Sainte-Marie

Béarn verkennen

Vanuit deze gevarieerde streek met zijn rijke historie, architectonische erfgoed en prachtige landschappen bent u zo bij de Atlantische Oceaan – op een uur rijden van Pau – en in de Pyreneeën – op een half uur van Pau. 's Zomers vormen het Aspe-, Ossau- en Barétousdal ideaal wandelgebied en 's winters wordt er geskied bij Gourette, Artouste en Pierre-Saint-Martin. Pau, de hoofdstad van de Béarn en het bestuurscentrum van Pyrénées-Atlantiques, is een stijlvolle stad met veel groen en het chateau waar Hendrik IV van Frankrijk, erfgenaam van de heersers van Béarn en Navarra, werd geboren.

BEZIENSWAARDIGHEDEN

0 km   10

ZIE OOK

• *Accommodatie* blz. 253

• *Restaurants* blz. 269

Raften op de Gave de Pau, bij Bétharram

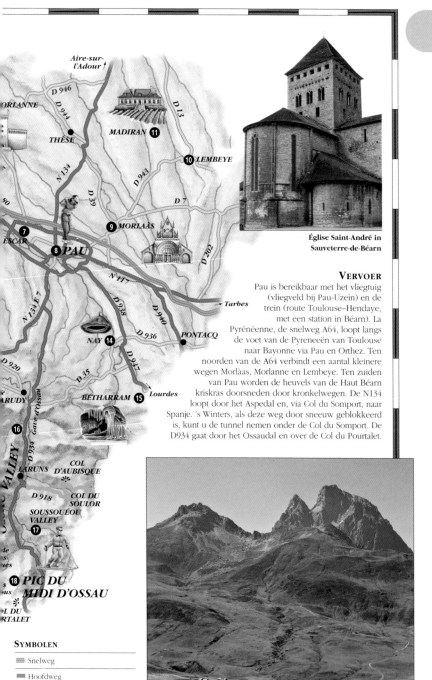

D 946

ORLANNE

D 944

THÈSE

MADIRAN 11

D 13

10 LEMBEYE

N 134

D 943

D 39

D 7

80

9 MORLAÀS

7

ESCAR

8 PAU

N 117

D 202

Tarbes

D 938

D 940

D 134 E7

PONTACQ

NAY 14

D 936

D 920

D 35

D 937

ARUDY

BÉTHARRAM 15

Lourdes

16

OSSAU VALLEY

LARUNS

COL
D'AUBISQUE

D 918

COL DU
SOULOR

SOUSSOUÉOU
VALLEY

17

18 PIC DU
MIDI D'OSSAU

L DU
RTALET

Aire-sur-
l'Adour

**Église Saint-André in
Sauveterre-de-Béarn**

VERVOER

Pau is bereikbaar met het vliegtuig
(vliegveld bij Pau-Uzein) en de
trein (route Toulouse–Hendaye,
met een station in Béarn). La
Pyrénéenne, de snelweg A64, loopt langs
de voet van de Pyreneeën van Toulouse
naar Bayonne via Pau en Orthez. Ten
noorden van de A64 verbindt een aantal kleinere
wegen Morlàas, Morlanne en Lembeye. Ten zuiden
van Pau worden de heuvels van de Haut Béarn
kriskras doorsneden door kronkelwegen. De N134
loopt door het Aspedal en, via Col du Somport, naar
Spanje. 's Winters, als deze weg door sneeuw geblokkeerd
is, kunt u de tunnel nemen onder de Col du Somport. De
D934 gaat door het Ossaudal en over de Col du Pourtalet.

SYMBOLEN

≣	Snelweg
≣	Hoofdweg
=	Secundaire weg
≣	Toeristische route
☆	Uitkijkpunt

Pic du Midi d'Ossau en Cirque d'Anéou vanaf de Col du Pourtalet

De 13de-eeuwse Église Saint-Laurent in Morlanne

Morlanne ❶

Wegenkaart C4. 🏠 430. 🚉 *Orthez.*
🚌 *Arzacq.* 🛈 *La Grange, Carrère-du-Château, 05-59814266.* 🎭 *Fête de Saint-Laurent (begin aug.).*

In dit karaktervolle dorp staan 17de- en 18de-eeuwse huizen in de typische Noord-Béarnstijl. De **Église Saint-Laurent**, gebouwd in de 13de eeuw en versterkt in de 14de, heeft gotische ramen in de westmuur en apsis. De hoofdstraat loopt van Maison Domecq, langs 15de-eeuwse abdij, naar **Château de Morlanne**. Dit fort, in 1373 gebouwd door de halfbroer van Gaston Fébus *(blz. 222)*, heeft een 25 m hoge, bakstenen donjon. Vroeger lag er een ophaalbrug over de 6 m diepe gracht. In de jaren zestig van de vorige eeuw restaureerde men de originele kenmerken van het gebouw. Tijdens de rondleiding door het kasteel ziet u middeleeuwse meubelen en andere stukken, schilderijen van Fragonard, Nattier, Canaletto en Van de Velde, en fraai meubilair uit de 16de–18de eeuw. Eromheen ligt een geometrisch aangelegde tuin.

♟ Château de Morlanne
📞 *05-59816027.* ⏰ *juli–aug.: dag.; april–juni, sept.–okt.: wo–ma.* 📷 ✔

OMGEVING: Arzacq, 12 km buiten Morlanne, is een vestingstad, gebouwd door de Engelsen. Het middelpunt vormt de Place de la République. De stad, bestuurscentrum van de streek, ligt op de pelgrimsroute naar Santiago de Compostela. De parochiekerk heeft een gebrandschilderd raam met een voorstelling van

Jacobus en een 16de-eeuws beschilderd houten beeld van de Madonna met Kind. In de stad ligt ook het **Maison du Jambon de Bayonne**, een museum gewijd aan de geschiedenis en productie van Bayonneham *(blz. 256).*
Château de Momas, 13 km verder, dateert uit de 14de tot 16de eeuw en was residentie van de vorsten van Momas. De huidige eigenaar geeft rondleidingen door de tuinen, waar zeldzame bloemen, struiken en groenten groeien.

🏛 Maison du Jambon de Bayonne
Route de Samadet. 📞 *05-59044935.* ⏰ *juli–aug.: dag.; sept.–juni: di–za.* 📷 ✔
🌐 www.jambon-de-bayonne.com

♟ Château de Momas
📞 *05-59771471.* ⏰ *april–okt.: za–zo en op afspraak.* 📷 ✔

Salies-de-Béarn ❷

Wegenkaart B4. 🏠 5000.
🚉 *Puyoô.* 🚌 🛈 *Rue des Bains 05-59380033.* ⏰ *do en za; boerenmarkt: juli–aug.: di.* 🎭 *Fête du Sel (2de week van sept.).*

De historische wijk van de stad ligt rond de Place du Bayaà, waar tegenover het stadhuis de Fontaine du Sanglier staat, genoemd naar de legende van het gewonde everzwijn waardoor de beroemde zoutbronnen van Salies *(blz. 217)* zijn ontdekt. Aan de gevels van de huizen in de eeuwenoude smalle straatjes hangen bloemen. Het **Musée du Sel**, een zoutmuseum met een zoutziederij, staat tussen de 17de- en 18de-eeuwse huizen. Ervoor ziet u een *coulédé*, een stenen bak waar water uit de zoutwaterfontein werd bewaard voordat het naar de reservoirs werd vervoerd. De plaatselijke geschiedenis wordt geïllustreerd aan de hand van historische voorwerpen en meubelen van meubelmakers.
Het **Musée des Arts et Traditions Béarnaises** is gevestigd in een 17de-eeuwse woning tegenover het stadhuis. Achter de Pont de la Lune staan vakwerkhuizen op pilaren en, ertegenover, Maison de la Corporation des Partprenants (dat in 1587 het wettelijke recht won

Huizen op pilaren in het centrum van Salies-de-Béarn

Pont de la Légende over de Gave d'Oloron in Sauveterre-de-Béarn, op een eeuwenoude weg naar Navarra

om de zoutwaterfontein te gebruiken). De oude kern eindigt
bij het kuurcentrum. De statige
hotels hier, zoals het Hôtel du
Parc (1893), zijn gebouwd
tijdens de hoogtijdagen van het
kuuroord, aan het eind van de
19de eeuw. Vlakbij liggen baden uit 1857, na een brand in
1888 herbouwd in Moorse stijl.

🏛 **Musée du Sel**
Rue des Puits-Salants. ☎ 05-
59380033. ◐ 15 mei–15 okt.:
di–za en op afspraak. 📷 ✔

🏛 **Musée des Arts et
Traditions Béarnaises**
Place du Bayaà. ◐ zie Musée du Sel.
📷 ✔

Sauveterre-
de-Béarn ❸

Wegenkaart B4. 🏚 1370.
🚉 Puyoô en Orthez. 🛈 Place
Royale 05-59385865. 🚌 za.

Tot het einde van de
middeleeuwen verdedigde
en bewaarde deze versterkte
stad de onafhankelijkheid van
Béarn. De 13de-eeuwse, 33 m
hoge Tour Monréal was de
donjon van het kasteel en de
burggraaf; deze deed dienst
als jachthuis van Gaston
Fébus. Onder aan de trappen
naar de toren leidt een pad
naar de rivier en de Pont de la

Légende, de 12de–14de-
eeuwse versterkte brug van de
stad. Die leidde naar het Île de
la Glère, een eiland bedekt
met weelderige vegetatie.
Volgens de overlevering werd
hier een zware straf opgelegd
aan koningin Sancie. Ze werd
schuldig bevonden aan de
moord op haar pasgeboren
zoon en in de rivier geworpen.
Ze spoelde aan op het eiland.
Als u de oude stad binnen-
komt via de Porte de Lester,
komt u bij het voormalige,
gerestaureerde arsenaal van de
stad en de versterkte Porte de
Datter. De Église Saint-André is
een romaans-gotische kerk. De
Porte des Cagots, aan de
zuidkant van de kerk, was een
poort voor mensen die het, om
onduidelijke redenen, verboden was zich te mengen met
de stadsmensen. Het waren
misschien bekeerde moslims,
zigeuners, joden of melaatsen.

Omgeving: Zo'n 2 km buiten
Sauveterre, langs de weg naar
Laàs, staat de kleine **Chapelle
de Sunarthe**, een halte op de
pelgrimstocht naar Santiago
de Compostela. Binnen staat
een model van het middel-
eeuwse Sauveterre, dat tot
leven wordt gebracht met een
licht- en geluidsshow.

🏛 **Chapelle de Sunarthe**
☎ 05-59385865. ◐ juli–aug.:
di–za. 📷 ✔

DE ZOUTLEGENDE VAN SALIES-DE-BÉARN

Al sinds de bronstijd wordt in Salies-de-Béarn zout gewonnen.
Maar volgens een middeleeuwse legende werden de zoute

**Fontaine du Sanglier op Place
du Bayaà in Salies-de-Béarn**

wateren in de streek pas ontdekt toen een door de jacht gewonde ever werd gevonden in
een moeras, bedekt met zout-
kristallen. In 1587 werd een wet
aangenomen waarin de toegang
tot de zoutbron eerlijk verloopt.
De *jurats du sel*, beambten die
op de zoutwinning toezagen,
stelden negen artikelen van
goed gedrag op in het *Livre
Noir*. Bij het Fête du Sel *(blz. 34)*
wordt een race gehouden tussen
dragers van pekelvaten. De
plaatselijke zoutmoerassen, die
800 ton zout per jaar opleveren,
zijn nog steeds in gebruik.

Pont Vieux, met zijn toren, over de Gave de Pau in Orthez

Orthez ❹

Wegenkaart B4. 🏛 *11.000.* 🚆 🚌
🚍 ℹ *Maison Jeanne-d'Albret, Rue
Bourvieu, 05-59690275.* 🅿 *di; foie-
grasmarkt: nov.–maart: za.* 🎭 *feria
(juli).*

H et symbool van Orthez, de
'tweede hoofdstad' van de
Béarn, is de **Pont Vieux** (13de
eeuw) over Gave de Pau, gebouwd tijdens het bewind
van Gaston VII de Moncade.
De toren is toegevoegd
door Gaston Fébus,
die er een Gascons
gezegde in beitel-
de: *Toquey si
gaouses* ('Waag er
eens aan te ko-
men'). Het **Châ-
teau de Moncade**
(of Tour de Mon-
cade) is gebouwd in
de 13de–14de eeuw
en was getuige van de bloei
van het hof van Fébus *(blz.
222).* In 1569 werd het tijdens
de Godsdienstoorlogen in
brand gestoken. De restanten
werden tijdens de Franse
Revolutie verkocht. In de 19de
eeuw werd het kasteel
uiteindelijk gerestaureerd.
Het 16de-eeuwse huis waar
Jeanne d'Albret *(blz. 43)*
woonde, heeft een traptoren,
vensters met verticale raam-
stijlen en een formele tuin. Het
huisvest het **Musée Jeanne-
d'Albret**, gewijd aan het protestantisme in Béarn. De **Église
Saint-Pierre**, gebouwd in de
13de–14de eeuw als onderdeel
van de stadsversterkingen,

**Fraaie sluitsteen,
Saint-Pierre d'Orthez**

heeft een schip in Languedoc-
gotische stijl. **Maison Chres-
tia,** waar van 1897 tot 1907 de
dichter Francis Jammes woonde, verhaalt over diens leven
en werk.

♠ Château de Moncade
Rue Moncade. 🎫 *05-59693750 (toeristenbureau).* 🕐 *juni–sept.: dag.* 🎭 📷
🏛 Musée Jeanne-d'Albret
Rue Bourvieu. 🎫 *05-59691403.*
🕐 *ma–za.* ⬤ *jan.* 🎭 📷
🏛 Maison Chrestia
7 avenue Francis-Jammes. 🎫
05-59691124. 🕐 *ma–vr.*

OMGEVING: Bij
Biron, 4 km buiten
Orthez, ligt **Saligue
aux Oiseaux,** een
vogelreservaat. Van-
af uitkijkposten kunt u
eenden en waadvo-
gels spotten.

🦢 Saligue aux Oiseaux
🎫 *05-59671422.* 🕐 *mei–sept.: dag;
okt.–april: wo–zo.* 🎭 🌐 *www.la
saligueauxoiseaux.com*

Navarrenx ❺

Wegenkaart B4. 🏛 *1200.*
🚍 *Orthez.* 🚌 ℹ *Place des
Casernes, 05-59661493.* 🅿 *wo.*
🎭 *La Saumonade (half juli).*

D eze versterkte stad, die
uitkijkt over de Gave
d'Oloron, is in de 16de eeuw
gebouwd door Henri d'Al-
bret. De stad werd aangevallen tijdens de Godsdienstoorlogen en belegerd in 1569.
Het **Arsenal** (1680) was oorspronkelijk de residentie van
de koningen van Navarra.
Zoals de naam al aangeeft,
diende het later als arsenaal
en ook als provisiekamer
voor de burggraven van de
Béarn. Het is nu cultureel
centrum en toeristenbureau.
In de Rue Saint-Antoine staat
het 16de-eeuwse Maison de
Jeanne-d'Albret, genoemd
naar de heerseres van de
Béarn (1555). In de Église St-
Germain zijn bogen te zien
met geschilderde hoofden.

FRANCIS JAMMES

Deze dichter en schrijver, in 1838
geboren in Tournay, veroverde Parijs
stormenderhand. Hij heeft zijn
geboortegrond Béarn echter nooit
verlaten en leidde een rustig leven in
Orthez. Op 40-jarige leeftijd werd hij
een vroom katholiek. Zijn bekendste
werken zijn *De l'angélus de l'aube à
l'angélus du soir* (1898), *Le deuil des
primevères* (1901) en de romans *Clara
d'Ellébeuse* (1899) en *Almaïde
d'Étremont* (1901).

**Francis Jammes door
Jacques-Émile Blanche**

Arsenal

Navarrenx door de eeuwen heen (expositie). ○ juli–aug.: dag. ✔ ✔

OMGEVING: 4 km buiten Navarrenx, langs de D936 naar Oloron, ligt **Camp de Gurs**. Hier werden Spaanse republikeinen na de burgeroorlog gevangengezet en joden gedeporteerd. Zo'n 12 km verder, in het 17de-eeuwse **Château de Laàs**, staat het museum voor decoratieve kunst.

Camp de Gurs
☎ 05-59396800.

Château de Laàs
☎ 05-59389153. ○ dag. ✔ ✔

Monein ❻

Wegenkaart C4/C5. 🏘 4300. ☐ Artix. 🚌 🚏 ma. 🛈 58 rue du Commerce 05-59212928.

Deze stad ligt in de glooiende heuvels van de Jurançon, een streek waar een beroemde wijn wordt gemaakt. In een 19de-eeuws gebouw met pilaren en stenen bogen zijn het stadhuis en de markthallen gevestigd. De **Église Saint-Girons**, gebouwd in 1530, is de grootste gotische kerk in de Béarn. Er waren duizend eiken voor het schitterende scheepsrompvormige dak nodig. De dakbalken waren oorspronkelijk

Retabel van de Église Saint-Girons in Monein, de grootste gotische kerk in de Béarn

Mozaïek in Cathédrale Notre-Dame, in Lescar

vastgepend in plaats van gespijkerd. Een licht- en geluidsshow geeft uitleg over de ongewone constructie.

Église Saint-Girons
☎ 05-59212928. ○ za. ✔ ✔

OMGEVING: 10 km ten zuidoosten van Monein, in Saint-Faust, ligt de **Cité des Abeilles** (Honingbijstad), die is gewijd aan de imkerij.

Cité des Abeilles
Saint-Faust. ☎ 05-59831031. ○ april–juni en sept.–half okt.: di–zo; juli–aug.: dag.; half okt.–maart: za–zo. ● 15 dec–15 jan. ✔ ✔ ♿ 🖰 www.citedesabeilles.com

Lescar ❼

Wegenkaart C4/C5. 🏘 9000. ☐ Pau. 🛈 Tour du Presbytère, 05-59811598. 🚏 1ste en 3de wo van de maand.

Niet ver van Pau ligt Lescar, de historische hoofdstad van de Béarn, op een ommuurde rots met zicht op de Pyreneeën. In de 12de eeuw werd de stad een versterkt bisdom, waar in 1120 aan de bouw van de **Cathédrale Notre-Dame** werd begonnen. In een steen in de vloer van de kathedraal staan de graven vermeld van enkele koningen van Navarra die hier liggen begraven. De vloer bij het altaar is bedekt met een mozaïek met jachttaferelen. In het gebouw staan

Wijn uit Jurançon

ook prachtige 17de-eeuwse beelden van Christus, de apostelen en plaatselijke heiligen. Buiten de kathedraal staan de 14de-eeuwse Tour de l'Esquirette en twee 16de-eeuwse torens, de Tour de l'Évêché en de Tour du Presbytère.

Vanaf het buurtcentrum (*salle des fêtes*) is het een klein eindje lopen langs de wallen naar de bovenstad. Het **Musée Art et Culture** hier toont werk van hedendaagse schilders, maar heeft ook stukken aardewerk uit de ijzertijd die in het Neandertal zijn opgegraven, als ook kunstvoorwerpen van een Gallo-Romeinse villa die buiten de stad ontdekt is.

Cathédrale Notre-Dame
Place Royale. ● nov.–april: zo. ✔ niet gratis.

Musée Art et Culture
Rue de la Cité. ☎ 05-59810618. ○ april–okt.: dag. ✔ niet gratis.

OMGEVING: Zo'n 10 km buiten Lescar liggen de **Cave des Producteurs de Jurançon**, in Gan, en het **Maison des Vins de Jurançon** in Lacommande. Bij beide kunnen bezoekers wijn uit de streek proeven en kopen.

Cave des Producteurs de Jurançon
Gan. ☎ 05-59215703. Rondleiding door de wijnkelder, met wijnproeverij.

Maison des Vins de Jurançon
Lacommande. ☎ 05-59827030. 2de zo in dec.: open huis en wijn proeven in de kelders.

Pau ❽

D e hoofdstad van de Béarn, tevens zetel van het koninklijke hof van Navarra, is Pau. Pau is de geboorteplaats van Hendrik IV van Frankrijk en van de Bourbondynastie. In de eerste helft van de 19de eeuw trok het zachte klimaat van de stad veel bezoekers, onder wie een aantal rijke Britten, die hier

Raam van
het chateau kwam overwinteren. De stijlvolle villa's, weelderige parken en tuinen, luxehotels en hoogstaande stedenbouw uit die tijd maken van Pau een bekoorlijke plaats met een bescheiden elegantie.

De kabeltrein uit 1908 langs de Boulevard des Pyrénées

Pau verkennen

Pau werd aan het begin van de 19de eeuw ontdekt door buitenlandse aristocraten, met name door de Engelse lagere adel, nadat Alexander Taylor, een Schotse dokter, een verslag publiceerde over de heilzame werking van de lucht daar. Weldra werden er luxe villa's gebouwd en schitterende stadstuinen aangelegd. In 1856 werd de eerste golfbaan op het vaste land van Europa aangelegd in Pau. Daar staat ook een Anglicaanse kerk, de Église Saint-Andrew, op de hoek van de Rue O'Quin en Rue Pasteur. Een ander op Engeland geïnspireerd instituut is de Pau Hunt, die de Britse traditie van de vossenjacht in deze hoek van Frankrijk in ere houdt.

⊞ Villa Saint-Basil's

61 avenue Trespoey. 🛈 Mairie 05-59278580.
In het **Quartier Trespoey** staan statige huizen, bijna alle in bezit van particulieren. **Villa Saint-Basil's**, uit 1885–1888 en gelegen in grasland, is echter open voor publiek. Andere particuliere villa's liggen ten noorden van het kasteel, achter de Rue Gaston-Fébus.

⊞ Quartier du Château en Quartier du Hédas

De middeleeuwse en renaissancewijk rond het kasteel zijn in de 18de eeuw gerenoveerd. Ze kregen geplaveide straten en enkele nieuwe herenhuizen, waaronder het **Maison Peyré**, ook bekend als Maison Sully, op Rue du Château 2. De deurklopper, in de vorm van een basset, zou geluk brengen.
Quartier du Hédas, de oudste wijk van de stad, heeft fraaie 16de-eeuwse herenhuizen in de Rue René-Fournets en aan de Place Reine-Marguerite bij de Rue Maréchal-Joffre.

⊞ Boulevard des Pyrénées

Deze voetgangerspromenade werd eind 19de eeuw aangelegd door Adolphe Alphand, leerling van de grote stadsplanoloog Baron

Château de Pau, eerst een middeleeuws fort, vervolgens het renaissance-kasteel van de burggraven van Béarn, werd in de 19e eeuw gerenoveerd

Pau stadscentrum

Haussmann. De weg is 1800 m lang en ligt op een natuurlijk terras tussen Parc Beaumont en Parc du Château. Bij helder weer hebt u goed zicht op de Pyreneeën. De kabeltrein, die rijdt sinds 1908, vervoert passagiers van de Place Royale naar het station. Vlakbij ligt de **Église Saint-Martin**, naast een met bomen omgeven plein.

🏛 Voormalig Hôtel Gassion

Dit paleis, bij de Boulevard des Pyrénées, werd voltooid in 1872. Het staat symbool voor de bloeitijd van Pau aan het eind van de 19de eeuw.

🏛 Musée des Beaux-Arts

Rue Mathieu-Lalanne. 05-59273302. di.

Dit museum is gevestigd in een gebouw uit de jaren dertig. Het ligt vlak bij het Palais Beaumont en de Boulevard des Pyrénées. U ziet er prachtige schilderijen van Hollandse, Vlaamse, Spaanse, Italiaanse, Franse en Engelse meesters uit de 15de tot 20ste eeuw. Tot de beroemdste werken behoren *Portraits dans un bureau de La Nouvelle-Orléans* (1873) door Degas en werken van Rubens, Greco, Rodin en Morisot.

Er worden ook prestigieuze tijdelijke tentoonstellingen gehouden in het museum.

🏛 Musée Bernadotte

8 rue Tran. 05-59274842. ma.

Het geboortehuis van Jean-Baptiste-Jules Bernadotte, een van de beroemdste inwoners van Pau, is nu een museum waar zijn fenomenale loopbaan wordt gedocumenteerd. Bernadotte ging in 1780 als soldaat het Franse leger in en steeg steeds verder in rang tot hij het in 1804 zelfs tot maarschalk bracht. Met hulp van Napoleon werd hij in 1810 prins van Zweden, waar hij in 1818 als Karel XIV de troon besteeg.

🏛 Palais Beaumont

05-59272708.

Dit winterpaleis, met een neoklassieke zuidgevel en fraai pleisterwerk, werd in 1900 gebouwd voor buitenlandse toeristen. Het is voorzien van een casino en vergaderruimte. Het gebouw, gelegen in een park, is gerestaureerd.

0 meter   200

SYMBOLEN

🚉	Spoorwegstation
🚌	Busstation
P	Parkeergelegenheid
ℹ	Toeristische informatie
✝	Kerk
✉	Postkantoor

Portraits dans un bureau de La Nouvelle-Orléans (1873) door Edgar Degas

Château de Pau

Vaas in het chateau

O mdat Pau tussen zijn grondgebied in Ariège en zijn hof in Orthez lag, koos Gaston Fébus, graaf van Foix-Béarn, de stad als strategisch gelegen basis. Het oorspronkelijke kasteel, uit 1370, was een fort met een drievoudige verdedigingslinie. Tijdens de renaissance werd het de residentie van de burggraven van Béarn, bondgenoten van de Albrets, heersers van Navarra. Pau is de geboorteplaats van Hendrik IV, eerste koning van Frankrijk uit het Huis van Bourbon. De stad was centrum van een protestantse staat, gevormd door de moeder van Hendrik, Jeanne d'Albret. Later werd het kasteel een soort heiligdom gewijd aan Hendrik en in de 19de eeuw begon Louis-Philippe, zelf een Bourbon, aan de restauratie, die door Napoleon III werd voortgezet. Het chateau bezit veel kunst, waaronder de beste Vlaamse en Franse wandtapijten.

Hendrik IV te paard, door Guillaume Heaulme (1611)

De binnenplaats betreedt u via een porticus met drie bogen. De gebouwen aan weerszijden daarvan hebben vensters met reliëfs in renaissancestijl en 19de-eeuwse versieringen.

Slaapvertrek van Jeanne d'Albret
Deze kamer hangt vol 18de-eeuwse wandkleden. Cybele smeekt de lente terug te komen *bestaat uit allegorieën over Wind en Regen.*

Wandtapijten
De slaapkamer van de koning is een van de weelderigst ingerichte vertrekken van een Franse vorst. Dit detail komt uit Les mois arabesques, *door Giulio Romano.*

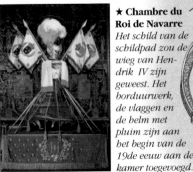

★ Chambre du Roi de Navarre
Het schild van de schildpad zou de wieg van Hendrik IV zijn geweest. Het borduurwerk, de vlaggen en de helm met pluim zijn aan het begin van de 19de eeuw aan de kamer toegevoegd.

Salon de famille

Standbeeld van Gaston Fébus

Standbeeld van Hendrik IV
Dit beeld van de koning met lauwerkrans is in de 17de eeuw gemaakt door Barthélemy Tremblay en Germain Gissey. Het leverde een grote bijdrage aan de cultus van 'le bon roi Henri' ('de goede koning Hendrik').

TIPS VOOR DE TOERIST

Rue du Château. ☎ 05-59823802. ◯ dag. ⬤ 1 jan., 1 mei en 25 dec. ☒ (in Spaans of Engels op afspraak). 🎫 (gratis voor kinderen van 17 jaar en jonger en eerste zo in de maand). Ⓦ www.musee-chateau-pau.fr

Kapel

Grote trap
Schilderijen zoals dit zicht op het kasteel van Pierre-Justin Ouvrié sieren de muren.

Cupido en Psyche
Dit 17de-eeuwse wandtapijt vol mythologie is geweven naar een ontwerp van Rafaël.

STERATTRACTIES

★ **Chambre du Roi de Navarre**

★ **Salle aux Cent Couverts**

★ **Salle aux Cent Couverts**
Deze grote zaal was vroeger de wachtzaal, maar hangt nu vol wandtapijten van Gobelin. De naam dankt de zaal aan de tafel waaraan 100 gasten kunnen eten.

Het laatste oordeel, een fresco in de Église Saint-Michel, Montaner

Morlaàs ❾

Wegenkaart C4. 🏛 *4000.*
ℹ *Place Sainte-Foy 05-59336225.*
🛒 *vr ochtend (twee keer per maand).*

Morlaàs was van 1080 tot 1260 hoofdstad van de Béarn en een halteplaats voor pelgrims naar Santiago. De stad was vroeger een belangrijk bolwerk van Gaston Fébus *(blz. 222)* met een eigen munt. Het grootste deel van de stad werd tijdens de Godsdienst-oorlogen in de 16de eeuw verwoest – er is niets anders meer van het roemruchte

verleden over dan de Église Sainte-Foy. Deze kerk (1080) heeft een romaanse toegang met daarin een voorstelling van de Openbaring van Johannes. De kapitelen in de apsis tonen beelden over het leven en martelaarschap van St.-Foy. De kerk is in dezelfde stijl opgetrokken als andere gebouwen op de pelgrimsroute, vooral die in Jaca, in de Spaanse provincie Aragón, aan de andere kant van de Pyreneeën. Net als Orthez, Salies-de-Béarn en andere plaatsen in de buurt is Morlaàs ook bekend om zijn meubelmakers.

Lembeye ❿

Wegenkaart C4. 🏛 *690.* 🚍 *Pau, 35 km.* ℹ *38 place Marcadieu 05-59682878.* 🛒 *do-ochtend.* 🎭 *Les Médiévales (Montaner, juli).*

Lembeye, gelegen op een steile heuvel, werd in 1286 gesticht door Gaston VII van Béarn en werd de hoofdstad van Vic-Bilh ('oude dorpen'), een gebied naast Bigorre en Gascogne. Niet ver van de Place Marcadieu, bij enkele oude overwelfde huizen, staat een versterkte poort, bekend als Tour de l'Horloge ('klokkentoren'). De grote gotische kerk van Lembeye heeft een interessante bewerkte deur.

Omgeving: Zo'n 17 km buiten Lembeye staat het **Château de Mascaraas**, met 17de- en 18de-eeuwse versieringen. 21 km verder, bij **Montaner**, staan een 14de-eeuws **Château**, gebouwd in opdracht van Gaston Fébus, en de **Église Saint-Michel**, een kerk met een opvallende serie fresco's uit de 15de en 16de eeuw.

♣ **Château de Mascaraas**
📞 *05-59049260.* 🈺 ☑
♣ **Château de Montaner**
📞 *05-59819829.* 🈺 ☑
🔒 **Église Saint-Michel**
📞 *05-59819221.* 🈺 ☑ *juli–aug.*

Detail van het romaanse portaal van de Église Sainte-Foy in Morlaàs

Madiran ⓫

D e wijngaarden van Madiran en Pacherenc du Vic-Bilh liggen op het kruispunt van de Béarn, de Gers en de Hautes-Pyrénées. De robuuste, donkerrode wijn van Madiran kreeg in 1948 de status van AOC. Deze voormalige communiewijn werd ontdekt door pelgrims die door dit gebied trokken, op weg naar Santiago de Compostela. De kwaliteit van de wijn verbeterde, waardoor hij wereldberoemd werd. De minder bekende Pacherencwijngaarden leveren zowel droge als zoete witte wijn.

Fles Madiran-wijn

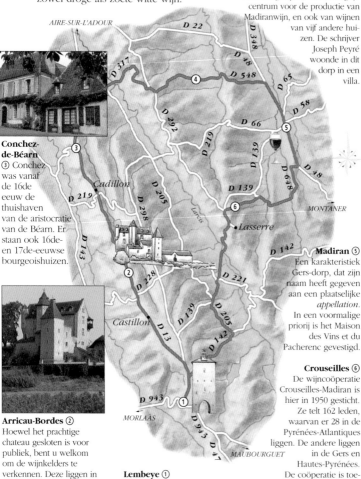

Aydie ④
Tussen de Béarn, Bigorre en de Landes ligt Aydie, een belangrijk centrum voor de productie van Madiranwijn, en ook van wijnen van vijf andere huizen. De schrijver Joseph Peyré woonde in dit dorp in een villa.

Conchez-de-Béarn
③ Conchez was vanaf de 16de eeuw de thuishaven van de aristocratie van de Béarn. Er staan ook 16de- en 17de-eeuwse bourgeoishuizen.

Madiran ⑤
Een karakteristiek Gers-dorp, dat zijn naam heeft gegeven aan een plaatselijke *appellation*. In een voormalige priorij is het Maison des Vins et du Pacherenc gevestigd.

Crouseilles ⑥
De wijncoöperatie Crouseilles-Madiran is hier in 1950 gesticht. Ze telt 162 leden, waarvan er 28 in de Pyrénées-Atlantiques liggen. De andere liggen in de Gers en Hautes-Pyrénées. De coöperatie is toegankelijk voor bezoekers.

Arricau-Bordes ②
Hoewel het prachtige chateau gesloten is voor publiek, bent u welkom om de wijnkelders te verkennen. Deze liggen in de voormalige stallen. De 25 ha aan wijngaarden levert een zeer goede wijn op. U kunt een gemarkeerde wandeling rond het landgoed maken.

Lembeye ①
In de 17de eeuw was deze *bastide*, op 35 km van Pau, de op vijf na grootste van de Béarn.

SYMBOLEN

▬ Aanbevolen route

═ Andere wegen

Plaatsnamen op de kaart: AIRE-SUR-L'ADOUR, D 22, D 348, D 48, D 548, D 317, D 65, D 58, D 292, D 219, D 66, D 5, Cadillon, D 219, D 205, D 298, Larcis, D 139, D 648, D 48, MONTANER, D 143, Lasserre, D 142, D 228, D 221, D 205, Castillon, D 139, D 13, D 205, D 142, D 943, MORLAAS, D 943, D 47, MAUBOURGUET

0 km 2

Oloron-Sainte-Marie ⑫

Oloron-Sainte-Marie ligt bij de samenvloeiing van de Gave d'Aspe en de Gave d'Ossau. De stad is hoofdstad van de Haut Béarn en de toegangspoort tot het Aspedal. In de 11de eeuw groeiden de plaats Oloron en het naburige bisdom Sainte-Marie aan elkaar en vormden een strategisch handelspunt met het Spaanse koninkrijk Aragón, als ook een belangrijk weefcentrum. De twee werden officieel samengevoegd tot één stad in 1858. Het opvallendste kenmerk van de stad is het schitterend bewerkte romaanse portaal van de Cathédrale Sainte-Marie. Doordat het portaal diep is, is het een van de mooiste en bestbewaarde van de Béarn. Het portaal staat op de Werelderfgoedlijst van Unesco.

Detail van het portaal van de Cathédrale Sainte-Marie

Detail
Een van de 24 oudsten van de Openbaring met een mandoline in zijn handen.

Christus in Majesteit
Getooid met stralenkrans, symbool van goddelijke macht, temt Christus twee leeuwen, die aan weerszijden van Hem zitten.

Zalmpaneel
Een serie taferelen van de zalmvisserij in de Gave d'Oloron, met vis die gesneden en gerookt wordt.

Dagkantkapiteel
Voorovergebogen door een onzichtbare last en met vertrokken gezichten van de pijn symboliseren deze figuren het menselijk lijden.

Het 12de-eeuwse romaanse portaal van de Cathédrale Sainte-Marie

Atlanten
Dit beeldhouwwerk staat bekend als 'De geketende Saracenen'.

Monster slokt verdoemden op
Het monster dat twee hoofden opslokt, staat naast een bebaarde druivenplukker.

✠ Quartier Sainte-Croix
Het Quartier Sainte-Croix ligt boven het lagere deel van Oloron-Sainte-Marie, op de locatie van een voormalige Romeinse nederzetting, Iluro genaamd. De Église Sainte-Croix, gebouwd in de 11de eeuw, heeft een ongewone klokkentoren. De koepel met zijn Moorse ontwerp is uniek in Frankrijk. Tegenover de kerk staat een fraaie groep middeleeuwse gebouwen. Het 17de-eeuwse Maison Marque huisvest het **Maison du Patrimoine**. Dit museum

biedt naast kunstvoorwerpen uit het oude Iluro ook een expositie over het concentratiekamp dat in Gurs tijdens de Tweede Wereldoorlog werd opgezet.

✠ Quartier Notre-Dame
Van belang zijn de 19de eeuwse Église Notre-Dame, een voormalige **kapucijnenklooster** en **Marcadet** op Place Gambetta, dat tot leven komt tijdens de vrijdagochtendmarkt. Het is overigens aangenaam wandelen langs de molens in de fonteinenwijk, naast het dorp Estos.

✠ Hedendaagse beelden
De parken en straten van Oloron zijn verfraaid met acht moderne beelden. Deze verwijzen naar de kunstzinnige activiteiten waarmee de traditionele pelgrimsroute naar Santiago was omgeven. Oloron is een halteplaats op deze pelgrimstocht via Col du

TIPS VOOR DE TOERIST

Wegenkaart B4/B5. 🔢 *11.800.*
🚉 🚌 ℹ️ *Allée du Comte-de-Tréville, 05-59399800.* 🛒 *vr ochtend; traditionele markt op 1 mei.*
🎭 *Internationaal folklorefestival (even jaren: begin aug.), Garburade (eerste za van sept.).*
Ⓦ *www.ot-oloron-ste-marie.fr*

Somport. Het toeristenbureau voorziet de pelgrims van alle nodige informatie.

⬛ Tissages Lartigue
Avenue Georges-Messier.
📞 *05-59395011.* 🕐 *ma–vr.*
📅 *juli–aug. of op verzoek.*
Oloron is samen met Nay de belangrijkste producent van de traditionele Baskische baret. Textiel is nog steeds belangrijk voor de stad, hoewel Tissages Lartigue, in Quartier Sainte-Marie, de enige overgebleven weverij is die nog volgens traditionele methoden werkt.

Oloron-Sainte-Marie, langs de Gave d'Aspe

De weiden van de Col de la Pierre-Saint-Martin, bezaaid met witte kalksteen

Barétousdal ⓭

Wegenkaart B5. 🚗 🚌 *Oloron-Sainte-Marie.* ℹ️ *Arette 05-59889538, of La Pierre-Saint-Martin, 05-59662009.* 🏨 *zo in Aramits.* 🎉 *Junte du Roncal (13 juli); fête des Bergers d'Aramits (3de weekeinde van sept.).*

H et Barétousdal, tussen het Pays Basque in Frankrijk en Navarra in Spanje, is een streek van grote contrasten. Bossen, groene heuvels en *estives* (zomerweiden) waar schapen grazen worden afgewisseld door steile kloven, de 2504 m hoge Pic d'Anie en de Col de la Pierre-Saint-Martin, een lange, droge kalkstenen kloof, waarschijnlijk de

Musée du Béret, Nay

diepste van de wereld en een paradijs voor speleologen. **Aramits**, vroeger het bestuurscentrum van het dal, is de geboorteplaats van de fictieve Aramis, een van de beroemde drie musketiers van Alexandre Dumas. In 1221 ontmoetten de *jurats* (schepenen) van de Barétousstreek elkaar hier in het Maison de la Vallée. **Lanne-en-Barétous**, de geboorteplaats van Porthos, een andere musketier van Dumas, ligt aan de grens met het Pays Basque. Hier leidt een voetpad naar een stel uitgehangen netten waarin houtduiven worden gevangen die hun trekroute via de Pyreneeën hebben. **Arette** is met 1125 inwoners

de grootste plaats van het dal. Op 13 augustus 1967 werd Arette getroffen door een aardbeving. Het Centre Sismologique (rondleidingen via het toeristenbureau) registreert aardschokken in de omgeving. Het **Maison de Barétous**, in het dorp, houdt een tentoonstelling over het leven in het dal, met een speciaal thema over de Junte du Roncal. Bij **Pierre-Saint-Martin**, op de Col du Roncal, is een enorme kalkstenen kloof, waar water door ondergrondse grotten en gangen stroomt.

Nay ⓮

Wegenkaart C5. 🏠 *3800.* ℹ️ *Office de Tourisme Communautaire de la Plaine de Nay, 05-59611182.* 🚉 *Coarraze-Nay.* 🏨 *di en za.* 🎉 *Festival du Conte (juli); Fêtes de Nay (laatste weekeinde van aug.).*

A an het begin van de 12de eeuw stichtten monniken uit Sainte-Christine in Gabas de plaats Nay (spreek uit 'Naie') om pelgrims onderweg naar Santiago van voedsel en onderdak te voorzien. Het dorp, aan de rand van de Hautes-Pyrénées, ligt aan de Gave de Pau, die in de lente opzwelt met smeltwater. In 1302 liet Marguerite de Moncade van Nay een vestingstad (*bastide*) bouwen. In de middeleeuwen bloeide de plaats op dankzij de groei van de weefindustrie, die haar hoogte-

---

JUNTE DU RONCAL

Op 13 juli wordt op de Col de la Pierre-Saint-Martin de Junte du Roncal gehouden, ook bekend als het *Tribut des Trois Génisses* ('Gift van de drie vaarzen'), een herinnering aan een vredesverdrag dat hier in 1375 werd gesloten tussen de inwoners van het Barétousdal en die van het Roncaldal, in de Spaanse provincie Navarra. De burgemeesters van elk dal leggen een eed af en de inwoners uit de Béarn geven de inwoners uit Navarra drie vaarzen. In ruil daarvoor mogen hun schapen grazen op de *estives* (zomerweiden) van hun buren uit het Roncaldal.

Eed van de burgemeesters

punt bereikte in de 18de eeuw met de productie van Baskische baretten en stoffen. In 1543 raakte Nay zwaar beschadigd door een brand. De Église Saint-Vincent, een eenschepige kerk in Languedoc-gotische stijl, dateert uit de 15de–16de eeuw, maar werd vernieuwd toen de rest van de plaats herbouwd werd.

Het 16de-eeuwse **Maison Carrée** is gebouwd door Pedro Sacaze, een rijke koopman uit Aragón. Het huis is opgetrokken in renaissancestijl met Italiaanse loggia's en een binnenplaats, geplaveid met kiezels. Het raakte in de 18de eeuw in verval en werd pas in 1994 gerestaureerd. De bovenste verdiepingen herbergen het **Musée Béarnais**, met een tentoonstelling over de industrie in Nay, zoals de plaatselijke metaalbewerking, het weven en steenhouwen.

Het **Musée du Béret**, in een voormalige fabriek, verhaalt over de geschiedenis van de baret en laat de verschillende productiestadia zien. Hoewel

De vier evangelisten op de gevel van Chapelle Notre-Dame, Bétharram

dit beroemde hoofddeksel in verband wordt gebracht met het Pays Basque, komt het oorspronkelijk uit het Ossaudal. Vanaf de industriële revolutie was de productie ervan een belangrijke bron van inkomsten in Nay en Oloron-Sainte-Marie. Tegenwoordig worden er weinig baretten meer gemaakt.

🎪 Maison Carrée en Musée Béarnais
Place de la République. 📞 05-591399 65. ⭕ mei–juni en sept.–okt.: di–za; juli–aug.: di–zo; nov.–april: za. ♿ ✔

🏛 Musée du Béret
Place Saint-Roch. 📞 05-59619170. ⭕ sept.–maart: za; april–juni: di en za; juli–aug.: dag. ♿ ✔

Bétharram ⑮

Wegenkaart C5. 👥 *1035.*
🚉 *Coarraze-Nay.* 🎉 *Fête de la Saint-Jean (doorgaans 24 juni).*

De belangrijkste attractie van deze plaats zijn de **Grottes de Bétharram**, bestaande uit vijf lagen, die u te voet, met een boot of per treintje kunt verkennen. Een verbazingwekkende reeks grillige, op draperieën en kant lijkende druipsteenformaties ziet u hier aan de muren en plafonds hangen, met namen als *Le Chaos* en *La Salle des Lustres* (Kroonluchterszaal). Bétharram heeft ook een barokke kapel, **Chapelle Notre-Dame**, gebouwd in de 17de eeuw in opdracht van Lodewijk XIII en de graven van Béarn. Volgens overlevering werd de oorspronkelijke kapel in de 14de eeuw gebouwd, nadat de Madonna aan de oever van de Gave de Pau was verschenen. Een tweede kapel werd in 1569 door brand verwoest. De westgevel van de huidige kapel is van grijs marmer, met beelden van de vier evangelisten en de Madonna met Kind. Het interieur is zeer weelderig: er zijn zwartmarmeren pilaren, een 17de-eeuwse retabel, schilderijen en vergulde houten beelden. In de kapel ligt ook een priester Michel Garicoïts (1797–1863) begraven. Deze stichter van het priestergenootschap van het Heilige Hart van Bétharram werd in 1947 heilig verklaard.

⛰ Grottes de Bétharram
Saint-Pée-de-Bigorre. 📞 05-62418004. ⭕ feb.–maart: ma–vr; april–okt.: dag. ● nov.–jan. ♿ ✔
🌐 www.grottes-de-betharram.com

⛪ Chapelle Notre-Dame de Bétharram
Lestelle-Bétharram. 📞 05-59719230. ⭕ april–okt.: dag. ♿ ✔

Ouderwetse poster voor de Grottes de Bétharram

Het Ossaudal ⑯

Het Ossaudal is het grootste dal van de Béarn na het Aspe- en Barétousdal. Het ligt loodrecht op de Pyreneeën, beginnend ten zuiden van Pau en doorlopend tot aan de Col du Pourtalet, op een hoogte van 1794 m, op de grens met Spanje. Tijdens de laatste ijstijd bedekten gletsjers dit hele gebied. Het lagere deel van het dal strekt zich uit tussen de steden Arudy en Laruns. In de bovenvallei liggen dorpen als Eaux-Chaudes, Gabas en Bious in keteldalen, tussen diepe kloven en brede plateaus, zoals die in Cezy, Soussouéou en Aule. Ze zijn omgeven door een rotswand, zoals van het Cirque d'Anéou, onder Le Pourtalet. De hoogste piek in dit majestueuze landschap is de 2884 m hoge Pic du Midi d'Ossau. De top is de ingestorte kegel van een uitgedoofde vulkaan en vormt het symbool van de Haut Béarn.

★ **Falaise aux Vautours**
Dit centrum in Aste-Béon (blz. 233) is gewijd aan de observatie van de vale gier. In schuilplaatsen tegen de steile rotswanden kunt u deze aasvogels bekijken als ze voorbijzeilen of hun kuikens voeden.

Eaux-Chaudes
Dit dorp dankt zijn naam aan de warmwaterbronnen die hier in de 19de en 20ste eeuw erg populair waren.
U kunt hier verschillende gezondheidsbehandelingen ondergaan.

SYMBOLEN

▬	Hoofdweg
═	Secundaire weg
━	Grens met Spanje
⊹	Spoorlijn
🚂	Toeristische trein
ⓤ	Paardrijden
⚓	Kanoën
⛷	Skiën
💧	Kuuroord
Ⓐ	Toevluchtsoord
🏃	Natuurreservaat
☆	Uitkijkpunt

Haut Ossau
In de zomermaanden grazen kudden schapen op de hooggelegen weiden, onder toeziend oog van herders.

PAU
Rébénac
OLORON-SAINTE-MARIE
D 918
D 920
D 232
Sévignacq-Meyracq
Arudy
Iseste
COL DE MARIE BLANQUE 1035 m
ESCOT
D 294
Bilhères
Bielle
Louvie-Juzon
Cast
PORT CAST
Asté-Béon
Louvie-Soubiron
B.
Laruns
Eaux-Bonnes
Gare d'Ossau
Eaux-Chaudes
D 934
D 231
Gabas
Artouste-Fabrèges
LAC DE BIOUS-ARTIGUES
PIC DU MIDI D'OSSAU ▲2884 m
LACS D'AYOUS
PARC NATIONAL DES PYRÉNÉES
CIRQUE D'ANÉOU
COL DU POURT. 1794 m
ZARAGOZA

LOURDES

★ Col d'Aubisque
De weg over deze pas, die van juni tot september open is, biedt schitterend uitzicht op het Cirque de Gourette en Cirque du Litor.

TIPS VOOR DE TOERIST

Wegenkaart C5. Neem vanuit Pau de N134 naar Jurançon en Gan, vervolgens de D934 naar Laruns. Bij Col du Pourtalet gaat u de grens over naar Spanje en daalt u langs de Tena af naar Aragón. 🚂 *Oloron-Sainte-Marie.* 🚌 ⓘ *Place de Laruns, Laruns 05-59053141, of Maison du Parc National des Pyrénées, Avenue de la Gare, Laruns 05-59054159.*

Trein naar Lac d'Artouste
Een treintje neemt bezoekers mee naar Lac d'Artouste, via een smalspoor uit 1924, dat werd aangelegd tijdens de bouw van de dam bij Artouste. Deze panoramische reis, op een hoogte van 2000 m, duurt 50 minuten.

COL D'AUBISQUE 1709 m

ourette

COL DU SOULOR

OUEOU VALLEY

LAC OUSTE

LACS REMOULIT

★ Lac d'Artouste
Dit meer, startpunt van verschillende wandelroutes, kunt u in zo'n drie uur bereiken via een voetpad dat begint bij de hut in Soques, helemaal onder in het dal.

IN

0 km   4

STERATTRACTIES

★ Col d'Aubisque

★ Falaise aux Vautours

★ Lac d'Artouste

Het Ossaudal verkennen

Gentiaan

Het Ossaudal, dat is verdeeld in de Bas Ossau (benedendal) en de Haut Ossau (bovendal), heeft een sterke culturele identiteit. Die komt tot uiting in de traditionele liederen en dansen en het Gascons dialect. Het leven draait hier om de veeteelt, de belangrijkste bron van inkomsten in de streek. Tot aan de Franse Revolutie koos elk dorp zijn *jurats*, schepenen die zorgden voor welvaart voor de gemeenschap en die de rechten en gebruiken ervan verdedigden. Door deze democratische bestuursvorm kreeg het dal een bepaalde mate van onafhankelijkheid van de centrale regering van Frankrijk.

Gotisch portaal van de Église Saint-Vivien in Bielle

Arudy

🛈 Place de l'Hôtel-de-Ville, 05-59057711. 🚌 wo en za. 🎭 Estives Musicales (juli–aug.).

Arudy is vermaard om het fijne marmer. Dat loopt uiteen van de blauwgrijze variant, de meest voorkomende, tot de zeldzaamste, die met rood of verschillende kleuren is dooraderd. De Église Saint-Germain, uit de 16de en 17de eeuw, heeft een puntige koepel en kapitelen bewerkt met beren en koeien, de emblemen van Ossau.

In de 17de-eeuwse abdij huist nu het **Maison d'Ossau**. Dit is een bezoekerscentrum met tentoonstellingen over de planten en dieren van het Parc National des Pyrénées en een museum over de prehistorie. Hier werd een prehistorische nederzetting ontdekt, waaraan een periode van het magda-

lénien (14.000–7500 v.C.) zijn naam dankt. Het dorp telt ook zo'n 50 bewerkte lateien uit 1674 tot 1893.

🏛 **Maison d'Ossau**
Rue de l'Église. 📞 05-59056171. 📷

Sainte-Colome

2 km ten oosten van Arudy.
🛈 05-59056265 (Mairie).
Dit was een halteplaats op het deel van de pelgrimsroute naar Santiago dat door de uitlopers van de Pyreneeën loopt. De stad heeft een 12de–13de-eeuws versterkt huis, een paar robuuste, in Ossau-stijl gedecoreerde huizen en de Église Saint-Sylvestre, een 15de-eeuwse kerk.

Louvie-Juzon

2,5 km ten zuidoosten van Arudy.
🛈 Place de la Mairie, 05-59056170.
🎭 Festivals in de dorpen Pedehourat en Pedestarres (3de weekend in juli).
De 16de-eeuwse **Église Saint-Martin** is gebouwd in een laatgotische stijl. De kapitelen zijn prachtig bewerkt met voor-

stellingen van de vier levensfasen van de mens, engelen, duivels en een bestiarium. In de kerk staan ook fraai meubilair en een 18de-eeuw orgel.

Castet

4,5 km ten zuidoosten van Arudy.
🛈 05-59057951 (Mairie).
Dit fraaie dorp dankt zijn naam aan het kasteel dat er staat, de enige versterking van het dal. Het is in de 13de eeuw gebouwd op de rotsen en werd in 1450 afgebroken door de inwoners. Het enige wat rest, zijn twee torens. In het dorp staat ook een romaanse kerk, de Église Saint-Polycarpe. Een weg leidt naar de haven van Castet, aan een meer in de Gave d'Ossau. Hier liggen gemarkeerde wandelpaden en een museum gewijd aan de dieren die in en rond het water leven.

Bielle

6 km ten zuiden van Arudy.
🛈 05-59826036 (Mairie).
Bielle was de stad waar de *jurats* zetelden, de politieke hoofdstad van het dal. De stad bleef autonoom tot de Franse Revolutie in 1789. De juridische documenten werden toen verborgen in een kist met drie sloten, nu tentoongesteld in de **Église Saint-Vivien**. Het timpaan van deze 16de-eeuwse kerk is versierd met een beer en een koe, symbolen van Ossau. Tot de rijkelijk gedecoreerde 15de–18de-eeuwse huizen van de stad behoren het Maison Trille en het voormalige klooster met zijn rechthoekige paviljoen en ronde toren met gewelfde deur.

Werkplaats in Nay, waar schapenbellen worden gemaakt

Bilhères

6 km ten zuidwesten van Arudy.

05-59826092 (Mairie).

Bilhères ligt aan de D294, die het Ossau- en Aspedal op 1035 m verbindt via de **Col de Marie-Blanque**. De ingang van sommige 16de- en 17de-eeuwse huizen hier zijn versierd met sleutels. De **Église Saint-Jean-Baptiste** heeft een beschilderd houten dak.

Falaise aux Vautours d'Aste-Béon

05-59826549.

april–sept.: dag.; schoolvakanties.

De steile rotsen bij de dorpen Aste en Béon zijn beschermd natuurgebied. Het bezoekerscentrum aan de voet van de rotsen geeft informatie over de vale gier. In schuilplaatsen in de grotten kunt u deze vogels van dichtbij bespieden.

Laruns

Place de Laruns, 05-59053141.

Maison du Parc National des Pyrénées, Avenue de la Gare

05-59054159. 'Nouste Dame' fête (15 aug.); Kaasmarkt (eerste weekeinde in oktober).

Laruns is de thuishaven van het toeristenbureau van Ossau en het **Maison du Parc National**. Hier wordt de traditionele cultuur in leven gehouden tijdens het festival van muziek en dans, elk jaar op 15 augustus. In de wijk Pon, ten zuiden van de stad, staan 16de- en 17de-eeuwse huizen. Tot de gemeente Laruns behoort ook het kuuroord **Eaux-Chaudes**, zo'n 5 km zuidelijker, dat zijn hoogtepunt bereikte in de 19de eeuw. Er liggen zeven warmwaterbronnen bij de baden.

Dansen in klederdracht op het Larunsfestival, 15 augustus

Route de l'Aubisque

Deze pas, door schitterende berglandschappen, ligt achter Laruns aan de D918 naar Gourette. Keizerin Eugénie zorgde ervoor dat er met de aanleg van deze 'kuurroute' begonnen werd en stimuleerde de bouw van het kuuroord **Eaux-Bonnes** langs deze weg.

Béost

2 km ten noordoosten van Laruns.

05-59053193 (Mairie).

Een steegje in dit hooggelegen gehucht leidt naar een 12de-eeuws kasteel en een kerk met een mooie 14de-eeuwse ingang. Sommige 16de-eeuwse huizen hebben nog een originele broodoven.

Louvie-Soubiron

4 km ten noordoosten van Laruns.

05-59053709 (Mairie).

Het witte marmer van La Madeleine in Parijs, van de beelden op Place de la Concorde en van Palais de Versailles komt hier vandaan. De romaanse kerk heeft een 12de-eeuwse vont en doopkapel.

Soussouéou-dal ⑰

Wegenkaart C5. Achter Laruns, richting Gabas.

Het adembenemend mooie, hooggelegen Soussouéoudal is zo'n 10 km lang. Informatie over trektochten is verkrijgbaar bij het toeristenbureau in Laruns. Als u in het dal wilt wandelen, rij dan Laruns uit via de weg naar Gabas, volg die tot de krachtcentrale Miégebat en sla 2 km verder linksaf naar Pont de Goua, een brug waar u uw auto kunt parkeren. Vanhier leidt een pad door de ondergroei. Een wandeling van een halfuur komt uit op de GR10, een langeafstandsroute. Deze gaat in een dag over een onregelmatig aangegeven, maar veel belopen pad naar Lac d'Artouste.

Een alternatieve route door het dal is met de auto naar Gabas. U parkeert bij de kabelbaan van **Lac de Fabrèges**, 4 km verderop. Met de kabelbaan bent u in 12 minuten op de **Col de la Sagette**, waar u de **Artouste-trein** kunt nemen, die het spoor omhoog volgt. Deze reis, in open wagons, duurt 55 minuten en biedt een schitterend uitzicht op de Pic d'Ossau. Vanaf de eindhalte is het een kwartier lopen naar het Lac d'Artouste.

U kunt ook naar beneden lopen van de Col de la Sagette naar het plateau Soussouéou en in de zomer kunt u met een stoeltjeslift, de **Télésiège de l'Ours**, weer naar boven worden gebracht.

Bruine beren in de bergen tussen het Ossau- en Aspedal

Pic du Midi d'Ossau ⓲

Edelweiss bloeit ook in de Pyreneeën

De Pic du Midi d'Ossau, die eruitziet als een reusachtige haaientand, rijst op tot een hoogte van 2884 m. Een klim naar de top is alleen veilig voor ervaren bergbeklimmers, maar de lagere heuvels zijn gemakkelijker toegankelijk en zijn aangenaam om in te wandelen. Ook is er een aantal gezinsattracties. Vanaf de meren en passen rond de piek hebt u spectaculair uitzicht op de bergen van de Béarn. Ga er nooit op uit zonder een goede kaart en geschikte uitrusting.

Een van de vele verschillende land-schappen in de Pic du Midi d'Ossau

Lac de Bious-Artigues (1422 m) ①
Dit kunstmatige meer in de Haut Béarn is de toegang tot het Parc National des Pyrénées. De vredige, scha-duwrijke oever is een perfecte plaats om te ontspannen. U hebt er ook een duidelijk zicht op het haaientand-profiel van de Pic du Midi d'Ossau.

Pont de Bious (1500 m) ②
Deze brug over de Gave de Bious is een oriëntatiepunt voor de wandelroute GR10.

GR 10

Lac du Miey ③

Lac Roumassot

Gave de B

Lac Gentau

Pic de Larry ▲ 2337 m

Lac d'Ayous (1947 m) ③
Dit meer is een van de mooiste en be-kendste bezienswaardigheden van de Haut Ossau. Vanuit de berghut, waar u kunt overnachten, kunt u het licht van de ondergaande zon weerspiegeld zien op het water en tegen de bergen.

Pic Hourquette 2384 m

④

⑤

Lac Bersau (2083 m) ④
Dit meer is ontstaan door smeltende gletsjers aan het eind van de laatste ijstijd. Het is een van de grootste glaciale meren van de Pyreneeën.

Lac Castérau ⑤
Niet ver van het Lac Bersau buigt het voetpa af naar links, oostwaart naar de hut bij Cap de Pount. Lac Castérau, da bekend is bij berg-beklimmers, is 's winter bevroren, maar 's zome leent het koude water zich uitstekend voor ee verkwikkend voetbad voor vermoeide voeten

SYMBOLEN

— Aanbevolen route

= Andere wegen

❀ Uitkijkpunt

0 km   1

Col Long de Magnabaigt (1698 m) ⑧

De 11 cromlechs en twee tumuli bij Magnabaigt bewijzen dat dit gebied al in het neolithicum bewoond was. Vanaf de pas leidt een voetpad naar het lagergelegen Lac de Bious-Artigues. De aangename wandeling gaat door landschap, dicht begroeid met beuken.

Lac de Pombie en zijn bemande berghut, waar wandelaars kunnen eten en slapen

LARUNS

Col de Suzon (2127 m) ⑦

Deze klim gaat relatief geleidelijk en op dit deel, via de Pic Saoubiste, ziet u de andere kant van de Pic du Midi. U kunt een tweede nacht doorbrengen in de hut van Pombie of teruglopen naar Bious-Artigues, een paar uur naar beneden.

Pic Saoubiste ▲ 2261 m

Pic du Midi d'Ossau 2884 m

Petit Pic du Midi d'Ossau 2802 m

Lac de Peyreget

Lac de Pombie

▲ Pic de Peyreget 2338 m

Col de Peyreget (2208 m) ⑥

Vanaf Col de Peyreget hebt u een helder zicht op de vier pieken van de Pic du Midi d'Ossau. Ze hebben elk een eigen naam: Petit Pic, Grand Pic, Pointe Jean Santé en Pointe d'Aragon, die het dichtste bij Spanje ligt.

TIPS VOOR DE WANDELAAR

Wegenkaart C5.
Lengte route: *Bij goed weer duurt de hele wandeling twee dagen. De hutten bij Lac d'Ayous 05-59053700 en Lac de Pombie 05-59053178 zijn open juni–sept. De tocht rond Lac de Bious-Artigues duurt 1 uur en rond zowel Lac d'Ayous als Lac Bious-Artigues 5 uur.*
Toegang: *Pic du Midi d'Ossau bereikt u via de D934 uit Laruns, en de D231. De weg van Gabas naar Bious-Artigues is open mei–nov., afhankelijk van het weer.*

De romaanse kapel in Jouers, in het Bedousdal

Aspedal ⑲

Wegenkaart C4/C5. 🏔 2800.
🛈 Place Sarraillé, Bedous, 05-593
45757. 🚉 Oloron-Sainte-Marie.
🚌 route Oloron–Canfranc. 🎉 do in
Bedous; zo in Etsaut (juli–aug.).
🧀 kaasmarkt in Etsaut (eind juli).

D oor het Aspedal, ten zuiden van Oloron-Sainte-
Marie, stroomt de Gave d'Aspe. Het spoorviaduct werd in
1910 gebouwd voor de nu ter
ziele zijnde Pau-Canfranclijn.
De Notre-Dame-de-la-Pierre in
Sarrance is de eerste van vier
haltes langs de route die het
**Écomusée de la Vallée
d'Aspe** vormt, het openluchtmuseum van het dal. Deze
halte is gewijd aan de legende
van Sarrance en zijn pelgrims.

U kunt ook de 17de-eeuwse
kerk en de kloostergang zien.
In **Lourdios Ichère**, de tweede halte van het openluchtmuseum, verhaalt een audiovisue-
le presentatie over het leven
van de bewoners van dit berg-
dorp. **Bedous** is het handelscentrum van het dal. De GR65,
een langeafstandspad, bekend
als de Chemin de Saint-
Jacques, loopt van Bedous
naar **Accous**. Hier kunt u kaas
proeven van boeren uit de
Béarn en het Pays Basque. De
imposante Église Saint-Martin
d'Accous leed twee keer zware
schade, eerst in 1569, later in
1793. De **Cirque de Lescun**,
achter in het dal, is een enorm
groen plateau waar veel
schuren staan, omgeven door
pieken – Pic Billare, Pic d'Anie

en Aiguilles d'Ansabère. In
Cette-Eygun staat een 12de-
eeuwse kerk, de Église Saint-
Pierre. Het **Maison du Parc
National des Pyrénées** in
Etsaut houdt een expositie
over de bruine beer. Zo'n 2 km
buiten Etsaut komt een pad uit
op de **Chemin de la Mâture**.
Dit deel van de GR10 is uitgehakt in de rotsen, boven een
steile afgrond. Halverwege de
18de eeuw werden hier den-
nenstammen overheen ge-
sleept, gebruikt als masten
(*mâture*) voor Franse marine-
schepen. De Chapelle Saint-
Jacques in **Borce**, bekend als
L'Hospitalet, opende ooit zijn
deuren voor pelgrims. De kapel is nu een museum over de
Chemin de Saint-Jacques. In de
hoofdstraat staan pittoreske
15de- en 16de-eeuwse huizen
met gotische deuren, bewerkte
lateien en broodovens. Het
opvallende **Fort du Portalet**
(1860), boven de Gorge
d'Enfer en de rivier, was tijdens
de Tweede Wereldoorlog
staatsgevangenis.

🏛 **Écomusée
de la Vallée d'Aspe**
📞 05-59345765. 🕐 dag. in Accous
en Borce; juli–sept.: dag. en okt.–juni:
za–zo in Sarrance en Lourdios.
⬤ Sarrance en Lourdios: jan. 🎫
♿ gratis in Accous en Borce.
🏛 **Maison du Parc National
des Pyrénées**
Etsaut. 📞 05-59348830 of
59347087. 🕐 mei–okt.: dag.

Pic de Billare (2309 m) en Pic d'Anie (2504 m) vanaf de Labérouathut, boven Lescun

Vee in Béarn

De herders en veefokkers van de bergen van de Haut Béarn verdienen hun geld grotendeels met de productie van goede kazen, veelal gemaakt van ongepasteuriseerde schapenmelk. De herders, die hun kudden brengen naar de *estives* (hooggelegen zomerweiden) van het Aspe-, Ossau- en Barétousdal, dragen niet

Een herder met zijn bellen

alleen bij aan het behoud van dit prachtige landschap, maar houden ook een traditionele manier van leven in stand die nergens anders in de Pyreneeën nog bestaat, behalve in het Pays Basque. Het is soms moeilijk en gevaarlijk om de hele hoge *estives* te bereiken. In afgelegen weiden worden schapen soms aangevallen door beren, die dit vlees wel lusten.

HET JAARLIJKSE RONDJE

Als de sneeuw begint te smelten keren de kudden koeien en schapen terug naar de hooggelegen weiden, *estives*. Gedurende de zomer leven de herders in hutten, vlak bij hun kudden. Met moderne middelen als radio's en zonne-energie is zo'n leven nu heel wat minder zwaar dan vroeger. De kazen, die in de bergen worden gemaakt, worden door ezels omlaaggedragen naar de dorpen.

Een kleine, herbouwde boerderij, hoog in de bergen

De gebruiken van Ossau worden hartstochtelijk in ere gehouden, vooral via traditionele muziek en dans.

Schapenkaas wordt 's zomers gemaakt. Hiervoor worden de ooien twee keer per dag gemolken.

Oude instrumenten worden nog steeds bespeeld. Zo zijn er een fluit met drie gaten en een besnaarde tamboerijn, de ttun-ttun.

Schapen worden altijd in de lente geschoren, vóór de kudden naar de estives *worden gedreven. Hun wol brengt helaas steeds minder op.*

De schapenfokkerij in de Béarn kan overleven dankzij de vraag naar kaas die op de estives *wordt gemaakt en subsidies waardoor fokkers in de bergen kunnen leven. Hoewel er jongeren zijn die deze manier van leven navolgen, wordt de traditie al lange tijd met uitsterven bedreigd.*

TIPS VOOR DE REIZIGER

ACCOMMODATIE

I n de regio zijn overal aantrekkelijke hotels te vinden, van Château de Cordeillan-Bages in Pauillac tot Château d'Urtubie in Saint-Jean-de-Luz. De meeste hebben een rijk verleden. Tot de luxeueste behoren Relais Margaux,

Bed & Breakfastbord

Les Sources de Caudalie en Les Prés d'Eugénie. Talloze statige 18de- en 19de-eeuwse herenhuizen en landhuizen zijn verbouwd tot comfortabele pensions. Ze zijn ideaal voor zowel een enkele overnachting als een langer verblijf.

RESERVEREN

I n de zomer is het moeilijk om een hotelkamer op de bonnefooi te vinden. U dient een paar maanden van tevoren te reserveren. Dat geldt vooral voor de periode half juli tot half augustus, als het volop hoogseizoen is. Buiten deze periode zijn de meeste hotels ook volgeboekt tijdens belangrijke regionale evenementen, zoals de Vinexpo, het tweejaarlijkse wijnfeest van Bordeaux, en het wereldkampioenschap surfen in Lacanau, begin augustus. Zelfs als de accommodatie op enige afstand van zulke evenementen ligt, zijn er vaak geen kamers vrij.

Maar over het algemeen geldt: hoe verder weg van de kust, des te meer kans op een kamer, vooral in de grote steden, waar het 's zomers rustiger is. Vraag altijd naar aanbiedingen als u een kamer boekt. Afhankelijk van de periode is het soms mogelijk een lagere prijs te bedingen als u reserveert. Stadshotels hebben vaak weekendaanbiedingen (*'Bon week-end en ville'*); informatie hierover kunt u krijgen bij de

Zwembad van Les Loges de l'Aubergade, Puymirol *(blz. 249)*

Les Hortensias du Lac, een hotel in Hossegor *(blz. 251)*

plaatselijke toeristenbureaus. Veel hotels zijn 's winters gesloten, doorgaans tussen november en februari. Waar u ook wilt verblijven in Zuidwest-Frankrijk en wat uw budget ook is, ga voor informatie en advies naar Maison Aquitaine in Parijs *(blz. 286)*.

CATEGORIEËN

A lle vormen van accommodatie, van eenvoudige kamers in pensions tot luxe hotelsuites, worden beoordeeld door het Franse ministerie van Toerisme. Verschillende niveaus worden aangeduid met sterren, dolken, sleutels en andere symbolen. Bedenk wel dat deze classificaties niet per se rekening houden met zaken als de algehele uitstraling van de accommodatie of de omgeving ervan. De duurdere hotelgroepen als **Relais & Châteaux**, **Relais du Silence** en **Châteaux et Hôtels de France** doen dit wel. Zij produceren elk jaar een geactualiseerde lijst en hebben een centraal reserveringssysteem.

PRIJZEN

H otels zijn per wet verplicht hun tarieven zichtbaar op te hangen, met inbegrip van service en belastingen. Het is soms echter mogelijk om een

lagere prijs te bedingen buiten het hoogseizoen. Voor een verblijf van een paar dagen bieden hotels dikwijls halfpension of volpension aan. Dit kan vaak zeer voordelig zijn, vooral als het hotel een goed restaurant heeft, met streekgerechten op het menu. Veel pensions serveren ook ontbijt als u een overnachting boekt.

HOTELKETENS

H oewel hotelketens een continue kwaliteit bieden, zijn ze vaak nogal onpersoonlijk en weinig sfeervol. Uitzonderingen hierop vormen enkele grotere hotels, waaronder die van de keten **Sofitel** en Holiday Inn. De **Mercure**-hotels, zoals het Splendid in Dax *(blz. 250)* of het Château Chartrons in Bordeaux *(blz. 244)*, staan bekend om hun smaakvolle, individueel ingerichte interieur.

TRADITIONELE, DOOR FAMILIES GERUNDE HOTELS

D eze hotels bieden comfortabele kamers tegen zeer redelijke prijzen. Goede voorbeelden zijn Château du Foulon in Castelnau-de-Médoc *(blz. 245)* en sommige hotels van **Pierre et Vacances**. Die staan vaak in een prachtige omgeving, bij een golfbaan, in

◁ **Auberge du Pont, Saint-Léon-sur-Vézère**

een naaldbos of aan de kust. Andere hotels, zoals het Hôtel Ibaia Serge-Blanco in Hendaye *(blz. 253)* en Village Aplus in Lacanau *(blz. 245)*, zijn het hele jaar open. Hotels met de toevoeging 'Station Kid' zijn vooral geschikt voor gezinnen met jonge kinderen. Verder is er de **Logis de France**, waarvan de hotels sfeervolle en karakteristieke accommodatie aanbieden en u een gastvrij onthaal geven. De **Fédération Nationale des Tables et Auberges de France** geeft informatie over nog veel meer hotels.

LUXEHOTELS

Alle steden in Aquitaine hebben hotels van topklasse. Hôtel Labottière *(blz. 244)* in Bordeaux, gevestigd in een eind-18de-eeuws gebouw, is daar slechts één voorbeeld van. De luxeueste hotels vindt u midden op het platteland. In de Médoc staat het Château de Cordeillan-Bages *(blz. 245)* en bij Château d'Urtubie, in Saint-Jean-de-Luz, *(blz. 253)* worden de gasten welkom geheten door de graaf zelf. Château de Brindos, bij Biarritz *(blz. 252)*, is schitterend gelegen aan een meer. In de jaarlijks geactualiseerde gidsen van Châteaux et Hôtels de France in Relais et Châteaux staan veel van zulke etablissementen.

PENSIONS

Pensions *(chambre d'hôte)* bieden gezellige kamers in een aantrekkelijk huis, vaak gelegen op rustige of afgelegen locaties. De prijzen zijn

Kamer van Hôtel Le Square Michel-Latrille, Astaffort *(blz. 248)*

afhankelijk van de mate van comfort en de aanwezige faciliteiten. Bedenk dat veel pensions lang van tevoren zijn volgeboekt. Een ander voordeel van een verblijf in een pension is dat het ontbijt vaak bij de prijs inbegrepen is en bovendien uitgebreid is. Tot de ketens van Franse pensions behoort **Fleurs de Soleil**, die bestaat uit pensions die vriendelijk en behulpzaam personeel hebben en een behoorlijk niveau van comfort in het beperkte aantal kamers.

THALASSOTHERAPIE EN HYDROTHERAPIE

De meeste wellness- en fitnesscentra in Aquitaine zijn te vinden in de Landes en het Pays Basque. Etablissementen van topklasse zijn te vinden bij Biarritz, zoals het thalassotherapiecentrum van

Hôtel Ibaia Serge-Blanco in Hendaye *(blz. 253)*. Er liggen ook enkele kuuroorden in de Pyrénées-Atlantiques, waaronder Cambo-les-Bains, Les Eaux-Bonnes, Les Eaux-Chaudes en Salies-de-Béarn. Dax *(blz. 250)* is met zijn zeventien wellnesscentra de gezondheidshoofdstad van de Landes.

Les Prés d'Eugénie in Eugénie-les-Bains *(blz. 250)* heeft naast minerale bronnen ook een eersteklas restaurant. Er zijn tevens thassalotherapiecentra in de Gironde. Les Sources de Caudalie *(blz. 245)*, bij La Brède, biedt vinotherapiebehandelingen met extracten van wijnstokken en druiven. Sommige ketens, zoals **Accor Thalassa** en **Thermale de France**, hebben een centraal boekingssysteem. De organisatie **Chaîne Thermale du Soleil** heeft ook een lange lijst met wellnesscentra.

RELAIS SAINT-PIERRE

Alle etablissementen die vallen onder Relais Saint-Pierre zijn interessant voor vissers *(blz. 280–281)*. **Maison de la France** geeft deze classificatie aan hotels en campings gelegen in een prachtige omgeving en in de buurt van meren waar u kunt vissen. Deze hotels en campings geven visvergunningen uit en zorgen voor een meeneemlunch voor de hengelaar.

Binnenbad in het kuuroord Salies-de-Béarn *(blz. 216)*

LANDELIJKE *GÎTES*

Een *gîte rural* is een vakantiehuisje of bijgebouw met één of meer slaapkamers, een eet-/zitkamer, een keuken of keukenhoek en een badkamer. *Gîtes* kunnen voor een paar dagen of een weekeinde worden gehuurd, maar worden doorgaans voor een week of meer gehuurd. **Gîtes de France** is een organisatie die bepaalde niveaus van comfort garandeert (aangeduid met 1–5 symbolen voor korenaren) en leden heeft die zich houden aan nationale afspraken. Alle *gîtes* van deze organisatie worden regelmatig gecontroleerd en gewaardeerd door Gîtes de France, die vijf afdelingen heeft in Aquitaine.

HUREN VAN ACCOMMODATIE

Een betrouwbare organisatie is **Clévacances**, die accommodatie biedt van hoge kwaliteit in individuele stijl. Dit geldt zowel voor te huren appartementen als voor kamers in pensions. Er zijn vijf comfortniveaus.
De website van **Aquitaine Location Vacances** is ook handig voor mensen die een karakteristiek huis willen huren. Een ander digitaal verhuurbedrijf is **Aquitaine on Line**, dat adressen heeft van pensions, *gîtes*, appartementen en villa's, die soms ook buiten het seizoen te huur zijn. Plaatselijke toeristenbureaus geven lijsten uit met informatie over te huren accommodatie in de omgeving.

Château d'Urtubie in Urrugne *(blz. 253)*, een **historisch monument**

JEUGDHERBERG

Jeugdherbergen bieden goedkope acoommodatie aan iedereen, ongeacht leeftijd. U hebt echter wel een ledenkaart nodig om in een jeugdherberg te mogen verblijven, de Carte de la Fédération Unie des Auberges de Jeunesse (**FUAJ**), die bij elke jeugdherberg verkrijgbaar is. Hoewel Bordeaux en Arcachon beide een jeugdherberg hebben, zijn de meeste jeugdherbergen geconcentreerd in het gebied tussen de kust van het Pays Basque en het achterland. De jeugdherbergen in Anglet en Biarritz kennen ook surfmogelijkheden en organiseren trektochten.
Via **CROUS** kunnen studenten in de zomer een overnachting regelen op de campus van de universiteit van Bordeaux.

CAMPINGS

Aquitaine telt een aantal campings, vaak gelegen in prachtig ongerept gebied. Veel campings zijn aangesloten bij **Camping Qualité Aquitaine**. Leden van deze organisatie moeten zich houden aan de duidelijk zichtbaar opgehangen tarieven. Hygiëne en netheid zijn van hoge kwaliteit. De campings dienen op rustige, afgezonderde locaties te liggen en mogen het milieu niet belasten.

GEHANDICAPTEN

Informatie over accommodatie met faciliteiten voor gehandicapten is verkrijgbaar bij **Tourisme et Handicap** en **Association des Paralysés de France**. Deze laatste werkt ook samen met Gîtes de

De 18de-eeuwse Auberge du Moulin de Labique in Saint-Eutrope-de-Born, bij Villeréal *(bl. 249)*

France bij het aanbevelen van vakantiehuizen, pensions en andere overnachtingsmogelijkheden voor mensen met een handicap. Deze vormen van accommodatie staan op een nationale lijst die gratis verkrijgbaar is op de website of bij het hoofdkantoor van Gîtes de France. Ook elk *département* heeft zo'n lijst. De Association des Paralysés de France heeft eveneens in elk *département* een afdeling. APF Évasion is een Franse club die vakanties op maat organiseert.

Zwembad op camping Eskualduna, in de buurt van Hendaye *(blz. 197)*

ADRESSEN

ALGEMENE INFORMATIE

Maison de la France
20 avenue de l'Opéra,
75041 Paris Cedex 01
☎ 01-42967000

HOTELKETENS

Mercure
2 rue de la Mare Neuve,
91021 Evry Cedex
☎ 0825-883333
W www.mercure.com

Sofitel
W www.sofitel.com

TRADITIONELE, DOOR FAMILIES GERUNDE HOTELS

Pierre et Vacances
☎ 0825-070605
W *www.pierre-vacances.fr*

Fédération Nationale des Tables et Auberges de France
2 rue Lanternières,
BP 47, 31012
Toulouse Cedex 06
W www.tables-auberges.com

Logis de France
☎ 01-45848384 *(centrale reserveringen)*
W www.logis-de-france.fr

Relais du Silence
17 rue d'Ouessant,
75015 Paris
☎ 01-44499000 *(centrale reserveringen)*
W www.silencehotel.com

LUXEHOTELS

Châteaux et Hôtels de France
☎ 0892-230075 *(centrale reserveringen)*.
W www.chateauxhotels.com

Relais et Châteaux
☎ 0825-323232 *(centrale reserveringen)*.
W www.relaischateaux.com

PENSIONS

Fleurs de Soleil
W www.fleurs-soleil.tm.fr

THALASSOTHERAPIE HYDROTHERAPIE

Centrales de Réservation Accor Thalassa
☎ 0825-007777.
W www.accorthalassa.com

Chaîne Thermale du Soleil
W www.sante-eau.com

Thalatel
Les Joncaux,
64700 Hendaye
☎ 05-59209900
W www.thalatel.com

Thermale de France
2 cours de Verdun,
40101 Dax Cedex
☎ 0800-400040

LANDELIJKE *GÎTES*

Gîtes de France
59 rue Saint-Lazare,
75439 Paris Cedex 09
☎ 01-49707575 en
0891-162222 *(centrale reserveringen)*
W www.gites-de-france.fr

HUREN VAN ACCOMMODATIE

Fédération Nationale des Locations Clévacances
54 boulevard de l'Embouchure,
31000 Toulouse
☎ 05-61135566
W www.clevacances.com

Aquitaine Location Vacances
W www.aquitaine-location-vacances.com

Aquitaine on Line
W www.aquitaine-on-line.com

JEUGDHERBERGEN

Fédération Unie des Auberges de Jeunesse (FUAJ)
9 rue Brantôme,
75003 Paris

☎ 01-48047040
W www.fuaj.org

CROUS (Bordeaux)
166–192 cours de l'Argonne,
33000 Bordeaux
☎ 05-57598550
W www.cercle-universitaire.com *en* www.crous-bordeaux.fr

CAMPINGS

Camping Qualité Aquitaine
Camping Les Bo-Bains,
24150 Badefols-sur-Dordogne
☎ 05-53735252
W www.campings-aquitaine.com

GEHANDICAPTEN

Association des Paralysés de France
17 boulevard Auguste-Blanqui, 75013 Paris
☎ 01-40786900
W www.apf.asso.fr

Association Tourisme et Handicap
280 boulevard Saint-Germain, 75007 Paris
☎ 01-44111041

Accommodatie

D e hotels en pensions in deze lijst zijn geselecteerd vanwege hun ligging, faciliteiten, bouwstijl en karakter. Ze lopen in prijs sterk uiteen. De accommodatie is ingedeeld per streek; de gekleurde markeringen boven aan de bladzijden komen overeen met de kleur van de Zuidwest-Franse streken in de rest van dit boek. Zie voor de lijst van restaurants blz. 260–269.

	AANTAL KAMERS	FACILITEITEN VOOR KINDEREN	TERRAS/UITZICHT	EIGEN PARKEERGELEGENHEID	RESTAURANT
GIRONDE					
ARCACHON BASIN: *Côté du Sud* €€	8		■	●	■
ARCACHON BASIN: *Yatt* €€	28	●	■	●	
BLAYE: *La Citadelle* €	21	●	■	●	■
BLAYE (OMGEVING): *La Closerie des Vignes* €€	9	●	■	●	■
BORDEAUX (STADSCENTRUM): *Hôtel de Sèze* €	24				
BORDEAUX (STADSCENTRUM): *Continental* €€	51		■		
BORDEAUX (STADSCENTRUM): *Mercure-Château Chartron* €€€	144	●	■	●	■
BORDEAUX (STADSCENTRUM): *Hôtel Labottière* €€€€	2			●	
BORDEAUX (STADSCENTRUM): *Burdigala* €€€€€	83	●		●	■
BORDEAUX (STADSCENTRUM): *Hauterive & Restaurant Saint-James* €€€€€	18	●	■	●	■

ARCACHON BASIN: *Côté du Sud* €€
4 avenue du Figuier, 33115 Le Pyla-sur-Mer. (05-56832500. FAX 05-56832413.
De kamers van dit charmante, stijlvolle hotel hebben hardhouten lambrisering.
Het restaurant kijkt uit op zee. *dec.–jan.*

ARCACHON BASIN: *Yatt* €€
253 boulevard de la Côte-d'Argent, Arcachon, 33120. (05-57720372.
FAX 05-56225134. W www.yatt-hotel.com
Het hotel is in nautische stijl ingericht en biedt gezinskamers en kleine suites.
15 nov.–15 maart.

BLAYE: *La Citadelle* €
Place d'Armes, 33390. (05-57421710. FAX 05-57421034.
W www.hotel-la-citadelle.com
Het hotel met zijn restaurant biedt van zijn locatie in de citadel een prachtig
uitzicht op de Gironde en zijn estuarium.

BLAYE (OMGEVING): *La Closerie des Vignes* €€
5 km buiten Blaye, in het dorp Les Arnauds, Saint-Ciers-de-Canesse,
33710. (05-57648190. FAX 05-57649444. @ La-closerie-des-vignes@wanadoo.fr
Een Relais du Silence-hotel, rustig gelegen tussen de wijngaarden van de
Haute Gironde. *nov.–maart.*

BORDEAUX (STADSCENTRUM): *Hôtel de Sèze* €
23 allée de Tourny, 33000. (05-56526554. FAX 05-56817618.
Een hotel in een 18de-eeuws herenhuis bij het Grand-Théâtre. De kamers zijn
ingericht met stijlmeubelen.

BORDEAUX (STADSCENTRUM): *Continental* €€
10 rue Montesquieu, 33000. (05-56526600. FAX 05-56527797.
Dit hotel staat bij het Marché des Grands-Hommes, in de Triangle d'Or, en is
gevestigd in een 18de-eeuws herenhuis. Er is een duplexsuite met een badkamer
boven en een terras. *eind dec.–begin jan.*

BORDEAUX (STADSCENTRUM): *Mercure-Château Chartron* €€€
81 cours Saint-Louis, 33000. (05-56431500. FAX 05-56691521.
@ H1810@accor-hotel.com
Dit chique hotel is gevestigd in een verbouwde 18de-eeuwse wijnkelder. Het
uitzicht vanaf het dakterras met zijn jonge wijnstokken is schitterend. In de
wijnbar eet u traditionele gerechten.

BORDEAUX (STADSCENTRUM): *Hôtel Labottière* €€€€
14 rue Francis-Martin, 33000. (05-56484410. FAX 05-56484414.
@ petithotellabottiere@chateauxcountry.com
Dit pension, in een eind-18de-eeuws gebouw naast de stadstuinen, heeft twee
zeer bijzonder ingerichte kamers. Ontbijt is bij de prijs inbegrepen. De tuinen
staan op de monumentenlijst.

BORDEAUX (STADSCENTRUM): *Burdigala* €€€€€
115 rue Georges-Bonnac, 33000. (05-56901616. FAX 05-56931506.
W www.burdigala.com
Een aangenaam, stijlvol hotel in een fraai 18de-eeuws gebouw vlak bij Rue
Sainte-Catherine, een winkelstraat voor voetgangers. Het restaurant serveert
streekgerechten.

BORDEAUX (STADSCENTRUM): *Hauterive & Restaurant Saint-James* €€€€€
Op de noordoever, 6 km buiten Bordeaux-centrum, place Charles-Hostein,
Bouliac, 33270. (05-57970600. FAX 05-56209258. W www.saintjames-bouliac.com
Een hotel van Relais et Châteaux de France, gevestigd in een 17de-eeuws huis
van een wijnboer. Het restaurant alleen al, gespecialiseerd in plaatselijke
gerechten, is een bezoek waard. *jan.*

Prijscategorieën voor een tweepersoonskamer per nacht, inclusief ontbijt en belasting.

€ minder dan 70 euro
€€ 70 tot 110 euro
€€€ 110 tot 150 euro
€€€€ 150 tot 200 euro
€€€€€ meer dan 200 euro

FACILITEITEN VOOR KINDEREN
Hiertoe behoren wiegjes, bedjes en een babysitservice. Sommige hotels hebben een kinderstoel en een kindermenu.

EIGEN PARKEERGELEGENHEID
Het hotel heeft een privéparkeerplaats of parkeergarage. Soms bevinden die zich elders in de omgeving.

RESTAURANT
Het restaurant is niet speciaal aanbevolen, hoewel de heel goede hotelrestaurants opgenomen zijn in de restaurantlijst.

TERRAS/UITZICHT
Het hotel heeft een terras, binnenplaats of tuin waar maaltijden geserveerd kunnen worden.

	AANTAL KAMERS	FACILITEITEN VOOR KINDEREN	TERRAS/UITZICHT	EIGEN PARKEERGELEGENHEID	RESTAURANT
LA BRÈDE (OMGEVING): *Les Sources de Caudalie* €€€€€	43	●	■	●	■
CAP-FERRET: *La Frégate* €€	29	●	■	●	
CASTILLON-LA-BATAILLE (OMGEVING): *Château de Sanse* €€€	14	●	■	●	■
LACANAU-OCÉAN: *Village Aplus* €€€	59	●	■	●	■
MARGAUX: *Pavillon de Margaux* €€	59	●	■	●	
MARGAUX: *Relais Margaux* €€€€	64	●	■	●	
MARGAUX (OMGEVING): *Château du Foulon* €€	8	●	■	●	
PAUILLAC: *Château de Cordeillan-Bages* €€€€	25	●	■	●	■
SAINT-ÉMILION: *Hostellerie de Plaisance* €€€€	15	●	■	●	■

LA BRÈDE (OMGEVING): *Les Sources de Caudalie* €€€€€
5 km ten noorden van Château de La Brède, Chemin de Smith Haut-Laffitte, Martillac, 33650. 05-57838383. FAX 05-57838384.
Dit hotel is ook een toonaangevend wellness- en fitnesscentrum. Elke kamer heeft een ander interieur. *La Grand'Vigne*, het exclusieve restaurant, is ingericht als een 18de-eeuwse oranjerie.

CAP-FERRET: *La Frégate* €€
32–34 avenue de l'Océan, 33970. 05-56604162. FAX 05-56037618.
www.hotel-la-fregate.net
Een door een familie bestierd hotel op het weinig bekende schiereiland Cap-Ferret. Op loopafstand van zowel het beschutte Bassin de l'Arcachon als de ruigere Atlantische kust. 2 nov.–26 dec.; 5 jan.–1 feb.

CASTILLON-LA-BATAILLE (OMGEVING): *Château de Sanse* €€€
10 km ten zuidoosten van Castillon, Sainte-Radegonde, 33350.
05-57564110. FAX 05-57564129. www.chateaudesanse.com
Dit sfeervolle 17de-eeuwse hotel staat op een 5 ha groot landgoed. Het heeft een zwembad, een groot terras en stille kamers. Het restaurant serveert zowel traditionele als innovatieve gerechten. feb.

LACANAU-OCÉAN: *Village Aplus* €€€
Route du Baganais, 33680. 05-56039100. FAX 05-56039110.
www.aplus-lacanau.com
Een vakantiedorp aan de kust met een hotel, appartementen en villa's, alle smaakvol ingericht. Mogelijkheden voor hydrotherapie en paardrijden. Het terras van het restaurant biedt panoramisch uitzicht op de zee en het omliggende platteland. 14 nov.–7 feb.

MARGAUX: *Pavillon de Margaux* €€
3 rue Georges-Mandel, 33460. 05-57887754. FAX 05-57887773.
@ Le-pavillon-margaux@wanadoo.fr
Dit prachtige paviljoen was vroeger een school. De suites, met zicht op de wijngaarden, zijn in verschillende stijlen ingericht. Er zijn ook een paar kleine bungalows.

MARGAUX: *Relais Margaux* €€€€
Chemin de l'Île-Vincent, 33460. 05-57883830. FAX 05-57883173.
Dit voormalige wijnhuis staat op 55 ha parkgrond, midden in de beroemde wijngaarden van Margaux. Het hotel ligt aan de oever van de Garonne. Het restaurant serveert haute cuisine en streekgerechten, 's zomers op het terras. Uitstekende wijnkaart.

MARGAUX (OMGEVING): *Château du Foulon* €€
10 km ten westen van Margaux, Castelnau-de-Médoc, 33480. 05-56582018.
FAX 05-56582343. www.au-chateau.com
Dit 19de-eeuwse chateau, aan de rand van de wijngaarden van de Médoc en de naaldbossen van de Landes, is een ideale uitvalsbasis om de Médoc te verkennen. 15 dec.–2 jan.

PAUILLAC: *Château de Cordeillan-Bages* €€€€
Route des Châteaux, 33250. 05-56592424. FAX 05-56590189.
@ cordeillan@relaischateaux.fr
Dit voormalige, 17de-eeuwse kartuizer klooster midden in de wijngaarden houdt het midden tussen een luxehotel en een pension. De zonnige kamers zijn stijlvol ingericht. 12 dec.–jan.

SAINT-ÉMILION: *Hostellerie de Plaisance* €€€€
Place du Clocher, 33330. 05-57550755. FAX 05-57744111.
@ hostellerie.plaisance@wanadoo.fr
De ramen van deze oude herberg kijken uit op de smalle, kronkelende steegjes van Saint-Émilion. jan.

Prijscategorieën voor een tweepersoonskamer per nacht, inclusief ontbijt en belasting.

€ minder dan 70 euro
€€ 70 tot 110 euro
€€€ 110 tot 150 euro
€€€€ 150 tot 200 euro
€€€€€ meer dan 200 euro

FACILITEITEN VOOR KINDEREN
Hiertoe behoren wiegjes, bedjes en een babysitservice. Sommige hotels hebben een kinderstoel en een kindermenu.

EIGEN PARKEERGELEGENHEID
Het hotel heeft een privéparkeerplaats of parkeergarage. Soms bevinden die zich elders in de omgeving.

RESTAURANT
Het restaurant is niet speciaal aanbevolen, hoewel de heel goede hotelrestaurants opgenomen zijn in de restaurantlijst.

TERRAS/UITZICHT
Het hotel heeft een terras, binnenplaats of tuin waar maaltijden geserveerd kunnen worden.

	AANTAL KAMERS	FACILITEITEN VOOR KINDEREN	TERRAS/UITZICHT	EIGEN PARKEERGELEGENHEID	RESTAURANT
PÉRIGORD EN QUERCY					
BEAUMONT-DU-PÉRIGORD (OMGEVING): *Le Relais de Lavergne* €	5	●	■	●	■
BERGERAC: *La Flambée* €€	21	●	■	●	■
BERGERAC (OMGEVING): *Château Lespinassat* €€€€	3	●	■	●	
BEYNAC-ET-CAZENAC (OMGEVING): *La Malartrie* €	3	●		●	
BRANTÔME: *Domaine de la Roseraie* €€€	9	●	■	●	■
BRANTÔME: *Moulin de l'Abbaye* €€€€	19	●	■	●	■
BRANTÔME (OMGEVING): *Château de la Borie-Saulnier* €€	5	●	■	●	■
CADOUIN (OMGEVING): *Le Manoir de Bellerive* €€€€	24	●	■	●	■
EYMET (OMGEVING): *Château Dame de Fonroque* €	5	●	■	●	■

BEAUMONT-DU-PÉRIGORD (OMGEVING): *Le Relais de Lavergne* €
8 km ten zuiden van Beaumont, Bayac, 24150. ☏ en FAX 05-53578316.
Dit fraaie 17de-eeuwse landhuis biedt kamers met een ouderwetse sfeer, maar modern comfort. 📺 🛏 🗏 24 🏊 ♿ 🍴 🔺 🐶

BERGERAC: *La Flambée* €€
153 avenue Pasteur, Route de Périgueux, 24100. ☏ 05-53575233.
FAX 05-53610757. 🌐 www.laflambee.com
Dit hotel in een oud huis is een aangename plek om te overnachten. Het ligt vlak bij de hoofdweg, de kamers aan de parkkant zijn daarom rustiger.
📺 🛏 🗏 24 🏊 ♿ 🍴 🔺 🐶 🍽

BERGERAC (OMGEVING): *Château Lespinassat* €€€€
4 km ten zuiden van Bergerac, 24100. ☏ 05-53748411. FAX 05-53748330.
🌐 www.chateaulespinassat.com
Dit 18de-eeuwse landhuis dat op de monumentenlijst staat, ligt bij Bergerac en was vroeger een chateau van de burggraven van Monbazillac. De kamers zijn smaakvol ingericht; de sfeer is aangenaam. 📺 🛏 🗏 24 🏊 ♿ 🍴 🔺 🐶 🍽

BEYNAC-ET-CAZENAC (OMGEVING): *La Malartrie* €
2 km ten oosten van Beynac, Vézac, 24220. ☏ 05-53291659.
Dit prachtige, kleurig geschilderde hotel uit 1900 ligt in een park. Het is gemeubileerd met stoelen in Lodewijk XV-stijl en antieke bedden. De knusse kamers zijn ingericht met bloemetjesstoffen. Ontbijt is bij de prijs inbegrepen.
📺 🛏 🗏 24 🏊 ♿ 🍴 🔺 🐶

BRANTÔME: *Domaine de la Roseraie* €€€
Route d'Angoulême, 24310. ☏ 05-53058474. FAX 05-53057794.
🌐 www.domaine-la-roseraie.com
Dit hotel in een 17de-eeuws kartuizer klooster is een van de verborgen schatten van de Périgord. De sfeer is aangenaam en de bediening attent. De kamers op de begane grond kijken uit over grasland. 📺 🛏 🗏 24 🏊 ♿ 🍴 🔺 🐶 🍽

BRANTÔME: *Moulin de l'Abbaye* €€€€
1 route de Bourdeilles, 24310. ☏ 05-53058022. FAX 05-53057527.
🌐 www.moulin-abbaye.com
De kamers, die in een oude molen en een voormalige abdij liggen, kijken uit op de rivier of het middeleeuwse stadscentrum. Dit hotel, lid van Relais et Châteaux, heeft een exclusief restaurant. 📺 🛏 🗏 24 🏊 ♿ 🍴 🔺 🐶 🍽 ● 24 okt.–2 mei.

BRANTÔME (OMGEVING): *Château de la Borie-Saulnier* €€
5 km ten oosten van Brantôme, Champagnac-de-Belair, 24530. ☏ 05-53542299.
FAX 05-53085378. @ Château-de-la-borie-saulnier@wanadoo.fr
Dit kasteel was ooit een fort op de rivier de Dronne. Het is smaakvol ingericht met elke kamer in zijn eigen kleur. De ontbijtzaal is bekoorlijk.
📺 🛏 🗏 24 🏊 ♿ 🍴 🔺 🐶 🍽 🍽 ● jan.

CADOUIN (OMGEVING): *Le Manoir de Bellerive* €€€€
6 km ten oosten van Cadouin, aan de weg naar Siorac, 24480. ☏ 05-53221616.
FAX 05-53220905. 🌐 www.bellerivehotel.com
Tussen 300 jaar oude bomen, aan de oever van de Dordogne, staat dit voormalige landhuis, dat hoort bij de Relais du Silence-groep. Het interieur in Napoleon III-stijl is van vorstelijk niveau en de kamers hebben terrassen die uitkijken op de oranjerie. 📺 🛏 🗏 24 🏊 ♿ 🍴 🔺 🐶 🍽 ● 2 jan.–15 maart.

EYMET (OMGEVING): *Château Dame de Fonroque* €
4 km ten noorden van Eymet, Fonroque, 24230. ☏ 05-53586583.
FAX 05-53586004. 🌐 www.gites-de-france-47.com
Deze 14de-eeuwse, voormalige versterkte boerenhoeve ligt op een wijngoed. De kamers kijken uit op een bosrijk gebied.
📺 🛏 🗏 24 🏊 ♿ 🍴 🔺 🐶 🍽 ● dec.–15 jan.

Les Eyzies-de-Tayac: *Le Moulin de la Beune*   € | 20
2 rue du Moulin-Bas, 24620. 05-53069433. FAX 05-53069806.
W www.perigord.com
Dit aantrekkelijke hotel heeft eenvoudig ingerichte, maar comfortabele kamers met uitzicht op een riviertje. Het restaurant ligt in de verbouwde molen. 's Zomers eet u aan de waterkant. *nov.–maart.*

Les Eyzies-de-Tayac: *Hôtel du Centenaire*   €€€€ | 25
2 avenue du Cingle, 24620. 05-53066868. FAX 05-53069241.
W www.hotelducentenaire.fr
Dit Relais et Châteaux-hotel is een familiebedrijf. Het staat wijd en zijd bekend als een van de beste hotel-restaurants van Frankrijk. Ondanks dit eerbetoon is de sfeer vriendelijk en informeel. *nov.–begin april.*

Lanquais: *Château de Lanquais*   €€ | 2
D37, 24150. 05-53612424. FAX 05-53732072. W www.pays-de-bergerac.com
Een pension in een van de mooiste chateaus van de Périgord. Liefhebbers van geschiedenis zullen verrukt zijn over de kamers.
15 nov.–feb.

Montignac (Lascaux): *Château de Puy-Robert*   €€€€€ | 39
Route de Valojoulx, 24290. 05-53519213. FAX 05-53518011.
W www.puyrobert.com
Een luxehotel in een romantisch, eind-19de-eeuws chateau met peperbus-torentjes. Alle kamers kijken uit op het 10 ha grote park.
half okt.–begin mei.

Montignac (bij Lascaux): *Manoir d'Hautegente*   €€€€ | 15
12 km ten oosten van Montignac, Coly-en-Périgord, 24120.
05-53516803. FAX 05-53503852. W www.manoir-hautegente.com
Dit prachtige landhuis, een voormalige 13de-eeuwse smidse, behoort tot de Relais du Silence. Het luxueus ingerichte interieur bestaat uit een open haard en antiek meubilair. *begin nov.–begin april.*

Périgueux (omgeving): *L'Écluse*   € | 47
Langs de weg naar Limoges, 8 km ten oosten van Périgueux, Antonne-et-Trigonant, 24420. 05-53060004. FAX 05-53060639. W www.ecluse-perigord.com
Dit aantrekkelijke hotel aan de oever van de rivier de Isle ligt in uitgestrekt grasland. De in rustieke stijl ingerichte kamers en het restaurant met panoramisch uitzicht *(blz. 263)* maken het tot een prettig verblijf.

La Roque-Gageac: *L'Auberge de la Plume d'Oie*   €€ | 4
Le Bourg, 24250. 05-53295705. FAX 05-53310481. @ walker.marc@wanadoo.fr
Dit is een chic restaurant met kamers, die doorgaans zijn gereserveerd voor de eters. De kamers zijn genoemd naar de vogelsoorten die bij de rivier leven.
eind nov.–20 dec.; half jan.–eind feb.

Sainte-Foy-la-Grande (omgeving): *Château des Vigiers*   €€€€ | 51
8 km ten zuidoosten van Sainte-Foy, Monestier, 24240. 05-53615000.
FAX 05-53615020. W www.vigiers.fr
Dit schitterende 16de-eeuwse chateau, dat verbouwd is tot viersterrenhotel, heeft zijn eigen 25 ha grote wijngaard. Er zijn een golfbaan, stoombad en sauna, en ook wellness- en fitnessfaciliteiten.
dec.–feb.

Sarlat: *Château de Puymartin*   €€€ | 2
24200. 05-53592997. FAX 05-53298752. W www.best-of-dordogne.tm.fr
De Comte de Montbron zelf verwelkomt zijn gasten in zijn 13de-eeuwse chateau, dat al sinds 1450 eigendom is van dezelfde familie. De twee grote kamers zijn ingericht met antiek meubilair.
eind okt.–maart.

Sarlat (omgeving): *Domaine Lacoste*   € | 4
9 km ten zuiden van Sarlat, Carsac-Aillac, 24200. 05-53595881.
FAX 05-53595187. @ Domaine.lacoste@wanadoo.fr W www.domainelacoste.com
Dit oude Périgord-huis, niet ver van Sarlat, biedt panoramisch uitzicht op de Dordogne en Château de Monfort. De kamers zijn kleurig ingericht.

Trémolat: *Le Vieux Logis*   €€€€ | 25
24510. 05-53228006. FAX 05-53228489. W www.vieux-logis.com
Dit hotel bij Cadouin, in het hart van de Périgord Noir, is een van de beste van Frankrijk. Op het landgoed staat een pachtboerderij met bijgebouwen. Sommige meubelstukken dateren van de 16de eeuw.

Voor een verklaring van de symbolen zie achterflap

	AANTAL KAMERS	FACILITEITEN VOOR KINDEREN	TERRAS/UITZICHT	EIGEN PARKEERGELEGENHEID	RESTAURANT

Prijscategorieën voor een tweepersoonskamer per nacht, inclusief ontbijt en belasting.
€ minder dan 70 euro
€€ 70 tot 110 euro
€€€ 110 tot 150 euro
€€€€ 150 tot 200 euro
€€€€€ meer dan 200 euro

FACILITEITEN VOOR KINDEREN
Hiertoe behoren wiegjes, bedjes en een babysitservice. Sommige hotels hebben een kinderstoel en een kindermenu.

EIGEN PARKEERGELEGENHEID
Het hotel heeft een privéparkeerplaats of parkeergarage. Soms bevinden die zich elders in de omgeving.

RESTAURANT
Het restaurant is niet speciaal aanbevolen, hoewel de heel goede hotelrestaurants opgenomen zijn in de restaurantlijst.

TERRAS/UITZICHT
Het hotel heeft een terras, binnenplaats of tuin waar maaltijden geserveerd kunnen worden.

LOT-ET-GARONNE

		AANTAL KAMERS	FAC. KIND.	TERRAS	PARK.	REST.
AGEN: *Château des Jacobins* €€ 1 Ter, Place des Jacobins, 47000. 05-53470331. FAX 05-53470280. www.hotel-restaurant47.com Dit hotel, in een 19de-eeuws, met klimop begroeid herenhuis, biedt u een warm onthaal en een aangenaam verblijf. Het ligt in de oude kern van Agen. De kamers hebben antiek meubilair. Tuin aanwezig.		15	●	■	●	
AGEN (OMGEVING): *Hôtel-Restaurant Le Prince Noir* €€ 13 km ten westen van Agen, Sérignac, 47310. 05-53687430. FAX 05-53687193. www.logisdefrance47.com Dit hotel met rustige kamers is gevestigd in een 17de-eeuws, natuurstenen huis. De kamers op de begane grond zijn het grootst.		23	●	■	●	■
CASTELJALOUX (OMGEVING): *Château de Cantet* € 10 km ten noorden van Casteljaloux, Samazan, 47250 Bouglon. 05-53206060. FAX 05-53896353. Dit hotel in een goed onderhouden, 16de-eeuws gebouw, ligt midden op het platteland. Het is er erg rustig en ideaal voor gezinnen. De kamers zijn licht en ruim en zijn voorzien van stijlmeubilair.		3	●	■	●	■
CASTILLONNÈS (OMGEVING): *Château de Lamothe* €€ 3,5 km buiten Castillonnès, Ferrensac, 47330. FAX 05-53369802. www.castillonnestourisme.com Dit middeleeuwse kasteel (997) is al sinds de 11de eeuw in handen van dezelfde familie. Het staat op een 70 ha groot landgoed. De kamers zijn ingericht met stijlmeubelen. *dec.–maart.*		5	●	■	●	■
DURAS: *Hostellerie des Ducs* €€ Boulevard Jean-Brisseau, 47120. 05-53837458. FAX 05-53837503. www.hostellerieducs-duras.com Dit aantrekkelijke hotel is gevestigd in een voormalig klooster. De kamers zijn zeer comfortabel. De uitstekende gerechten van het restaurant zijn gebaseerd op plaatselijke producten *(blz. 264).*		16	●	■	●	■
DURAS (OMGEVING): *La Ferme* € 10 km ten oosten van Duras, La Croix-de-Moustier, 47800. 05-53202187. FAX 05-53202633. www.alaferme-palu.com De kamers van deze 19de-eeuwse hoeve zijn groot en goed geoutilleerd. De eigenaars, die ook het land bewerken, leiden hun gasten rond op Château de Duras en langs plaatselijke kerken in romaanse stijl.		5	●	■	●	
DURAS (OMGEVING): *La Maison de la Halle* €€ 7 km ten zuiden van Duras, Lévignac-de-Guyenne, 47120. 05-53943761. FAX 05-53943766. www.lamaisondelahalle.com Dit 19de-eeuwse huis in het stille versterkte dorp Duras kijkt uit op het marktplein. Vanaf het terras hebt u een prachtig uitzicht op het platteland van Dropt. *dec.–maart.*		4	●	■	●	■
LAPLUME (OMGEVING): *Le Champ des Sylphes* € 13 km ten zuidoosten van Laplume, Astaffort, 47220. FAX 05-53662528. www.le-champ-des-sylphes.com Dit pension ligt midden in de velden. De gemeubileerde appartementen zijn comfortabel en bieden plaats aan twee tot vier mensen. Ze hebben elk hun eigen voordeur.		3	●	■	●	■
LAPLUME (OMGEVING): *Le Square Michel-Latrille* €€ 13 km ten zuidoosten van Laplume, 5–7 Place de la Craste, Astaffort, 47220. 05-53472040. FAX 05-53471038. www.latrille.com Dit aantrekkelijke hotel heeft ook een voortreffelijk restaurant. De prachtig ingerichte kamers hebben elk hun eigen kleurenschema. *begin mei; eind nov.*		14	●	■	●	■

LAUZUN (OMGEVING): *Château de Péchalbet* €€ — 5
10 km ten westen van Lauzun, Agnac, 47800. ☎ FAX 05-53830470.
🆆 www.fleurs-soleil.tm.fr
Dit rustieke pension, voormalig eigendom van de graven van Ségur, was vaak het strijdtoneel tijdens de Honderdjarige Oorlog. Nu biedt het een vredig verblijf op het weidse platteland. TV 🛏 ▤ 24 ≋ 🅱 🌀 ● *4 nov.–maart.*

MONCLAR: *Château de Seiglal* € — 5
47380. ☎ 05-53418130. @ decourty-chambres-hotes@worldonline.fr
Dit hotel in een 19de-eeuws chateau is omgeven door oude bomen. De grote kamers zien uit op het park. Het antieke meubilair draagt bij aan de historische sfeer. TV 🛏 ▤ 24 ≋ 🅱 🎏

MONFLANQUIN: *Les Bourdeaux* € — 3
47150. ☎ 05-53491657. 🆆 www.lesbourdeaux.com/index-fr.htm
Dit pension biedt schitterend uitzicht op de vestingstad Monflanquin. De grote kamers zijn voorzien van een terras. Vanaf het zwembad hebt u fraai zicht op de middeleeuwse kerk van Calviac. TV 🛏 ▤ 24 ✹ ≋ 🅱 🎏 🔼 🔔 🌀

MONFLANQUIN: *Moulin de Lamothe* € — 4
47150. ☎ 05-53403662. 🆆 www.moulindelamothe.com
Dit hotel, in een watermolen uit 1793, heeft comfortabele, goed geoutilleerde kamers. Het kabbelende water van de rivier draagt bij aan de vredige sfeer.
TV 🛏 ▤ 24 ≋ 🎏 🌀

MONFLANQUIN (OMGEVING): *Chanteclair* € — 4
12 km ten westen van Monflanquin, Cancon, 47290. ☎ 05-53016334.
FAX 05-53411344. 🆆 www.cancon.fr
Dit prachtige landhuis ligt midden in het gebied van de hazelnootteelt. De comfortabele kamers zijn ingericht met antiek meubilair. De gasten mogen gebruikmaken van het keukentje en de barbecue, voor picknicks in het park.
TV 🛏 ▤ 24 ≋ 🎏 🔔

NÉRAC: *Hôtel du Château* € — 4
7 avenue de Mondenard, 47600. ☎ en FAX 05-53655444.
@ Cauze.pope@wanadoo.fr
Deze eeuwenoude boerenhoeve ligt op een heuvel, wat schitterend uitzicht biedt op de omgeving. De kamers zijn smaakvol ingericht.
TV 🛏 ▤ 24 ✹ ≋ 🅱 🎏 🌀 ● *nov.–feb.*

PUYMIROL: *Les Loges de l'Aubergade* €€€€ — 10
52 rue Royale, 47270. ☎ 05-53953146. FAX 05-53953380. 🆆 www.aubergade.com
Dit landhuis met kloostergang was eigendom van de graven van Toulouse. Het is lid van Relais et Châteaux. De kamers, die zijn ingericht door Jacques Garcia, zijn groot. Gewelfde plafonds, natuurstenen muren en een binnenplaats dragen bij aan de stijlvolle sfeer. Het restaurant serveert haute cuisine *(blz. 265)*.
TV 🛏 ▤ 24 ≋ 🅱 🎏 🔼 🔔 🌀 ● *18 jan.–12 feb.; 16–30 nov.*

TONNEINS: *Côté Garonne* €€ — 6
36-38 Cours de l'Yser, 47400. ☎ 05-53843434. FAX 05-53843131.
🆆 www.cotegaronne.com
Dit kleine hotel aan de oever van de Garonne is een vredig toevluchtsoord. De kamers zijn erg gezellig ingericht en bieden schitterend uitzicht. In het restaurant kunt u genieten van heerlijk eten en het prachtige panoramische uitzicht op het platteland. Aan de bar kunt u tapas eten. TV 🛏 ▤ 24 ✹ ≋ 🅱 🎏 🔼 🔔 🌀

VILLENEUVE-SUR-LOT: *Les Huguets* €€ — 5
47300. ☎ 05-53704934. 🆆 www.leshuguets.com
Dit grote, 18de-eeuwse huis ligt in een lommerrijk gebied. De rustige, comfortabele en knusse kamers zien uit tot aan de horizon.
TV 🛏 ▤ 24 ✹ ≋ 🅱 🎏 🌀

VILLENEUVE-SUR-LOT (OMGEVING): *Manoir de Roquegautier* € — 4
Beaugas, 15 km ten noorden van Villeneuve, 47290. ☎ 05-53016075.
FAX 05-53402775. 🆆 roquegautier.free.fr
Dit aantrekkelijke oude landhuis staat in een omgeving van velden en bomen. De sfeer is aangenaam. De kamers zijn groot en smaakvol ingericht. Uitstekende gerechten. TV 🛏 ▤ 24 ≋ 🅱 🌀 ● *nov.–maart.*

VILLERÉAL (OMGEVING): *Auberge du Moulin de Labique* €€ — 6
8 km ten zuiden van Villeréal, Domaine du Moulin de Labique, Saint-Eutrope-de-Born, 47210. ☎ 05-53016390. FAX 05-53017317. 🆆 www.moulin-de-Labique.fr
Dit aantrekkelijke 18de-eeuwse huis in het hart van Haut Agenais ligt op een landgoed van 25 ha, met meren en glooiende weiden. Smaakvolle kamers.
TV 🛏 ▤ 24 ≋ 🅱 🎏 🔼 🔔 🌀

Voor een verklaring van de symbolen *zie achterflap*

Prijscategorieën voor een tweepersoonskamer per nacht, inclusief ontbijt en belasting.

€ minder dan 70 euro
€€ 70 tot 110 euro
€€€ 110 tot 150 euro
€€€€ 150 tot 200 euro
€€€€€ meer dan 200 euro

FACILITEITEN VOOR KINDEREN
Hiertoe behoren wiegjes, bedjes en een babysitservice. Sommige hotels hebben een kinderstoel en een kindermenu.

EIGEN PARKEERGELEGENHEID
Het hotel heeft een privéparkeerplaats of parkeergarage. Soms bevinden die zich elders in de omgeving.

RESTAURANT
Het restaurant is niet speciaal aanbevolen, hoewel de heel goede hotelrestaurants opgenomen zijn in de restaurantlijst.

TERRAS/UITZICHT
Het hotel heeft een terras, binnenplaats of tuin waar maaltijden geserveerd kunnen worden.

	AANTAL KAMERS	FACILITEITEN VOOR KINDEREN	TERRAS/UITZICHT	EIGEN PARKEERGELEGENHEID	RESTAURANT

LES LANDES

AIRE-SUR-L'ADOUR: Château de Bachen €
Duhort-Bachen, 40800. 05-58717676. FAX 05-58717777.
Dit hotel, in een 18de-eeuws chateau, biedt weidse vergezichten over het platteland van de Gers. Het ligt in de wijngaarden van Tursan, eigendom van chef-kok Michel Guérard. Het chateau is chic ingericht en de kamers zijn zeer comfortabel. nov.–april.
4 ● ■ ● ■

LABASTIDE-D'ARMAGNAC (OMGEVING): Le Domaine de Paguy €
2 km ten oosten van La Bastide, 40240 Betbezer-d'Armagnac. 05-58448157.
FAX 05-58446809. W www.tourisme-landes.com
Dit 16de-eeuwse landhuis heeft grote kamers. Het hotel ligt op een uitgestrekt wijngoed.
4 ● ■ ● ■

BISCARROSSE (OMGEVING): La Caravelle €
3 km ten noorden van Biscarrosse, Route des Lacs, Ispe, 40600. 05-58098267.
FAX 05-58098218. W www.lacaravelle.fr
Dit aantrekkelijke hotelletje ligt vlak bij de golfbaan en aan Lac de Biscarosse. Het is een heerlijk rustig toevluchtsoord. De kamers kijken uit op het meer. 2 nov.–13 feb.
11 ● ■ ● ■

CAPBRETON: Villa Ananda €
2 allée Daurat, 40130. 05-58722474. W www.villa-ananda.com
Dit pension ligt in een grote tuin vol bloemen; ernaast stroomt de rivier. De kamers zijn rustig. De eigenaars geven advies over goede plaatselijke restaurants en interessante bezienswaardigheden. Het huis ligt in de buurt van een prachtig strand, met overblijfselen van de Atlantikwall.
3 ● ■ ●

CAPBRETON (OMGEVING): Chambres d'Hôte de Monsieur Ladeuix €
12 km ten zuiden van Capbreton, 26 rue Salvador-Allende, Tarnos, 40220.
05-59641395. FAX 05-59641395. W www.enaquitaine.com
Sommige kamers liggen in het hoofdgebouw, andere in een gerenoveerde boerenhoeve. Ze zijn allemaal schoon, licht en ruim en sommige kijken uit op een 1 ha groot park, omzoomd door bossen. Er is ook een *gîte*.
5 ● ■ ●

DAX: Grand-Hôtel Mercure-Splendid €€€
Cours Verdun, 40100. 05-58567070. FAX 05-58747633. W www.mercure.com
De 19de-eeuwse Franse schrijver Guy de Maupassant verbleef graag in dit hotel, dat vooral in de jaren twintig van de vorige eeuw populair was. In het moderne deel huizen een casino, een sauna en een thalassotherapiecentrum. De kamers zijn stijlvol ingericht in art-decostijl.
167 ● ■ ● ●

DAX (OMGEVING): Capcazal de Pachiou €€€
8 km ten zuiden van Dax, Mimbaste, 40350. 05-58553054.
Dit aantrekkelijke gebouw op het platteland is al 400 jaar eigendom van één en dezelfde familie. Elke kamer is uitgerust met een open haard en een mooie badkamer. Waar voor uw geld.
4 ● ■ ●

DAX (OMGEVING): Château de Bezincam €
15 km ten westen van Dax, Chemin de l'Adour, Saubusse-les-Bains, 40180.
05-58577027.
Aan de oever van de Adour staat dit chateau, een fraai voorbeeld van de elegante landhuizen van de Landes. De kamers zijn van moderne gemakken voorzien, maar ademen een ouderwetse sfeer.
4 ● ■ ●

EUGÉNIE-LES-BAINS: Les Prés d'Eugénie €€€€€
40320. 05-58050607. FAX 05-58511010. W www.michelguerard.com
Keizerin Eugénie logeerde graag in dit hotel met zijn bloemrijke tuinen. De kamers zijn verspreid over een aantal gebouwen, waaronder een hoeve en een voormalig klooster. Het wellnesscentrum biedt revitaliserende behandelingen van een halve dag tot een week. Chef-kok is Michel Guérard (blz. 267). 4 jan.–26 maart; 29 nov.–17 dec.
66 ● ■ ● ■

GRENADE-SUR-L'ADOUR: *Myredé* € 2
40270. ▌ 05-58440162. Ⓦ http://perso.wanadoo.fr/myrede/
De kamers in dit oude pension in de Landes kijken uit op een groot park
waarin eeuwenoude eiken staan. TV 🅗 🗎 24 🅛 ● nov.–Pasen.

GRENADE-SUR-L'ADOUR: *Pain, Adour et Fantaisie* €€ 11
14–16 place des Tilleuls, 40270. ▌ 05-58451880. FAX 05-58451657.
Ⓦ www.tourismegrenadois.com
Dit fraaie 17de-eeuwse huis is gevestigd in het hart van de vestingstad. De
kamers, met jacuzzi, kijken neer op de oevers van de Adour of op de Place des
Tilleuls. Het exclusieve restaurant kent een innovatieve kaart en behoort tot de
beste van Frankrijk. TV 🅗 🗎 24 🌤 🅛 🍴 ⊞ 🛏 ⊠
● 24 nov.–7 dec.; feb., feestdagen.

HOSSEGOR: *Les Hortensias du Lac* €€ 22
1,578 avenue du Tour du Lac, 40150. ▌ 05-58439900. FAX 05-58434281.
Ⓦ www.hortensias-du-lac.com
Dit hotelletje uit de jaren dertig in Landes-Basque ademt de sfeer van de belle
époque. De kamers zijn in moderne stijl opgeknapt, de suites in koloniale stijl.
De gasten hebben rechtstreeks toegang tot het strand.
TV 🅗 🗎 24 🌤 🅛 🍴 ⊞ 🛏 ⊠ ● 14 nov.–begin april.

HOSSEGOR (OMGEVING): *Tyboni* € 3
6 km ten oosten van Hossegor, 1831, Route de Capbreton, Angresse, 40150.
▌ 05-58439875. Ⓦ www.tourismelandes.com
Dit traditionele Landeshuis is omgeven door naaldbomen. Het biedt moderne
faciliteiten en een aangenaam verblijf in een zeer aantrekkelijke omgeving. De
prettige kamers zijn eenvoudig ingericht. De lange zandstranden van de kust
van de Landes liggen binnen handbereik.
TV 🅗 🗎 24 🌤 🅛 🍴

MIMIZAN: *Simjan* €€ 3
6 rue Robichon, 40200. ▌ 05-81604676. FAX 05-58090147.
@ simjan@club-internet.fr Ⓦ simjan.free.fr
Dit grote art-decopension, 5 km van de kust, ligt in een 2 ha groot park vol ceders
en dennen. De accommodatie bestaat uit een ruime kamer in Lodewijk X-stijl en
twee suites – één in Lodewijk XVI-stijl en één in de neoklassieke empirestijl.
TV 🅗 🗎 24 🌤 🅛 🛏 ⊠

MONT-DE-MARSAN (OMGEVING): *Lamolère* €€ 3
4 km ten westen van Mont-de-Marsan, Campet-et-Lamolère, 40090. ▌ 05-58060498.
Dit authentieke familiehuis staat vol prachtige stijlmeubelen. De grote, comfortabele kamers zijn smaakvol ingericht en goed geoutilleerd. 's Zomers wordt het
diner buiten geserveerd. TV 🅗 🗎 24 🌤 🅛 🍴 ⊞ 🛏 ⊠

SABRES (MARQUÈZE): *Les Arbousiers* € 6
Le Gaille, 40630. ▌ 05-58075252. FAX 05-58075252.
Dit gerestaureerde huis in Landesstijl, midden in de dennenbossen, biedt zijn
gasten knusse kamers. TV 🅗 🗎 24 🅛 ⊞

SABRES (MARQUÈZE): *Auberge des Pins* €€ 25
Route de la piscine, 40630. ▌ 05-58083000. FAX 05-58075674.
Ⓦ www.aubergedespins.fr
Deze aantrekkelijke herberg, waar een warme, huiselijke sfeer hangt, heeft
kamers met elk een eigen inrichting en uitzicht op het park. Het is mogelijk
hydrotherapie te ondergaan. Het restaurant serveert de traditionele keuken
(blz. 267). TV 🅗 🗎 24 🅛 🍴 🛏 ⊠ ● 6–20 jan.

SOUSTONS (OMGEVING): *Le Cassouat* € 2
10 km ten oosten van Soustons, Magescq, 40140. ▌ 05-58477155.
Dit moderne pension in de Landes ligt midden in een eikenbos, waar veel wild
rondloopt – als u vroeg opstaat, ziet u misschien een ree. De gezellige kamers zijn
fraai ingericht. 's Zomers kunt u buiten ontbijten. TV 🅗 🗎 24 🌤 🅛

SOUSTONS (OMGEVING): *Le Relais de la Poste* €€€€ 10
10 km ten zuiden van Soustons, 24 Avenue de Marenne, Magescq, 40140.
▌ 05-58477025. FAX 05-58477617. Ⓦ www.relaisposte.com
Deze voormalige pleisterplaats voor postpaarden dateert uit de 19de eeuw en
hoort bij de keten Relais et Châteaux. De knusse, kleine kamers ademen een
ouderwetse sfeer en de moderne suites kijken uit op een schaduwrijke
binnenplaats. Dit is een ideale plaats om te ontspannen, in de vredige
omgeving van de dennenbossen van de Gascogne.
TV 🅗 🗎 24 🌤 🅛 🍴 ⊞ 🛏 ⊠

Voor een verklaring van de symbolen *zie achterflap*

	Prijscategorieën voor een tweepersoonskamer per nacht, inclusief ontbijt en belasting. € minder dan 70 euro €€ 70 tot 110 euro €€€ 110 tot 150 euro €€€€ 150 tot 200 euro €€€€€ meer dan 200 euro	**FACILITEITEN VOOR KINDEREN** Hiertoe behoren wiegjes, bedjes en een babysitservice. Sommige hotels hebben een kinderstoel en een kindermenu. **EIGEN PARKEERGELEGENHEID** Het hotel heeft een privéparkeerplaats of parkeergarage. Soms bevinden die zich elders in de omgeving. **RESTAURANT** Het restaurant is niet speciaal aanbevolen, hoewel de heel goede hotelrestaurants opgenomen zijn in de restaurantlijst. **TERRAS/UITZICHT** Het hotel heeft een terras, binnenplaats of tuin waar maaltijden geserveerd kunnen worden.	**AANTAL KAMERS**	**FACILITEITEN VOOR KINDEREN**	**TERRAS/UITZICHT**	**EIGEN PARKEERGELEGENHEID**	**RESTAURANT**

PAYS BASQUE

AINOHA: *Argi-Eder* €€ Route de la Chapelle, 64250. ☎ 05-59937200. FAX 05-59937213. W www.argi-eder.com Dit hotel is gevestigd in een van de leukste dorpjes van het Pays Basque. Het ligt in een prachtig park.		32	●	■	●	■
ANGLET: *Hôtel Thalassothérapie Atlanthal* €€€ 4 km ten oosten van Biarritz, 153 boulevard des Plages, Anglet, 64600. ☎ 05-59525858. FAX 05-59525800. W www.atlanthal.com De meeste kamers kijken uit op een grote binnenplaats in Spaanse stijl. Ze bieden ook zicht op de zee of de bossen.		103	●	■	●	■
ANGLET: *Château de Brindos* €€€€ 4 km ten oosten van Biarritz, 1 allée du Château, Anglet, 64600. ☎ 05-59238980. FAX 05-59238981. W www.chateaudebrindos.com Dit middeleeuwse kasteel in Spaanse stijl staat op de oever van een meer met wilde eenden. De kamers zijn schitterend. De verrukkelijke maaltijden, die 's zomers op het terras worden geserveerd, zijn zeer aan te bevelen.		34	●	■	●	■
BAYONNE: *Grand-Hôtel* €€ 21 rue Thiers, 64100. ☎ 05-59596200. FAX 05-59596201. W www.bw-legrandhotel.com Dit 19de-eeuwse hotel, gebouwd op de plaats van een voormalig karmelietessenklooster, staat op een prachtige locatie midden in de middeleeuwse stad, tussen het Château-Vieux en het theater. De kamers zijn comfortabel en goed geoutilleerd.		54	●		●	
BAYONNE: *Hôtel Loustau* €€ 1 place de la République, 64100. ☎ 05-59550808. FAX 05-59556936. W www.hotel-loustau.com Dit grote, 19de-eeuwse hotel, aan de monding van de Nive en de Adour, biedt schitterend uitzicht op de middeleeuwse stad Bayonne.		45	●	■		■
BIARRITZ: *Nere Chocoa* €€ 28 rue Larreguy, 64200. ☎ 05-08338435. FAX 05-59410795. W www.nerechocoa.com Volgens de volkslegende werd dit huis gebouwd voor keizerin Eugénie. De kamers zijn ingericht in Spaans-Baskische stijl. De muziekkamer en het terras kijken uit op een monumentaal park.		5	●	■	●	
BIARRITZ: *Villa Vauréal* €€ 14 rue Vauréal, 64200. ☎ 05-59226410. FAX 05-59226419. W www.villavaureal.com Deze begin-20ste-eeuwse voormalige woning staat in een grote particuliere tuin. Het hotel is chic en van alle gemakken voorzien. De kamers, uitgevoerd in zachte kleuren, zijn voorzien van een keukenblok.		5	●	■	●	
BIARRITZ: *Arrokenia* €€€€ 15 rue Gardague, 64200. ☎ FAX 05-59223835. W www.maisonarrokenia.com Dit prachtig gerenoveerde pension in het stadscentrum ligt toch vlak bij het strand. Het is ingericht met oude schilderijen, natuurstenen vloeren en weelderige wandtapijten.		4	●	■	●	
BIDART: *Villa l'Arche* €€€ Chemin Camboénéa, 64210. ☎ 05-59516595. FAX 05-59516599. W www.villalarche.com Dit aantrekkelijke huis ligt tussen Saint-Jean-de-Luz en Biarritz, 12 km van de grens met Spanje. Het kijkt neer op het strand. De ruime kamers kijken uit op de zee of de tuin en de gasten kunnen zo het strand op.		8	●	■	●	

BIDART (OMGEVING): *Hôtel Laminak*　　　　　€€　　12 ● ■ ●
4 km buiten Bidart, Route de Saint-Pée, Arbonne, 64210.
📞 05-59419540. FAX 05-59418765. W www.hotel-laminak.com
Deze 18de-eeuwse boerenhoeve hoort bij de Relais du Silence-groep. De grote
kamers zijn goed ingericht. TV 🔧 🗐 24 ♨ 🖾 Ꮬ 🍴 🔜 🛢 🗐

HENDAYE: *Hôtel Ibaia Serge-Blanco*　　　　　€€　　85 ● ■ ●
76 avenue des Mimosas, 64700. 📞 05-59488888.
W www.concorde-hotels.fr et www.thalassoblanco.com
Dit hotel ligt in een betoverende omgeving in de nieuwe jachthaven van de
stad. De kamers zijn aangenaam en er is een hypermodern thalassotherapiecentrum. TV 🔧 🗐 24 🖾 Ꮬ 🍴 🔜 🛢 🗐 ● 6–27 dec.

SAINT-ÉTIENNE-DE-BAÏGORRY: *Château d'Etchauz*　　€€€€　　6 ● ■ ●
64430. 📞 05-59374858. FAX 05-59590190. @ etxauz@wanadoo.fr
Dit chateau, gebouwd in de 11de eeuw en uitgebreid in de 16de eeuw, is een
historisch monument en tevens een pension met zeer comfortabele kamers. Het
is ingericht met antieke meubels. TV 🔧 24 🖾 Ꮬ 🛢 🗐 ● nov.–maart.

SAINT-JEAN-DE-LUZ: *Le Parc Victoria*　　　　€€€€　　12 ● ■ ● ■
5 rue Cepé, 64500. 📞 05-59267878. FAX 05-59267808.
@ parcvictoria@relaischateaux.com
Dit hotel (1890) in victoriaanse stijl heeft art-decokamers. Het stijlvolle restaurant, aan de andere kant van het park, ligt tussen de eeuwenoude bomen en
ademt een intieme sfeer. TV 🔧 🗐 24 🖾 Ꮬ 🍴 🔜 🛢 🗐 ● 16 nov.–14 maart.

SAINT-JEAN-DE-LUZ: *Le Grand Hôtel*　　　€€€€€　　50 ● ■ ● ■
43 bd Thiers, 64500. 📞 05-59263536. FAX 05-59519984. W www.luzgrandhotel.fr
De gasten van dit fijne hotel hebben rechtstreeks toegang tot het strand.
Sommige kamers kijken ook uit op de baai. Er zijn ook een binnenbad, een
wellnesscentrum en een sauna. TV 🔧 🗐 24 🖾 ♨ Ꮬ 🍴 🔜 🛢 🗐

SAINT-JEAN-DE-LUZ (OMGEVING): *Château d'Urtubie*　€€　　10 ● ■ ●
4 km ten zuidwesten van Saint-Jean-de-Luz, Rue Bernard-de-Coral,
Urrugne, 64122. 📞 05-59543115. FAX 05-59546251. W www.chateaudurtubie.com
Dit monumentale kasteel uit de 14de eeuw is nu een pension dat stijlvol is
ingericht. De gerenoveerde kamers zijn voorzien van 18de-eeuwse meubelen.
TV 🔧 🗐 24 🖾 ♨ 🍴 🔜 🛢 🗐 ● 16 nov.–14 maart.

SAINT-JEAN-DE-LUZ (OMGEVING): *Lehen Tokia*　　€€€　　7 ● ■ ●
2 km ten zuidwesten van Saint-Jean-de-Luz, Chemin Achotarreta,
Ciboure, 64500. 📞 05-59471816. FAX 05-59473804. W www.lehen-tokia.com
Deze monumentale villa biedt vanaf zijn ligging op de Colline de Bordagain een
overweldigend uitzicht op de baai. Het gezellige, smaakvol ingerichte pension
biedt een zeer aangenaam onderkomen. TV 🔧 🗐 24 🖾 ♨ Ꮬ 🍴 🔜 🛢 🗐

SARE: *Hôtel Arraya*　　　　　€€　　19 ● ■ ● ■
64310. 📞 05-59542046. FAX 05-59542704. W www.arraya.com
Dit 16de-eeuwse gebouw in Baskische stijl ligt in een van de mooiste dorpjes van
Frankrijk, 12 km van de kust. Het was ooit een herberg voor pelgrims naar Santiago de Compostela. De kamers zijn prachtig ingericht; het restaurant serveert heerlijke haute cuisine. TV 🔧 🗐 24 🖾 Ꮬ 🍴 🔜 🛢 🗐 ● 3 nov.–24 maart.

BÉARN

OLORON-SAINTE-MARIE (OMGEVING): *Château de Boues*　€　　4 ● ■ ●
6 km ten westen van Oloron, Route d'Arette, D919, La Pierre-Saint-Martin,
Féas, 64570. 📞 FAX 05-59399549.
Dit 18de-eeuwse Béarn-chateau ligt in een groen park, waar een zwembad te
vinden is. De met antiek ingerichte kamers hebben hun eigen ingang.
TV 🔧 🗐 24 🖾 Ꮬ 🛢 🗐 ● okt.–april.

OLORON-SAINTE-MARIE (OMGEVING): *Maison Naba*　€　　4 ● ■ ●
8 km ten oosten van Oloron, Estialescq, 64200. 📞 05-59399911. FAX 05-59361492.
@ maisonnaba@aol.com
De kamers van dit pension liggen in een gerestaureerde 18de-eeuwse boerenhoeve. 's Zomers wordt het ontbijt buiten geserveerd. Mogelijkheid tot paardrijden. TV 🔧 🗐 24 Ꮬ 🍴 🔜 🛢 🗐

PAU: *Hôtel Gramont*　　　　　€　　36 ● ■ ● ■
3 place Gramont, Pau, 64000. 📞 05-59278404. FAX 05-59276223.
@ hotelgramont@wanadoo.fr
Dit gebouw uit de 18de eeuw ligt vlak bij het chateau. De kamers zijn gerenoveerd. Het restaurant serveert Béarn-schotels. TV 🔧 🗐 24 🖾 Ꮬ 🍴 🔜 🛢 🗐

Voor een verklaring van de symbolen *zie achterflap*

RESTAURANTS

De kunst van het koken zit diep in de Aquitaanse volksaard en de rijkdom aan verse producten, specifiek voor dit gebied, wordt weerspiegeld in de hoeveelheid uitstekende lokale gerechten. Bepaalde producten, zoals rundvlees uit Bazas, kersen uit Itxassou en, uiteraard, truffels uit de Périgord, staan centraal op de vele jaarmarkten die hier worden gehouden. Van de Médoc tot het Pays Basque en van het Bassin d'Arcachon tot de hoge Pyreneeën kunt u zeker zijn van uitstekende maaltijden, niet alleen in de restaurants en bistro's, maar ook op simpeler plaatsen met *table d'hôte*-maaltijden.

Les Loges de l'Aubergade, een restaurant in Puymirol *(blz. 265)*

pruimen en meloenen uit de Agenais, tomaten uit Marmande en asperges uit Blayais. Walnoten uit de Périgord vormen een smakelijke toevoeging aan *salade landaise*, gemaakt met *confit* van pens. In het Pays Basque hangen voor de huizen strengen rode espelettepeper te drogen, een specerij die veel lokale gerechten een pittige smaak geeft. Er groeien honderden soorten eetbare paddenstoelen in Aquitaine, waaronder eekhoorntjesbrood en de kostbare truffel – de 'zwarte diamant' van de Périgord.

SOORTEN RESTAURANTS

Er zijn in Aquitaine vele gelegenheden waar u van een goede maaltijd kunt genieten. Deze variëren van toprestaurants met uitstekende reputaties tot brasseries, kroegjes, tapasbarren en *salons de thé*. Een goede indicatie voor de kwaliteit is vaak een bordje met een bepaald logo, dat wijst op lidmaatschap van een vereniging. Zo worden de kwaliteit van het gebodene en de service geclassificeerd door de Fédération Nationale des Tables et Auberges de France *(blz. 243)* en de **Restaurateurs de France**. De **Toques du Périgord** accepteert alleen restaurants in de Dordogne, waar professionele koks op traditionele wijze authentieke gerechten bereiden. Een andere indicator is een vermelding bij de Logis de France, Châteaux et Hôtels de France of Relais et Châteaux *(blz. 240–243)*. Ook bepaalde websites, zoals van de **Association des Cuisiniers Landais** en **Balades en Aquitaine** zetten aanbevolen restaurants op een rijtje.

LOKALE INGREDIËNTEN

Afgezien van de wereldberoemde wijnen levert Aquitaine overvloedige hoeveelheden topproducten, zoals lamsvlees uit Pauillac, eenden en ganzen uit de Landes, rundvlees uit Bazas en kapoenen uit Grignols. Overal langs de Garonne en de Dordogne worden de trekvissen elft en lamprei geprezen om hun verfijnde smaak. De regio staat ook bekend om zijn rivierkreeftjes, gekweekt van een uit Noord-Amerika geïmporteerde variant, aangezien de inheemse soort is beschermd. Uit het Bassin d' Arcachon en de Banc d'Arguin worden oesters gehaald, evenals schaaldieren als boormosselen, die zowel rauw als gekookt worden gegeten. Heek komt uit de Golf van Biskaje en sardientjes uit de wateren van Saint-Jean-de-Luz. Tot de beste groente- en fruitsoorten van het gebied horen

SPECIALITEITEN

Elk seizoen heeft zijn eigen specialiteiten. De herfst is de tijd om te smullen van truffels in ganzenvet en sintjakobsschelpen. Houtduif wordt geroosterd gegeten of als *salmi*, een stoofpot. Als u van riviervis houdt, kunt u genieten van glasaaltjes, 'het witte goud van de Adour'. *Fois gras (blz. 256)*, kort gekookt of gebakken als een schnitzel en geserveerd met fruit is waarschijnlijk de bekendste delicatesse van de regio. Een populair, huiselijk gerecht is *garbure (blz. 257)*, een groentesoep uit de Béarn, bereid met ganzen*confit*.

Tafels op het terras van Restaurant de la Poste in Saint-Léon-sur-Vézère *(blz. 263)*

Het voormalige zomerpaleis van keizerin Eugénie in Biarritz is nu het Hôtel du Palais *(blz. 268)*

De Aquitaanse keuken verwerkt veel varkensvlees, zoals ham uit Bayonne *(blz. 256)*, *ventrèche* (gedroogd spek), gegrilde *tricandilles* (pens) en *grenier médocain* (rolletjes varkensbuik).

In Baskische *auberges* krijgt u smakelijke schotels voorgezet waarin vaak zoete, rode espelettepepers zijn verwerkt. Voorbeelden zijn *chipirons* (kleine gevulde inktvis), *marmitako* (stoofpot met tonijn), *txanguro* (gevulde krab) en *piperade* (Baskische ratatouille). Sommige restaurants organiseren cursussen om toeristen de kunst van het koken bij te brengen, met een nadruk op de traditionele bereiding van lokale producten.

KAZEN EN DESSERTS

De populairste kaas van Aquitaine is de *tomme de brebis*, een schapenkaas uit het Ossaudal, geserveerd met zwartekersenjam *(blz. 257)* of kweeperengelei. Op de tweede plaats komt *cabécou*, een romige geitenkaas. Traditionele desserts zijn *cannelés de Bordeaux* (gegroefde cakejes met een zachte, vochtige vulling en een gekarameliseerde korst), met armagnac geflambeerde *tourtière aux pruneaux* (krokant gebak met gedroogde pruimen), *gâteau basque* *(blz. 257)* en *touron*, een Baskische nogasoort *(blz. 273)*.

UIT ETEN

Genieten van eten in een sfeervolle ambiance is in heel Frankrijk even wezenlijk. In elk restaurant krijgt u zonder te vragen brood en een karaf water. Deze zijn inbegrepen bij de prijs van uw maaltijd, evenals de bediening. Toch is het nog gebruikelijk een fooi achter te laten. In het hoogseizoen is het altijd verstandig een tafel te reserveren. In het laagseizoen, en zeker op het platteland, zijn veel restaurants een paar weken tot enkele maanden gesloten. Bel van tevoren om dit te controleren.

De meeste gelegenheden accepteren bekende creditcards als Visa, Mastercard, American Express en Diners' Club.

Interieur van het Casino in Salies-de-Béarn *(blz. 216)*

GEHANDICAPTEN

Alle gelegenheden met een sticker van 'Tourisme et Handicap' op de deur zijn toegankelijk voor rolstoelgebruikers en hebben speciale faciliteiten voor mensen met een handicap. Toeristenbureaus hebben lijsten met de aan 'Tourisme et Handicap' deelnemende restaurants. Ook andere organisaties geven informatie over restaurants, hotels en andere gelegenheden met aanpassingen voor gehandicapten *(blz. 242–243)*.

KINDEREN

Vrijwel alle restaurants in Aquitaine verwelkomen kinderen De meeste bieden speciale, goedkopere kindermenu's aan en sommige hebben ook kinderstoelen voor de allerkleinsten.

ADRESSEN

Balades en Aquitaine
W www.balades-en-aquitaine.com

Les Toques du Périgord
W www.toques-perigord.com

Association des Cuisiniers Landais
W www.qualite-landes.com

Restaurateurs de France
W www.restaurateursdefrance.com

Wat eet u in Aquitaine

Van traditionele kost tot geraffineerde gerechten: de keuken van Zuidwest-Frankrijk geniet internationale faam. Uitstekende vis en zeevruchten, gevogelte, vlees en vleeswaren worden aangevuld door vele soorten inheemse groenten. De regio brengt ook geiten- en schapenkazen voort, in de zon gerijpt fruit, wereldberoemde wijnen *(blz. 28–29)*, uitstekende *vins de pays* en voortreffelijk gedistilleerd. De kwaliteit van de producten heeft vele topkoks geïnspireerd, maar ook de plattelandskeuken is uitstekend.

Walnoten-olie

Blini's

Steur, *die in de jaren vijftig nog in de Gironde spartelde, komt nu uit viskwekerijen. Dat zijn de regionale leveranciers van kaviaar geworden.*

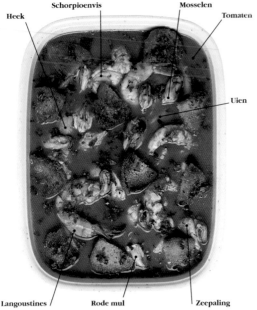

Heek

Schorpioenvis

Mosselen

Tomaten

Uien

Langoustines

Rode mul

Zeepaling

Ttoro, *een beroemd gerecht uit Pays Basque, kent veel varianten. Zoete rode espelettepeper (blz. 199) geeft een extra pikante smaak. Veel mensen nemen er een sneetje toast bij, terwijl een glas Jurançonwijn uit de Béarn (blz. 28–29) ook prima smaakt.*

Foie gras, *dé Zuidwest-Franse specialiteit, wordt kort gekookt, gebakken, ingemaakt of als paté gegeten, vaak met truffels.*

Jambon de Bayonne *heeft een fijne textuur en een heerlijke smaak. Hij wordt gemaakt door rauwe ham met zout in te wrijven en te drogen te hangen.*

Confit de canard, *in zijn vet ingemaakte eendenpoot, wordt gegeten met in eendenvet gebakken aardappelen met knoflook en peterselie.*

Magret de canard aux cèpes *is kort gebakken eendenborst, geserveerd in plakjes met gebakken eekhoorntjesbrood.*

Entrecôte bordelaise *is rundvlees, vaak uit Bazas (blz. 91), overdekt met een met sjalotjes en boter bereide rodewijnsaus.*

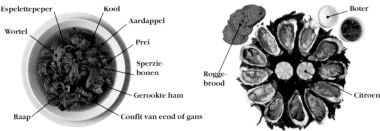

Espelettepeper   Kool
         Aardappel
Wortel
         Prei
         Sperzie-
         bonen
Roggebrood   Gerookte ham
Raap   Confit van eend of gans

Boter
Citroen

Garbure béarnaise *is een groentesoep met een confit van eend of gans. Vaak wordt op het laatst een drupje rode wijn toegevoegd. Dat wordt* chabrol *genoemd.*

Arcachonoesters *zijn heerlijk als u ze met niets anders eet dan roggebrood, boter en citroen. Het schone water van het Bassin d'Arcachon doet de smaak goed uitkomen.*

Desserts

De kleine, vochtige, gekarameliseerde cakejes *cannelés de Bordeaux* zijn in heel Frankrijk bekend, maar de roem van andere specialiteiten komt vaak niet verder dan de grenzen van Aquitaine. Voorbeelden zijn *mouchous*, makronen uit Saint-Jean-de-Luz, en *tourtière*, een krokante taart met een vulling van gedroogde pruimen en armagnac, een specialiteit uit de Gascogne.

Mouchous uit het Pays Basque

Pastis, een specialiteit uit de Landes, wordt gemaakt van briochedeeg en de bekende anijsdrank. Pastis wordt ook wel gemaakt met pruimen, maar die variant is minder bekend.

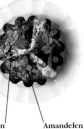

Gedroogde pruimen   **Amandelen**

Gâteau aux noix *komt uit de Périgord. De taart wordt gemaakt met gehakte walnoten en gebakken in een ronde vorm.*

Gâteau basque *is een taart met zwartekersenjam uit Itxassou, maar wordt ook wel gemaakt met amandelpasta.*

Ossau-Iraty, *een schapenkaas uit de Béarn en het Pays Basque, wordt als dessert gegeten, of als snack met kersenjam.*

Producten

Regionale producten worden in allerlei traditionele gerechten verwerkt. De beroemde zoete rode peper uit Espelette vormt een uitstekende basis voor sausen, terwijl gedroogde pruimen Agen op de kaart hebben gezet *(blz. 153)*. Veel groente en fruit, zoals tomaten uit Marmande, wordt biologisch geteeld.

Gemalen en hele espelettepeper

Gedroogde pruimen uit Agen

Tomaten uit Marmande

Chocola *wordt al sinds het begin van de 17de eeuw in het Pays Basque gemaakt. Nog altijd maken de chocolatiers heerlijkheden als gevulde bonbons en chocoladetruffels.*

Wat drinkt u in Aquitaine

Al eeuwen brengen de wijngaarden van Aquitaine uitstekende wijnen en andere alcoholhoudende dranken voort, met als toppers de wereldberoemde bordeauxs en armagnacs. Ook de edele wijnen uit streken rond Bergerac, Cahors, Côtes-de-Duras en Jurançon staan internationaal goed aangeschreven. Moderne technieken worden gecombineerd met eeuwenoude methoden, wat resulteert in een ongekend niveau van vakmanschap. Eaux-de-vie wordt gemaakt door een afnemend aantal rondtrekkende thuisdistilleerders. De regio staat verder bekend om de bron- en minerale waters en om de lokaal geproduceerde vruchtensappen.

Fles Izarra

Reclame voor Lillet, een aperitief

RODE WIJN

Verschillende wijnen uit de regio Bordeaux hebben *appellations*: Haut-Médoc, Margaux, Saint-Estèphe, Graves, Fronsac, Saint-Émilion en Pomerol. Aquitaine kent enkele beroemde wijnchateaus en *grands crus*, zoals Mouton Rothschild. Het CIVB (Conseil Interprofessionnel des Vins de Bordeaux, 05-56002266), en de *maisons du vin* die in veel wijnproducerende streken zijn opgezet, werken hard aan de promotie van de streekwijnen. Wijnbouwers stellen hun kelders vaak open voor bezoekers. Niet ver van Bordeaux liggen andere wijngebieden, die net zo goed zijn: Buzet, Madiran, Bergerac en Côtes-de-Duras, een van de oudste AOC's van Frankrijk. Dankzij het enthousiasme van enkelingen komen nu ook minder bekende gebieden onder de aandacht. Hiertoe behoren Estaing, in de Lot, en Domme in de Périgord. Cahorswijnen, die al bekend zijn, hebben steeds meer succes.

Bergerac **Côtes-de-Duras** **Saint-Émilion**

WITTE WIJN

De bekendste dessertwijn van Zuidwest-Frankrijk is ongetwijfeld Sauternes. Een van de producenten daarvan is het legendarische Château d'Yquem. Andere uitstekende witte dessertwijnen zijn Sainte-Croix-du-Mont, Loupiac en natuurlijk Monbazillac. De twee zachte witte wijnen uit de Dordogne, Saussignac en Rosette, smaken uitstekend bij vis en wit vlees, maar kunnen ook worden geschonken als dessertwijn. De droge witte wijnen Entre-Deux-Mers, Tursan en Chalosse smaken vooral erg goed bij kaas. Tariquet, tussen de Landes en de Gers, is een groot wijngoed dat bekendstaat om zijn *vins de pays* Côtes de Gascogne en zijn brandy's. De wijngaarden in de Jurançon, aan de voet van de Pyreneeën, leveren zowel bijzondere droge, zoete als dessertwijnen op.

Fles Pacherenc

WIJNPROEVEN

Bepaalde beroepsorganisaties, zoals het INAO (Institut National des Appellations d'Origine), hebben wijnglazen ontworpen die de drinker in staat stellen optimaal te genieten van kleur, geur en andere karakteristieken van elk soort wijn. Een cognacglas is breder dan een glas voor rode wijn, en heeft een kortere steel. Witte wijn drinkt u uit een langer en van boven nauwer glas.

Glas voor rode wijn **Glas voor witte wijn** **Cognacglas**

LIKEUREN EN BRANDY'S

Aquitaine brengt verschillende aperitieven en digestieven voort, zoals pruimen- of walnotenlikeur en rode en witte Kina Lillet, een mengsel van Peruaanse kinine en lokale wijn, die al sinds 1887 rond Bordeaux wordt gemaakt. Armagnac is de oudste Franse *eau-de-vie*, waarvan per jaar 6 miljoen flessen worden verkocht. Floc de Gascogne is een soort armagnac die als aperitief wordt gedronken. Izarra, een likeur van oosterse en inheemse planten uit de Pyreneeën, wordt sinds 1835 gebotteld in het Pays Basque. Pacharan, uit Basse-Navarre, is een anijslikeur met sleepruimen erin. Net als Izarra wordt Pacharan zowel voor als na het eten gedronken.

Lillet, een aperitief uit Bordeaux **Armagnac is een digestief** **Floc de Gascogne** **Aperitief op pruimenbasis**

NIET-ALCOHOLISCHE DRANKEN

De goed beschermde natuur levert Zuidwest-Frankrijk verschillende bronwaters. Hoewel het kuuroord van de Lot is gesloten, levert de bron van deze rivier nog altijd Miers-Alvignacwater. Omdat het veel gunstige mineralen bevat en goed voor de nieren is, koopt u dit bij de apotheek. Abatillesmineraalwater uit het Bassin d'Arcachon is ideaal voor dagelijkse consumptie. Drankjes met puur vruchtensap, zoals van pruimen en appels, worden gemaakt door bijvoorbeeld Vallée Verte in Le Bugue, in de Périgord.

Abatilles mineraalwater

Caféterras in Mézin

EEN ETIKET LEZEN

Wijngoed

Jaartal (het jaar waarin de druiven zijn geoogst). Soms staat ook het alcoholpercentage vermeld.

Mis en bouteille au château ('gebotteld op het chateau') is een garantie voor de herkomst.

Het chateau is soms getekend op het etiket.

Appellation d'Origine Contrôlée wijst op de landstreek.

Categorie

Inhoud van de fles

Wijnen worden ingedeeld volgens land en streek van herkomst, categorie (AOC of *vin de pays*), alcoholpercentage en productiejaar. De keuze van de wijn wordt bepaald door het gerecht, de prijskwaliteitverhouding en de ouderdom. U kunt in jonge wijnen investeren om ze een tijd te laten liggen, of wijnen kopen om gelijk op te drinken. Het aanbod van Aquitaine gaat van onbekende *vins de pays* tot de beroemdste wijnen van de wereld.

Restaurants

De smaak, geur en kleur van de maaltijd belichaamt de
identiteit van een streek. De restaurants, cafés en andere
gelegenheden in deze gids zijn gekozen om de kwaliteit van de
gerechten en het gebruik van lokale ingrediënten. Ze zijn
ingedeeld per streek, waarbij de gekleurde markeringen boven
aan de bladzijde corresponderen met de kleuren in het boek.

	CREDITCARDS	MENU'S VOOR VASTE PRIJS	GEOPEND VOOR DE LUNCH	TOT LAAT GEOPEND	TERRAS OF TUIN
GIRONDE					
BASSIN D'ARCACHON: *Chez Yvette* €€€ 59 bd du Général-Leclerc, Arcachon, 33120. 📞 05-56830511. 📠 05-56225162. Dit visrestaurant is een van de beste van het Bassin d'Arcachon. De lamprei *à la bordelaise* en de vers gevangen tong zijn voortreffelijk.	■	●	■	●	■
BASSIN D'ARCACHON: *Les Pavois* € Port de Larros, Gujan-Mestras, 33470. 📞 en 📠 05-56663871. 🌐 www.lespavois.com In deze hut op palen boven de oesterbedden van het Bassin d'Arcachon waant u zich in een andere wereld. Verrukkelijk *plateaux de fruits de mer* met schelpen en vis van het seizoen (zoals rode mul, tong, goudbrasem en zeebaars).	■	●	■	●	■
BORDEAUX: *Le Café Français* € 5 place Pey-Berland, 33000. 📞 05-56529669. 📠 05-56011679. De brasserie van rond de vorige eeuwwisseling op het plein tegenover de kathedraal heeft nog de authentieke sfeer uit die tijd. Specialiteiten zijn op originele wijze bereide lokale gerechten met verse ingrediënten. 🅿	■	●	■	●	■
BORDEAUX: *Le Café Maritime* € 1 quai Armand-Lalande, Hangar G2, Bassin à Flot (ligplaats) no. 1, 33000. 📞 05-57102040. 📠 05-57102041. 🌐 www.cafemaritime.com Dit leuke, trendy café ligt in een verbouwd botenhuis aan de kade. De inrichting met witgebeitst tropisch hout is gewaagd. De gerechten worden voor de ogen van de gasten bereid in een supermoderne open keuken.	■	●	■	●	■
BORDEAUX: *Le Café Régent* € 46 place Gambetta, 33000. 📞 05-56441620. 📠 05-57143170. 🌐 www.le-cafe-regent.com Beroemde brasserie midden in Bordeaux. Le Régent heeft een brede keuze aan gerechten, die worden bereid met verse seizoensproducten van hoge kwaliteit.	■	●	■	●	■
BORDEAUX: *Le Café du Port* €€ 1 Quai Deschamps. 📞 05-56778118. 📠 05-56778139. Dit gastvrije café serveert klassieke, meestal regionale gerechten, zoals paling met knoflook en peterselie, harder en lamprei *à la bordelaise*. Voordelig en smakelijk: een goede plek voor een drankje of een snelle lunch.	■	●	■	●	■
BORDEAUX: *Chez les Ploucs* €€ 49 rue Lafaurie-de-Monbadon, 33000. 📞 05-56440335. De lokale gerechten passen bij de rustieke inrichting. De hoofdgerechten worden opgediend in *baillots* (mandjes die worden gebruikt bij het druivenplukken). De serveersters dragen blauwe overalls en Baskische baretten.	■	●	■	●	■
BORDEAUX: *La Tupina* €€ 6 rue Porte-de-la-Monnaie, 33000. 📞 05-56915637. 📠 05-56319211. 🌐 www.tupina.com Kranten hebben dit wel de tweede bistro van Bordeaux genoemd en de gelegenheid is zeker een bezoek waard. De open haard waar het vlees en gevogelte worden bereid is permanent in gebruik. 🍴	■	●	■	●	■
BORDEAUX: *Le Café Gourmand* €€ 3 rue Buffon, 33000. 📞 05-56792385. 📠 05-56520345. @ cafe.gourmand@free.fr Deze hippe, maar rustige gelegen bistro in de wijk Triangle heeft een vaste clientèle. De lokale gerechten hebben een moderne draai gekregen. Goede wijnkaart. ● *zo.*	■	●	■	●	■
BORDEAUX: *L'Estacade* €€ Quai des Queyries, 33000. 📞 05-57540250. 📠 05-57540251. 🌐 www.lestaquade.com Modieuze gelegenheid op de noordoever van de Garonne. Het restaurant is gevestigd in een huis op palen en heeft een terras aan de waterkant. U hebt er een schitterend uitzicht op de stad en de rivier. Vernieuwende keuken.	■	●	■	●	■

	CREDITCARDS	MENU'S VOOR VASTE PRIJS	GEOPEND VOOR DE LUNCH	TOT LAAT GEOPEND	TERRAS OF TUIN

Prijzen gelden voor een maaltijd voor een persoon, bestaande uit een voor- en hoofdgerecht en een dessert, zonder wijn, maar inclusief bediening en BTW.

€ tot 25 euro
€€ 25–45 euro
€€€ 45–65 euro
€€€€ 65–80 euro
€€€€€ meer dan 80 euro

CREDITCARDS
Het restaurant accepteert de bekende internationale creditcards.

MENU'S VOOR VASTE PRIJS
Maaltijden, bestaande uit drie of meer gangen tegen een vastgestelde prijs. Lunchmenu's zijn vaak goedkoper.

TOT LAAT GEOPEND
U kunt tot 22.00 uur bestellen.

TERRAS OF TUIN
Maaltijden worden ook buiten opgediend, op een terras, de binnenplaats of in de tuin, waar u vaak een prettig uitzicht hebt.

BORDEAUX: *La Dame de Shangaï* €€€
Bassin à flot (ligplaats) no. 1, tegenover hangar G2, quartiers Bacalan et du Lac, 33000.
☎ 05-57102050. FAX 05-57102051.
Vis en zeevruchten met een Aziatische smaak in dit restaurant, dat is gevestigd in een tot luxeueze Chinese jonk verbouwde voormalige olietanker. Geniet van de brasem in pindasaus of de malse kreeft, voor u zich naar de dansvloer begeeft. ● za lunch–ma. ▮

creditcards ● menu ● lunch ● tot laat ● terras

BORDEAUX: *Le Chapon Fin* €€€
5 rue Montesquieu, 33000. ☎ 05-56791010. FAX 05-56790910.
W www.chapon-fin.com
Dit etablissement in het hart van de oude stad staat al sinds de 19de eeuw bekend als trefpunt voor politici en kunstenaars. De kaart is zowel klassiek als creatief. ▮

BOURG-SUR-GIRONDE (OMGEVING): *Bar-Restaurant du Château* €
8 km ten zuidoosten van Bourg, 26 rue de la Lande, Saint-Gervais, 33240.
☎ 05-57430436.
Dit restaurant tegenover Château des Arras serveert regionale specialiteiten met aal, lamprei, sint-jakobsschelpen met saffraan en Middellandse Zeegarnalen.

CAP-FERRET: *L'Escale* €€
2 avenue de l'Océan, 33970. ☎ 05-56606817.
Fantastische ligging aan de rand van het Bassin d'Arcachon. Oesters, mosselen, visschotels en gerechten met zeevruchten.

CAP-FERRET (OMGEVING): *Le Saint-Éloi* €€
Bij de toegang tot Cap Ferret, 11 boulevard de l'Aérium, Arès, 33740.
☎ 05-56602046. FAX 05-56601037.
Sint-jakobsschelpen met cantharellen, vissoep en rodemulfilet staan op de kaart van dit kleine visrestaurant. ● 3 weken in jan.

LIBOURNE (OMGEVING): *Le Café du Port* €€
6 km van Libourne, Saint-Pardon, Vayres, 33870. ☎ 05-57748598.
FAX 05-57748164. @ cafeduport@net-up.com
Het havencafé serveert traditionele gerechten als lamprei *à la bordelaise*, plaatselijk gevangen aal, *confits* en *magrets*. Op het terras kijkt u uit over de Dordogne.

PAUILLAC: *Château de Cordeillan Bages* €€€€
Route des Châteaux, 33250. ☎ 05-56592424. FAX 05-56590189.
@ cordeillan@relaischateaux.fr
Dit restaurant in een voormalig kartuizer klooster uit de 17de eeuw tussen de wijngaarden is een van de beste van Frankrijk. ● 12 dec.–jan. ▮

SAINT-ÉMILION: *Hostellerie de Plaisance* €€€€
Place du Clocher, 33330. ☎ 05-57550755. FAX 05-57744111.
@ hostellerie.plaisance@wanadoo.fr
De eigenaars van deze leuke oude herberg bezitten ook de wijngaard Pavie. De jonge kok staat bekend om zijn regionale keuken. ▮ ● jan.

SAINT-ESTÈPHE (OMGEVING): *La Maison du Douanier* €€€
13 km ten noorden van Saint-Estèphe, Saint-Christoly-de-Médoc, 33340.
☎ 05-56413525. FAX 05-56415660. W www.maisondudouanier.com
Dit chique restaurant aan de haven bij het estuarium van de Gironde serveert regionale gerechten met een creatief tintje. Op de kaart staan lamprei *à la bordelaise* en paling met knoflook en peterselie. ● di; okt.–maart ma–wo.

VERTHEUIL (OMGEVING): *La Table d'Olivier* €€€€
14 km ten noordwesten van Vertheuil aan de weg naar Lesparre, Gaillan-en-Médoc, 33340. ☎ 05-56411332. FAX 05-56416982. W www.latabledolivier.com
Restaurant aan een meer, met schilderachtige waterlelies en kwakende kikkers. Op de kaart terrine van *foie gras* en lamsvlees *en croûte*. ● za lunch, zo diner, ma (in het laagseizoen). ♿

Voor een verklaring van de symbolen *zie achterflap*

Prijzen gelden voor een maaltijd voor een persoon, bestaande uit een voor- en hoofdgerecht en een dessert, zonder wijn, maar inclusief bediening en BTW. € tot 25 euro €€ 25–45 euro €€€ 45–65 euro €€€€ 65–80 euro €€€€€ meer dan 80 euro	**CREDITCARDS** Het restaurant accepteert de bekende internationale creditcards. **MENU'S VOOR VASTE PRIJS** Maaltijden, bestaande uit drie of meer gangen tegen een vastgestelde prijs. Lunchmenu's zijn vaak goedkoper. **TOT LAAT GEOPEND** U kunt tot 22.00 uur bestellen. **TERRAS OF TUIN** Maaltijden worden ook buiten opgediend, op een terras, de binnenplaats of in de tuin, waar u vaak een prettig uitzicht hebt.				

	CREDITCARDS	MENU'S VOOR VASTE PRIJS	GEOPEND VOOR DE LUNCH	TOT LAAT GEOPEND	TERRAS OF TUIN
PÉRIGORD EN QUERCY					
BERGERAC (OMGEVING): *Le Mylord* €€ 6 km ten zuiden van Bergerac, Saint-Laurent-des-Vignes, 24100. 05-53274010. FAX 05-53274019. W www.lemylord.com Geraffineerd gourmetmenu in een huis uit de 18de eeuw. Op de menukaart vindt u creatieve gerechten met lokale ingrediënten, op de wijnkaart de beste bordeauxs en bourgognes.	■	●	■		■
BEYNAC-ET-CAZENAC (OMGEVING): *Relais des Cinq-Châteaux* € 4 km van Beynac, Vezac, 24220. 05-53303072. FAX 05-53303008. @ 5chateaux@perigord.com Met al die kastelen eromheen is dit restaurant fantastisch gelegen. De overheerlijke gerechten, zoals gebraden eend en zeeduivelmedaillons, bieden waar voor hun geld. Tevens vegetarische gerechten verkrijgbaar. ● feb.	■	●	■		■
BRANTÔME (OMGEVING): *Moulin du Roc* €€€ 7 km ten noordoosten van Brantôme, Champagnac-de-Belair, 24530. 05-53028600. FAX 05-53542131. W www.moulinduroc.com Ongewoon goed hotel-restaurant in een 17de-eeuwse molen aan de Dronne. De uitstekende gerechten worden opgediend in een luxueuze omgeving, terwijl op de wijnkaart ruim 800 verschillende wijnen staan. ● eind dec.–6 feb.	■	●	■		■
CADOUIN (OMGEVING): *Auberge de la Petite Reine* €€ 13 km ten oosten van Cadouin aan de weg naar Belvès, Siorac-en-Périgord, 24170. 05-53316042. W www.petite-reine.com Op de kaart staan traditionele gerechten die een tikje zijn vernieuwd, zoals terrine van kikkerbilletjes met eekhoorntjesbrood, roerei met asperges en *foie gras*, en met morieljes gevuld konijn. De prijzen zijn redelijk. ● 16 okt.–17 april.	■	●	■		■
CADOUIN (OMGEVING): *Le Relais du Périgord Noir* €€ 13 km ten oosten van Cadouin, Place de la Poste, Siorac-en-Périgord, 24170. 05-53316002. FAX 05-53316105. @ www.relais-perigord-noir.fr Tussen de architectonische bekoorlijkheden van de Périgord Noir ligt een vredig hotel-restaurant van een uitstekende kwaliteit. Tot de regionale specialiteiten behoren *foie gras*, *magret* en *confit*. ● half okt.–17 april.	■	●	■		■
DOMME: *L'Esplanade* €€ Le Bourg, 24250. 05-53283141. FAX 05-53284992. W www.chateauxhotels.com/esplanade In dit hotel-restaurant binnen de *bastide* van Domme hangt een informele sfeer. Verfijnde en originele gerechten, zoals mals lamsvlees *en croûte* gevuld met *foie gras* en truffels, worden bereid met lokale ingrediënten. ● 15 nov.–4 maart; 5 maart–april ma en wo lunch; mei–okt. ma lunch en wo lunch.	■	●	■		■
LES EYZIES-DE-TAYAC: *Café de la Mairie* €€ Avenue de la Préhistoire, 24620. 05-53069826. Wanneer u een dagje de prehistorische vindplaatsen in dit gebied bezoekt, is dit een goed café om een hapje te eten. Traditionele regionale gerechten in een authentieke omgeving.	■	●	■		■
LES EYZIES-DE-TAYAC (OMGEVING): *Auberge du Pêche-Lune* €€ Tursac, 24620. 05-53068585. FAX 05-53068586. W www.peche-lune.com Deze *auberge* in een verbouwde boerderij, 5 km ten oosten van Les Eyzies, serveert gerechten uit de Périgord met een originele draai. ● eind dec.–jan.	■	●	■	●	■
MONBAZILLAC: *La Tour des Vents* €€ Moulin de Malfourat, 24240. 05-53583010. FAX 05-53588955. @ moulin.malfourat@wanadoo.fr Het uitzicht op de wijngaarden rond Bergerac, het beschaduwde terras en de tuin met kinderspeelplaats maken dit restaurant heel geschikt voor gezinnen. Op de kaart snoekbaars met eekhoorntjesbrood, vlees met truffels en andere gerechten met lokale producten. ● jan.	■	●	■		■

MONTIGNAC (LASCAUX): *Château de Puy-Robert* €€€€€
Aan de weg naar Valojoulx, 24290. **℃** 05-53519213. **FAX** 05-53518011.
W www.puyrobert.com
In de eetzaal van dit chateau uit de tijd van Napoleon III *(blz. 247)* hebt u een
mooi uitzicht. Op de kaart plaatselijke delicatessen als eekhoorntjesbrood en
foie gras, die u wegspoelt met Bergerac of Monbazillac. ● *half okt.–begin mei.*

MUSSIDAN (OMGEVING): *Relais de Gabillou* €€
3 km ten oosten van Mussidan, Sourzac, 24400. **℃** *en* **FAX** 05-53810142.
Tussen Périgueux en de wijngaarden van Saint-Émilion ligt dit traditionele
restaurant waar lamprei, *magret* en andere lokale gerechten worden
opgediend. De kok is lid van Les Toques du Périgord *(blz. 254–255)*.
● *12 nov.–8 dec.; jan diner; zo diner–ma.*

PÉRIGUEUX: *La Bulle dans la Tasse* €
6 rue Condé, 24000. **℃** 05-53354078.
Prettig café-annex-boekhandel, verluchtigd met affiches. De perfecte halte voor
een drankje of goedkope lunch. Tot de specialiteiten behoren *tarte du Sud-
Ouest* met *magret* van eend, *flan* met gesmoorde andijvie en gerookte
zwaardvis. Heerlijk terras. ● *ma, zo.*

PÉRIGUEUX: *Le Grain de Sel* €
7 rue des Farges, 24000. **℃** 05-53534522.
Dit goede en goedkope restaurant ligt in het oude deel van de stad. Binnen
vindt u opvallend metselwerk en een grote haard. Op de kaart, die dagelijks
wordt gewijzigd, staan traditionele gerechten uit de Périgord. ● *ma, zo.*

PÉRIGUEUX: *Le Clos Saint-Front* €€
5 rue de la Vertu. 24000. **℃** 05-53467858. **FAX** 05-53467820.
@ leclosstfront@wanadoo.fr
Midden in de oude stad, bij de kathedraal, ligt een aantrekkelijk 16de-eeuws huis
met een beschaduwde en ommuurde tuin. Op de kaart, die met het seizoen
wisselt, staan gerechten als gebakken *foie gras* met walnotenwijn en gesmoorde
fazant met kruisbessensaus.

PÉRIGUEUX (OMGEVING): *L'Écluse* €€
7 km ten oosten van Périgueux aan de weg naar Limoges, Antonne-et-Trigonant, 24420.
℃ 05-53060004. **FAX** 05-53060639. **W** www.ecluse-perigord.com
Niet ver van Périgueux ligt dit hotel-restaurant *(blz. 247)* met uitzicht over de
rivier. Traditionele, gastronomische gerechten als *foie gras* met peertjes en
eekhoorntjesbrood uit de Périgord.

SAINT-CIRQ-LAPOPIE: *Lou Bolat* €
46330. **℃** 05-65302904. **FAX** 05-65312039.
In het pittoreske Saint-Cirq-Lapopie ligt een landelijk restaurant dat regionale
gerechten serveert, zoals een eekhoorntjesbroodsoep, salade Quercy, *confit* van
eend en zelfgemaakte desserts, begeleid door lokale wijnen. Bescheiden prijzen.

SAINT-LÉON-SUR-VÉZÈRE: *Le Déjeuner sur l'Herbe* €€
Le Bourg, 24290. **℃** 05-53506917. **@** dejeune.herbe@free.fr
Dit ongebruikelijke establissement is de gehele dag geopend en verkoopt
maaltijden om mee te nemen. Ideaal voor een picknick aan de Vézère. Voor
tafels en stoelen is gezorgd. Op de kaart hapjes op basis van brood, salade met
geitenkaas en traditionele gerechten uit de Périgord.

SAINT-LÉON-SUR-VÉZÈRE: *Restaurant de la Poste* €
24200. **℃** 05-53503227.
Populair restaurantje, zowel bij toeristen als de mensen uit het dorp. Op de kaart
een dagschotel, bijvoorbeeld *omelette périgourdin*, verse *foie gras* of *mique*,
een stoofschotel met vlees. ● *za–zo.*

SARLAT: *La Couleuvrine* €€
1 place de la Bouquerie, 24200. **℃** 05-53592780. **FAX** 05-53312683.
W www.la-couleuvrine.com
Dit restaurant zit in een toren die ooit deel uitmaakte van de middeleeuwse
stadswallen van Sarlat. De fantasierijke gerechten, die zijn bereid met lokale
ingrediënten, worden opgediend in een eetzaal met een grote schouw.
● *jan; di lunch.*

SORGES-EN-PÉRIGORD: *Auberge de la Truffe* €€
Aan de N21, 24420. **℃** 05-53050205. **FAX** 05-53053927.
W www.auberge-de-la-truffe.com
Vriendelijke *auberge* midden in truffelland, vandaar veel authentieke gerechten
die draaien om de 'zwarte diamant'. Ook kookcursussen. ● *ma lunch.*

Voor een verklaring van de symbolen *zie achterflap*

Prijzen gelden voor een maaltijd voor een persoon, bestaande uit een voor- en hoofdgerecht en een dessert, zonder wijn, maar inclusief bediening en BTW.
€ tot 25 euro
€€ 25–45 euro
€€€ 45–65 euro
€€€€ 65–80 euro
€€€€€ meer dan 80 euro

CREDITCARDS
Het restaurant accepteert de bekende internationale creditcards.
MENU'S VOOR VASTE PRIJS
Maaltijden, bestaande uit drie of meer gangen tegen een vastgestelde prijs. Lunchmenu's zijn vaak goedkoper.
TOT LAAT GEOPEND
U kunt tot 22.00 uur bestellen.
TERRAS OF TUIN
Maaltijden worden ook buiten opgediend, op een terras, de binnenplaats of in de tuin, waar u vaak een prettig uitzicht hebt.

LOT-ET-GARONNE

	CREDITCARDS	MENU'S VOOR VASTE PRIJS	GEOPEND VOOR DE LUNCH	TOT LAAT GEOPEND	TERRAS OF TUIN
AGEN: *Le Cauquil* € 9 avenue du Général-de-Gaulle, 47000. 05-53480234. FAX 05-53480235. Bistro met eenvoudige, maar smakelijke gerechten die zijn bereid met verse ingrediënten. De prijzen zijn heel redelijk. *za lunch, zo.*	■	●	■	●	■
AGEN: *La Malmaison* €€ 36 cours Gambetta, 47000. en FAX 05-53472546. www.restaurant-lamalmaison.com Dit restaurant aan de Garonne serveert Gascogner specialiteiten die zijn bereid met verse producten. Op de kaart, waarop *foie gras* van eend, scharrelkalf met morieljes en zwaardvis met vanille prijken, is voor elke portemonnee wat te vinden.	■	●	■		
AGEN: *Le Margoton* €€ 52 rue Richard-Cœur-de-Lion, 47000. en FAX 05-53481155. Gastronomische gerechten en visspecialiteiten in dit gezellige restaurant vlak bij de Église des Jacobins.	■	●	■	●	■
AGEN: *Mariottat* €€ 25 rue Louis-Vivent, 47000. 05-53779977. FAX 05-53779979. www.restaurant-mariottat.com Populair restaurant in een herenhuis met een tuin vol bloemen. De kaart wisselt met het seizoen, maar er komen altijd wel eend en pruimen op voor. *ma, za lunch, zo diner.*	■	●	■	●	■
AGEN (OMGEVING): *Château Saint-Marcel* €€ 5 km ten zuiden van Agen, Boé, 47550. 05-53966130. FAX 05-53969433. www.chateau-saint-marcel.com Lang geleden woonde de graaf van Montesquieu in dit 17de-eeuwse huis. Zowel een grillroom als een gourmetrestaurant serveren regionale specialiteiten en klassieke Franse gerechten.	■	■	■		■
AIGUILLON: *Le Jardin des Cygnes* €€ Route de Villeneuve, 47190. 05-53796002. FAX 05-53796174. www.jardin-des-cygnes.com Regionale specialiteiten in een oude wijnkelder, zoals *foie gras* van eend, pens *en daube* met eekhoorntjesbrood, snoekbaars, en stoofpot van everzwijn.	■	●	■		■
CASTELJALOUX: *La Taillade* €€ Résidence Forestière, 47700. 05-53930093. FAX 05-53931545. www.la-taillade.com Dit restaurant met panoramisch uitzicht serveert prima gerechten uit het zuidwesten, zoals *magret* van eend, *tourtière* (pruimentaart) en andere traditionele lokale specialiteiten.	■	●	■		■
CASTELJALOUX: *Les Terrasses du Lac* €€ Route de Mont-de-Marsan, 47700. 05-53941934. FAX 05-53649427. www.lesterrassesdulac.com Restaurant op palen, met uitzicht op het meer. Traditionele gerechten, gastronomisch bereid.	■	●	■		■
DURAS: *Hostellerie des Ducs* €€ Boulevard Jean-Brisseau, 47120. 05-53837458. FAX 05-53837503. hostellerieducs-duras.com De kaart laat zich lezen als bloemlezing van regionale gerechten. De *magret*-rollade met geroosterde vijgen wordt aanbevolen. *okt.–juni ma, zo diner.*	■	●	■		■
LAPLUME (OMGEVING): *Château de Lassalle* €€ 3 km van Laplume, Brimont, 47310. 05-53951058. FAX 05-53951301. www.chateaudelassalle.com Het restaurant in de oranjerie van het kasteel biedt een hoogwaardige keuken. Specialiteiten zijn krokant lamsvlees met rozemarijn en snoekbaars met venkel. Op de wijnkaart de beste wijnen van deze streek.	■	●	■		

LAPLUME (OMGEVING): *Une Auberge en Gascogne* €€
13 km ten zuidoosten van Laplume, Astaffort, Faubourg Corne, 47220.
📞 *05-53671027.* **FAX** *05-53671022.*
Creatieve keuken, waar men werkt met verse lokale ingrediënten. Prettige en
oplettende bediening. ● *1–21 nov.; wo.*

MARMANDE: *Le Trianon* €€
Avenue Hubert-Ruffe, 47200. 📞 *05-53208094.* **FAX** *05-53208018.*
Een van de vele attracties van de streek rond Marmande. De door de kok
deskundig bereide gerechten zijn een toonbeeld van de zuidwesterse keuken.

MONCRABEAU: *Le Phare* €€
47600. 📞 *05-53654208.* **FAX** *05-53970487.* W www.lephare47.com
Restaurant van Logis de France, prachtig gelegen aan de rand van de regio
Armagnac. Vriendelijke, warme sfeer en een voortreffelijke kaart. Vooral de
lamskarbonades met tijm zijn aanbevolen.

MONFLANQUIN (OMGEVING): *Domaine de Gavaudun* €€
10 km ten oosten van Monflanquin, Gavaudun, 47150. 📞 *05-53362190.*
FAX *05-53362185.* W www.domaine-de-gavaudun.com
Kritische gasten krijgen waar voor hun geld in de *auberge* van dit vakantiepark
in een oase van groen.

NÉRAC (OMGEVING): *La Chaumière d'Albret* €
6 km ten noorden van Nérac, Lavardac, 47230. 📞 *05-53655175.* **FAX** *05-53972317.*
W www.hotel-restaurant47.com
Restaurant met terras in landelijke omgeving, dat lokale specialiteiten tegen
bescheiden prijzen serveert. Vaak komen er vissers eten, die dan even
aanleggen aan de kade. ● *4–18 maart en 30 sept.–14 okt.; zo diner en ma laagseizoen.*

NÉRAC (OMGEVING): *La Palombière* €
16 km ten westen van Nérac, Durance, 47420. 📞 en **FAX** *05-53659948.*
@ lapalombiere@wanadoo.fr
Een goede plek om van plaatselijke specialiteiten te genieten, zoals garnalen
à la gasconne, slakken en in het jachtseizoen wild.

NÉRAC (OMGEVING): *Le Relais de la Hire* €€
12 km ten zuidoosten van Nérac, Francescas, 47600. 📞 *05-53654159.*
FAX *05-53658642.*
Uitstekende lokale specialiteiten. De kok heeft gewerkt met Joël Robuchon en
komt tot een subtiele combinatie van traditionele en moderne keuken. Op de
kaart ravioli met morieljes en speenvarken met gember.

PUYMIROL: *La Sérénade* €€
73 rue Royale, 47270. 📞 *05-53953414.* @ faure@mairie-puymirol.fr
Restaurant met traditionele gezinskost, voornamelijk lokale specialiteiten en
visgerechten, zo'n 18 km ten oosten van Agen.

PUYMIROL: *Les Loges de L'Aubergade* €€€
52 rue Royale, 47270. 📞 *05-53953146.* **FAX** *05-53953380.* W www.aubergade.com
Verbluffend lekker eten in een middeleeuwse setting die op de lijst van Relais et
Châteaux *(blz. 249)* staat. Michel Trama vermengt traditie met moderne trends,
resulterend in bijvoorbeeld aardappels *en papillote* met truffelbouillon.

VILLENEUVE-SUR-LOT (OMGEVING): *La Commanderie* €
15 km ten westen van Villeneuve, Le Temple-sur-Lot, Place des Templiers, 47110.
📞 *05-53013066.* **FAX** *05-53410023.* W www.restaurant-lacommanderie.com
Gastronomische gerechten in een middeleeuws gebouw met schilderachtige
torens. Op de kaart gestoofde kabeljauw met Middellandse Zeegarnalen en
gegrilde zeeduivel. Heerlijk terras. ● *ma, zo diner.*

VILLENEUVE-SUR-LOT (OMGEVING): *La Toque Blanche* €€
4 km ten zuiden van Villeneuve, Pujols, 47300. 📞 *05-53490030.*
FAX *05-53704979.* W www.la-toque-blanche.com
Bergrestaurant met panoramisch uitzicht op de 13de-eeuwse vestingstad en de
glooiende heuvels eromheen. Het eten, geprezen in de kritieken, wordt bereid
met lokale ingrediënten. De kaart wisselt met het seizoen.

VILLENEUVE-SUR-LOT (OMGEVING) : *Les Rives du Plantié* €€
15 km ten westen van Villeneuve, Le Temple-sur-Lot, 47110. 📞 *05-53798686.*
FAX *05-53798685.* W www.rivesduplantie.com
In een bebost parklandschap met uitzicht op de Lot. Zowel traditionele als
innovatieve gerechten, bijvoorbeeld *foie gras* in bladerdeeg, slakken in een
deegjasje met pistachenoten en gegrilde zonnevis met pinda's.

Voor een verklaring van de symbolen *zie achterflap*

Prijzen gelden voor een maaltijd voor een persoon, bestaande uit een voor- en hoofdgerecht en een dessert, zonder wijn, maar inclusief bediening en BTW.

€ tot 25 euro
€€ 25–45 euro
€€€ 45–65 euro
€€€€ 65–80 euro
€€€€€ meer dan 80 euro

CREDITCARDS
Het restaurant accepteert de bekende internationale creditcards.

MENU'S VOOR VASTE PRIJS
Maaltijden, bestaande uit drie of meer gangen tegen een vastgestelde prijs. Lunchmenu's zijn vaak goedkoper.

TOT LAAT GEOPEND
U kunt tot 22.00 uur bestellen.

TERRAS OF TUIN
Maaltijden worden ook buiten opgediend, op een terras, de binnenplaats of in de tuin, waar u vaak een prettig uitzicht hebt.

LANDES

	CREDITCARDS	MENU'S VOOR VASTE PRIJS	GEOPEND VOOR DE LUNCH	TOT LAAT GEOPEND	TERRAS OF TUIN
CAPBRETON (OMGEVING): *Chez Léonie* €€	▪	●	▪		▪
DAX: *Le Sous-Bois* €	▪	●	▪		▪
DAX: *L'Amphitryon* €€	▪	●	▪		▪
DAX: *Le Borda* €€	▪	●	▪		▪
DAX: *Le Fin Gourmet* €€	▪	●	▪		▪
DAX: *L'Espace Thermal* €€	▪	●	▪	●	▪
DAX (OMGEVING): *Auberge au Point du Jour* €€	▪	●	▪		▪
DAX (OMGEVING): *La Chaumière* €€	▪	●	▪	●	▪
DAX (OMGEVING): *Le Moulin de Poustagnacq* €€	▪	●	▪	●	▪
DAX (OMGEVING): *Le Val Fleuri* €€	▪	●	▪		▪

CAPBRETON (OMGEVING): *Chez Léonie* €€
5 km ten zuiden van Capbreton, Avenue Charles-de-Gaulle, Labenne, 40530.
📞 05-59454164. FAX 05-59457830.
Gastvrij restaurant met lokale gerechten op slechts enkele kilometers van Bayonne en de kust. De eetzaal heeft een authentiek interieur.

DAX: *Le Sous-Bois* €
70 avenue Saint-Vincent-de-Paul, 40100. 📞 05-58562451. FAX 05-58562645.
@ jerome.menautat@wanadoo.fr
Op een steenworp afstand van de arena en het station van Dax krijgt u originele, uitgebalanceerde gerechten geserveerd met ingrediënten uit de Landes. ● *ma, za lunch, zo diner.* P

DAX: *L'Amphitryon* €€
38 cours Gallieni, 40100. 📞 05-58745805.
De keuken biedt verfijnde gerechten, zorgvuldig bereid met lokale producten. De kaart, waarop regelmatig verse kabeljauw en sint-jakobsschelpen *en croûte* staan, varieert met het seizoen. ● *za lunch; zo diner.*

DAX: *Le Borda* €€
26 rue des Lazaristes, 40100. 📞 05-58909498.
Het restaurant van de Thermes Borda biedt volpension, halfpension en *à la carte*. De gerechten worden bereid met lokale ingrediënten. Zowel in het restaurant als bij de afhaalservice zijn speciale gezondheidsmenu's verkrijgbaar.

DAX: *Le Fin Gourmet* €€
3 rue des Pénitents, 40100. 📞 en FAX 05-58740426.
Rustig familierestaurant midden in Dax, vlak bij de thermale bron. De eetzaal is ouderwets en met warme kleuren ingericht. Op de kaart staan tal van regionale gerechten.

DAX: *L'Espace Thermal* €€
40100. 📞 05-58565251. FAX 05-58748601.
Rustieke ligging aan de Adour, maar toch nog in het centrum van Dax, waardoor dit restaurant zich onderscheidt van de rest van de stad. Tot de lokale gerechten behoren gegrilde eendenfilet en *magret Rossini*.

DAX (OMGEVING): *Auberge au Point du Jour* €€
3 km ten zuiden van Dax, Route du Bourg, Oeyreluy, 40180. 📞 en FAX 05-58578101.
In deze gezellige en gastvrije *auberge*, even buiten Dax, worden smakelijke en verfijnde gerechten bereid met gebruik van lokale ingrediënten. U hebt de keuze uit drie uitstekende menu's. Verschillende, redelijke geprijsde armagnacs. ▯

DAX (OMGEVING): *La Chaumière* €€
3 km ten noorden van Dax, Saint-Paul-lès-Dax, 40990.
📞 05-58917981. FAX 05-58913766.
Tijdens het stierenvechtseizoen (van april tot oktober) zit *La Chaumière* vol Spaanse toreadors, die zich tegoed komen doen aan de kreeft of de *foie gras*.

DAX (OMGEVING): *Le Moulin de Poustagnacq* €€
3 km ten noorden van Dax, Saint-Paul-lès-Dax, 40990.
📞 05-58913103. FAX 05-58913797.
Verrukkelijke kaart vol traditionele gerechten met een innovatieve toets in een oude graanmolen. Uitstekende wijnkaart. ▯

DAX (OMGEVING): *Le Val Fleuri* €€
14 km ten oosten van Dax, Pontonx-sur-l'Adour, 40465.
📞 05-58572075. FAX 05-58572560.
Goede regionale gerechten in een rustiek interieur met oude houten balken. Op de wijnkaart een ruime keuze aan AOC-wijnen uit het zuidwesten. ▯

Eugénie-les-Bains: *Les Prés d'Eugénie* €€€€€
40320. ☎ *05-58050607.* FAX *05-58511010.* W www.michelguerard.com
De beroemde kok Michel Guérard laat zijn gasten de keuze tussen een gastronomisch, een gezond en een landelijk menu. In *La Ferme aux Grives* hangen Bayonnehammen aan het plafond en draait het spit in de haard, waar het in wijnbladeren gewikkelde vlees zachtjes wordt geroosterd.

Labastide-d'Armagnac (omgeving): *Auberge de Saint-Vidou* €€
6 km ten zuiden van Labastide, Le Frêche, 40190.
☎ *05-58452409.* FAX *05-58031244.*
Al drie generaties vrouwelijke koks bereiden midden in de Bas-Armagnac, op de grens van de Landes en de Gers, de heerlijkste lokale specialiteiten.

Mont-de-Marsan : *Auberge des Clefs d'argent* €€
333 avenue des Martyrs de la Résistance, 40000. ☎ *05-58061645.*
FAX *05-58062303.*
Deze *auberge* serveert verfijnde lokale gerechten. De eetzaal is ingericht met stijlmeubelen en heeft een grote schouw.

Mont-de-Marsan (omgeving): *Auberge de la Pouillique* €€
6 km ten oosten van Mont-de-Marsan, 656 chemin Pouillique, Mazerolles, 40090.
☎ *05-58752297.* FAX *05-58062039.*
Met een ligging op een beschaduwd terrein is deze voormalige boerderij met groot terras een ideale plek voor een zomerse maaltijd, maar de open haard maakt hem ook tot een behaaglijke pleisterplaats in de winter. Zowel de kaart met lokale gerechten als de wijnkaart is uitstekend.

Mont-de-Marsan (omgeving): *Didier Garbage* €€€
7 km ten westen van Mont-de-Marsan, Uchacq-et-Parentis, 40090.
☎ *05-58753366.* FAX *05-58752277.*
Geraffineerd landelijk restaurant met lokale gerechten, zoals op Spaanse wijze gebakken glasaaltjes of inktvis met knoflook en espelettepeper.
● *7–14 jan; ma, zo diner.*

Peyrehorade (omgeving): *L'Auberge du Pas-de-Vent* €€
12 km ten oosten van Peyrehorade, 281 avenue du Pas-de-Vent, Pouillon, 40350.
@ fredericdubern@libertysurf.fr
Een herberg die vaak wordt bezocht door kegelaars. Op de kaart staan regionale specialiteiten als slakken met espelettepeper, *foie gras* met armagnac, lamprei *à la bordelaise* en stoofpot met eend.

Sabres (Marquèze): *Auberge des Pins* €€
Route de la Piscine, 40630. ☎ *05-58083000.* FAX *05-58075674.*
Gastvrije *auberge* in een vredig dennenbos aan de rand van een stadje dat karakteristiek is voor de Landes. Geraffineerd menu met subtiele, authentieke gerechten. Op de wijnkaart mooie bordeauxs en armagnacs.

Sabres (bij Marquèze): *Le Café de Pissos* €€
18 km ten noorden van Sabres, 42 rue du Pont-Battant, Pissos, 40140.
☎ *05-58089016.* FAX *05-58089689.*
Dorpscafé midden in het Parc Régional des Landes met een heerlijk terras in de schaduw van platanen. De verleidelijke kaart wordt gecompleteerd door een wijnkaart met voornamelijk wijnen uit het zuidwesten.

Saint-Sever: *Le Relais du Pavillon* €€
Route de Grenade, 40500. ☎ *05-58762022.* FAX *05-58762581.*
Een van de beste restaurants in de Chalosse, die zelf al een gastronomisch hoogtepunt van de Landes is. De smakelijke en originele gerechten worden opgediend in de eetzaal of op het beschaduwde terras.

Soustons: *Le Pavillon Landais* €€
26 avenue du Lac, 40141. ☎ *05-58411449.* FAX *05-58412603.*
W *www.landes-business.com*
De kok gebruikt uitsluitend de beste ingrediënten (voornamelijk vis en zeevruchten) voor zijn klassieke gerechten. Uitgebreide wijnkaart en fantastisch uitzicht op het meer. Zo'n 8 km ten oosten van Vieux-Boucau.

Soustons (omgeving): *Le Relais de la Poste* €€€
10 km ten oosten van Soustons, 24 avenue de Marenne, Magescq, 40140.
☎ *05-58477025.* @ poste@relaischateaux
Restaurant in een schitterende voormalige postkoetsherberg *(blz. 251)* midden in de bossen van de Landes. De uitstekende regionale gerechten wisselen met het seizoen: zalm uit de Adour, asperges van de zandgronden, warme *foie gras* met druiven, wild en bospaddenstoelen. ● *12 nov.–20 dec.; ma–di.*

Voor een verklaring van de symbolen *zie achterflap*

Prijzen gelden voor een maaltijd voor een persoon, bestaande uit een voor- en hoofdgerecht en een dessert, zonder wijn, maar inclusief bediening en BTW.

€ tot 25 euro
€€ 25–45 euro
€€€ 45–65 euro
€€€€ 65–80 euro
€€€€€ meer dan 80 euro

CREDITCARDS
Het restaurant accepteert de bekende internationale creditcards.

MENU'S VOOR VASTE PRIJS
Maaltijden, bestaande uit drie of meer gangen tegen een vastgestelde prijs. Lunchmenu's zijn vaak goedkoper.

TOT LAAT GEOPEND
U kunt tot 22.00 uur bestellen.

TERRAS OF TUIN
Maaltijden worden ook buiten opgediend, op een terras, de binnenplaats of in de tuin, waar u vaak een prettig uitzicht hebt.

PAYS BASQUE

	CREDITCARDS	MENU'S VOOR VASTE PRIJS	GEOPEND VOOR DE LUNCH	TOT LAAT GEOPEND	TERRAS OF TUIN
BAYONNE: *Aux Couleurs du Goût* € 11 rue des Cordeliers, 64100. ☎ 05-59593936. W http://auxcouleursdugout.free.fr Hoogwaardige maaltijden, bereid met verse ingrediënten in de voetgangerszone in hartje Bayonne. De kok weet de subtiele smaken tot hun recht te laten komen. ● zo.	■			●	
BAYONNE (OMGEVING): *Auberge de la Galupe* €€ 17 km ten oosten van Bayonne, Place du Port, Urt, 64240. ☎ 05-59562184. FAX 05-59562866. De 16de-eeuwse zeemanskroeg aan de Adour heeft nog de oude plavuizen en het antieke meubilair van vroeger. Gerechten als spareribs met geblancheerde citroen en verse ansjovis in een kruidige marinade worden met liefde bereid.	■	●	■		■
BIARRITZ: *Campagne et Gourmandise* €€ 52 avenue Alan-Seeger, route d'Arbonne, 64200. ☎ 05-59411011. FAX 05-59439616. Deze oude Baskische boerderij ligt in een groot park met een fantastisch uitzicht op de Pyreneeën. De kok bereidt typisch zuidwesterse gerechten, maar ook menu's voor mensen die op hun gewicht letten. ● feb. en eind okt.	■	●	■	●	■
BIARRITZ: *Chez Albert* €€ Port des Pêcheurs, 64200. ☎ 05-59244384. FAX 05-59242013. W www.chezalbert.fr De verse zeevruchten en gegrilde vis van dit havenrestaurant zijn een bezoek zeker waard. ● wo.	■	●	■		■
BIARRITZ: *Hôtel du Palais* €€ 1 avenue de l'Impératrice, 64200. ☎ 05-59416400. FAX 05-59416799. W www.hotel-du-palais.com Het restaurant in het voormalige zomerpaleis van keizerin Eugénie biedt zorgvuldig bereide gerechten, opgediend in een buitengewoon prettige ambiance met uitzicht op de Atlantische Oceaan. Dit is een goede plaats om een maaltijd met wat zwembadvertier te combineren.	■	●	■	●	■
BIARRITZ : *Hôtel Miramar* €€ 13 rue Louison- Bobet, 64200. ☎ 05-59413000. W www.thalassa.com Gasten kunnen kiezen uit een rijke, gastronomische keuken of gezondere opties. De laagcalorische gerechten hebben zeer veel smaak en zijn fantasierijk bereid, met een subtiele combinatie van ingrediënten.	■	●	■	●	■
BIARRITZ: *La Citerne* €€ 7 bd du Général-de-Gaulle, 64200. ☎ 05-59220432. W laciterne.biarritz.free.fr Restaurant tegenover de Grande Plage van Biarritz met een gezellige en levendige sfeer. De gastronomische en internationale gerechten zijn niet duur en worden tot 4.00 uur 's nachts geserveerd, terwijl de livemuziek doorspeelt.	■	●	■	●	■
BIARRITZ: *Le Lodge* €€ 1 rue du Port-Vieux, 64200. ☎ 05-59247378. W www.lelodge.com Comfortabel restaurant met een gezellige sfeer vlak bij de Port-Vieux. Traditionele en vegetarische gerechten bereid met biologische ingrediënten. ⍦	■	●	■		■
BIARRITZ: *Les Platanes* €€ 32 avenue Beausoleil, 64200. ☎ 05-59231368. De aantrekkelijk gelegen, prachtige Baskische villa heeft geen menukaart. De bekwame kok stelt gerechten samen al naar gelang de smaak van de gasten.	■	●	■		■
BIDARRAY: *Barberaenea* €€ Place de l'Église, 64780. ☎ 05-59377486. FAX 05-59377755. W www.hotel-barberaenea.fr Dit restaurant in een dorpje tussen de hoge bergen is al vier generaties in handen van dezelfde familie. Traditionele Baskische keuken, met onder andere lauwwarme kabeljauwsalade en plakjes kalfsvlees met espelettepeper. ● nov.–maart ma–vr.	■	●	■		■

GUÉTHARY: *Les Frères Ibarboure* €€
Chemin de Ttalienia, 64210. **[**05-59548164. **FAX** 05-59547565.
W www.freresibarboure.com
Goed restaurant, waar alles op de kaart niet alleen authentieke Baskische
culinaire tradities weerspiegelt, maar ook de vernieuwende aanpak van deze
kok. ● *sept.–juli wo en zo diner; 5–20 jan.; 15 nov.–5 dec.* 🍴

HENDAYE-PLAGE: *La Cabane du Pêcheur* €
Quai de la Floride, 64700. **[**05-59203809.
Visrestaurant met een mooi uitzicht op de baai en de haven, met op de achtergrond de kustlijn van Spanje. Een uitstekende plek voor een lunch als u op weg
bent het Pays Basque te ontdekken. 🍴 **P** 🌿 ♿

HENDAYE: *Aguerria* €€
23 route de la Glacière, 64700. **[**05-59200476. **FAX** 05-59208125.
@ fagondo@club-internet.fr
Goed strandrestaurant met niet alleen warme en koude tapas, maar ook
gastronomische maaltijden als *piquillo*-paprika's gevuld met kabeljauw, inktvis
en zeebrasem, en plakken kalfsvlees met zoete espelettepeper.

SAINT-JEAN-DE-LUZ: *Buvette de la Halle* €
Boulevard Victor-Hugo, 64500. **[**05-59267359.
Een van de vele bar-restaurants op de overdekte markt, waar de plaatselijke
bevolking graag iets komt eten of drinken voor de lunch. Vooral de mosselen
en de gegrilde sardientjes zijn overheerlijk. ● *diner.*

SAINT-JEAN-DE-LUZ: *Le Dauphin* €
Résidence La Pergola, 64500. **[**05-59260069.
Het hele jaar door visspecialiteiten, bijvoorbeeld een eenpansgerecht met
inktvis of *piquillo*-paprika's gevuld met kabeljauw, gevolgd door schapenkaas
met kersenjam.

SAINT-JEAN-DE-LUZ: *L'Acanthe* €€
31 rue Garat, 64500. **[**05-59268559. **W** www.lacanthe.com
Etablissement in de oude stad waar u niet alleen verleidelijke hapjes kunt eten,
maar ook kunt afhalen: taarten, ijsjes, zoete en hartige snacks.

SAINT-JEAN-DE-LUZ: *Le Brouillarta* €€
Promenade Jacques-Thibaud, 64500. **[**05-59510344. **FAX** 05-59510348.
W www.hoteldelaplage.com
Restaurant-brasserie in Hôtel de la Plage met een mooi uitzicht op de baai voor
Saint-Jean-de-Luz. De kaart met lokale specialiteiten wisselt elke drie maanden.
Alles wordt bereid met verse, hoogwaardige ingrediënten.

SAINT-JEAN-DE-LUZ (OMGEVING): *Ferme Aguerria* €
4 km ten zuidwesten van Saint-Jean-de-Luz, Quartier Aguerria, 64122 Urrugne.
[05-59543038. **FAX** 05-59546266. **W** www.ferme-aguerria.com
In de fraaie 18de-eeuwse Baskische boerderij hebt u uitzicht over de Rhune.
De regionale gerechten die hier worden geserveerd draaien vooral om vis en
gegrild vlees. Tuin met een groot terras.

BÉARN

OLORON-SAINTE-MARIE (OMGEVING): *Chez Michel* €
20 km ten zuiden van Oloron en 10 km van Lescun, Rue Gambetta, Bedous, 64490.
[05-59345247. **FAX** 05-59347086. **@** abr.michel@free.fr
Bij deze *table d'hôte* midden in het Aspedal kunt u ook kamers huren. Op de
kaart traditionele gerechten als *garbure (blz. 257)*, *foie gras*, lamsvlees, forel,
coq-au-vin, schapenkaas en bosbessentaart.

PAU: *Chez Pierre* €€€
16 rue Louis-Barthou, 64000. **[**05-59277686. **FAX** 05-59270814.
Klassiek restaurant met veel klanten uit de middenklasse van Pau. Op de kaart,
die met het seizoen wisselt, staan *cassoulet béarnese*, eendenlever met zoete
peper en in jurançon gesmoorde tong met morieljes.
● *1ste week jan.; 3de week april; 1ste twee weken aug.; za lunch, zo, ma lunch.*

PAU (OMGEVING): *Chez Ruffet* €€€
2 km ten zuidwesten van Pau, 3 avenue Charles-Touzet, Jurançon, 64110.
[05-59062513. **FAX** 05-59065218. **@** chez.ruffet@wanadoo.fr
De kok bereidt zijn regionale gerechten met verse producten van de markt,
zoals vis, cantharellen en eekhoorntjesbrood. Tot de specialiteiten behoren
zeebaars die is gebakken op een steen uit de Gave de Pau en groenten gevuld
met *greuilh* (een schapenkaas). Goede wijnkaart met Jurançonwijnen. 🍴

Voor een verklaring van de symbolen zie achterflap

WINKELS EN MARKTEN

Aquitaine is vooral een land-
bouwgebied en levert een
overvloed aan specialiteiten.
Deze worden vaak door de producenten zelf verkocht op de markt.
Hier vindt u foie gras uit de Périgord
of de Landes, oesters uit Arcachon,
aardbeien en gedroogde pruimen

Specialiteiten uit Aquitaine

uit Lot-et-Garonne, geitenkaas uit de
Quercy, wijn uit Bordeaux en armagnac. Veel plaatselijke kunstenaars en ambachtslieden bieden
hun waar te koop aan en bij som-
migen mag u in de werkplaats
kijken. Er zijn ook talloze antiekwinkels en vlooienmarkten.

Een levendige markt in Saint-Jean-de-Luz, vol plaatselijke producten

MARKTEN

Markten zijn uitnodigende,
levendige plaatsen, waar
allerlei verleidelijke lekkernijen aangeboden worden.
Kleine producenten stallen
hun zelfgekweekte groenten
en fruit uit, zoals perziken en
ouderwetse appelrassen uit
eigen boomgaarden. Andere
kraampjes liggen vol vleeswaren, potten foie gras en
jam, zoals die van **Francis
Miot**, of uiteenlopende plaatselijke specialiteiten, vaak biologisch geteeld. De markten
verschillen per seizoen en gebied, en er zijn vaak speciale
evenementen, zoals de *cèpes*-
markt in Villefranche-du-
Périgord, de truffelmarkt in
Lalbenque, verschillende foie-
grasmarkten en visveilingen in
kustplaatsen. Het Fête du
Piment, gewijd aan zoete rode
pepers, vindt in oktober plaats
in Espelette, na de oogst.
Gemalen peper is verkrijgbaar
bij **Ttipia** en op de boerderij
van **Xavier Jauregui**, beide in
Espellette. Boerenmarkten
beginnen meestal rond 7.00
uur en zijn rond 12.30 weer
afgelopen.

WIJN

Wijnboeren met wijngoe-
deren langs de officiële
wijnroutes openen hun
kelders voor bezoekers,
net als verschillende
Maisons des Vins en
wijncoöperaties. Hier
kunt u wijn proeven en
rechtstreeks van de
producent kopen.
Plaatselijke wijnhande-
laren hebben streek-
wijnen als Bordeaux,
Bergerac (met naam
Julien de Savignac, in Le
Bugue), Cahors, Côtes-de-
Duras en Jurançon, en sterke
drank als eau-de-vie en
armagnac. Informatie: **Maison
des Bordeaux et Bordeaux
Supérieur** of **CIVRB** in
Bergerac.

Jam van Francis Miot

WINKELS EN WERKPLAATSEN

Naast winkels voor gastronomische specialiteiten
kent het zuidwesten ook veel
winkels waar handwerk en
traditionele gezondheids- en
schoonheidsmiddeltjes verkocht worden. Sommige pro-

ducten zijn er voor verrassende
doeleinden. De walnoten en
het zout van Salies-de-Béarn
worden gebruikt in cosmetica,
druivenextracten voor behandelingen van **Les Sources the
Caudalie** *(blz. 245)*.
Kunstnijverheidsstalletjes zijn
vaak te vinden op groente- en
fruitmarkten, met name in
de zomer. De hoedenmakers, me-
taalbewerkers, strijkinstrumen-
tenbouwers, emailleerders en
glasblazers van **Verrerie de
Vianne** verwelkomen u in hun
ateliers. Er zijn ook evenementen gewijd aan bepaalde ambachten. Er zijn pottenbakkers-,
weef- en mandenmakers- en
messenmakersmarkten. In juli
is er een ambachtsfeest in La
Bachellerie, in de Dordogne.
Aquitaine kent ook een potten-
baktraditie. In
Cazaux, in Biarritz,
kunt u originele stuk-
ken kopen. **Madilar**,
in Bayonne, is een
Baskische juwelier die
traditionele sieraden
ontwerpt. *Makhilas*,
Baskische herders-
staven, worden op
bestelling gemaakt
door Ainciart Bergara. Messen
met palmhouten handvatten
uit Nontron zijn ook een
klassieker van de Périgord.
Een traditionele messenmaker
is **Coutellerie Nontronnaise**.

**Confiserie Pierre Boisson, een
banketbakkerswinkel in Agen**

STREEKPRODUCTEN

Aquitaine levert uiteenlopende etenswaar. Hiertoe behoren rundvlees uit Chalosse, ham uit Bayonne en kaviaar uit **Estudor**, de viskwekerij van de Périgord, en ook gevogelte, kaas, zoals schapenkaas uit Ossau-Iraty, groenten en fruit als chasselasdruiven uit Prayssas, tomaten uit Marmande en zwarte kersen uit Itxassou. Sommige producenten hebben een kraampje langs de weg, anderen delen een winkel in een dorp.

De streek staat ook bekend om zijn zoete lekkernijen, zoals de gedroogde pruimen van **Pierre Boisson** in Agen, *cannelés (blz. 257)* van **Baillardran** in Bordeaux en de beroemde chocolade *Les Pyrénéens*, gemaakt door Lindt in Oloron-Sainte-Marie. Amandelkoekjes, de specialiteit van Saint-Jean-de-Luz, worden gebakken door **Maison Adam** en de banketbakker **Pariès**.

LINNENGOED

Kleurig gestreept linnengoed uit het Pays Basque *(blz. 205)* wordt gemaakt door toonaangevende ontwerpers en verkocht in interieurwinkels als **Tissages Moutet**. Espadrilles, alledaags schoeisel in het Pays Basque, worden gemaakt door **Fabrique Béatex**, in Oloron-Sainte-Marie, worden de Baskische baretten nog steeds van Pyrenese wol gemaakt. Die is extra warm, net als het mohair dat wordt geweven bij **Ferme du Chaudron Magique**, in Brugnac. Sportkleding is inmiddels ook een specialiteit, vanwege de surfgekte. T-shirts van het Spaanse Kukuxumusu vinden gretig aftrek.

Etalage van een Frans-Baskische linnenwinkel in Saint-Jean-de-Luz

WINKELEN BIJ DE BOER

Van de populariteit van platelandsvakanties profiteren veel boerderijen in Aquitaine. Overal ziet u borden met 'Bienvenue à la ferme' langs de weg. Boerderijen met deze borden bieden kampeerplekken of kamers aan, zorgen voor activiteiten en koken maaltijden en lekkere hapjes voor kinderen.

Veel boeren verkopen hun producten op eigen terrein door middel van proeverijen. Op deze hoeves vindt u bijvoorbeeld vruchtensap, wijn, honing en walnotentaart, geitenkaas, vrije-uitloopkippen en eieren, jam en aromatische en medicinale kruiden.

Eenden in het Musée du Foie Gras in de Lot-et-Garonne

Wat koopt u in Aquitaine

Aquitaine biedt tal van aantrekkelijke souvenirs, van Baskisch linnen en zoetigheid uit de Médoc tot keramiek uit de Périgord. Winkeltjes in dorpen uit de hele streek bieden een keur aan plaatselijke producten en specialiteiten. De boerenmarkten, werkplaatsen van ambachtslieden en winkeltjes op de hoeves zijn ook uitstekende plaatsen om iets te kopen – de makers vertellen altijd graag over hun methoden en producten.

Handschoenen en sjaal van mohair uit Lot-et-Garonne

Espadrilles

BASKISCHE PRODUCTEN

Naast espadrilles, baretten en wollen producten is linnen een goed Baskisch product. Het is geweven van vlas en telt zeven kleurige strepen, voor elke Baskische provincie één. T-shirts van Kukuxumusu zijn erg populair in het Pays Basque en door de invloed van surfers zijn Quiksilver, 64 en andere merken weer in.

T-shirts uit het Pays Basque

Baskische baretten

Baskisch linnen

Beschilderd bord

Baskisch serviesgoed

Het meeste Baskische aardewerk bestaat uit wit porselein dat in groen en rood is geschilderd, de traditionele kleuren van het Pays Basque. De belangrijkste fabriekjes liggen aan de Adour.

Keramische vaas

Sleutelhanger met Baskisch kruis

Broches en hangers in traditionele motieven

Zilveren armbanden

Baskische sieraden

Het Baskisch kruis is een motief dat voorkomt op ringen, chokers, armbanden, enzovoort. Het is een oud zonsymbool, dat wereldwijd bekend is. De vier gekrulde armen stellen de beweging van de sterren voor. Baskische kruisen, Lauburu (vier hoofden) genoemd, fungeren als talisman.

NATUURPRODUCTEN

Begin jaren negentig werd in Bordeaux een vinotherapiecentrum opgericht met warmwaterbronnen, waar u behandelingen kunt ondergaan met druivenextracten. Het produceert nu cosmetica gebaseerd op dit bronwater en deze druivenextracten. Andere kuuroorden in Aquitaine maken ook zelf producten, zoals zout- en klei-extracten, voor gebruik thuis.

Honingzeep uit La Cité des Abeilles, Saint-Faust, Béarn

Fijn zout uit Salies-de-Béarn

Grof zout uit Salies-de-Béarn, voor hydrotherapie

Cosmeticaproduct van Caudalie

REGIONALE SPECIALITEITEN

Aquitaine kent een grote gastronomische traditie. Enkele van de vele specialiteiten zijn truffels uit de Périgord en foie gras, Arcachonoesters, Agenpruimen, Bayonneham, schapenkaas uit de Béarn, peper uit Espelette, Baskische koeken en wijn uit Bordeaux. Naast gefabriceerde producten als Lindtchocolade zijn er ook traditionele producten verkrijgbaar, rechtstreeks bij de producent.

Trommel Baskische bitterkoekjes

Gevulde Agen-pruimedanten

Walnoten in likeur

Puree van Agen-pruimen

Hazelnootpasta uit de Médoc

Lindt-chocolade, vervaardigd in Oloron-Sainte-Marie

De beroemde *Les Pyrénéens*-chocolade van Lindt

Hazelnoten in chocolade, Médoc

Amandelsnoepjes van Francis Miot

Tourons, traditionele Baskische noga

AMUSEMENT

Flamenco-danseres

Het dagelijks leven in Aquitaine is vaak net één groot feest. Baskische *bandas* spelen in de straten en een borrel in een plaatselijke *bodega* wordt vaak opgeluisterd met livemuziek. Van jazz en film tot stierenvechten en Baskische koorzang – de streek biedt het hele jaar door uiteenlopende vormen van amusement. De vele dans- en theaterfestivals, maar ook de concertzalen en galeries spelen een belangrijke rol in de levendige cultuur van dit gebied.

ALGEMENE INFORMATIE

Regionale dagbladen, plaatselijke radiostations en toeristenorganisaties *(blz. 285 en 286)* geven veel informatie over culturele evenementen. **Zéroennui** (letterlijk 'nul-verveling') is de website voor de kunsten in Zuidwest-Frankrijk. Hierop staan alle evenementen. *Clubs et Concerts*, een gratis, tweewekelijks bulletin uit Bordeaux, heeft ook een eigen website.

EEN KAARTJE KOPEN

Kaartjes voor de meeste evenementen zijn verkrijgbaar bij kantoren van **FNAC** en hypermarkten, waaronder **Carrefour**. Bij **France Billet**, een digitaal loket voor kaartverkoop, kunt u kaartjes via internet kopen of bij een van de kantoren in de buurt.

THEATER EN DANS

Een van de grootste culturele attracties van de streek is de **Opéra Nationaal de Bordeaux**, in het

Uitvoering van *De schone slaapster* in de Opéra National de Bordeaux

Grand-Théâtre *(blz. 70–71)* van de stad. Hier kunt u regelmatig genieten van opvoeringen van opera, operette, klassiek ballet en moderne dans. Buiten de grote steden zijn in de zomer veel **festivals** bij te wonen. Hiertoe behoren de Jeux du Théâtre in Sarlat *(blz. 33)* en het belangrijkste mimefestival, Mimos, in Périgueux *(blz. 99)*. Dansgezelschappen komen naar Biarritz om mee te doen aan Le Temps d'Aimer, en naar Mont-de-Marsan voor het Festival d'Art Flamenco *(blz. 33)*. Het Festival de Pau *(blz. 33)* is een festival met toneel, muziek en dans.

MUZIEK

De concertzalen van de regio bieden voor elk wat wils. De **Scène Nationale de Bayonne et du Sud Aquitain** bijvoorbeeld biedt zeer uiteenlopende optredens, maar in de **Zénith de Pau**, de grootste concertzaal van de streek, treden de grootste sterren op. **Zoobizarre**, in Bordeaux, heeft een programma met elektronische muziek en hiphop.
Klassieke recitals zijn te beluisteren in de chateaus op de wijngoederen van de Médoc en in de romaanse kerken; jazz wordt gespeeld op festivals in de Gironde (in bijvoorbeeld Pauillac, Uzeste en Monségur) en in **Comptoir du Jazz** in Bordeaux. Het Festival de Musique Baroque du Périgord Noir vindt plaats in de mooiste kerken van de streek. Les Nuits Lyriques en Marmandais *(blz. 154)* is een concertserie door topsolisten.

FILM

De regionale krant *Sud-Ouest (blz. 285)* geeft informatie over films in de regio. **Jean-Vigo**, in Bordeaux,

Traditionele Baskische fanfare tijdens de Fêtes de Bayonne

draait filmhuis-films en *ciné-concerts* (stomme films met live-muziek). Filmhuisfilms zijn ook te zien in **Utopia**, in een voormalige kerk. De bioscoop **Jean-Eustache** in Pessac organiseert een filmfestival met historische thema's.

Utopia, een filmhuis in Bordeaux

Ciné-Passion is een mobiele bioscoop die films toont rond Brantôme, in de Périgord, met 's zomers openluchtvoorstellingen. Het Festival des Jeunes Réalisateurs, gehouden in oktober in Saint-Jean-de-Luz, draait films van jonge regisseurs.

GALERIES EN WERKPLAATSEN

B ordeaux telt circa 30 galeries, waaronder **Arrêt sur l'Image**, die aan fotografie is gewijd. Ateliers in Monflanquin (Lot-et-Garonne) zijn zeer gewild en enkele grote Europese kunstenaars hebben een atelier in de **Domaine d'Abbadia** in Hendaye. Galeries aan de zuidkust staan vol schilderijen met een sterk regionaal karakter. De **Route des Métiers d'Art** is bedacht voor de promotie van de werkplaatsen van de streek. Een gids over de werkplaatsen wordt uitgegeven door het regionale toeristenbureau *(blz. 285)*.

CASINO'S

I n steden als **Arcachon, Biarritz, Saint-Jean-de-Luz, Pau** en Hossegor staan statige huizen die zijn verbouwd tot casino's, met fruitmachines en roulettetafels.

Casino de la Plage, in Château Deganne, in Arcachon

ADRESSEN

ALGEMENE INFORMATIE

[W] www.clubsetconcerts.com
[W] www.zeroennui.com

KAARTJES

Carrefour
[W] www.carrefourspectacles.com

FNAC
[W] www.fnac.com

France Billet
[W] www.francebillet.com
[C] 08-92692192

THEATER, DANS EN MUZIEK

Comptoir du Jazz
Le Port de la Lune,
58 quai de Paludate,
33800 Bordeaux
[C] 05-56491555

Festivals d'Aquitaine
Aquitaine en Scène
[W] http://festivals.aquitaine.fr

Opéra National de Bordeaux
Grand-Théâtre
Place de la Comédie,
33000 Bordeaux
[C] 05-56008595
[W] www.opera-bordeaux.com

Scène Nationale de Bayonne et du Sud Aquitain
Place de la Liberté,
64100 Bayonne
[C] 05-59590727

Zénith de Pau
Boulevard du Cami-Salié,
64000 Pau.
[C] 05-59807750
[W] www.zenith-pau.fr

Zoobizarre
58 rue du Mirail,
33000 Bordeaux
[C] 05-56911440
[W] www.zoobizarre.org

FILM

Cinéma Jean-Eustache
Place de la Vᵉ-République,
33600 Pessac
[C] 0836-687021

Ciné-Passion en Périgord
La Fabrique. Rue Amiral-Courbet, 24110 Saint-Astier [C] 05-53024199
[W] www.cine-passion24.com

Jean-Vigo
6 rue Franklin,
33000 Bordeaux
[C] 05-56443517

Utopia
5 place Camille-Jullian,
33000 Bordeaux
[C] 05-56520003

GALERIES EN WERKPLAATSEN

APRASAQ
Association pour la Promotion de Métiers d'Art d'Aquitaine
353 boulevard du Président-Wilson, 33200 Bordeaux

[C] 05-57225736
[W] www.route-metiers-d-art-aquitaine.com

Domaine d'Abbadia
64700 Hendaye
[C] 05-59203720

Galerie Arrêt sur l'Image
Quai Armand-Lalande,
33300 Bordeaux
[C] 05-56691648

Website voor kunst en musea van het zuidwesten
[W] www.articite.com/aquitaine/galeries_dart/galeries_aquitaine.htm

CASINO'S

Arcachon
163 boulevard de La Plage
[C] 05-56834143

Biarritz
1 avenue Édouard-VII
[C] 05-59227777

Pau
Parc Beaumont
[C] 05-59270692

Saint-Jean-de-Luz
Place Maurice-Ravel
[C] 05-59227777

BUITENACTIVITEITEN

A ls toerist kijkt u misschien graag naar rugby, waarin Aquitaine uitblinkt, en het Baskische pelota. De streek biedt echter ook sporten en buitenactiviteiten waaraan u zelf kunt deelnemen. De Pyreneeën zijn 's zomers perfect om te wandelen, deltavliegen en bergbeklimmen en 's winters om te skiën en sneeuwwan-

Surfer op de golven bij Anglet

delen. De kust, het vlakke terrein van de Landes en de heuvels met wijngaarden zijn aangename gebieden om met de fiets of te paard te verkennen – door het prettige tempo kunt u volop genieten van het spectaculaire landschap. Aquitaine is ook een topbestemming voor golfers, want hier liggen enkele van de beste banen van Europa.

Wandelen door het Massif de la Rhune, in het Pays Basque

WANDELEN

I n Aquitaine ligt van de kust tot de Pyreneeën, door de wijngaarden van Bordeaux en over de Landes meer dan 6000 km aan gemarkeerde wandelpaden. De GR653 en GR65 bijvoorbeeld zijn twee goede langeafstandsroutes over de eeuwenoude pelgrimsweg naar Santiago de Compostela. Alle paden worden onderhouden door de **Association de Coopération Interrégionale** en informatie erover kunt u krijgen bij het **Comité Départemental du Tourisme.**
In Pyrénées-Atlantiques leidt de legendarische GR10, van Hendaye naar het Cirque de Litor, en voert de GR8, van Urt naar Sare, door ongerepte dalen en delen nog onbedorven landschap. Tot de officiële voetpaden in Aquitaine behoren ook de Sentiers d'Émilie; informatie hierover haalt u bij de boekwinkels. Sommige organisaties bieden trektochten aan waarbij een ezel uw bagage draagt. Ga naar de departementale toeristenorganisatie voor informatie hierover (*blz. 286*).

FIETSEN

A quitaine telt in totaal 2000 km aan fietspaden en mountainbikeroutes. Deze zijn ingedeeld in verschillende moeilijkheidsgraden. Ongebruikte spoorlijnen langs de kust en rond het Bassin d'Arcachon doen nu dienst als fietspaden. Deze zijn zeer goed. Het dichtste padennet ligt tussen Pointe de Grave en Bayonne. Met hun glooiende heuvels en pittoreske vestingsteden zijn de Périgord, Lot-et-Garonne, het Pays Basque en de Béarn ideaal voor recreatieve fietstochten. In de bergachtiger gebieden is fietsen natuurlijk zwaarder, maar een steile klim wordt altijd beloond met een heerlijke afdaling. *À Vélo*, een brochure van het regionale toeristenbureau (*blz. 285*), geeft informatie over korte fietsroutes en langere toertochten. Een andere bron van informatie is de **Ligue d'Aquitaine de Cyclotourisme**.

PAARDRIJDEN

E en van de leukste manieren om het platteland te verkennen, is paardrijden. Er zijn een paar duizend kilometer aan ruiterpaden in de streek en een flink aantal paardrijcentra. Paardrijden onder begeleiding, op een paard, pony of *pottok* (klein Pyrenees paard), gaat over schilderachtige ruiterpaden. In de Pyreneeën zijn ook tochten met gids over de routes van plaatselijke herders en hun kudden. Met meer dan 1 miljoen ha aan bossen vormt Les Landes een ideaal terrein om te gaan paardrijden. Informatie over de paardrijmogelijkheden in het zuidwesten van Frankrijk krijgt u bij het **Comité Régional**.

Fietsen over een rustig weggetje in de Dordogne

Paardrijden met een gids in het Pays Basque

GOLF

De eerste golfbaan op het vasteland van Europa werd in 1856 aangelegd in Pau. Daarna zijn er vele bijgekomen, waaronder enkele *putting greens*. Door het wisselende landschap van de regio bestaan de golfbanen uit zeer uiteenlopende terreinen. De meeste liggen in een prachtige omgeving, in het hart van het groene platteland in Pau en Arcangues, of midden tussen de wijngaarden van de Médoc. De golfbaan Chiberta in Anglet, een paar honderd meter van het strand, is een van de beste banen van de Baskische kust. Chantaco, in Saint-Jean-de-Luz, is ook een goede. De bekende banen in Hossegor, Seignosse en Moliets behoren volgens kenners tot de top 50 van Europa.

De golfpas Bordeaux-Gironde en de golfpas Biarritz geven bezoekers de mogelijkheid te golfen op verschillende banen in één zone, tegen voorkeurstarief. De **Ligue d'Aquitaine de Golf** verschaft informatie over alle aspecten van de golfsport in de regio.

WINTERSPORT

Door de verschillende bergdorpen in de Pyreneeën heeft het zuidwesten veel te bieden aan de wintersportliefhebber. U kunt skiën in La Pierre-Saint-Martin, Artouste en Gourette, op een hoogte van 2400 m, en langlaufen in Issarbe, Le Col du Somport en de Forêt d'Iraty. Het **Comité Régional** biedt informatie.

HANGGLIDEN

Hanggliden biedt spectaculaire uitzichten op de dalen van de Pyreneeën. Beginners zijn welkom in hangglidecentra in Accous en Saint-Jean-Pied-de-Port, maar gaan misschien liever naar de Dune du Pyla. Hier hoeft u maar een paar meter te rennen voor u opstijgt en hoog boven het Bassin d'Arcachon zweeft. Veel scholen zijn lid van de **Ligue d'Aquitaine de Vol Libre**.

Golfbaan van Château de Montal, in de heuvels van de Quercy

GEHANDICAPTEN

Er zijn genoeg organisaties die sport voor gehandicapten promoten. **Handisport** is er vooral voor mensen die minder mobiel zijn of slecht kunnen zien, de **Ligue du Sport Adapté d'Aquitaine** is bedoeld voor verstandelijk gehandicapten. Tourisme et Handicap is een nuttige informatiebron over rolstoeltoegankelijkheid. Via **APF Évasion** *(blz. 243)* organiseert de **Association des Paralysés de France** vakanties voor mensen met een handicap.

Watersport

De stranden van Zuidwest-Frankrijk, die meer dan 250 km beslaan, hebben de beste golven van Europa. Hierdoor is de zee hier een zeer populair surfgebied, hoewel op het water ook allerlei andere watersporten beoefend kunnen worden. Zo zijn de meren van de Landes en de Gironde, omzoomd met duinen en dennenbossen, perfect voor zeilers. De wildwaterrivieren van de Pyreneeën, de Périgord en de Leyre, maar ook de rustiger rivieren, bieden ideale kanomogelijkheden. Zeevissen of hengelen in beken en meren is ook mogelijk.

Windsurfer op het Étang de Léon, in de Landes

Kanoën in het benedendal van de Vézère

ZEEKAJAKKEN EN SURFKAJAKKEN

De gehele kustlijn van de streek is geschikt voor zeekajakken. Bij *frenzy*, een fanatiekere vorm van surfkajakken, zit men in een licht, onzinkbaar bootje dat met enorme snelheden over de schuimkoppen van de branding scheert. Terwijl het langzaam stromende water van de Dordogne en beneden-Vézère perfect is voor de ongeoefende kanoër, bieden de Auvézère, Boven-Dronne en Boven-Isle een goede uitdaging voor de meer ervaren kanoër.
Het **Comité d'Aquitaine** verstrekt informatie en sommige organisaties, zoals **Vallée de la Vézère** en **Canoë Dordogne**, verhuren kano's en regelen themaroutes.

ZEILEN, WINDSURFEN EN STRANDZEILEN

La Teste-de-Buche, **Arcachon** en **Hendaye** zijn drie kustplaatsen die door de Fédération Française tot *stations voile* (zeil- surf- en strandzeilcentra) zijn betiteld. De vele natuurlijke en aangelegde meren bieden uitstekende watersportmogelijkheden en hebben geen last van het tij. Carcans-Hourtin, Lacanau, Cazaux, Sanguinet, Parentis, Soustons, Hossegor en Biscarrosse zijn ideale catamaran-, windsurf- en funboardcentra. In deze door zeedennen omgeven meren kunt u heerlijk zwemmen en kleine kinderen kunnen veilig langs de waterkant spelen. De monding van de Gironde biedt ook mogelijkheden voor watersportliefhebbers. Elk jaar tussen maart en november organiseert de **Club Nautique Bourquais** regatta's. De brede stranden van Aquitaine bieden een vrijwel eindeloze ruimte voor strandzeilers, vooral in de herfst, als de wind het gunstigst is. Informatie over deze vormen van watersport is te lezen op de website van de **Ligue d'Aquitaine**.

DIEPZEEDUIKEN

Tussen het Pays Basque en het Bassin d'Arcachon ligt een aantal duikcentra. Vooral die aan het Bassin d'Arcachon, waar ook het **Centre de Plongée International** is gesitueerd, zijn erg in trek bij de duikers. Duiken in het ondiepe water uit de kust kan vanaf de pier en wordt georganiseerd door La Croix des Marins; duiken in dieper water, verder de zee in, wordt georganiseerd door de jachthaven. Buiten de Plage des Gallouneys is het water 15–18 m diep. De oude bunkers uit de Tweede Wereldoorlog, inmiddels bedekt met zeeanemonen, bieden nu beschutting aan allerlei zeeleven. U kunt ook duiken in het Étang de Sanguinet, dat 7–8 m diep is. Hier ligt een wrak, half in het zand begraven, waar zoetwatervissen leven.
Al een aantal jaren werkt de Association de Défense et d'Études Marines de la Côte aan de aanleg van een kunstmatig rif in zee, op een diepte van 25 meter, in de buurt van de plaats Mimizan. Door overbevissing en olievervuiling waren de zee en zeebodem hier sterk achteruitgegaan, maar dit herstelt langzaamaan, mede door de herintroducering van zeeplanten en allerlei zeedieren.

Catamaran

Kitesurfers in Lacanau, een van de beste surfcentra van de streek

SURFEN

Surfen is meer dan alleen een sport – in dit deel van Frankrijk is het bijna een manier van leven. De golven die stukslaan op het strand zijn hier in de herfst het krachtigst en hoogst. **Anglet**, **Biarritz**, Hossegor en **Lacanau** zijn plaatsen waar internationale wedstrijden worden gehouden. Ze hebben ook elk een aantal surfclubs. Een van de beste centra voor surfers is echter **Capbreton**, dat ook bekend is als duikplaats vanwege de Gouf, een kloof onder water van meer dan 3000 m diep.

Er liggen ook veel surfscholen langs de kust, waar zowel beginners als gevorderden surflessen kunnen krijgen. Veel van deze scholen zijn lid van de **Fédération Française de Surf**.

Een surfuitrusting kunt u in bijna elk vakantieoord huren. Informatie over alle mogelijke aspecten van surfen in Zuidwest-Frankrijk wordt gegeven in een jaarlijks geactualiseerd boekje, *Surfer en Aquitaine*, uitgegeven door de **Ligue d'Aquitaine de Surf**. De golven zijn ook goed voor bodyboarders, die liggend op een kleine, brede surfplank de golven berijden, en kitesurfers, die langs de golven scheren, getrokken (en soms opgetild) door een vlieger. Kitesurfen is vooral populair in Arcachon, Biscarrosse en Lacanau.

Surf Report, toegankelijk via de telefoon of het internet, geeft dagelijks aan waar de beste surfplekken zijn en wat de weersverwachtingen zijn. Andere websites geven informatie over de omstandigheden langs de gehele Zuidwest-Franse kust.

Leerlingen van een van de vele surfscholen

Surfers op de golven van een strand in het Pays Basque

WAAR SURFT U

Ligue d'Aquitaine
1 avenue de la Côte-d'argent, 40200 Mimizan
05-74827417
www.surfingaquitaine.com
www.ecoledesurf.com

Fédération Française de Surf (FFS)
Plage Nord, BP 28, 40150 Hossegor 05-58435588.
www.surfingfrance.com

Anglet Surf Club
Place du Docteur-Gentilhe, 64 600 Anglet
05-59030166

Biarritz Surf Club
Plage de la Milady, 64200 Biarritz
05-59232442

Capbreton Surf Club
Boulevard François-Mitterrand, 40130 Capbreton
05-58723380

Lacanau Surf Club
Boulevard de la Plage, 33680 Lacanau-Océan
05-56263884

Surf Report
08-92681360
www.surf-report.com

Wildwaterraften op de Gave de Pau bij Bétharram

WILDWATERRAFTEN EN CANYONING

Veel clubs en andere organisaties hebben speciale programma's voor beginners, maar ook voor ervaren sportievelingen. In Béarn vormen de rivieren die naar beneden storten in de dalen van de Pyreneeën een opwindende uitdaging voor ervaren rafters en canyoners. Ook de rivier de Nive, vlak bij de Baskische kust, is een uitstekende locatie voor deze sporten, als ook voor andere watersporten. Of u nu een zware of een lichtere afdaling kiest, u moet in bezit zijn van een zwemdiploma en altijd doen wat uw gids zegt.

Veel organisaties, als **Eaux Vives**, **Canoë-Kayak de Mer** en **Loisirs 64**, kunnen u aan informatie helpen.

BOOTTOCHTJES

Het Canal de Garonne, het verlengde van het Canal du Midi, is net als de rivieren de Lot, Dordogne en Baïse deels of geheel toegankelijk per motorboot. Als u graag die delen verkent die niet op de geijkte route liggen, onderzoek dan alle mogelijkheden (*blz. 298–299*). Deze lopen uiteen van een korte tocht op een rivier tot een cruise in een gehuurde boot. Zeilen op de Leyre, die kronkelt door de bossen van de Landes in Gascogne naar het Bassin d'Arcachon in de Gironde, is een ontdekkingstocht in een aangenaam tempo. Langs deze rivier, met de passende bijnaam 'De kleine Amazone', liggen twaalf botenverhuurcentra. U kunt een paar uur op het water varen, of een paar dagen, vergezeld van een gekwalificeerde gids.

HENGELSPORT

De meren en rivieren van de streek bieden vissers welhaast onbeperkte mogelijkheden om zich te buiten te gaan aan hun passie. Er zijn drie gradaties. In het beste water zwemmen de forel en zalm. In de op één en twee na beste wateren zwemmen karper, zeelt, voorn, snoek en zwartbaars.

De visserij wordt gecontroleerd door de wet, zodat alle vissoorten en het milieu voldoende beschermd worden. Om in Aquitaine te vissen, hebt u een vergunning nodig. Die koopt u bij hengelsportwinkels en dergelijke. De vergunningen gelden per dag, twee weken (*forfait vacances*) of een jaar. Dit gebied van Frankrijk kent een groot aantal meren. De grote meren langs de kust van de Gironde en de Landes zijn de beste vislocaties, maar andere meren voldoen ook. De Garonne en de Dordogne zijn rijk aan migrerende soorten als zalm, elft en ombervis. Het kalme water van de Lot-et-Garonne en het kanaal parallel aan de Garonne zijn ook goede vislocaties.

Of u nu hengelt of vliegvist, de actieve visser gaat doorgaans naar Pyrénées-Atlantiques, waar enkele van de beste viswaters liggen. De Gave d'Oloron is een van de beste zalmrivieren van Frankrijk. Langs de kust kunnen vissers tarbot, tong en zeebrasem vangen. De boten waarmee verder op zee op tonijn en haai wordt gevist, vertrekken uit Saint-Jean-de-Luz en Biarritz. Een ongewonere vorm van vissen is surfcasting. Dit wordt 's nachts of bij het ochtendgloren gedaan vanaf het strand, met een hengel van wel 4,50 m die in de branding ('surf') wordt uitgeworpen. Elk *département* in Frankrijk heeft een **Fédération de Pêche** (hengelsportfederatie), waarbij goedgekeurde hengelclubs en -organisaties aangesloten zijn.

Motorboot op de Baïse, vlak bij de sluis van Lavardac

Hengelaars op de pier bij het vuurtorentje van Capbreton

VEILIGHEID OP ZEE

Elk jaar gebeuren er ongelukken in de Atlantische Oceaan, doordat vakantiegangers de veiligheidsregels niet in acht nemen. Het grootste gevaar voor zwemmers is te worden meegevoerd de zee op, door de sterke stroming die in de grote baaien wordt gevormd als het tij keert. Zwem daarom alleen bij stranden met toezicht (van juni tot september). Zwemmen is verboden buiten gebieden die met blauwe vlaggen zijn aangegeven. Surfen en bodyboarden is alleen toegestaan buiten zwemgebieden. Sommige stranden hebben speciale surf- en bodyboardzones, waar zwemmers niet mogen komen. Als u wilt zeilen, controleer altijd eerst de **waarschuwingen voor de scheepvaart** *(météo marine)* voor u vertrekt, want het weer kan op zee snel veranderen.

Onervaren zeilers moeten altijd begeleid worden door professionals. **CROSS** (Centre Régional Opérationnel de Surveillance et de Sauvetage) redt zeilers en zwemmers in nood.

WATERSPORT VOOR GEHANDICAPTEN

Sommige stranden in het Pays Basque zijn toegankelijk gemaakt voor mensen met een handicap, dankzij **Handiplage**, een vereniging die *Handi Long* uitgeeft, een gids voor toeristen met een handicap. Onder de buitenactiviteiten die speciaal zijn aangepast door **Handisport** *(blz. 277)* behoren surfen (neem contact op met Handisurf), kanoën en diepzeeduiken.

De groene vlag, teken voor veilig zwemmen

WEGWIJS IN AQUITAINE

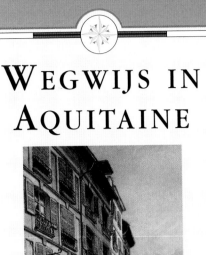

Praktische informatie

Baskische klederdracht

Zuidwest-Frankrijk trekt met zijn zachte klimaat het hele jaar door bezoekers. In de zomer is het aantal toeristen echter het grootst, met name in de vakantieoorden aan de kust. De regio is ongeveer zo groot als Nederland en het landschap is met zijn bergen, kust-gebieden, bossen en wijnvelden even gevarieerd als het aanbod aan activiteiten. Bovendien is het culturele erfgoed omvangrijk: er zijn verschillende prehistorische vindplaatsen, talrijke indrukwekkende kastelen en vele schilderachtige middeleeuwse stadjes en dorpjes.

Strand en het Fort de Socoa in Saint-Jean-de-Luz (Pays Basque)

Beste reistijd

In de zomermaanden gaan er constant grote aantallen toeristen naar Zuidwest-Frankrijk. In die periode is het met name aan de kust erg druk. In heel Aquitaine worden dan festivals en markten gehouden. De zomer is tevens het hoogseizoen voor de watersport.

De herfst is niet alleen het beste jaargetijde voor golfers, surfers, jagers en vissers, maar ook de tijd waarin truffels en *cèpes* (eekhoorntjesbrood) worden verzameld en druiven worden geoogst. In het najaar is het in de kustplaatsen rustiger, maar gaat het er in veel grote steden nog levendig aan toe. Bijvoorbeeld in Bordeaux, waar dan het culturele leven bruist in de theaters, concertzalen en tentoonstellingsruimten, en de winkels druk worden bezocht. Tussen november en Pasen trekken de besneeuwde toppen van de Pyreneeën veel wintersporters. In de ski-oorden is het vooral tijdens schoolvakanties een drukte van belang.

Reisdocumenten

Bezoekers uit lidstaten van de Europese Unie hoeven alleen een visum aan te vragen als ze van plan zijn om meer dan drie maanden in Frankrijk te verblijven. Verder moet u bij de douane een geldig paspoort of een geldige Europese identiteitskaart kunnen overleggen.

Huisdieren

Huisdieren kunt u gewoon meenemen op uw reis naar Frankrijk, maar er is wel een aantal regels van kracht: de dieren moeten minstens drie maanden oud zijn, voorzien zijn van een identificatiemicrochip en gevaccineerd zijn tegen hondsdolheid. U moet een vaccinatiebewijs van een gediplomeerde dierenarts kunnen laten zien.

Op sommige stranden geldt een hondenverbod en in de drukke vakantieoorden aan de kust begaat u een overtreding als u uw hond de openbare ruimte laat bevuilen: houd rekening met een boete van 70 euro. Het meebrengen van agressieve honden is in Frankrijk verboden.

BTW

In Spaans Baskenland ligt het BTW-tarief (slechts 7 procent) veel lager dan in Frankrijk, waar de BTW-tarieven uiteenlopen van 19,6 tot zelfs 33,3 procent. Daarom steken veel inwoners van de Béarn en het Pays Basque regelmatig de grens over om alcohol en sigaretten in te slaan of een korte vakantie te houden.

Uitvoerbepalingen

Voor inwoners van de EU gelden geen uitvoerbepalingen, maar de producten die u in Frankrijk aanschaft, moeten voor persoonlijk gebruik zijn (dit is niet van toepassing op nieuwe voertuigen). Daarnaast dient u zich aan de volgende richtlijnen te houden: voer niet meer uit dan 800 sigaretten, 10 liter sterke drank of 90 liter wijn, ook al kunt u die even over

Een van de vele uitstekende musea in Zuidwest-Frankrijk

◁ **De vissershaven van Saint-Jean-de-Luz**

Toeristenbureau in een historisch gebouw

de grens met Spanje nog zo goedkoop krijgen. Voor het uitvoeren van planten en namaakartikelen en kunstwerken gelden bijzondere bepalingen. Neem bij twijfel contact op met de **Service des Douanes**.

TOEGANGSPRIJZEN

De toegangsprijzen voor musea, monumenten archeologische opgravingsterreinen en andere bezienswaardigheden lopen uiteen van circa 2 tot circa 7 euro. Kinderen tot 12 jaar krijgen vaak reductie en kinderen onder de 6 jaar mogen vaak gratis naar binnen. Ook voor studenten van onder de 26 jaar en 65-plussers gelden vaak gereduceerde tarieven. De **Centres d'Information pour la Jeunesse** verschaffen meer informatie over de toegangsprijzen voor jongeren.

TOERISTENBUREAUS

Informatie over kustgebieden, landschap, dorpen en steden, bergpassen in de Pyreneeën en wijnroutes, is te krij-

gen bij het **Comité Régional du Tourisme**, dat ook attracties, activiteiten en accommodatie aanbeveelt.
Elk departement heeft zijn eigen **Comité Départemental du Tourisme** met plaatselijke toeristische informatie en een reserveringsservice voor accommodatie. Het algemene telefoonnummer van de **toeristenbureaus** in Frankrijk is 3265; als u dat belt kunt u zich laten doorverbinden met het toeristenbureau van uw keuze. Voor informatie over uw verblijf in Frankrijk kunt u ook contact opnemen met het **Maison Aquitaine** in Parijs *(blz. 286)*.

OPENINGSTIJDEN

Veel archeologische opgravingsterreinen, musea en andere attracties zijn op maandag en dinsdag gesloten. Maar in de zomer zijn de meeste musea dagelijks geopend en blijven de winkels vaak ook in de lunchtijd en tot later in de avond open. Buiten het hoogseizoen zijn de winkels van 9.00 tot 19.30 geopend en rond de lunch gesloten. *Hypermarchés* (grote supermarkten) zijn de hele dag geopend, en soms ook op zondagochtend. Veel benzinestations (behalve die in grote kustplaatsen, grote steden en langs snelwegen) zijn 's zondags gesloten. In restaurants wordt soms moeilijk gedaan als u na 14.00 uur

Brochures met informatie over Zuidwest-Frankrijk

wilt lunchen of na 22.00 uur nog wilt dineren.

MEDIA

Belangrijke Franse dagbladen als *Le Monde* zijn al 's ochtends vroeg te koop bij de kiosk of andere verkooppunten. Als u zich wilt inleven in het bestaan van de bevolking van Aquitaine, kunt u het beste *Sud Ouest* lezen: een regionaal dagblad met meer dan 1 miljoen lezers en 22 plaatselijke edities.
Bij veel kiosken, vooral in de grote steden, zijn verschillende buitenlandse kranten te krijgen, evenals in de meeste drie-, vier- en vijfsterrenhotels. In cafés en bistro's ligt vaak de plaatselijke krant leesklaar.
Het bekendste en meest gelezen regionale tijdschrift is het tweemaandelijkse *Pyrénées Magazine* met artikelen over bergwandelingen en lokale cultuur. Andere tijdschriften zijn de kwartaalbladen *Pays Basque Magazine* en *Le Festin*, een tijdschrift over kunst en cultuur in de regio.
In Aquitaine kunt u tevens kiezen uit verschillende radiozenders. Bijvoorbeeld France Bleu, met zendstations in de Gironde, de Périgord, de Béarn en het Pays Basque.
Tot de lokale televisiezenders behoren FR3 Aquitaine, FR3 Pau-Béarn en TV7, die in het gebied in en rond Bordeaux is te ontvangen. In een groot aantal drie-, vier- en vijfsterrenhotels zijn over het algemeen buitenlandse zenders via de satelliet te ontvangen.

De logo's van TV7 Bordeaux en France Bleu

Het dagblad *Sud Ouest* en het tijdschrift *Pyrénées*

Achtbaan in het Parc d'Attractions Walibi

OP REIS MET KINDEREN

Kinderen zijn haast overal in Zuid-Frankrijk van harte welkom, bijvoorbeeld in hotels, op campings en in *gîtes*. Tijdens de schoolvakanties is het vermaakaanbod het grootst.

Naast tal van activiteiten en amusementscentra zijn er verschillende attractieparken. Vier daarvan zijn het **Parc d'Attractions Walibi** *(blz. 161)* bij Agen, het **Cité des Aigles** *(blz. 186)* in Bidache, het **Maison du Pottok** *(blz. 202)* in Bidarray en het **Parc Préhistorique de Fontirou**,

met de grootste tentoonstelling over prehistorische dieren van Europa.

In de auto moeten jonge kinderen altijd in wettelijk verplichte kinderzitjes worden vervoerd. Openbare zwembaden moeten voor de veiligheid van kinderen zijn omheind. Bescherm kinderen op het strand tegen de felle zon en houdt u zich aan de regels van de strandwachten. Als u stranden met hoge golven wilt mijden, beperkt u zich dan tot het Arcachonbassin, de baai bij Saint-Jean-de-Luz, of een van de grote kustmeren *(blz. 278–279)*.

ROKEN

Roken is verboden in openbare gelegenheden als bioscopen, musea, galeries en historische monumenten. Ook in het openbaar vervoer geldt een rookverbod. In restaurants behoren aparte rokers- en niet-rokersruimten te zijn ingericht, maar dit wordt niet overal gestimuleerd.

GEHANDICAPTE REIZIGERS

Op de websites van **handiweb** en **handitec** (zie onder) vindt u informatie en wettelijke bepalingen voor gehandicapte reizigers in Frankrijk. U krijgt daar ook praktische tips en handige adressen om uw vakantie te plannen en uw verblijf zo aangenaam mogelijk te maken. Zie blz. 277 voor meer informatie over gehandicaptensporten.

ELEKTRICITEIT

De netspanning in Frankrijk bedraagt 220 volt en u kunt de in Nederland en België bekende stekkers met twee ronde pinnen gebruiken.

ADRESSEN

TOERISTENBUREAUS

Centre d'Information Jeunesse Aquitaine (CIJA)
125 cours Alsace-Lorraine,
33000 Bordeaux
05-56560056
www.info-jeune.net

Maison Aquitaine
21 rue des Pyramides,
75008 Parijs
01-55353142

Service des Douanes
0825-308263.
www.douane.gouv.fr

Comité Régional du Tourisme
Cité Mondiale,
23 parvis des Chartrons,
33074 Bordeaux Cedex
05-56017000
www.crt.aquitaine.fr

GEHANDICAPTE REIZIGERS

www.handiweb.com
www.handitec.com

DEPARTEMENTALE DIENSTEN VOOR HET TOERISME

Dordogne
25 rue du Président-Wilson,
24009 Périgueux Cedex
05-53355024
www.perigord.tm.fr/
tourisme/cdt

Gironde
21 cours de l'Intendance,
33000 Bordeaux
05-56526140
www.tourisme-gironde.cg33.fr

Landes
4 rue Aristide-Briand, BP 407,
40012 Mont-de-Marsan Cedex
05-58068989
www.tourismelandes.com

Lot-et-Garonne
271 rue Péchabout, BP 30158,

47005 Agen Cedex
05-53661414
www.lot-et-garonne.fr

Béarn-Pays Basque
4 allées des Platanes
BP 811, 64108 Bayonne Cedex
05-59465252
www.tourisme64.com

OP REIS MET KINDEREN

Parc d'Attractions Walibi
Château de Caudouin,
47310 Roquefort
05-53965832

Parc Préhistorique de Fontirou
Fontirou, RN 21, 47340 Castella
05-53401529

Cité des Aigles
64250 Bidache
05-59560879

Maison du Pottok
Réserve Naturelle du Pottok,
64780 Bidarray
05-59522114

Veiligheid en gezondheid

Aquitaine is een veilige streek met goed georganiseerde lokale overheden en dienstverlenende instanties. Toch is het altijd verstandig om u te wapenen tegen kleine criminaliteit: sluit uw auto goed af en loop nooit te koop met waardevolle bezittingen. Apotheken vindt u bijna overal en in alle grote steden zijn goede ziekenhuizen gevestigd, zoals het CHU in Bordeaux.

VEILIGHEID

Als u betrokken raakt bij een ongeluk, bel dan de **politie**. Probeer ook getuigenverklaringen op te nemen, die van pas kunnen komen bij het opstellen van een proces verbaal. Als u het slachtoffer bent van geweld of beroving, neem dan contact op met het dichtstbijzijnde politiebureau. U kunt ook de hulp inroepen van het consulaat of de ambassade van uw land. Doe bij verlies of diefstal van paspoorten of andere belangrijke documenten altijd aangifte bij het dichtstbijzijnde politiebureau. Schakel ook bij verlies of diefstal van uw creditcard de politie in (*blz. 288–289*) en neem contact op met uw creditcardmaatschappij.

NOODGEVALLEN

Bel in geval van nood de **SAMU** (Service d'Aide Médicale d'Urgence, tel. 15) of de **Sapeurs Pompiers** (brandweer, tel. 18). Probeer voor het arriveren van de ambulance een gewonde persoon nooit te verplaatsen, tenzij er sprake is van direct levensgevaar. Neem bij een ongeval in de bergen contact op met de **PGHM** voor de Pyrénées-Atlantiques. Dit is een speciaal politieteam dat in hoge berggebieden kan worden ingezet. U kunt ook hulp inroepen door 112 te bellen. Dit is het centrale **alarmnummer** voor heel Europa, dat ook met uw mobiele telefoon bereikbaar is. Als u op zee in de problemen raakt, kunt u contact opnemen met de organisatie **CROSS**, die de strandwachten of de reddingsbrigade van uw situatie op de hoogte kan stellen.

MEDISCHE ZORG

Voor een bezoek aan Frankrijk zijn geen vaccinaties vereist. Vraag voor vertrek bij uw zorgverzekeraar een Europese verzekeringspas aan, die de kosten van behandeling door een arts of in een ziekenhuis binnen de EU (gedeeltelijk) dekt. Wanneer u buiten de normale tijden bij een arts of apotheek terecht kunt, staat vermeld bij de ingang van het apotheek in lokale kranten. U kunt deze tijden ook opvragen bij het politiebureau. Sommige medicijnen zijn alleen op recept verkrijgbaar.

Apotheekkruis

STRANDEN EN BERGEN

Elke zomer eist de oceaan meer levens. Volg altijd de veiligheidsvoorschriften van de strandwachten en zwem alleen bij bewaakte stranden. Als de rode vlag wappert, mag u het water niet in. Ga nooit alleen de bergen in en informeer eerst bij het **lokale weerstation** naar de weersomstandigheden. Een mobiele telefoon, een goede kaart en stevige wandelschoenen zijn van essentieel belang.

Strandwachten houden aan de Atlantische kust een oogje in het zeil

Banken en geld

In Zuidwest-Frankrijk is men gewend geraakt aan grote bezoekersaantallen en daarom is het geldverkeer in de hele regio uitstekend geregeld. Er zijn bijvoorbeeld veel banken, waar u geld kunt opnemen en allerlei andere transacties kunt verrichten, en *bureaux de change* (wisselkantoren), waar u bijvoorbeeld travellercheques kunt verzilveren. Het is ook mogelijk om geld op te nemen bij het postkantoor of de geldautomaten, die u in alle steden en veel dorpen aantreft.

BANKEN

Bij de geldautomaten (buiten of binnen) van de meeste banken in steden en dorpen in Zuidwest-Frankrijk kunt u met een pin- of bankpas (met het Maestro- of Cirrus-logo) rechtstreeks euro's van uw rekening opnemen (sinds juli 2002 soms zelfs zonder extra kosten). Pinnen is doorgaans ook mogelijk met creditcards, bijvoorbeeld van **Visa/Carte Bleue** of **Eurocard MasterCard**, waarbij u een pincode hebt ontvangen. Houd er rekening mee dat sommige van deze (over het algemeen centraal gelegen) geldautomaten al voor het eind van het weekeinde leeggepind zijn. Mocht u onverhoopt nergens een geldautomaat kunnen vinden, dan kunt u met een Visacard dagelijks tot 300 euro opnemen aan de balie van banken met het Visa-logo.

TRAVELLERCHEQUES

Travellercheques van **Thomas Cook** of **American Express** zijn veilig en praktisch; u kunt er grote bedragen mee ophalen en u hoeft op reis geen contant geld mee te nemen. Bij banken of *bureaux de change* (wisselkantoren) kunt u de cheques verzilveren, die bovendien verzekerd zijn tegen diefstal of verlies. Bewaar de serienummers van uw travellercheques altijd op een veilige plaats en apart van de cheques, want u hebt ze nodig als u de cheques kwijtraakt. U moet elke cheque afzonderlijk ondertekenen als u deze inwisselt of er iets mee wilt aanschaffen.

BANKCHEQUES

Betalen met bankcheques is af te raden. Bij de meeste *bureaux de change* kunt u bankcheques zelfs niet eens inwisselen voor contant geld.

CREDITCARDS

Creditcards worden in veel winkels, hotels en restaurants in Zuidwest-Frankrijk geaccepteerd. Soms moet u bij betaling per creditcard echter een bepaald minimumbedrag besteden. Als dit het geval is, moet dit ergens staan aangegeven. De meest gangbare creditcards zijn **Visa** en **Eurocard MasterCard**, maar in hotels en restaurants kunt u ook met **American Express** of **Diner's Club** terecht. In elke stad vindt u geldautomaten, maar houd er rekening mee dat de machines leeg kunnen zijn na een lang weekeinde, bijvoorbeeld na Pasen of als een feestdag op een vrijdag of maandag valt.

Bankfiliaal van Crédit Agricole in een historisch gebouw

OPENINGSTIJDEN

De meeste banken in Frankrijk zijn van dinsdag tot zondag van 9.00 tot 12.30 en van 13.45 tot 16.45 uur geopend. De dag voor nationale feestdagen als *Quatorze Juillet* (14 juli) en Maria-Hemelvaart (15 augustus) sluiten de banken vroeger. In veel steden in Aquitaine zijn filialen van grote Franse banken gevestigd.

ADRESSEN

WISSELKANTOREN (VOOR TRAVELLERCHEQUES)

American Express Bordeaux
11 cours de l'Intendance
☎ 05-56006333

Travelex, luchthaven Bordeaux
Hal A 33700 Mérignac
☎ 05-56340340

Thomas Cook Périgueux
10 avenue d'Aquitaine
☎ 05-53359500

Thomas Cook Biarritz
8 place Clemenceau
☎ 05-59227330

Thomas Cook Pau
Place Clemenceau
☎ 05-59118686

MELDPUNTEN VOOR VERLIES VAN CREDITCARDS EN TRAVELLERCHEQUES

Eurocard MasterCard
☎ 01-45678484
W www.eurocardmastercard.tm.fr

Visa
☎ 01-42774545
W www.carte-bleue.com

Diner's Club
☎ 01-47627575
W www.dinersclub.fr

American Express
☎ 01-47777200 (creditcards)
☎ 0800-908600 (travellercheques)
W www.americanexpress.fr

Thomas Cook
☎ 0800 90 83 30.
W www.thomascook.com

DE EURO

Op 1 januari 2002 is de euro als munteenheid in gebruik genomen in 12 van de 25 lidstaten van de Europese Unie. Het gaat daarbij om de volgende landen: België, Duitsland, Finland, Frankrijk, Griekenland, Ierland, Italië, Luxemburg, Nederland, Oostenrijk, Portugal en Spanje. Denemarken, Engeland en Zweden hebben nog altijd hun eigen valuta, maar deze landen kunnen in de toekomst alsnog besluiten om op de euro over te stappen.

De eurobiljetten zijn in alle 12 EU-lidstaten identiek. Euromunten hebben weliswaar overal dezelfde muntzijde (de kant met de waarde), maar een voor elk land unieke kopzijde. De euro is wettig betaalmiddel in elk van de 12 eurolanden.

Eurobiljetten

Er zijn zeven eurobiljetten waarvan het formaat meegroeit met de waarde: het biljet van 5 euro (grijs) is het kleinst, gevolgd door dat van 10 euro (rood), 20 euro (blauw), 50 euro (oranje), 100 euro (groen), 200 euro (geel) en 500 euro (paars). Op alle biljetten staan de sterren van de 12 eurolanden.

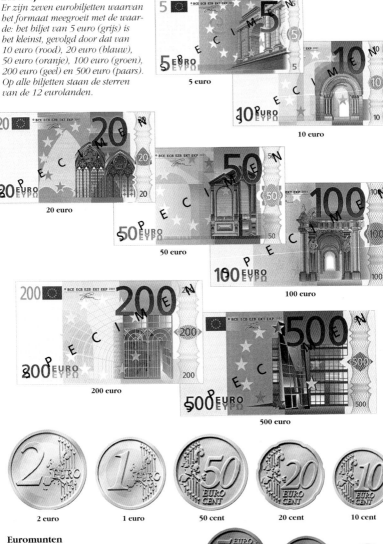

5 euro

10 euro

20 euro

50 euro

100 euro

200 euro

500 euro

2 euro

1 euro

50 cent

20 cent

10 cent

Euromunten

Er zijn acht euromunten: 2 euro, 1 euro, 50 cent, 20 cent, 10 cent, 5 cent, 2 cent en 1 cent. De munten van 1 en 2 euro zijn deels zilver- en deels goudkleurig, die van 50, 20 en 10 cent goudkleurig en die van 5, 2 en 1 cent koperkleurig.

5 cent

2 cent

1 cent

Communicatie

Franse telecommunicatiebedrijven zijn betrouwbaar en efficiënt. De meeste openbare telefoons zijn te gebruiken met telefoonkaarten, die verkrijgbaar zijn bij het postkantoor, de tabakszaak of de kiosk. Het mobiele telefoonnetwerk is uitgebreid. Vanwege het toenemende internetgebruik zijn er overal in de regio internetcafés geopend, waar u voor een klein bedrag kunt surfen op internet, chatten of e-mailen. La Poste, de Franse posterijen, is betrouwbaar en relatief goedkoop. Overal in Aquitaine vindt u postkantoren, zelfs in afgelegen gebieden.

De bekende gele Franse brievenbus is ontworpen in de jaren zestig

TELEFONEREN

Franse telefoonnummers bestaan uit 10 cijfers, waarvan de eerste twee het kengetal vormen: 01 (Parijs en Île de France), 02 (Noordwest-Frankrijk), 03 (Noordoost-Frankrijk), 04 (Zuidoost-Frankrijk en Corsica) en 05 (Zuidwest-Frankrijk). Als u naar Frankrijk belt, kiest u eerst 0033 en daarna het kengetal zonder de eerste 0 en het nummer (bijvoorbeeld 0033345678910).

Als u een openbare telefoon *(cabine téléphonique)* wilt gebruiken, hebt u meestal een telefoonkaart *(télécarte)* nodig. Er zijn kaarten van 25, 50 of 120 eenheden. Nog maar heel weinig openbare telefoons (vaak op afgelegen plaatsen) werken op munten. Met een kaart van **France Télécom** kunt u gebruikmaken van alle openbare telefoons: de gesprekskosten worden op uw telefoonrekening bijgeschreven. De

kaart is in Frankrijk en circa honderd andere landen te gebruiken. Alle telefoonkaarten (ook prepaidkaarten voor mobiele telefoons) zijn te koop bij het postkantoor, de tabakszaak en de kiosk. Als u van Frankrijk naar huis wilt bellen, kies dan eerst 0031 voor Nederland of 0032 voor België en het kengetal zonder de eerste 0. Alle telefoontarieven en landnummers staan in het telefoonboek en op de website van France Télécom. Bij verbindingsproblemen krijgt u vaak een (Franse) **operator** aan de lijn.

MOBIELE TELEFOONS

Drie belangrijke aanbieders van mobiele telefonie met uitstekende netwerken zijn SFR, Bouygues en France Télécom. Als u in Frankrijk bent, kunt u uit een van deze (of andere) netwerken kiezen of uw aanbieder een automatische keuze laten maken. Bij telefoonwinkels in Frankrijk zijn ook mobiele telefoons met prepaidmogelijkheid te huur.

INTERNETCAFÉS

Overal in Zuidwest-Frankrijk zijn internetcafés gevestigd, waaronder **Internet Café** in Biarritz en **La Taverne du Web** in Sarlat. Voor meer informatie over internetcafés kunt u terecht bij het toeristenbureau. U betaalt voor de tijd dat u online bent. In veel hotels kunt u meestal voor een vast tarief gebruikmaken van internet. In sommige

---

EEN TELEFOONKAART GEBRUIKEN

1 Neem de hoorn op en wacht op de kiestoon.

2 Voer de *télécarte* in, met de pijl naar boven.

3 Op het display ziet u hoeveel eenheden er nog op uw kaart staan.

4 Kies het nummer en wacht tot de verbinding tot stand is gebracht.

5 Als u het nummer opnieuw wilt bellen, hang dan niet op, maar druk op de herhaaltoets.

6 Neem de kaart uit de sleuf als u klaar bent met bellen.

Een *télécarte*

postkantoren staan internetterminals van **Cyberposte**. Er zijn ongeveer 800 van deze terminals in Frankrijk. U kunt erop internetten en e-mailen. Informatie over Cyperposte is te vinden op de website van La Poste.

LA POSTE

Ansichtkaarten of brieven kunt u in een van de opvallende gele brievenbussen van La Poste deponeren. Deze staan op straat en bij ieder postkantoor. Op de bussen zijn de lichtingstijden aangegeven.

In Zuidwest-Frankrijk komen steeds meer internetcafés

Postzegels zijn te krijgen bij postkantoren, kiosken en tabakszaken. Ze worden per stuk of in boekjes *(carnets de timbres)* van 10 verkocht. De portokosten zijn afhankelijk van het gewicht en de bestemming van het poststuk. De Franse posterijen zijn snel en betrouwbaar. Een brief naar een bestemming binnen Frankrijk komt binnen 24 à 48 uur aan; houd voor poststukken naar het buitenland rekening met een verzendtijd van vijf dagen, tenzij u voor een expreslevering hebt betaald. Voor postzegelautomaten, frankeermachines en geldautomaten staan geregeld rijen wachtenden.

Postzegel met Eleonora van Aquitanië

POSTE RESTANTE

In heel Frankrijk vindt u postkantoren met een poste-restanteafdeling, waar uw post blijft liggen tot u die komt ophalen. U hoeft dus geen vast adres te hebben. Poststukken voor de poste restante moeten voorzien zijn van de naam en de geadresseerde, de woorden 'poste restante', de naam van het betreffende postkantoor, de postcode en de plaats. Wanneer u uw post komt ophalen, moet u zich kunnen legitimeren.

U kunt uw post ook naar uw vakantieadres laten doorsturen. Deze service is echter niet gratis en het duurt over het algemeen een aantal dagen voordat deze wordt geacti-

veerd.
Bij La Poste kunt u ook terecht voor bankzaken. Zo kunt u aan het loket bijvoorbeeld contant geld opnemen. Let er wel op dat u zich bij elke opname dient te kunnen legitimeren.

EXPRESPAKKETTEN

De koeriersdiensten Colissimo en Chronopost bezorgen in samenwerking met La Poste exprespakketten. Deze bedrijven staan bekend om hun efficiëntie. Ze garanderen levering binnen 12 à 48 uur. U kunt uw pakket op internet volgen met een nummer dat u krijgt wanneer u het pakket afgeeft. Koeriersdiensten berekenen echter wel veel hogere kosten dan La Poste.

POSTCODES

Elk district in Aquitaine heeft een eigen vijfcijferige postcode, die net als in Nederland en België voor de plaatsnaam moet staan. De eerste twee cijfers corresponderen met het nummer van het departement en de volgende drie cijfers met het betreffende sorteerkantoor. De postcode van Dordogne is 24, van Gironde 33, van Landes 40, van Lot (deel van Quercy) 46, van Lot-et-Garonne 47 en van Pyrénées-Atlantiques 64.

REISINFORMATIE

De luchthaven
van Bordeaux

Reizen gaat heel gemakkelijk in Zuidwest-Frankrijk. Er liggen internationale luchthavens bij Bordeaux, Biarritz en Pau, en drie kleinere regionale vliegvelden bij Bergerac, Agen en Périgueux. De TGV (hogesnelheidstrein), de TER (regionale sneltrein), maar ook de havens van Bordeaux en Bayonne en het uitgebreide netwerk van snelwegen en secundaire wegen dragen ertoe bij dat u zich in deze regio snel van de ene naar de andere plek kunt begeven. Ook de verbinding met andere delen van Europa, vooral met Spanje en Portugal, is uitstekend te noemen.

De luchthaven van Bordeaux verwerkt jaarlijks drie miljoen reizigers

LUCHTHAVENS

Verschillende internationale en regionale luchtvaartmaatschappijen verzorgen vluchten naar het zuidwesten van Frankrijk. Vanuit andere delen van het land duurt een vlucht gemiddeld een uur, en vanuit de meeste West-Europese steden bent u in circa twee uur op de plaats van bestemming.
De luchthaven **Bordeaux-Mérignac** verwerkt jaarlijks drie miljoen passagiers en per week zijn er zo'n 200 vliegbewegingen (landen en opstijgen). Air France en KLM onderhouden een rechtstreekse verbinding tussen Bordeaux en Amsterdam-Schiphol, en Air France tussen Bordeaux en Brussel-Zaventem. Vanaf Bordeaux wordt er dagelijks gevlogen naar een tiental andere Franse steden. Ook vliegen er talloze chartermaatschappijen op Bordeaux.
Tussen de luchthaven van Bordeaux en het centrum van de stad rijden pendelbussen. Deze vertrekken om de 45 minuten en de reistijd bedraagt 30–45 minuten.
De luchthaven van **Biarritz** verwerkt één miljoen passagiers per jaar. Van Amsterdam of Brussel kan niet rechtstreeks op Biarritz worden gevlogen. Bussen vervoeren reizigers naar Biarritz en naar de kustplaatsen Hendaye en Saint-Jean-de-Luz.

LUCHTHAVEN	INFORMATIE	AFSTAND TOT STAD	TAXIRIT NAAR STAD (GEM.)
DORDOGNE			
Bergerac-Roumanière	☎ 05-53222525 ⓦ www.bergerac.aeroport.fr	5 km ten zuidwesten van Bergerac	€ 12–15 naar het centrum van Bergerac
Périgueux-Bassillac	☎ 05-53027979 ⓦ www.aeroport-perigueux.com	12 km ten oosten van Périgueux	€ 15 naar het centrum van Périgueux
GIRONDE			
Bordeaux-Mérignac	☎ 05-56345000 ⓦ www.bordeaux.aeroport.fr	15 km ten westen van Bordeaux	€ 25–30 naar het centrum van Bordeaux
LOT-ET-GARONNE			
Agen-la-Garenne	☎ 05-53770088 ⓦ www.aeroport-agen.com	3 km ten zuidwesten van Agen	€ 8–12 naar het centrum van Agen
PYRÉNÉES-ATLANTIQUES			
Biarritz-Anglet-Bayonne	☎ 05-59438383 ⓦ www.biarritz.aeroport.fr	2 km ten zuidoosten van Biarritz	€ 13–20 € naar Biarritz, Anglet of Bayonne
Pau-Pyrénées	☎ 05-59333300 ⓦ www.pau.aeroport.fr	7 km ten noorden van Pau	€ 20 naar Pau

De luchthaven Pau-Pyrénées bij avond

De luchthaven van **Pau** verwerkt één miljoen passagiers per jaar. Ook op Pau kan uit Amsterdam of Brussel niet rechtstreeks worden gevlogen; er is een overstap in Parijs. Er is een goede pendelbusverbinding met het centrum van de stad.
Vanaf de veel kleinere lokale luchthaven van **Bergerac** in de Dordogne kunt u onder andere naar Parijs vliegen. Vanaf de luchthaven van **Périgueux** vertrekken toestellen van de lokale luchtvaartmaatschappij **Airlinair**, die vluchten organiseert naar Parijs. Het vliegveld van **Agen** trekt voornamelijk zakenlui die met een privévliegtuig reizen.

BESTEMMINGEN

Veel gevestigde luchtvaartmaatschappijen, maar ook prijsstunters als Ryanair, Maersk Air, Flybe en Virgin Express vliegen op het zuidwesten van Frankrijk. De meeste vluchten vanuit Parijs (Roissy-Charles de Gaulle en Orly Sud) worden verzorgd door de nationale maatschappij **Air France**, die ook vanuit het zuidwesten vliegt op Amsterdam en Brussel. De meeste buitenlandse luchtvaartmaatschappijen vliegen op Bordeaux en Pau. De goedkopere maatschappijen doen ook andere steden in de regio aan.
Prijsstunter **Easyjet** verzorgt veel vluchten van en naar Bordeaux.
Virgin Express pendelt op en neer tussen Brussel en Bordeaux. Nationale luchtvaartmaatschappijen als **KLM**, **Lufthansa** en **Air France** doen Bordeaux eveneens enkele malen per week aan. Raadpleeg internet voor actuele gegevens.

PRIJZEN

De prijzenslag in de luchtvaart heeft ervoor gezorgd dat de prijzen van vliegtickets sterk zijn gedaald. Er zijn verschillende websites, waaronder **vliegwinkel.nl**, waar reizigers de prijzen van verschillende luchtvaartmaatschappijen met elkaar kunnen vergelijken. Doorgaans geldt: hoe vroeger u boekt, hoe minder u betaalt. Bedenk echter wel dat goedkopere maatschappijen minder comfort en service bieden dan de gevestigde. Daar gelden voor gezinnen, voor mensen onder de 25 of boven de 60 jaar vaak kortingen. Kinderen tot twee jaar mogen gratis mee, maar krijgen geen eigen stoel. Houd er rekening mee dat sommige tickets niet inwisselbaar zijn of kunnen worden geannuleerd. Andere zijn alleen geldig voor de terugweg of verplichten u een zaterdagnacht op de bestemming door te brengen. Op woensdag zijn bij Air France vanaf middernacht goedkope lastminutetickets te koop voor binnenlandse en internationale vluchten.

FORMALITEITEN

Passagiers kunnen meestal inchecken tot 30 minuten voor vertrek (kijk goed naar de op uw ticket aangegeven tijd), maar het is verstandig

Passagiers in de hal van de luchthaven Pau-Pyrénées

ten minste een uur voor het boarden aanwezig te zijn op de luchthaven.
In de economy class mogen passagiers 20 kg bagage meenemen (business class 30 kg). Voor golfsets en wintersportmateriaal gelden speciale toeslagen. U mag één stuk handbagage meenemen. Handbagage mag geen scherpe voorwerpen bevatten omdat deze als wapen kunnen worden gebruikt. Kinderen tussen 4 en 12 jaar mogen zelfstandig reizen, mits ze een eigen paspoort hebben en een naambordje dragen. Luchtvaartmaatschappijen zorgen ervoor dat ze goed worden begeleid. Dieren reizen gewoonlijk in het ruim, in speciale kooien. Bij sommige maatschappijen mogen dieren tot 5 kg (in een mand of tas) bij de eigenaar in de cabine blijven.

Reizen per trein

Frankrijk beschikt over een uitmuntend spoorwegnet. Per TGV kunt u snel naar Zuid-Frankrijk reizen. Bij Parijs buigt het spoor af naar de zuidwestkust van Frankrijk (route Atlantique). Vanuit Bordeaux reizen passagiers per TGV binnen drie uur naar Parijs, in vijf uur naar Lille en binnen zeven uur naar Brussel. Vooral in het hoogseizoen, wanneer er files kunnen staan, reist u comfortabel per hogesnelheidstrein of sneltrein (TER) naar en door het zuidwesten van Frankrijk.

Bedrijvigheid op het TGV-station in Bordeaux

DE SPOORWEGEN

Franse treinen rijden doorgaans op tijd. De dienstregelingen van de TGV en TER zijn verkrijgbaar op de regionale stations in het zuidwesten, zoals **Agen, Bayonne, Bordeaux, Mont-de-Marsan, Périgueux** en **Pau**. De SNCF, de Franse nationale spoorwegen, kennen een speciale **bagageservice** *(service d'enlèvement des bagages à domicile)*. Reizigers kunnen hun bagage naar hun verblijfadres laten vervoeren – een dienst die vooral interessant is voor ouderen. De service geldt voor koffers, rolstoelen, fietsen en andere voorwerpen.
De meeste treinen zijn voorzien van een bar- of restauratiewagon. Passagiers die hun auto willen meenemen, kunnen terecht op de **autoslaaptrein** die rijdt tussen Parijs en Bordeaux (hele jaar), en naar Biarritz ('s zomers) of Tarbes. De SNCF heeft ook **Train + Auto**-kaartjes, voor reizigers die op hun bestemming een huurauto nodig hebben. Ook voor huurfietsen zijn er speciale kaartjes te koop. Informeer hiernaar op de stations.

HOGESNELHEIDSTREIN

Dagelijks rijden er zo'n 20 hogesnelheidstreinen tussen Parijs en Bordeaux, met een gemiddelde reistijd van 3 uur. Ook rijden er twaalf treinen per dag op het traject Parijs–Agen (4 uur), vier op het traject Parijs–Pau (5 uur), en zeven naar de Baskische kust (4,5 uur), inclusief slaapwagons. Als de geplande verbeteringen aan het spoor tussen Tours en Bordeaux op de TGV-route Atlantique zijn uitgevoerd, reist u in twee uur van Parijs naar Bordeaux. Roken is op alle TGV-treinen verboden en reserveren is verplicht.

REGIONALE SNELTREINEN

Het netwerk voor regionale sneltreinen (TER) heeft in de streek Aquitaine een lengte van 2647 km. Er zijn 163 stations en 26 lijnen, die in totaal 360 steden en dorpen aandoen. Of u nu naar Pau wilt om een groot sportevenement bij te wonen of even wilt luieren bij het Bassin d'Arcachon, de TER-treinen stellen u in staat om voordelig te reizen zonder u zorgen te hoeven maken over files of parkeerproblemen. Tussen Arcachon en Bordeaux rijden dagelijks maar liefst 22 treinen en de reistijd bedraagt drie kwartier. Vanuit Bordeaux reist u in 1 uur en 15 minuten naar Périgueux, in 1 uur en 20 minuten naar Dax, in anderhalf uur naar Agen, en in 2 uur naar Pau.

KAARTJES

Kaartjes zijn te koop bij spoorwegstations, bij reisbureaus die zijn aangesloten bij de SNCF en bij kaartjesautomaten. Via een informatielijn kunt u zeven dagen per week treintijden opvragen en kaartjes kopen (geldigheidsduur: twee maanden). De kaartjes worden u gratis toegezonden.
Via de website van de SNCF kunt u plaatsen reserveren, treinkaartjes kopen, hotelkamers boeken of een auto huren.

TARIEVEN

Er geldt een korting van 25 procent op treinkaartjes voor kinderen onder de 12, voor jongeren tussen 12 en

Een regionale sneltrein (TER)

Vooraanzicht van het SNCF- station in Biarritz

25 en voor mensen ouder dan 60 jaar. De korting geldt op TGV-treinen zolang er plaatsen beschikbaar zijn, en op Corail- en TER-treinen buiten de spits *(périodes bleues)*. De conducteur kan vragen naar een identiteitsbewijs om uw leeftijd te controleren. Als u vaak met de trein reist kunt u een speciale kortingspas aanschaffen (zoals Enfant + en Senior). Wie zijn kaartje twee maanden tot twee weken van tevoren koopt, krijgt een 'Prem'-ticket, met 30 tot 40 procent korting.
Ook voor buitenlanders zijn er speciale kaartjes, zoals Euro Domino en Inter Rail. Houders reizen met korting op de Thalys en op de Eurostar-treinen. Deze kaartjes zijn te verkrijgen bij het reserveren in eigen land. Aquitaine Temps Libre is een pas die in de zomer 25 procent korting geeft op retourtjes met TER-treinen en bussen.

DIEREN

Tegen betaling van een toeslag van 5 euro mag u een kleine hond of een kat mee de trein in nemen. Honden moeten echter een muilkorf dragen en katten mogen niet zwaarder zijn dan 6 kg. Ze moeten in een tas of mand worden vervoerd. Voor zwaardere dieren betaalt u de helft van de prijs van een tweedeklaskaartje (ook als u eersteklas reist). Zorg ervoor dat uw dier de andere passagiers niet stoort, want zij hebben het recht te weigeren om met dieren in één coupé te verblijven.

FIETSEN

Op de hoofdtrajecten en in TER-treinen mogen fietsen gratis mee. Reist u per TGV, dan mag uw fiets alleen mee als hij uit elkaar is gehaald en in een hoes in de bagageruimte wordt geplaatst. Op alle andere treinen mogen fietsen worden gestald in de conducteurswagen of op andere, speciaal daartoe aangewezen plekken. Maakt u gebruik van de conducteurs-wagen dan dient u uw fiets zelf te plaatsen, vast te zetten en op de plaats van bestemming weer uit te laden.

GEHANDICAPTEN

De SNCF Accessibilité Service assisteert gehandicapte reizigers bij het plannen van hun reis via een gratis telefoonlijn. Deze dienst verstrekt alle benodig-de informatie en verstuurt uw kaartjes desgewens naar uw huisadres. Om er zeker van te kunnen zijn dat alles goed geregeld is, verdient het aanbeveling uw reis ten minste 24 uur van tevoren te plannen.
Les Compagnons du Voyage is een organisatie die u op trajecten buiten de regio Parijs kan koppelen aan een geschikte reisgenoot.

Hier stempelt u uw kaartje af

BIJZONDERE ROUTES

De treinreis naar het Lac d'Artouste *(blz. 231)* is prachtig. Onderweg geniet u van het uitzicht op de hoogste toppen van de Pyrénées-Atlantiques. Ook tijdens de rit

over de tandradbaan naar de top van de Rhune *(blz. 198)* komt u ogen te kort.

Over de weg

Bord langs de weg

Het fijnvertakte wegennet in het zuidwesten van Frankrijk omvat alle hoofdroutes tussen Parijs en Spanje en tussen de Atlantische kust en die van de Middellandse Zee. Autorijden is een prettige ervaring op de goed onderhouden en duidelijk bewegwijzerde (snel)wegen. Vooral in de Pyrénées-Atlantiques is het landschap hier en daar adembenemend.

AUTORIJDEN

Automobilisten zijn verplicht het kentekenbewijs, de verzekeringspapieren en een geldig rijbewijs bij zich te hebben. Tijdens de ochtend- en avondspits, en aan het begin van de vakantieperiode is de kans groot dat er files zijn in de stadscentra en op de rondwegen. Voor verkeersinformatie gaat u naar de website van **Bison Futé** (slimme bizon). U kunt ook afstemmen op *Autoroute FM* op 107.7 of contact opnemen met het **CRICR**.

AFSTANDEN

Via de snelweg A10 rijdt u rechtstreeks van Parijs naar Bordeaux. De N10 en de snelweg A63 voeren vanuit Bordeaux in zuidelijke richting naar Biarritz, Saint-Jean-de-Luz en Hendaye. De snelweg A62, ofwel de Autoroute des Deux-Mers, is een snelle route naar het Middellandse Zeegebied. De afstand van Parijs naar Bordeaux bedraagt 584 km; die van Bordeaux naar Pau

BAYONNE · BAIONA
HASPARREN · HAZPARNE
Borden in het Frans en het Baskisch

200 km; van Bordeaux naar Bayonne 190 km; van Bayonne naar Périgueux 317 km; van Dax naar Agen 179 km; van Arcachon naar Villeneuve-sur-Lot 200 km en van Parijs naar Bayonne 736 km.

MAXIMUMSNELHEID

De maximumsnelheid bedraagt 50 km/u binnen de bebouwde kom, 90 km/u op secundaire wegen (bij regen of mist 80 km/u), 110 km/u op vierbaanswegen (bij regen of mist 90 km/u), op snelwegen 130 km/u (bij regen of mist 110 km/u).

VEILIGHEID

Alle inzittenden moeten een gordel dragen, dus ook de passagiers op de achterbank. Controleer de bandendruk voor u een lange reis gaat maken. Het gebruik van kinderzitjes is verplicht en mobiel bellen terwijl u rijdt is verboden. U mag maximaal 0,5 g alcohol in uw bloed hebben. Dit staat gelijk aan ongeveer twee glaasjes wijn.

Bord met maximumsnelheid

Deze snelweg voert door een glooiend heuvellandschap

Wie wil gaan skiën in de Pyreneeën moet sneeuwkettingen bij zich hebben. Wees op snel- en hoofdwegen op uw hoede voor zware vrachtwagens met een hoge snelheid. Aangezien er in dit gebied veel wild leeft dat de weg op kan springen, moet u extra opletten op plekken waar hiervoor gewaarschuwd wordt.

TANKEN

Pompstations langs de snelwegen zijn niet goedkoop. Er is weinig verschil in prijs. Tanken bij supermarkten als Carrefour, Géant en Hyper U, gevestigd aan de rand van steden, is goedkoper. In landelijk gebied sluiten de pompstations doorgaans eerder. Op feestdagen, maar ook op zondag en maandag zijn ze er doorgaans gesloten.

PECH

Hulpdiensten, zoals de **ANWB** in Nederland en **Touring** in België, bieden hulp bij autopech in het buitenland. Ook sommige autofabrikanten hanteren een 24-uursservice bij pech, in welk model u ook rijdt. Als u geen mobiele telefoon hebt, kunt u gebruikmaken van de praatpalen die langs alle snelwegen te vinden zijn.

TOL

Aan het begin van een stuk snelweg waarop tol wordt geheven *(péage)* krijgt u een kaartje, dat u aan het eind van

Een secundaire weg in het Ossaudal, in Béarn

Betaald parkeren op een authentiek pleintje

het traject overhandigt. Het bedrag is afhankelijk van het type voertuig en de afstand die u hebt afgelegd. Bij automatische kassa's kunt u per creditcard betalen. Informatie over snelwegen is beschikbaar via www.autoroutes.fr

EEN AUTO HUREN

Om een auto te huren moet u ten minste 21 jaar zijn. U dient een geldig rijbewijs te hebben, dat u al minimaal een jaar in uw bezit hebt. Van de grotere verhuurbedrijven vindt u kantoren in stations, op vliegvelden en in de stadscentra. De prijs is afhankelijk van het aantal kilometers, de huurperiode en de plek waar u de auto inlevert. Bedrijven als **ADA**, **Avis**, **Hertz** en **Europcar** hebben een uitgebreid netwerk van kantoren en terreinen waar u de auto kunt ophalen.

PARKEREN

In de stad kunt u bijna nergens gratis parkeren. Haal een kaartje bij de automaat en leg dit goed in het zicht op het dashboard. In de meeste grotere plaatsen zijn er ondergrondse parkeergarages.

CAMPERS

Overnachten met een camper mag niet overal. In sommige regio's zijn er speciale terreinen voor met kranen en andere faciliteiten. In *Camping-Car Magazine* vindt u 17.000 van dit soort plekken.

WEGENKAARTEN

In de achterflap van deze gids vindt u een wegenkaart van het zuidwesten van Frankrijk. Een detailkaart van Michelin of IGN komt goed van pas als u kiest voor de secundaire wegen. Met behulp van de websites van **Michelin** en **Mappy** kunt u gemakkelijk een route uitstippelen.

BUSSEN

De regio wordt ontsloten door een netwerk van busroutes, verzorgd door verschillende bedrijven. **CITRAM** bijvoorbeeld, bestrijkt de Pyrénées-Atlantiques en 365 (afgelegen) plaatsen in de Gironde. **RDTL** rijdt in de Landes, en **CFTA** in de Dordogne. Voor informatie over busroutes en dienstregelingen kunt u terecht op ieder busstation. Busbedrijf Eurolines vervoert passagiers over langere afstanden, zoals van en naar België en Nederland.

LIFTEN EN AUTODELEN

Wie een lifter wil meenemen kan contact zoeken met **Allostop Bordeaux**, dat nuttige informatie geeft. U hebt in zo'n geval recht op een vergoeding; de richtlijnen zijn op de website duidelijk weergegeven. **123envoiture.com** brengt mensen bijeen die (regelmatig) hetzelfde reisdoel hebben.

ADRESSEN

VERKEERSINFORMATIE

Bison Futé
[w] www.bison-fute.equipement. gouv.fr

CRICR (Centre Régional d'Information Routière)
[C] 0826-022022

AUTOPECH

ANWB Alarmcentrale
[C] *070-3141414 (dag en nacht bereikbaar)*

Touring
[C] *02-2332345 (dag en nacht bereikbaar)*

AUTOVERHUUR

ADA
[C] *0825-169169*

Avis
[C] *0820-050505*

Europcar
[C] *0870-6075000*

Hertz
[C] *0820-903905*

EEN ROUTE PLANNEN

[w] www.viamichelin.com
[w] www.mappy.com

LIFTEN EN POOLEN

[w] http://allostop.free.fr
[w] www.123envoiture.com

BUSBEDRIJVEN

Gironde
CITRAM-Aquitaine
[C] *05-56436843*

Dordogne
CFTA Centre-Ouest
[C] *05-53084313*

Landes
RDTL
[C] *05-58056600*

Pyrénées-Atlantiques
CITRAM-Pyrénées
[C] *05-59272222*

Reizen per boot

Het Bassin d'Arcachon, de monding van de Gironde en de meren in de Landes en de Gironde hebben zeilers veel te bieden. Tijdens een boottocht langs de rivieren en kanalen in Zuidwest-Frankrijk bemerkt u hoe ongerept het platteland in deze regio nog is. Het water is zo rustig dat u zelfs geen vaarbewijs hoeft te bezitten om een boot te kunnen huren en al dit natuurschoon aan u voorbij te zien trekken.

Salako, een van de vele veerboten in het Bassin d'Arcachon

Capbreton in de Landes is zowel haven- als badplaats

JACHTHAVENS

De jachthaven van **Arcachon** is de op een na grootste van West-Frankrijk – alleen die in La Rochelle is groter. De 28 steigers, voorzien van faciliteiten, bieden plaats aan 2600 boten, waaronder 250 passanten. **Hendaye**, waar boten in alle weersomstandigheden kunnen aanleggen, heeft 720 ligplaatsen (waarvan 120 voor bezoekers). **Capbreton**, dat bij ruwe zee niet toegankelijk is, heeft 950 ligplaatsen (waarvan 61 voor passanten). In Bayonne en Bordeaux kunnen cruiseschepen aanleggen in de haven midden in de stad.

ZEILEN EN VAREN

Het besturen van een plezierjacht met een motor met meer dan 6 pk vereist een vaarbewijs. Er worden drie soorten vaarbewijzen onderscheiden. Informeer voor vertrek in eigen land naar de vereisten of kijk voor meer informatie op **www.mer.gouv.fr**. Iedere avond maakt de havenmeester de weersverwachting bekend voor de volgende dag. Hij geeft echter ook een meerdaags overzicht. Op de website van de **Fédération Française de Voile** kunt u per haven de tijden voor hoogwater opzoeken. Ook vindt u er informatie over botenverhuur en boottochtjes. Voor het varen op rivieren en kanalen is geen vaarbewijs nodig. Het verhuurbedrijf legt u voor vertrek uit hoe de boot bestuurd moet worden en wat u moet doen bij een sluis. De brochure van het regionale toeristenbureau geeft een overzicht van waterwegen, mogelijke boottochtjes en bedrijven die boten verhuren.

VAREN OP ZEE

Aan boord van een smak of van een motorjacht van een van de lokale schippers kunt u het Bassin d'Arcachon prima verkennen. Er is veel te zien: oesterfarms, paalwoningen, Cap-Ferret, het Île aux Oiseaux (vogeleiland) en de Leyre-delta. Soms is een maaltijd bij de prijs inbegrepen. Boten bij de aanlegsteiger in Thiers en Eyrac, maar ook in Le Pyla en Le Mouleau, brengen u naar Banc d'Arguin, waar u de dag doorbrengt (neem proviand mee). De tocht naar de Phare de Cordouan (*blz. 60*), gelegen in zee tussen Le Verdon-sur-Mer en Royan, is ook erg leuk. De boten die de vuurtoren aandoen, waaronder het motorjacht **La Bohême**, vertrekken bij Pointe de Grave.

VERBINDINGEN OVER ZEE

Het lokale bedrijf **Bateliers Arcachonnais** vaart heen en weer tussen Arcachon en Cap-Ferret, tussen Le Mouleau en Cap-Ferret en tussen Arcachon en Andernos. De veerdienst Arcachon–Cap-Ferret is het gehele jaar geopend. In het hoogseizoen varen er boten tussen 9.00 en 1.00 uur. In Hendaye kunt u de veerboot nemen naar de Spaanse haven **Fontarrabia** (laagseizoen: ieder half uur; hoogseizoen: ieder kwartier). De overtocht is niet duur.

Een veerboot bij Blaye, aan de Gironde

BOOTTOCHTEN OP RIVIEREN EN KANALEN

Tijdens korte trips kunt u de rivieren de Dordogne, de Baïse, de Isle en de Adour verkennen, maar ook de monding van de Gironde en het Canal Latéral à la Garonne. Dit is ook mogelijk op een gehuurde boot. Wend u voor meer informatie over dergelijke boottochtjes tot de **Direction Départementale de l'Équipement du Lot-et-Garonne** of de **Direction Interrégionale du Sud-Ouest**. Tijdens een tocht langs het Canal du Midi (dat samen met het Canal Latéral à la Garonne, het Canal des Deux-Mers vormt) kunt u aanleggen waar u maar wilt om bezienswaardigheden te bezoeken of om rond te wandelen in een pittoresk stadje. Tijdens de tocht zult u verschillende

Een tochtje in een *gabare* op de Dordogne

sluizen passeren. Boten zijn te huur bij **Bateau Ville de Bordeaux**, **Croisières Les Caminades** in de Périgord, **Gabare Val-de-Garonne**, en bij **Croisadour** in Dax. Binnenschepen of motorjachten (vaarbewijs niet nodig) zijn te huur bij **Aquitaine Navigation** of **Crown Blue Line**. De

prijzen lopen uiteen van 900 tot 3500 euro per week voor een boot met zes slaapplaatsen. Boten zijn ook per dag te huur. Bij **Rosa-Croisières** en **Péniche Caroline** zijn duurdere boten te huur, die qua faciliteiten (zoals zeer goede bedden) niet onderdoen voor een goed hotel of pension. Wie zin heeft om tijdens een dagtocht het fraaie landschap in zich op te nemen, kan dat bijvoorbeeld doen aan boord van een *gabare* (rivierboot) die de Dordogne nog altijd bevaren. **Bateliers de Léon** brengen bezoekers per *galupe* (kleine boot met platte bodem) naar het indrukwekkende natuurreservaat bij de Courant d'Huchet *(blz. 175)*.

JACHTHAVENS

Arcachon
☎ 05-56223675
🖳 www.port-arcachon.com

Capbreton
☎ 05-58722123
🖳 www.port-capbreton.com

Hendaye
☎ 05-59480607
🖳 www.hendaye.com

VEERDIENSTEN

Les Bateliers Arcachonnais
Bassin d'Arcachon
☎ 05-57722828
🖳 www.bateliers-arcachon.asso.fr

Fontarrabia (Spanje)
Bateau Marie-Louise, 7
64700 Henday
☎ 06-07025509

BOOTTOCHTEN

Vedette La Bohême
Phare de Cordouan
Le-Verdon-sur-Mer, 33123
☎ 05-56096293
🖳 www.vedettelaboheme.com

Bateliers de Léon
Courant d'Huchet
Rue des Berges-du-Lac,
40550 Léon
☎ 05-58487539

ALGEMENE INFORMATIE

Vaarbewijzen en regels op het water
🖳 www.mer.gouv.fr

Fédération Française de Voile
🖳 www.ffvoile.org

VERHUUR VAN BINNENSCHEPEN

Aquitaine Navigation
47160 Buzet-sur-Baïse
☎ 05-53847250
🖳 www.aquitaine-navigation.com

Crown Blue Line
47430 Le Mas-d'Agenais
☎ 05-53895080
🖳 www.crownblueline.com

DIVERSE SCHEPEN

Rosa-Croisières
31600 Muret
☎ 05-61510359
🖳 www.rosa-croisieres.com

Péniche Caroline
☎ 06-62461505
🖳 www.penichecaroline.com

RIVIERTOCHTEN

Direction Interrégionale du Sud-Ouest
2 port Saint-Étienne,
31000 Toulouse
☎ 05-61362424

Direction Départementale de l'Équipement du Lot-et-Garonne
1722 avenue de Colmar,
47000 Agen
☎ 05-53693333

Bateau Ville de Bordeaux
Quai Louis-XVIII, 33000 Bordeaux
☎ 05-56528888

Croisières Les Caminades
24250 La Roque-Gageac
☎ 05-53294308

Gabare Val-de-Garonne
47200 Fourques-sur-Garonne
☎ 05-53892559

Croisadour
40100 Dax
☎ 05-58748707

Register

Dankbetuiging

AUTEURS

SUZANNE BOIREAU-TARTARAT

Suzanne Boireau-Tartarat is hoofd communicatie van de gemeenteraad van Périgueux en heeft een bijdrage geleverd aan tal van publicaties over de Dordogne. Van haar hand zijn de hoofdstukken over Périgord en Quercy.

PIERRE CHAVOT

De freelanceauteur Pierre Chavot woont even buiten Bordeaux. Hij heeft veel reisgidsen geschreven voor uitgeverij Hachette en werkte mee aan het hoofdstuk over de Landes.

RENÉE GRIMAUD

Renée Grimaud heeft tal van fraai geïllustreerde boeken en reisgidsen over verschillende delen van Frankrijk geschreven. Verder verzorgt ze regelmatig bijdragen voor de *Guides Voir* van Hachette. Ze is de auteur van het hoofdstuk over de Gironde.

SANTIAGO MENDIETA

Santiago Mendieta is een freelancejournalist en auteur. Met fotograaf Étienne Follet heeft hij verschillende geïllustreerde boeken over de Pyreneeën uitgegeven. Hij schreef de hoofdstukken over het Pays Basque en de Béarn.

MARIE-PASCALE RAUZIER

Historica en journaliste Marie-Pascale Rauzier heeft tal van boeken en reisgidsen geschreven, waaronder *Capitoolgids* Marokko. Het hoofdstuk over Lot-et-Garonne is van haar hand.

MARGUERITE FIGEAC

Dr. Marguerite Figeac studeerde geschiedenis aan de Sorbonne en doceert aan het Institut de Formation des Maîtres d'Aquitaine in Bordeaux. Zij schreef het hoofdstuk over de geschiedenis van Aquitaine.

WILFRIED LECARPENTIER

Wilfried Lecarpentier is correspondent voor de *Los Angeles Times*. Hij is lid van de Association Professionnelle des Critiques et Informateurs Gastronomiques. Hij schreef de hoofdstukken met praktische informatie.

GAËTAN DU CHATENET

Gaëtan du Chatenet is entomoloog, ornitholoog, lid van het Muséum National d'Histoire Naturelle de Paris, tekenaar en schilder. Hij is de auteur van veel werken die zijn uitgegeven bij Delachaux & Niestlé en Gallimard.

OVERIGE MEDEWERKERS

Xavier Becheler, Marie-Christine Degos, Isabelle De Jaham, Natacha Kotchetkova, Paulina Nourissier, Nicolas Pelé, Natasha Penot, François Pinassaud en Adam Stambul.

VOOR DORLING KINDERSLEY

Douglas Amrine (uitgever),
Jane Ewart, Fay Franklin (hoofdredacteuren),
Casper Morris (cartografie), Jason Little (DTP).

EINDREDACTEUR

Cécile Landau.

CORRECTOR

Cate Casey.

FOTOGRAFIE

Philippe Giraud.

STUDIOFOTOGRAFIE EN AANVULLEND FOTOMATERIAAL

Pierre Javelle, Éric Guillemot.

ILLUSTRATIE-RESEARCH

Marie-Christine Petit.

CARTOGRAFIE

Cyrille Suss.

ILLUSTRATIES

FRANÇOIS BROSSE

Architecturale tekeningen op blz. 60, 86–87, 92–93, 110–111, 126–127, 134–135, 148–149, 196.

JEAN-SYLVAIN ROVERI

Illustraties op blz. 22–23, 70–71, 104–105, 192–193, 222–223.

ÉRIC GEOFFROY

Illustraties bij de streekkaarten, op stadsplattegronden en op de bladzijden met rondritten.

EMMANUEL GUILLON

De gevels op blz. 18–19 en 20–21.

RODOLPHE CORBEL

Stadswandelingen op blz. 78–79, 98–99, 158–159, 188–189.

REGISTER

Marion Crouzet.

SPECIALE ASSISTENTIE

De uitgever bedankt de volgende personen en instanties die hebben bijgedragen aan het totstandkomen van dit boek:
Mme Cappé en M. Caunesil van het

toeristenbureau in Verdon-sur-Mer; M. Laurent Croizier en Mme Valentina Bressan van het Grand-Théâtre de Bordeaux; M. Alain Gouaillardou van Château de Pau; Mme Marie-Lou Talet van het gemeentehuis in Fumel; M. Yves-Marie Delpit van Château de Bonaguil; Mme Patricia Fruchon van Château de Castelnaud; Mme Yvette Dupré en Mme Sophie Maynard van de Jardins du Manoir d'Eyrignac en bij Château de Hautefort; M. Serge Roussel en M. Bertrand Defois van de Grotte du Pech-Merle; Mme Larralde van de parochie van Saint-Jean-de-Luz; Mme Anne Mangin-Payen van SDAP 64; M. François Caussarieu en Mme Christiane Bonnat van CDT Béarn Pays Basque; de medewerkers van de gemeente Tursan; Mme Cécile Van Espen van het stadhuis in Lescar; het toeristenbureau in Lescar; M. Gérard Duhamel van CAUE Dordogne; M. Roger Labiano van Kukuxumusu; M. Jean-Sébastien Canaux van het toeristenbureau in Monflanquin; M. Christophe Pichambert van CLS Remy Cointreau; M. Daniel Margnes en M. Jean-François Gracieux van Maison Aquitaine; M. Éric Badets van het toeristenbureau in Parentis-en-Born; Mme Anne Pregat van het Musée des Beaux-Arts de Pau; Mme Françoise Henry-Morlier van het Château de Cadillac; het Centre des Archives Historiques du Lot-et-Garonne; Mme Maïté Etchechoury van de Archives Départementales de Dordogne; M. Louis Bergès en Mme Detot van de Archives Départementales de Gironde, Mme Caroline Féaud van France 3 Rhône-Alpes-Auvergne; Mme Anne Le Meur van *Guide Hachette des Vins.*

De uitgever bedankt de volgende personen voor hun gastvrijheid en behulpzaamheid: Mme la Vicomtesse en M. le Vicomte Sébastien de Baritault du Carpia, eigenaren van Château de Roquetaillade, en Mme en M. Élséar de Sabran-Pontevès, eigenaren van Château de Cazeneuve. De uitgever bedankt ook alle mensen die zo vriendelijk zijn geweest om streekproducten toe te zenden.

TOESTEMMING VOOR FOTOGRAFIE

De uitgever bedankt de volgende eigenaren, conservatoren, gidsen en ander personeel, vervoersbedrijven, winkels, organisaties en instellingen voor hun toestemming om te fotograferen: Phare de Cordouan en schip *La Bohême II;* dierenpark *La Coccinelle* in La Hune; Parc Ornithologique du Teich; Grand-Théâtre de Bordeaux; Hrottes de Pair-Non-Pair; Château de Vayres; het toeristenbureau van Saint-Émilion; Abbaye de la Sauve-Majeure; de Gallo-Romeinse villa in Loupiac; Château de La Brède; Mme Valérie Lailheugue van Château d'Yquem; M. Max de Pontac van Château Myra; M. Dominique Befve

van Château Lascombes; Château Margaux; M. Philippe Dourthe van Château Maucaillou; M. Éric Derluyn van Château de Mascaraas; het toeristenbureau van Lescar; Musée de l'Abeille in Monein; Maison du Jambon de Bayonne in Arzacq; Château de Morlanne; Musée du Béret in Nay; Musée des Beaux-Arts de Pau; de Artoustretrein; Musée Basque in Bayonne; Réserve du Pottock in Bidarray; Comité des Fêtes d'Espelette; Château d'Abbadia; Grottes de Kakouetta; Prodiso, de espadrillefabriek in Mauléon; Ona Tiss, het weefatelier in Saint-Palais; de Rhunetrein; Château de Ravignan; Musée de l'Hydraviation in Biscarosse; Comité des Fêtes de Gabarret et de Roquefort; Musée de l'Aviation Légère de l'Armée de l'Air in Dax; Musée de Borda in Dax; de schippers van de Courant d'Huchet; Musée de la Chalosse in Monfort-en-Chalosse; Écomusée de la Grande Lande; Atelier Jacques et Louis Vidal in Luxey; Musée de l'Estupe-huc in Luxey; Musée de la Dame de Brassempouy; Musée de la Faïence in Samadet; Château de Duras; Château Molhière; M. Bertrand de Boisseson van Château de Montluc; Musée du Pruneau in Granges-sur-Lot; Mme Valérie Duguet-Parickmiler van Château de Nérac; M. Jean de Nadaillac van Château de Poudenas; M. Michel Trama de l'Aubergade in Puymirol; Mme Geneviève en M. Yves Boissière van het Musée du Foie Gras in Souleilles; M. Joël Gallot, glasmaker in Vianne; de stoeterij in Villeneuve-sur-Lot; Mme Hélène Lages van Musée de Gajac in Villeneuve-sur-Lot; M. Bruno Rouable de Caudecoste en St-Nicolas-de-la-Balerme; Musée du Tabac in Bergerac; M. Jean-Max Touron van Grotte du Roc de Cazelle en La Roque-Saint-Christophe; M. Patrick Sermadiras van Château de Hautefort; M. Armando Molteni van de Grotte du Grand-Roc; Mme en M. Jean-Luc Delautre van Château de Fénelon; Grotte de Proumeyssac; Mme Angélique de Saint-Exupéry van Château des Milandes; Château de Montal; M. François Gondran van de Gallo-Romeinse villa in Montcarret; Grotte du Pech-Merle; Château de Puyguilhem; Mme Nicole de Montbron van Château de Puymartin; Mme Nadia Lincetto van Musée d'Art Sacré Francis-Poulenc in Rocamadour; Château de Montaigne; Les Jardins de l'Imaginaire in Terrasson-Lavilledieu; Préhisto Parc in Tursac; Mme Marie en M. Dominique Palué van Château de l'Herm.

FOTOVERANTWOORDING

De uitgever bedankt de volgende personen en instanties voor hun toestemming om hun foto's in deze gids af te drukken:

b = boven; m = midden; o = onder; l = links; r = rechts.

Alles is in het werk gesteld om rechthebbenden op te sporen. Wij betreuren het als we hierbij zaken over het hoofd hebben gezien en zijn gaarne bereid omissies in een volgende druk van deze gids recht te zetten.

LUCHTHAVEN BORDEAUX: 292mb: Burdin L'Image; 292mlb: Nihat Akgoz.
LUCHTHAVEN PAU: 293bl en 293 mo: Studio Vu.
AFP: 50ml en 50mro.
AKG-IMAGES: 39mro en 41bl: British Library; 40lo: Jean-François Amelo; 42or: Jean-Pierre Verney; 49or.
APRASAQ: 285ol.
ARCHIVES DÉPARTEMENTALES DE LOT-ET-GARONNE: 22bl en 158bl: Bib. d'Agen Ms 42; 239m: 10 PH4.
ARCHIVES DE VILLENEUVE-SUR-LOT: 51om en 108ol: R. Delvert.

BIARRITZ CULTURE: 34or: Ballet de Lorraine-Laurent Philippe.
BNF PARIS: 40bl, 40–41, 41mb, 42bl, 42om, 105om, 135ol, 181om.
BRIDGEMAN ART LIBRARY: 24br: Archives Charmet; 36, 37mb, 38lo, 43or, 47bm en 48or: Giraudon/Lauros; 43mo en 70br: Giraudon; 204mo: Sally Greene; 28bl en 49br: Bridgeman Art Library.

CASINO D'ARCACHON: 275mlb: Marcel Partouche.
CAUDALIE: 273br.
CAVE DES PRODUCTEURS DE JURANÇON: 29mo.
CCIP BORDEAUX: 47mro: Selva/Leemage.
CDT GIRONDE: 285 mlo: B. P. Lamarque.
CÉRAMIQUES CAZAUX & FILS: 272m en 272mro.
CHÂTEAU DE CÔME: 259ol.
CHÂTEAU DE FARGUES: 46mlo en 46mro: Archives Familiales de Lur Saluces.
CHÂTEAU MARTINENS: 29bm.
CINÉMA UTOPIA: 275bm.
CONSEIL GÉNÉRAL DU LOT: 123br: Nelly Blaya.
CRT AQUITAINE: 285olr.

G. DAGLI ORTI: 37mlo, 45or, 46ol, 195bm, 206ml, 206or.
F. DESMESURE: 274mrb.
DOMAINE DES CASSAGNOLES: 259mrb.
DORLING KINDERSLEY: 115mro, 120bl, 120ol, 121mo, 281mrb, 287bm, 289, 290br, 290ol, 295ml, 296mr, 297mb, 297mm, 297mo.

EAU DES ABATILLES: 259ml.
ÉDITIONS CLOUET: 13bl en 258br.

FESTIVAL ART FLAMENCO DE MONT-DE-MARSAN: 32o en 274bm: Sébastien Zambon/CG40.
E. FOLLET: 26bl, 26om, 26or, 26–27, 27ml, 27mr, 27of, 27or, 30m, 30ol, 30or, 33mb, 35m, 35mo,

55ol, 209bl, 228ol, 230bm, 232bl, 232or, 233ol, 233br, 234bl, 234br, 234mlo, 234mo, 235br, 235mr, 235ol, 237bm, 237mrb, 237ml, 237m, 237mro, 237ol, 237mo.
FRANCE BLEU GIRONDE: 286ml.
FRANCE TELECOM: 290mo: 1998 PhotoDisc, Inc. Alle rechten voorbehouden. Beeldmateriaal beschikbaar gesteld in 1998 door Nick Rowe - France Telecom.

GAÏA IMAGES: 208or: A. Senosiain; 171mr: Marlène Meissonnier.
GAMMA: 51br: Politique Image/Gamma.
GOUFFRE DE PADIRAC: 119bl: Cliché POUX, SES Padirac.
GROTTES DE BÉTHARRAM: 229ol.
GROTTES PRÉHISTORIQUES DE COUGNAC: 131br: Francis Jach.
E. GUILLEMOT: 9br, 256bl, 256ml, 256mbr, 256mor, 256ol, 256mo, 256or, 257bl, 257br, 257mbr, 257mbl, 257mol, 257mom, 257mor, 257olb, 257olo, 257olm, 257ro.

HOA-QUI: 16tr: André Le Gall/Jacana; 16lb: CJ. Pache/Age/Hoa-Qui; 176mr: J. Cancalosi/Age/Hoa-Qui; 16ro: JA Jimenez/Age/Hoa-Qui; 17ro: J. Cancalosi/Nature Pl/Jacana; 172ml: José B. Ruiz/Nature Pl/Jacana; 16mro: Mike Wilkes/Nature Pl/Jacana; 17mlo: Morales/Age/Hoa-Qui; 17oml: Philippe Prigent/Jacana; 16mlo: Pierre Petit/Jacana; 173rb: Rodriguez/Age/Hoa-Qui; 17mro: S. Raman/Age/Hoa-Qui; 16lo: U. Walz Gdt/Age/Hoa-Qui; 171ro: W. Bollmann/Age/Hoa-Qui.

JARDINS D'EYRIGNAC: 111ro: D. Reperant; 110l en 111lb: J.-B. Leroux.
P. JAVELLE: 28mr, 29mr, 138lo, 180lb, 219mr, 225lb, 256lb, 258lb, 258mll, 258mlm, 258mlr, 258lo, 258rol, 258rom, 258ror, 259lb, 259mlb, 259rb, 270bm, 270mro, 272lb, 272mrb, 272mlb, 272rb, 272mlo, 272lo, 273lb, 273bml, 273bmr, 273mlb, 273mlo, 273mrb, 273mro, 273oml, 273momr, 273ol, 274oml.

KEYSTONE-FRANCE: 45mo.
KHARBINE-TAPABOR: 44o, 63ro, 155om, 172rb.

LEEMAGE/SELVA: 11m, 170lb, 195mrb, 195mr.
LIBRAIRIE MEGADENDA: 27rb: Éditions Erein.

MAIRIE DE DAX: 33lo: Philippe Salvat.
MAIRIE DE SOULAC: 61ml.
MAISON PARIÈS: 257mlb, 257ro abd, 273ro.
MOUTON ROTHSCHILD: 29lb.
MUSÉE BASQUE ET DE L'HISTOIRE DE BAYONNE: 30rb en 185o.

Musée Champollion de Figeac: 124mr: Nelly Blaya.

Musée d'Aquitaine: 38ro en 44ml: DEC, Bordeaux-B. Fontanel; 38ro: DEC, Bordeaux-B. Fontanel & L. Gauthier; 38bm: DEC, Bordeaux-Hugo Maertens, Bruxelles; 39bm en 39om: DEC, Bordeaux-J.-M. Arnaud; 40mlo en 41lo: DEC, Bordeaux-J. Gilson; 67mrb: CAPC-Frédéric Delpech.

Musée d'Art Sacré de Rocamadour: 206lo: J.-L. Nespoulous.

Musée de Cahors Henri Martin: 129mr: J.-C. Meauxsoone.

Musée de Gajac de Villeneuve sur Lot: 150mr.

Musée de la Réole: 85mr.

Musée des Arts Décoratifs de Bordeaux: 72mbr: DMB-L. Gauthier.

Musée des Beaux-Arts d'Agen: 154ml, 159ro en 160ml: Hugo Maertens, Bruges; 160rb.

Musée des Beaux-Arts de Bordeaux: 45rb en 48lb: M.B.A. Bordeaux-Lysiane Gauthier.

Musée Despiau-Wlérick: 182mrb: Studio Ernest, Mont-de-Marsan.

Musée du Périgord de Périgueux: 101rb: B. Dupuy.

Musée du Pruneau de Lafitte: 153ro.

Musée Georgette-Dupouy: 178ml: S. Dom Pedro Gilo.

J.-B. Nadeau: 8m, 80omc en 81om: J.-B. Nadeau/Appa.

Office de Tourisme d'Espelette: 34m.

Office de Tourisme de Saint-Jean-de-Luz: 32bm.

Office de Tourisme de Soule: 210l.

Parc Naturel Régional des Landes de Gascogne, Belin-Beliet: 49mo, 50mro en 173o.

Parc Walibi Aquitaine: 286lb.

Photothèque Hachette: 7m, 43ro, 46b, 46ro, 053m, 86o, 113lb, 200mo en 283m: Hachette Livre; 47ro: Hachette Livre-Lacoste.

Photothèque Ville de Cahors: 128ro: Nelly Blaya; 128lb.

C. de Prada: 211lb en 210ro.

Presse-Sports: 11o, 30ml en 031lb: L'Équipe; 31lo: L'Équipe/Palais des Sports Pau Béarn; 031ro: L'Équipe/Stade de France; 31rb: L'Équipe/Stade Millenium Stadium; 31mr: L'Équipe/Stade Parc des Princes; 14lb, 30–31: L'Équipe/Stade Parc Lescure; 31mb: L'Équipe/Stade Yves-du-Manoir.

Pyrénées Magazine: 285orr : Étienne Follet-Milan.

RMN: 44lb, 89rb, 147mr en 180tr; 72lb: A. Danvers; 221ro: Bellot/Coursaget; 218ro: Bulloz; 41mbo: D. Arnaudet en J. Schormans; 157mo: Franck Raux; 42mr, 48mo, 93ro, 129lb en 146lo: Gérard Blot; 222lb: H. Lewandowski; 43mb: J.G. Berizzi; 189mb, 191lb, 191rb, 191lo, 222rb, 222mlb, 223mrb en 223mro: R.G. Ojéda; 220lb en 222mlo: V. Dubourg.

Roger-Viollet: 195ro; 50lb: Lapi; 195ro: Lipnitzki; 195mlb: Branger.

SIBA: 20rb en 65ro: Brigitte Ruiz.

SNCF: 294ro: CAV-Patrick Leveque; 294mlb: CAV-Philippe Fraysseix.

SNTP: 291ml.

Studio Vidal: 25m en 025lo: Cyrille Vidal.

Sud-Ouest: 285orl.

Syndicat Viticole de Saint-Émilion: 34mlb: Agence APPA; 81b: Office de Tourisme de la Juridiction de Saint-Émilion-Xochitl.

S. Tartarat: 134lo.

Taverne du Web: 291lb.

TV7: 285mr.

OMSLAG:

Voorzijde – Alamy Images: Cephas Picture Library hoofdfoto; Bibliothèque Nationale De France, Paris: om; DK Images: Philippe Giraud lo; Etienne Follet: mo;

Achterzijde – DK Images: Philippe Giraud lb, ro; Rug – Alamy Images: Cephas Picture Library.

Algemene uitdrukkingen

IN NOODGEVALLEN

Help!	**Au secours!**	o suh**koer**
Stop!	**Arrêtez!**	are-**tee**
Bel een dokter!	**Appelez un médecin!**	appe-**lee** uh meds**in**
Bel een ambulance!	**Appelez une ambulance!**	appe-**lee** une ambu-**lans**
Bel de politie!	**Appelez la police!**	appe-**lee** laa poh-**lies**
Bel de brandweer!	**Appelez les pompiers!**	appe-**lee** lè pon-**pjee**
Waar is de dichtst- bijzijnde telefoon?	**Où est le téléphone le plus proche?**	oe è lu teelee**fon** luh pluu **prosj**
Waar is het dichtst- bijzijnde ziekenhuis?	**Où est l'hôpital le plus proche?**	oe è l'opi-**tal** luh pluu **prosj**

BASISWOORDEN VOOR EEN GESPREK

Ja	**Oui**	wie
Nee	**Non**	nô
Alstublieft	**S'il vous plaît**	siel vou **plè**
Dank u wel	**Merci**	mèr-**sie**
Pardon	**Excusez-moi**	ekskuu-zee **mwah**
Hallo	**Bonjour**	bô-**zjoer**
Tot ziens	**Au revoir**	oo ruh-**vwaar**
Goedenavond	**Bonsoir**	bô-**swaar**
Ochtend	**Le matin**	lu ma**tè**
Middag	**L'après-midi**	l'aprè mie-**die**
Avond	**Le soir**	le swaar
Gisteren	**Hier**	jèèr
Vandaag	**Aujourd'hui**	oo-zjoer-**dwie**
Morgen	**Demain**	duh**mè**
Hier	**Ici**	ie-**sie**
Daar	**Là**	là
Welke?/Wat?	**Quel, quelle?**	kèl, kèl
Wanneer?	**Quand?**	kã
Waarom?	**Pourquoi?**	poer-**kwah**
Waar?	**Où?**	oe

NUTTIGE UITDRUKKINGEN

Hoe gaat het?	**Comment allez-vous?**	kom-mã tallee **voe**
Zeer goed, dank u.	**Très bien, merci.**	trè bjè, mèr-**sie**
Prettig met u kennis te maken.	**Enchanté de faire votre connaissance.**	àsjã-**tee** duh fèr votr kon-ee-**sans**
Tot straks.	**A bientôt.**	aa bjè-**too**
Dat is goed.	**Voilà qui est parfait**	vwalà kie è par**fè**
Waar is/zijn...?	**Où est/sont...?**	oe è/sô
Hoe ver is het naar...?	**Combien de kilomètres d'ici à...?**	kom-**bjè** duh kielo-metr d'ie-sie aa
Welke kant uit is het naar...?	**Quelle est la direction pour...?**	kel è laa die-rek-**sjon** poer
Spreekt u Engels?	**Parlez-vous anglais?**	par-lee voe àng-**lè**
Ik begrijp het niet.	**Je ne comprends pas.**	zjuh nuh kom-prã **pà**
Kunt u lang- zaam spreken alstublieft?	**Pouvez-vous parler moins vite s'il vous plaît?**	poo-**vee** voe par-lee mwã viet siel voe **plè**
Het spijt me.	**Excusez-moi.**	ek-skuu-zee **mwah**

NUTTIGE WOORDEN

groot	**grand**	krã
klein	**petit**	puh-**tie**
warm	**chaud**	sjoo
koud	**froid**	frwaa
goed	**bon**	bô
slecht	**mauvais**	moo-**vè**
genoeg	**assez**	as**see**
goed	**bien**	bjè
open	**ouvert**	oe-**vèr**
gesloten	**fermé**	fer-**mee**
links	**gauche**	goosj
rechts	**droit**	drwà
rechtdoor	**tout droit**	toe drwà
dichtbij	**près**	prè
ver	**loin**	lwã
omhoog	**en haut**	à **oo**
omlaag	**en bas**	à **bà**
vroeg	**de bonne heure**	duh bon **euruh**
laat	**en retard**	ah ruh-**taar**
ingang	**l'entrée**	l'à-**tree**
uitgang	**la sortie**	sor-**tie**
toilet	**les toilettes, les WC**	twah-let, wee-**see**
vrij	**libre**	liebruh
gratis	**gratuit**	kraa-**twie**

TELEFONEREN

Ik wil graag interlokaal bellen.	**Je voudrais faire un interurbain.**	zjuh voe-**dree** fèr un àter-uurbè
Ik wil graag een collect call maken.	**Je voudrais faire une communication PCV.**	zjuh voe**dree** fèr uun komoonikaa-**sjon** pee-see-vee
Ik probeer het later nog eens.	**Je rappelerai plus tard.**	zjuh rapè-**leree** pluu taar
Kan ik een bood- schap achterlaten?	**Est-ce que je peux laisser un message?**	es-**kuh** zjuh peu lès-see uh mes**saazj**
Eén ogenblik.	**Ne quittez pas, s'il vous plaît.**	nuh kie-tee **pà** siel voe **plè**
Kunt u iets harder spreken lokaal gesprek	**Pouvez-vous parler un peu plus fort? la communication locale**	poe-**vee** voe par-**lee** un peu pluu fohr kommunika-**sjô** loo-**kal**

WINKELEN

Hoeveel kost dit?	**C'est combien s'il vous plaît?**	sè kom-**bjè** siel voe **plè**
Ik wil graag...	**Je voudrais...**	zjuh voe-**dree**
Hebt u?	**Est-ce que vous avez?**	es-**kuh** voe zavee
Ik kijk alleen even.	**Je regarde seulement.**	zjuh ru**kaar** seuluh-**mã**
Accepteert u creditcards?	**Est-ce que vous acceptez les cartes de crédit?**	es-**kuh** voe zaksep-tee lè kart duh kreh-**die**
Accepteert u traveller- cheques?	**Est-ce que vous acceptez les chèques de voyage?**	es-**kuh** voe zaksep-tee lè sjek duh vwa**jaazj**
Hoe laat gaat u open?	**A quelle heure vous êtes ouvert?**	ah kèl eur voe zèt oe-**ver**
Hoe laat sluit u?	**A quelle heure vous êtes fermé?**	ah kèl eur voe zet fer-**mee**
Deze.	**Celui-ci.**	suh-lwie-**sie**
Die.	**Celui-là.**	suh-lwie-**là**
duur	**cher**	sjèr
goedkoop	**pas cher, bon marché**	pà sjèr, bô mar-**sjee**
maat (kleding)	**la taille**	tajuh
maat (schoenen)	**la pointure**	pwã-**tuur**
wit	**blanc**	blã
zwart	**noir**	nwaar
rood	**rouge**	roezj
geel	**jaune**	zjoon
groen	**vert**	vèr
blauw	**bleu**	bleu

SOORTEN WINKELS

antiekwinkel	**le magasin d'antiquités**	maakaa-**zè** d'àtiekie-**tee**
apotheek	**la pharmacie**	farmaa-**sie**
bakker	**la boulangerie**	boelà-**zjurie**
bank	**la banque**	bãk
banketbakker	**la pâtisserie**	patie-**srie**
boekhandel	**la librairie**	lie-**brèrie**
cadeauwinkel	**le magasin de cadeaux**	maaka-**zè** duh kaa**doo**
delicatessenzaak	**la charcuterie**	sjarkuu-**trie**
groenteboer	**le marchand de légumes**	mar-**sjã** duh lé-**kuum**
kaaswinkel	**la fromagerie**	fromaazj-**rie**
kapper	**le coiffeur**	kwaa**feur**
kranten- en tijd- schriftenhandel	**le magasin de journaux**	maaka-**zè** duh zjoer-**noo**
kruidenier	**l'alimentation**	alie-màta-**sjô**
markt	**le marché**	mar-**sjee**
melkhandel	**la crémerie**	krèm-**rie**
postkantoor	**la poste, le bureau de poste, le PTT**	post, buu-**roo** duh post, pee-tee-tee
reisbureau	**l'agence de voyages**	l'azjàs duh vwaajaazj
schoenenwinkel	**le magasin de chaussures**	maaka-**zè** duh shoo-**suur**
slagerij	**la boucherie**	boe-**sjuhrie**
supermarkt	**le supermarché**	supèr-**marsjee**
tabakswinkel	**le tabac**	taa-**bà**
vishandel	**la poissonnerie**	pwaasson-**rie**
warenhuis	**le grand magasin**	krà maaka-**zè**

BEZIENSWAARDIGHEDEN

abdij	**l'abbaye**	l'abee-**ie**
bibliotheek	**la bibliothèque**	bie-**blieoo**-tèk
busstation	**la gare routière**	kaar roe-**tjèr**

herenhuis	**l'hôtel particulier**	l'oo**tèl** partikuu-**ljee**
kathedraal	**la cathédrale**	kattee-**dral**
kerk	**l'église**	l'ee-**kliez**
museum	**le musée**	mu-**see**
museum	**la galerie d'art**	galuh-**rie** dahr
toeristen-	**les renseignements**	räseen-**mã** toe-
bureau	**touristiques, le**	ries-**tiek**, sandie-
	syndicat d'initiative	kah d'ienie-sja**tief**
spoorwegstation	**la gare (SNCF)**	kaar (ès-èn-see-èf)
stadhuis	**l'hôtel de ville**	l'ootèl duh viel
tuin	**le jardin**	zjar-**dè**
wegens feestdag	**fermeture**	fermuh-**tuur**
gesloten	**jour férié**	zjoer féri-**ee**

VERBLIJF IN EEN HOTEL

Hebt u een	**Est-ce que vous**	es-kuh voe-**zavee**
kamer vrij?	**avez une chambre?**	uun sjambr
een tweepersoons-	**la chambre à deux**	sjambr aa deu
kamer met een	**personnes, avec**	pèr-**son** avek un
tweepersoonsbed	**un grand lit**	grã lie
kamer met twee	**la chambre à**	sjambr aa
aparte bedden	**deux lits**	deu lie
eenpersoons-	**la chambre à**	sjambr aa
kamer	**une personne**	uun pèr-**son**
kamer met	**la chambre avec**	sjambr avek
bad, douche	**salle de bains,**	sal duh bèh,
	une douche	uun doesj
kruier	**le garçon**	gar-**sõ**
sleutel	**la clef**	klee
Ik heb	**J'ai fait une**	zjee fè uun
gereserveerd.	**réservation.**	reezerva-**sjõ**

UIT ETEN

Is er een tafel	**Avez-vous une**	avee-**voe** uun
vrij?	**table libre?**	taabl liebr
Ik wil graag	**Je voudrais**	zjuh voe-**drè**
een tafel	**réserver**	ree-servee
reserveren.	**une table.**	uun taabl
De rekening,	**L'addition s'il**	l'adie-**sjõ** siel
alstublieft.	**vous plaît.**	voe **plè**
Ik ben	**Je suis**	zjuh swie
vegetariër.	**végétarien.**	veejee-**tarjè**
'ober!'	**Madame,**	maa-**dam**,
	Mademoiselle/	maa-demwaa**zèl**/
	Monsieur	muh-**sjeu**
menu	**le menu, la carte**	me-**nuu**, kart
menu tegen	**le menu à**	me-**nuu** ah
vaste prijs	**prix fixe**	prie fieks
couvertkosten	**le couvert**	koe-**vèr**
wijnkaart	**la carte des vins**	**kart**-dè vè
glas	**le verre**	vèr
fles	**la bouteille**	boe-**tei**
mes	**le couteau**	koe-**too**
vork	**la fourchette**	foer-**sjet**
lepel	**la cuillère**	kwie-**jèr**
ontbijt	**le petit**	puh-**tie**
	déjeuner	dee-zjeu-**nee**
lunch	**le déjeuner**	dee-zeu-**nee**
diner	**le dîner**	die-**nee**
hoofdschotel	**le plat principal**	plah prènsie-**pal**
voorgerecht	**l'entrée, le hors**	l'ã-tree,
	d'oeuvre	loor-**deuvr**
dagschotel	**le plat du jour**	plah duu **zjoer**
wijnbar	**le bar à vin**	bar aa **vè**
café	**le café**	ka-**fee**
kortgebakken	**saignant**	sè-njah
medium	**à point**	aa **pwèh**
doorbakken	**bien cuit**	bjè **kwie**

HET MENU

l'agneau	**l'an**joo	lamsvlees
l'ail	**l'**ai	knoflook
la banane	ba**nahn**	banaan
le beurre	beur	boter
la bière, bière	bjèr, bjèr	bier, bier van
à la pression	à laa pres-**sjõ**	de tap
le bifteck, le steack	bief-**tek**, stèk	biefstuk
le boeuf	beuf	rundvlees
bouilli	boe-**jie**	gekookt
le café	ka-**fee**	koffie
le canard	ka-**naar**	eend
le chocolat	sjoko-**lah**	chocola
le citron	sie-**trõ**	citroen
le citron pressé	sie-**trõ** pres-**see**	vers citroensap
les crevettes	kruh-**vèt**	garnalen
les crustacés	**kruus**-ta-see	schaaldieren
cuit au four	kwiet oo **foer**	gebakken (in oven)
le dessert	dès-**sèr**	dessert

l'eau minérale	l'oo mie-**nee**-ral	mineraalwater
les escargots	lè zès-kar-**koo**	slakken
les frites	friet	frietjes
le fromage	from-**aazj**	kaas
le fruit frais	frwie **frè**	vers fruit
les fruits de mer	frwie duh **mèr**	zeevruchten
le gâteau	kaa-**too**	taart
la glace	klas	ijs
grillé	krie-**jee**	gegrild
le homard	om**aar**	kreeft
l'huile	l'wiel	olie
le jambon	zjä-**bõ**	ham
le lait	lè	melk
les légumes	lee-**kuum**	groente
la moutarde	moe-**tarde**	mosterd
l'oeuf	l'uf	ei
les oignons	lè zwa-**njõ**	uien
les olives	lè zo-**lievuh**	olijven
l'orange	l'orãzj	sinaasappel
l'orange pressée	l'orãzj pressé	vers sinaasappelsap
le pain	pè	brood
le petit pain	puh-**tie** pè	broodje
poché	po-**sjee**	gepocheerd
le poisson	pwaa-**sõ**	vis
le poivre	pwaavr	peper
la pomme	pom	appel
les pommes de terre	pom-duh **tèr**	aardappel
le porc	por	varkensvlees
le potage	po-**taazj**	soep
le poulet	poe-**lè**	kip
le riz	rie	rijst
rôti	roo-**tie**	geroosterd
la sauce	soos	saus
la saucisse	soo**sies**	worst (vers)
sec	sèk	droog
le sel	sèl	zout
la soupe	soep	soep
le sucre	suukr	suiker
le thé	té	thee
le toast	toost	toost
la viande	vie-**jand**	vlees
le vin blanc	vè **blã**	witte wijn
le vin rouge	vè **roezj**	rode wijn
le vinaigre	vie**nègr**	azijn

GETALLEN

0	**zéro**	zee-**roo**
1	**un, une**	uh, uun
2	**deux**	deu
3	**trois**	trwaa
4	**quatre**	katr
5	**cinq**	sènk
6	**six**	sies
7	**sept**	set
8	**huit**	wiet
9	**neuf**	nuf
10	**dix**	dies
11	**onze**	õz
12	**douze**	douz
13	**treize**	trèèz
14	**quatorze**	ka**torz**
15	**quinze**	kèèz
16	**seize**	sèèz
17	**dix-sept**	dies-**set**
18	**dix-huit**	dies-**wiet**
19	**dix-neuf**	dies-**nuf**
20	**vingt**	vè
30	**trente**	trät
40	**quarante**	ka**rãt**
50	**cinquante**	sank**ãnt**
60	**soixante**	swa**sãt**
70	**soixante-dix**	swasät-**dies**
80	**quatre-vingts**	katr-**vè**
90	**quatre-vingt-dix**	katr-vè-**dies**
100	**cent**	sã
1000	**mille**	miel

TIJD

minuut	**une minute**	uun mie-**nuut**
uur	**une heure**	uu-**neur**
halfuur	**une demi-heure**	uun duh-mie **eur**
maandag	**lundi**	luhn-**die**
dinsdag	**mardi**	mar-**die**
woensdag	**mercredi**	mèrkruh-**die**
donderdag	**jeudi**	zjeu-**die**
vrijdag	**vendredi**	vãdruh-**die**
zaterdag	**samedi**	sam-**die**
zondag	**dimanche**	die-**mãsj**

CAPITOOL ✦ REISGIDSEN

DE GIDS DIE LAAT ZIEN WAAR ANDERE ALLEEN OVER SCHRIJVEN

NEDERLANDSE BESTEMMINGEN

AMSTERDAM • FRIESLAND • MAASTRICHT & ZUID-LIMBURG
DE MOOISTE VAARROUTES IN NEDERLAND • DE MOOISTE WANDELINGEN IN NEDERLAND
NEDERLAND • NOORD-BRABANT • NOORD & MIDDEN-LIMBURG • ZEELAND

LANDEN-, REGIO- & STEDENGIDSEN

AUSTRALIË • BALI & LOMBOK • BARCELONA & CATALONIË • BERLIJN • BOEDAPEST
BRETAGNE • BRUSSEL, ANTWERPEN, GENT & BRUGGE • CALIFORNIË • CANADA
CANARISCHE EILANDEN • CHINA • CORSICA • COSTA RICA • CUBA
DELHI, AGRA & JAIPUR • DENEMARKEN • DUBLIN • DUITSLAND • EGYPTE • EUROPA
FLORENCE & TOSCANE • FLORIDA • FRANKRIJK • FRANKRIJK HOTELS & RESTAURANTS
GRIEKENLAND/ATHENE & HET VASTE LAND • GRIEKSE EILANDEN • GROOT-BRITTANNIË
HASSELT & LIMBURG • IERLAND • INDIA • ISTANBUL • ITALIË • JAPAN • KROATIË • LISSABON
LOIREDAL • LONDEN • MADRID • MALLORCA, MENORCA EN IBIZA • MAROKKO • MEXICO
MILAAN & DE MEREN • MOSKOU • NAPELS MET POMPEJI & DE AMALFI-KUST
NEDERLANDSE ANTILLEN & ARUBA • NEW ENGLAND • NEW YORK • NIEUW-ZEELAND
NOORWEGEN • OOSTENRIJK • PARIJS • POLEN • PORTUGAL MET MADEIRA EN DE AZOREN
PRAAG • PROVENCE & CÔTE D'AZUR • ROME • SAN FRANCISCO • SARDINIË • SCHOTLAND
SEVILLA & ANDALUSIË • SICILIË • SINGAPORE • SPANJE • STOCKHOLM • ST.-PETERSBURG
THAILAND • TUNESIË • TURKIJE • USA • USA-ZUIDWEST & LAS VEGAS • VENETIË & VENETO
WASHINGTON, DC • WENEN • ZUID-AFRIKA • ZWEDEN • ZWITSERLAND

CAPITOOL COMPACT

ALGARVE • BARCELONA • BERLIJN • KRETA • LONDEN • NEW YORK
NORMANDIË • PARIJS • PRAAG • PROVENCE • ROME
TOSCANE • VENETIË • WENEN

WIJNGIDSEN
WIJNEN VAN DE WERELD

NATUUR- & VELDGIDSEN
BOMEN • PADDESTOELEN • VOGELS
VOGELS VAN EUROPA • WILDE BLOEMEN

TAALGIDSEN
DEENS • DUITS • ENGELS • FRANS
GRIEKS • ITALIAANS • NOORS
PORTUGEES • SPAANS
TSJECHISCH • TURKS
ZWEEDS

ALTIJD ACTUEEL

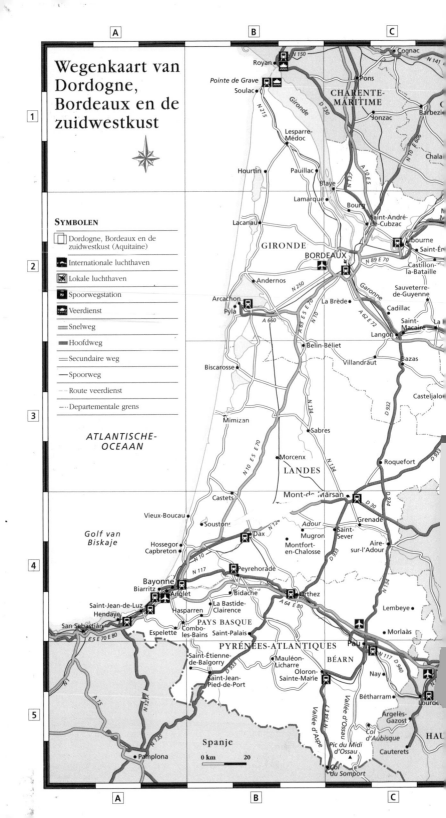